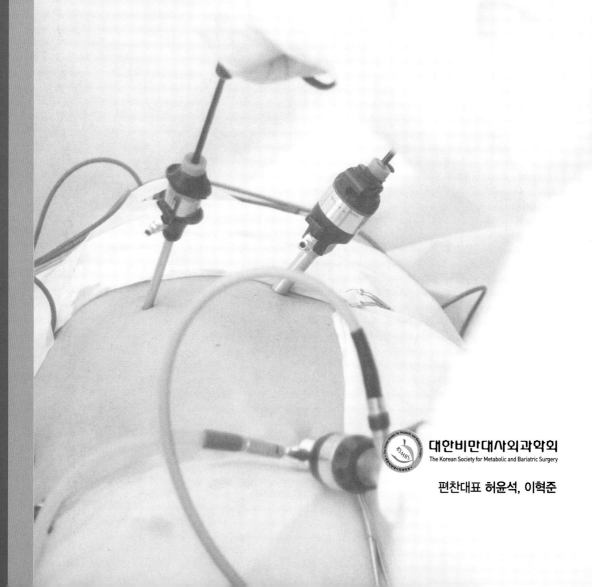

비만대사외과학

Textbook of
Bariatric and Metabolic Surgery

대한비만대사외과학회
The Korean Society for Metabolic and Bariatric Surgery

편찬대표 허윤석, 이혁준

TEXTBOOK OF BARIATRIC AND METABOLIC SURGERY

비만대사 외과학 ^{1판}

첫째판 1쇄 인쇄 | 2018년 3월 17일
첫째판 1쇄 발행 | 2018년 3월 17일

지 은 이 대한비만대사외과학회(편찬대표 허윤석, 이혁준)
발 행 인 장주연
출 판 기 획 김선근
편집디자인 우윤경
표지디자인 이상희
발 행 처 군자출판사(주)
　　　　　등록 제4-139호(1991. 6. 24)
　　　　　본사 (10881) 경기도 파주시 회동길 338(서패동 474-1)
　　　　　전화 (031) 943-1888 | 팩스 (031) 955-9545
　　　　　홈페이지 | www.koonja.co.kr

ISBN 979-11-5955-272-4

정가 100,000원

비만대사 외과학

Textbook of
Bariatric and Metabolic Surgery

대한비만대사외과학회
The Korean Society for Metabolic and Bariatric Surgery

편찬대표 허윤석, 이혁준

"나무가 그늘을 약속하고
구름이 비를 약속하듯
간절한 꿈은 우리에게 아름다운 내일을
약속해 줄 것입니다."

비만대사 수술의 소개와 보급에 앞장서 온 대한비만대사외과학회가 비만대사 수술의 급여화에 앞서 비만대사외과학 교과서를 편찬, 발간하게 된 것은 매우 의미가 깊습니다.

비만환자의 폭발적인 증가와 비만수술에 날개를 달아 준 저침습수술(복강경수술)의 혁명적인 등장은 비만대사수술의 기하급수적 증가, 그리고 온전하고 효과적이며 가역적인 여러 가지 수술 방법의 발전을 가져왔습니다. 또한 수술 후 통증과 각종 후유증의 획기적 감소, 입원기간 단축, 탁월한 미용효과, 1% 이하의 수술사망률 등으로 비만수술의 안전성도 담보하게 되었습니다.

이 책 비만대사외과학 교과서는 독자들에게 병적비만의 포괄적인 개요를 제공하는데 그치지 않고 다양한 수술방법, 수술 전후 처치, 그로 인한 대사효과, 환자의 안전 및 비만대사수술의 질관리와 비만수술인증제 등에 관한 내용들을 다양한 도표 및 그림 등을 이용하여 깊이 있으면서도 쉽게 설명하고 있습니다. 따라서 전문가 뿐 아니라 병적비만에 관심이 있는 일반인들에게도 심도있는 지식을 전달할 수 있는 좋은 지침서가 될 것입니다. 특히 복강경보조위절제술에 익숙하고 단련된 우리나라 외과의들의 비만대사 수술기법 습득 뿐 아니라 향후 "Blue Ocean"이 될 것으로 예상되는 비만대사수술 전파에 좋은 길잡이가 될 것으로 전망합니다.

이 책 비만대사외과학 교과서가 많은 이들에게 기쁨과 충분한 떨림을 전달할 것으로 확신하며 일독을 권합니다.

2018년 3월
전 대한비만대사외과학회 회장
울산의대 명예교수, 청병원 원장
최 윤백

추 천 사

금번 비만대사외과학 교과서 편찬을 진심으로 축하드립니다. 아울러 교과서 편찬을 위하여 수고하여 주신 대한비만대사외과학회 임원진 및 집필진 모두에게 뜨거운 감사를 보냅니다.

대한비만대사외과학회는 시작은 크지 않았으나, 그동안 지속적인 발전을 이루었으며, 향후 크나큰 미래를 꿈꿀 수 있게 되었습니다. 어려운 시기에 본 학회에 몸담고 고생하신 여러분들을 오래도록 기억해야 하겠다고 생각합니다. 대한비만대사외과학회는 지속적인 저변확대는 물론, 체계적인 학문적 발전, 전문학회로서 사회적 책임을 다하는 모습을 보여야 합니다. 이런 때에 한글로 된 교과서를 편찬하여, 학생, 전공의 등을 망라한 본 분야에 관심 있는 모든 분과 대한비만대사외과학회 회원에게 쉽고 정확한 학문적 내용을 전달할 수 있게 된 것은 대단한 발전이라고 생각합니다.

주지하시는 바와 같이 비만, 대사성 질환은 동서양의 차이가 있고, 사회적 관습과 인식 등으로 질병을 대하는 시각이 다른 만큼, 한국적 비만 대사질환의 치료 지침 및 원칙 등이 두루 논의되고 연구되어야 한다는 것은 모두 인정하는 바입니다. 비만대사외과학 교과서는 이러한 점을 충분히 만족한다는 점에서 대단한 성과를 이루었다고 하겠습니다.

향후에도 지속적인 관심과 애정으로 본 교과서를 아껴주시고, 적절한 시기에 개정하는 열의가 있을 것으로 믿습니다. 모든 분들께 다시 한 번 감사드립니다.

2018년 3월
전 대한비만대사외과학회 회장
연세의대 교수
최 승호

발간사

대한비만대사외과학회가 비만대사외과학 교과서를 발간하게 되었습니다. 진심으로 반갑습니다. 시대의 요구에 맞추어 각고의 노력과 희생으로 이런 결실을 만들어낸 우리는 칭찬을 받고 또한 스스로 자축 할 만합니다. 2009년 비만대사수술연구회로 출발한 모임이 2년 만인 2011년에 학회로 발전하였고, 국제비만대사외과연맹 정회원이 되었습니다. 그리고 6년 만에, 대한의학회의 정회원이 되었고, 학회지인 Journal of Metabolic and Bariatric Surgery를 학술지로 만들어냈으며, 이제는 교과서를 발간한 학회가 되었습니다.

그동안 우리 학회가 걸어온 길을 보면 비만수술에 대한 오해와 편견을 바꾸기 위한 노력만으로도 힘겨운 상황에서 그런 상황이 채 나아지기도 전에 사건, 사고가 이어져 어려움을 겪었고, 아직 걸음마도 떼지 못한 학회가 사회적인 책임을 떠맡아야 하는 일까지 벌어졌었습니다. 한편으론, 세계적으로 새롭게 떠오르고 있는 대사수술을 따라가기에도 벅찬데, 우리나라가 대사 수술을 연구해야 하는 주요 국가라는 것이 더욱 우리를 바쁘게 하였습니다. 그런 어려움과 바쁨 속에서 학회의 존재 가치를 보여줄 수 있는 교과서를 출간한 것은 학회원들의 희생과 노력없이는 이룰 수 없는 일입니다. 여러분들의 노고에 진심으로 감사를 드립니다. 그리고 우리 모두 자축합시다.

대한비만대사외과학회의 첫 교과서이지만, 최대한 우리나라의 상황에 맞게 기술되었다고 자신합니다. 우리가 후발주자이지만, 우리 학회원들 개개인의 능력이 뛰어나고, 비록 숫자로는 따라갈 수 없지만, 수준 높은 연구를 하고 있는 우리 학회의 회원들이 각고의 노력으로 만든 교과서이기 때문에 내용에 대한 자신감을 가질 수 있습니다. 그리고 여기에 더해 교과서편찬위원회의 각고의 노력이 있었습니다. 교과서편찬위원장이신 이혁준 교수님이 내용을 한 자, 한 자, 그리고 참고문헌까지 구석구석 다 직접 점검하고, 모든 저자들에게 일일이 개선을 하도록 하신 것은 모두가 기억할 것입니다. 그리고 그런 위원장과 함께한 위원들의 노고는 우리 모두가 충분히 상상할 수 있을 것입니다. 우리 학회가 이런 분들을 가지고 있다는 것에 회장으로서 뿌듯함을 느낍니다. 여러분들도 마찬가지일 것이라 생각합니다.

앞으로 새로운 지식과 발견이 이어지면서 당연히 개정판이 나오겠지만, 이번에 기울인 회원들의 노력과 희생은 충분히 기억되고 칭찬할 만하다고 생각합니다. 다시 한번 감사드리고 모두 축하합시다.

2018년 3월
대한비만대사외과학회 회장
인하의대 교수

허 윤석

서 문

　우리 나라의 외과학은 암, 복강경, 장기이식 등에서 전 세계를 주도하고 있고, 지금은 많은 외국 의사들이 한국의 수술을 배우러 오고 있습니다. 비만대사수술은 이미 그 치료 효과가 확실히 입증되어서 전세계적으로 널리 시행되고 있지만, OECD 국가 중 평균 비만도가 비교적 낮고 보험 급여 문제가 완전히 해결되지 않은 우리나라에서는 아직도 수술 증례 수 및 연구의 깊이에 있어서 아직은 입문 단계라고 할 수 있습니다.

　위장관외과를 중심으로 많은 젊은 외과 의사들이 비만대사수술에 관심을 보이고 전문성을 가지기를 원하지만, 서양과는 상이한 비만 및 당뇨의 발생 기전 및 임상상, 위암 호발 지역이라는 특성 등을 고려한 한국인을 위한 비만대사수술의 지침서는 찾기 힘든 실정입니다.

　이번에 대한비만대사외과학회에서 발간하는 '비만대사외과학'은 순수한 병적 비만, 즉 비만 자체로 인해 기대 수명이 단축되고 제 2형 당뇨병 등 각종 만성 질환에 시달리게 되는 환자들을 대상으로 하는 "순수 비만대사수술"을 대상으로 하였습니다.

　1장에서는 비만의 정의, 역학, 비만수술의 역사, 작동 기전, 적응증, 수술 전 준비, 마취 등 비만 수술을 준비하는 전문가들이 반드시 알아야 할 내용들을 기술하였습니다. 또한 최근 그 중요성이 강조되고 있는 환자 안전 및 우리 학회에서 추진하고 있는 비만수술 인정의 관련 내용도 담고 있습니다. 2장에서는 각종 비만수술의 실제에 대해서 기술되어 있습니다. 가장 널리 시행되고 있는 비만 수술 3가지, 루와이위우회술, 소매절제술, 조절형위밴드술 외에 절제위우회술, 담췌우회술 등의 수술 방법과 적응증, 치료 결과, 수술 후 관리, 식사요법, 합병증 등에 대해서 광범위하게 기술하고 있습니다. 3장은 최근 관심을 모으고 있는 대사수술 관련 내용입니다. 대사수술의 의미, 수술 방법, 수술 성적 등과 함께 위암 수술 후 관찰되는 대사 호전 현상에 대한 챕터도 포함하였습니다. 4장에서는 기타 특수 상황에 대한 내용으로, 청소년 비만수술, 내시경 치료, 약물 치료, 로봇 비만수술, 비만수술 후 성형수술 등의 내용을 담고 있습니다.

　본 교과서의 전체적인 구성은 기존의 여러 서구 교과서를 참조하였습니다. 하지만 세부 기술은 모두 국내 현황을 충실히 반영한 "한국의 비만대사외과학"이 되도록 역점을 두어 작업하였음을 말씀 드립니다.

　이 교과서의 출판을 위해 본인의 경험과 지식을 충실히 기술해 주신 모든 공저자 선생님, 안혜성 간사를 비롯한 교과서편찬위원회 위원님들께 깊이 감사 드립니다. 또한 교과서의 출판을 물심 양면으로 지원해주신 대한비만대사외과학회 자문위원님과 상임이사님들께 감사 드립니다. 상당한 원고를 충실히 편집하고 교정해 주신 김선근 님을 비롯한 군자출판사 관계자들께도 감사 드립니다. 아무쪼록 이 교과서가 비만대사외과학에 종사하시는 또는 입문하시는 모든 선생님들께 작은 도움이 되기를 진심으로 바랍니다.

2018년 3월
대한비만대사외과학회 교과서편찬위원장
서울의대 교수

이 혁준

대한비만대사외과학회 교과서편찬위원회

집 필 진

가나다 순

성명	소속	전공
강길호	검단탑병원	위장관외과
공성호	서울의대	위장관외과
김갑중	한림의대	위장관외과
김동진	가톨릭의대	위장관외과
김성민	가천의대	소아외과
김용진	순천향의대	위장관외과
김 욱	가톨릭의대	위장관외과
김응국	가톨릭의대	외과
김종원	중앙의대	위장관외과
김종한	고려의대	위장관외과
김지헌	웰니스병원	외과
김진조	가톨릭의대	위장관외과
김창현	가톨릭의대	위장관외과
김현창	계명의대	마취통증의학과
류승완	계명의대	위장관외과
박도중	서울의대	위장관외과
박성수	고려의대	위장관외과
박영석	서울의대	위장관외과
박윤찬	서울슬림외과의원	외과
박중민	중앙의대	위장관외과
박지연	경북의대	위장관외과
박지호	경상의대	위장관외과
서경원	고신의대	위장관외과
서윤석	서울의대	위장관외과
손영길	계명의대	위장관외과

성명	소속	전공
안상훈	서울의대	위장관외과
안수민	한림의대	소아외과
안혜성	서울의대	위장관외과
유문원	울산의대	위장관외과
이상권	가톨릭의대	간담췌외과
이상억	건양의대	위장관외과
이연지	인하의대	가정의학과
이주호	이화의대	위장관외과
이지원	계명의대	마취통증의학과
이창민	고려의대	위장관외과
이한홍	가톨릭의대	위장관외과
이혁준	서울의대	위장관외과
이홍찬	클리닉B	외과
장유진	고려의대	위장관외과
조민영	365엠씨 의원	위장관외과
조영민	서울의대	내분비내과
주달래	서울대학교병원	급식영양과
최승호	연세의대	위장관외과
최윤백	청병원	외과
하태경	한양의대	위장관외과
한상문	차의대	위장관외과
한상욱	아주의대	위장관외과
허연주	이화의대	위장관외과
허윤석	인하의대	위장관외과

PART 03 대 사 수 술 Metabolic surgery

PART 04 기 타 Specific considerations

PART 01 총 론 General considerations

Chapter 01 | 비만의 정의 및 역학

Definition and epidemiology of obesity

 서론

전 세계적으로 비만의 유병률이 증가하면서 비만과 관련된 질환의 발병률과 그 합병증이 증가하고 있다. 비만은 선진국 뿐 아니라 개발도상국 모두에서 경제적으로 매우 중요한 공중보건문제이다. 2014년 18세 이상 성인에서는 약 39%가 과체중, 약 13%가 비만에 해당한다. 이는 1980년 이후로 4배 정도 증가한 수치이다.[26] 이를 다른 측면에서 살펴보면 1초 당 전 세계 인구가 2.5명이 늘어나는데, 그 중 1명이 과체중 또는 비만이라는 것을 의미한다. 미국의 경우 2014년 전 인구의 36%, 청소년의 17%가 비만에 해당하는 것으로 추정된다.[19] 한국의 경우 국민건강영양조사(Korean National Statistical Office)에 의하면 성인의 비만 유병률이 1998년 26.7%에서 2007-2009년 30.9%로 증가하여 전 세계적인 추세와 크게 다르지 않다.[21]

세계보건기구는 비만을 가장 중요한 공중보건 문제 중 하나로 규정하고 있다. 비만은 독립적으로 또는 다른 질환과 연관되어 많은 건강관련 문제를 발생시킨다.[12] 특히, 고혈압, 고지혈증, 관상동맥질환, 포도당불내성(glu-cose intolerance) 또는 당뇨, 수면무호흡증, 비알코올성 지방간질환(nonalcoholic fatty liver disease), 그리고 특정 암의 발생증가(식도암, 췌장암, 신장암, 폐경 후 유방암, 자궁내막암, 자궁경부암, 전립선암)와 연관되어 있으며,[13] 이로 인해 매년 과체중 또는 비만으로 인해 전 세계에서 280만 명이 사망하고 있다.[24] 이와같이 비만은 질병위험의 증가와 연관되어 인간의 수명을 단축시키는데,[1, 25] 40세 성인에서는 비만으로 인해 수명이 약 7년 단축된다고 보고되고 있다.[23]

비만과 관련된 의료비용도 지속적으로 증가하고 있다. 1998년도 비만에 대한 연간 비용은 785억불로 추정되며, 이는 이미 2008년도에는 2배로 증가하여 1,470억불이 되어, 정상 체중인 사람들의 의료비용인 1,429억불을 넘어섰다.[5] 비만의 의료비 뿐 아니라 현재 비만의 사회적, 심리학적, 그리고 경제적 영향에 대해 이해하기 위해서 많은 연구들이 이루어지고 있으며 이를 통해 여러 사회적인 공공 보건 노력들이 비만의 기하급수적인 증가를 통제하는 방향으로 진행되고 있는 중이다. 또한 소아 및 청소년 시기의 과체중이 성인 비만으로 이어지는 양상을 고려해 볼 때, 소아의 과체중 및 비만의 유병률이 급증하는 현 추세는 미래의 대사성 질환 유병률이 크게 증가할 것임을 예고한다. 이렇게 비만율이 급증하는 데에는 우선 생활환경의 급격한 변화와 함께 신체활동 감소, 고지방, 고칼로리 섭취가 증가하는 생활습관의 변화가 중요한 이유라고 생각된다. 이번 장에서는 비만의 정의와 전 세계적인 비만의 역학, 그리고 현재까지 조사된 우리나라 비만의 역학에 대해서 다루겠다.

❷ 비만의 정의

세계보건기구(World Health Organisation, WHO)는 '건강을 해칠 정도로 지방조직에 비정상적인 또는 과도한 지방이 축적된 상태'를 비만으로 정의한다.[24] "체지방률(body fat%, BF%)이 정상 기준치를 초과하면 비만이다." 이 정의는 겉보기에는 간편하고 단순하지만, 여러 가지 고려해할 제한점들이 있다. 정상적인 체지방률은 연령 및 성별에 따라 다르고, 사람 간 차이가 심하다. 신생아는 체지방률이 10-15%이며, 첫 해에는 약 25%로 증가한다. 그 후 체지방률은 성별 차이가 더욱 분명해지는 10세까지 체중의 15%로 다시 천천히 감소하지만, 사춘기 여성들은 체지방이 다시 약 25% 증가하는 반면, 남성들은 거의 같은 체지방률을 유지한다. 성인기에 체지방률은 남성과 여성 모두에서 나이에 따라 천천히 증가한다. 성인의 생애 동안 체지방률의 증가가 나이와 관련된 정상적인 생리적 효과인지 아니면 과식에 의한 것인지, 앉아있는 생활 방식에 의한 것인지 여부는 잘 알려지지 않았다.

비만은 2017년 현재 이 순간에도 정의하기도 어렵고 측정하기도 어렵다. 세계보건기구의 정의대로 비만을 정의한다면, 인체에서 체지방률을 측정해야 한다. 체지방률은 밀도법(densitometry), 액체비중법(hydrometry), 이중에너지 엑스레이 흡수계측법(dual energy X-ray absorp-tiometry, DEXA), 화학적 다중 구획 모델(chemical multi-compartment models), 컴퓨터 단층 촬영(CT) 또는 자기공명영상(MRI)을 포함한 다양한 방법으로 측정할 수 있다. 그렇지만 이 방법들은 시간과 비용이 들기 때문에 대규모 인구집단 연구에서 흔히 사용하기에 적합하지 않다. 또한 체지방률의 범위는 시간에 따라 크게 변하며, 또한 나이와 성별에 따라 크게 달라지기 때문에, 체지방률이 어느 정도이면 비만으로 정의할지에 대한 명확한 기준점을 제시하기는 어렵다.[18]

대규모의 조사를 위한 비교적 간단하게 체지방률을 대신하여 측정하여, 체지방률을 예측하는 방법은 여러 가지가 있다. 체질량지수(body mass index, BMI), 허리둘레(waist circumference, WC), 허리 / 엉덩이 둘레비(waist / hip circumference ratio, WHR), 피부 두께(skinfold thickness) 측정, 생체전기저항(bioelectrical impedance analysis)이 있으며, 최근에는 체지방지수(body adiposity index, BAI)도 사용되고 있다.[2]

체질량지수 = body weight (kg) / height (m)^2
BAI = (hip circumference (cm) / height (m)$^{1.5}$)-18

이러한 방법들은 간단히 측정으로 쉽게 계산할 수 있는데다 체지방률 표준 측정법인 밀도법, 중수소 희석법(deuterium oxide dilution), DEXA 등과 통계적인 연관성을 가지고 있다. 이러한 간단한 측정 방법들은 정확도면에서 한계가 있지만, 매우 간편하여 적용하기 쉽고 시간 변화에 따른 변화를 측정하는 데에는 유용하기 때문에 대규모 조사 및 임상에서 유용하게 사용되고 있다.

위에서 언급한 방법 중 가장 널리 사용되는 것은 체중과 키에 의해 결정되는 체질량지수이다. 2000년에 세계보건기구가 발표한 분류에 따르면, 정상 체질량지수 범위는 18.5-24.9 kg/m^2, 과체중은 25-29.9 kg/m^2, 제1도 비만은 30 kg/m^2 이상으로 정의된다. 비만 정도는 체질량지수 분류를 바탕으로 **표 1-1**과 같이 세분화될 수 있다. 병적비만은 체질량지수 40 kg/m^2 이상으로 정의된다.[3] 체질량지수는 체지방률과 상관성이 매우 좋지만, 근육량이 과다하게 많은 경우에도 높게 계산되어 비만으

표 1-1 세계보건기구 비만의 정의 및 분류(*Adapted from Obesity: Preventing and managing the global epidemic. Technical Report)

Classification	체질량지수 (kg/m²)	Risk of comorbidities
Underweight	< 18.5	Low (but risk of other clinical problems increased)
Normal range	18.5–24.9	Average
Overweight		
Pre-obese	25–25.9	Mildly increased
Obese		
Class I	30.0–34.9	Moderate
Class II	35.0–39.9	Severe
Class III	40.0–	Very severe

표 1-2 허리둘레를 기준으로 한 비만의 정의(* Working Group In Obesity in China)

Population	Risk	
	Increased	Substantially increased
Caucacian (WHO)		
Men	> 94 cm	> 102 cm
Women	> 80 cm	> 88 cm
Asia (WHO)		
Men		> 90 cm
Women		> 80 cm
China (WGOC*)		
Men		> 85 cm
Women		> 80 cm

로 오인될 수 있으며, 정상 BMI인 경우도 연령이 적거나 고령에서 근육량이 적거나 지방이 많은 경우가 있다.

비만 관련 위험도를 결정하는 데는 지방의 양 뿐만 아니라 지방의 분포도 영향을 미친다. 특히 복부의 내장 비만은 대사증후군의 심혈관 질환 위험 요소와 연관되어 있다. 이를 평가하기 위해 허리둘레(waist circumference, WC) 또는 허리/엉덩이 둘레비(waist-hip ratio, WHR)가 체질량지수와 함께 사용될 수 있는데, 허리/엉덩이 둘레비는 체지방의 분포와 관련이 있다. WHR이 1 미만인 환자는 종종 "배(pear)" 분포라고 하는 주변성 지방 분포(peripheral fat distribution) 비율이 더 많다. 이러한 지방 분포는 질병 위험도 낮은데, WHR이 1보다 큰 환자는 "사과(apple)" 또는 중심성 또는 내장 비만(central fat distribution)이 있는 것으로 간주되며, 이러한 환자는 제2형 당뇨병, 고혈압, 이상지혈증과 같은 대사 이상 질병 위험도가 높은 것으로 생각된다. 이런 이유로 허리/엉덩이 둘레비를 이용하여 복부에 지방이 얼마나 상대적으로 많은지 평가하는 것이 때로는 체질량지수보다 더 유용할 수 있다. 체질량지수가 35 kg/m² 이하인 경우는 반드시 허리/엉덩이 둘레비를 같이 측정하여 비만 정도를

평가하는 것이 권고된다.[11] 중심성 비만은 복부 CT나, 전신 이중 엑스선 흡수 측정법(dual X-ray absorptiometry)으로 측정할 수 있으나, 임상에서 적용하기에는 비용이 비싸고 어렵다. 비만 연구에서는 주로 제4번과 5번 요추 사이의 복부 단면을 CT로 측정하는 방법이 널리 이용된다. 이는 지방조직의 정도를 비교적 정확히 정량 분석할 수 있어 복벽의 피하 지방으로 저장되는 피하 지방형 비만과 복강의 내장 주변에 지방이 저장되는 내장 지방형 비만을 구별할 수 있다.[16]

임상에서는 허리둘레 또는 허리/엉덩이 둘레비를 측정하는 것이 보통인데, 이 중 갈비뼈 하단과 장골능선(iliac crest) 상단 사이의 가장 오목한 부위를 재는 허리둘레 측정법이 가장 간단하면서 유용하여 임상연구에서 널리 이용되고 있다.[8] 서양인들을 대상으로 한 여러 연구에서 허리 둘레와 비만, 그리고 그 합병증들 사이에 밀접한 연관관계가 밝혀져 세계보건기구에 의해서 허리둘레 기준이 발표되었다. 그러나 이 역시 아시아인들에게는 맞지 않아 주로 일본인들과 중국인을 대상으로 한 연구에서 마련된 새로운 기준이 마련되었다(표 1-2).[3, 8] 일본인들을 대상으로 한 허리둘레 기준은 남자에서 90

cm, 여자에서 80 cm이고, 중국인을 대상으로 한 연구에서는 여자에서는 동일하나 남자에서 85 cm로 제시하였다. 국내 비만 연구자들 사이에서도 한국인 복부 비만의 허리둘레 기준을 재검토해야 한다는 논란이 많은데, 일반적으로 한국은 복부 비만의 기준으로 국제당뇨병연맹(International Diabetes Federation, IDF)의 기준인 남성 허리둘레 90 cm 이상, 여성 85 cm 이상을 적용하고 있다.[14, 15]

여기서 체질량지수는 정확한 측정치가 아니라 추정치라는 사실을 알고 있어야 하며, 개개인의 사람, 성별, 나이, 인종, 민족에 따라서 체질량지수나 체지방률이 이환율이나 사망률과 관계가 차이가 있기 때문에 비만을 일률적으로 정의하기 보다는 인종적 또는 민족적 특성을 고려하여 새로운 기준을 설정하고자 하는 노력이 지속되어 왔다. 예를 들면, 아시아인에서는 고혈압과 당뇨병 같은 대사증후군의 합병증 위험도가 체질량지수 25 kg/m² 이하에서부터 이미 증가하기 시작한다는 보고가 많다[5]. 이러한 역학조사에 기초하여 국제비만대책위원회의 실무자 모임인 International Association for the Study of Obesity and the Western Pacific Region of WHO에서는 체질량지수 23 kg/m²를 과체중, 25 kg/m² 이상부터 제1도 비만으로 정의하는 아시아-태평양 지역의 새로운 기준을 마련하였다(표 1-3).[8]

그렇지만 아시아-태평양 지역의 이러한 분류는 예방과 치료를 시작하는 시점을 지역적으로 달리 정하는 것일 뿐 비만에 대한 표준적인 정의(체질량지수 30 kg/m² 이상)와는 구별지어 생각해야 한다. 우리나라에서도 과체중 및 비만의 유병률이 점차 증가되는 추세를 보이고 있으나 한국인 고유의 비만 진단의 기준이 명확히 설정되어 있지 않아 이에 대한 국내 비만 전문가들의 논의가 필요할 것으로 생각된다.[19]

표 1-3 아시아-태평양 지역 BMI 및 허리둘레에 따른 비만의 정의 및 분류

Classification	BMI (kg/m²)	Risk of comorbidities	
		Waist circumference	
		< 90 cm (men)	≧ 90 cm (men)
		< 80 cm (women)	≧80 cm (women)
Underweight	< 18.5	Low (but increased risk of other clinical problems)	Average
Normal range Overweight	18.5–22.9	Average	Increased
Pre-obese	23.0–24.9	Increased	Moderate
Obese			
Class I	25.0–29.9	Moderate	Severe
Class II	30.0–	Severe	Very severe

한국 역시, 대한비만학회가 국내외 연구 결과를 바탕으로 제시한 세계보건기구 아시아태평양 지역의 기준과 동일한 기준을 현재 널리 사용하고 있다. 이러한 기준은 우리나라 성인에서 체질량지수에 따른 비만관련 질환 증가가 체질량지수 25 kg/m²를 시점으로 1.5-2배 증가하는데 근거를 두고 있다. 그렇지만 이러한 아시아-태평양 지역의 이러한 분류는 예방과 치료를 시작하는 시점을 지역적으로 달리 정하는 것일 뿐 비만에 대한 표준적인 정의(체질량지수 30 kg/m² 이상)와는 구별지어 생각해야 한다. 또한 최근 한국이 포함된 아시아인 백만 명 이상을 대상으로 시행된 전향적 연구에서는 사망률이 가장 낮은 체질량지수 구간은 22.6-27.5 kg/m² 였으며, 한국인을 대상으로 시행한 전향적 연구에서도 세계보건기구 아시아태평양지역 기준 과체중에 해당하는 23-24.9 kg/m²에서 가장 낮은 사망률을 보였다.[9, 28] 2004년 WHO consensus statements에서도 아시아인 사이에서도 비만 위험이 증가하는 체질량지수 분별점이 일치하지 않으며, 체질량지수의 증가에 따라 위험도는 증가하기 때문에, 아시아

그림 1-1 소아에서의 비만 및 과체중에 대한 국제 기준표(data from Brazil, Britain, Hong Kong, Netherlands, Singapore, and Unites Staes)

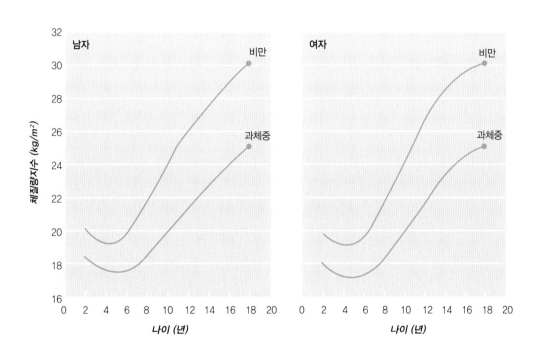

인에서도 과체중과 비만의 진단 기준을 서양인의 각각 25 kg/m² , 30 kg/m²와 같이 하되, 비만 관리의 추가적인 기준으로 23-27.5 kg/m²을 위험 증가(increased risk), 27.5 kg/m² 이상을 고위험(high risk)으로 분류하여 국가별로 실정에 맞게 기준을 정하여 비만을 관리할 것을 제안한 바 있다.[26] 우리나라에서도 과체중 및 비만의 유병률이 점차 증가되는 추세를 보이고 있으나, 한국인 고유의 비만 진단의 기준이 명확히 설정되어 있지 않고, 여전히 대한비만학회 및 세계보건기구 아시아태평양지역 비만 기준을 따르고 있는 실정이다. 특히 비만 수술에 보험이 예상되는 2018년 이 시점에서 다시 한번 대한비만학회, 대한내분비내과학회, 대한비만대사외과학회 등 유관학회 및 국내 비만 전문가들의 심도 깊은 논의 및 합의가 필요할 것으로 생각된다.[17]

소아(2-19세)에서도 비만은 성인 비만과 마찬가지로 전 세계적으로 증가하고 있으며, 특히 식생활의 서구화로 인한 영양과다 및 운동부족 등 생활방식의 변화로 소아비만이 빠르게 늘고 있다. 특히 청소년기의 비만은 성인 비만으로 이행될 소지가 소아 비만에 비해 크며, 비만으로 인한 대사관련 합병증이 일찍 나타나는 것 외에도 청소년에서는 특히 열등감, 우울, 부정적인 신체상 등과 같은 정신사회적인 문제들이 더 많이 나타날 수 있다. 소아에서 과체중은 질병통제예방센터(Centers for Disease Control and Presvention, CDC) 성장 차트 85번째에서 95백분위 수 사이의 체질량지수로 정의되고, 비만은 CDC 성장 차트의 95백분위 수 이상일 때로 정의된다(그림 1-1).[4] 최근의 연구들은 대개 세계보건기구의 분류를 기준으로 하고 있어 비교연구가 더욱 용이하게 되었다.

피부주름 두께 측정은 측정용 특수 캘리퍼를 이용하여 주로 삼두박근(어깨와 팔꿈치의 중간 살찐 부위를 집어 올림), 견갑골 하부(오른쪽 어깨쭉지 바로 밑을 대각선 방향으로 집어 올림)의 피부두께를 측정하며, 성별, 연령에 비교하여 95백분위 수 이상일 때 비만으로 정의한다. 피부두께 측정법은 비교적 간편하고 신뢰성이 높은 방법이며, 근육과 뼈가 증가하는 과체중과 비만을 감별하는데 도움을 주지만, 실제 검사과정에서는 경험 및 숙련이 필요하며, 측정자에 따른 편차가 존재한다. 2007년 한국성장도표에서 95백분위 수를 찾을 수 있다.[7]

다시 요약하면, 비만은 일반적으로 WHO 기준에 따라 체질량지수 25-29.9 kg/m² 인 경우 과체중으로, 30 kg/m² 이상인 경우는 비만으로 정의한다. 한국의 비만 진단기준은 대한내분비학회, 대한비만학회의 권고안에서는 체질량지수 25 kg/m² 이상을 비만을 정의하였고, 허리 둘레로 본 복부 비만의 기준은 남자에서는 90 cm 이상, 여자에서는 85 cm 이상을 비만으로 진단하도록 권고하고 있다.[3,10]

❸ 비만의 역학

1. 전 세계적인 비만의 개괄적인 현황

과체중 및 비만은 선진국이나 개발도상국 모두에서 사회경제적으로 심각한 문제이며, 그 유병률 또한 지속적으로 증가하고 있다. 전 세계 비만의 유병률에 대해서는 세계보건기구에서 지속적으로 모니터링을 하고 있는데, 2014년 자료에 따르면 전 세계 인구 약 70억 8천만 명의 39%인 27.6억 명이 과체중이고, 13%인 9.2억 명이 비만에 해당한다. 그리고 5세 이하의 소아에서 4천 1백만 명이 이미 과체중 또는 비만인 상태이다.[24] 2030년에는 전 세계 인구의 57.8%가 과체중일 것으로 추정된다.[19]

비만의 유병률은 지역에 따라 매우 다른데, 베트남의 경우 인구의 약 1%가 비만인 반면에, 태평양 섬들의 몇몇 국가들에서는 비만율이 80%까지 보고된다.[24] 예전에는 경제적으로 부유한 국가들의 문제라고 생각되어진 적도 있지만, 현재는 개발도상국, 저개발국가에서도 당면하고 있는 문제이다. 과체중 및 비만의 유병률로 생각했을 때

는 선진국이 그 비율이 높지만, 과체중 및 비만의 절대적인 인구수로 생각할 때는 개발도상국, 저개발국가에서 많고, 이들 국가에서도 과체중 및 비만의 유병율이 증가하고 있다. 이것은 지난 20년간 이 나라에서 건강하지 못한 고열량의 "패스트 푸드"의 홍보 촉진에 따른 것이라고 생각된다. 선진국에서 비만의 유병률은 대개 성인 인구의 20% 정도가 되며, 동부 유럽에서는 더욱 높아 체코의 경우 시골 인구의 35.5%가 비만에 해당하는데, 최근 경기 불황으로 인해 비만의 유병률은 감소 추세라 한다. 호주에서는 전체 성인의 비만 유병률은 20.5%이며, 남성의 19.1%, 여성의 21.8%가 비만에 해당한다. 그리고 남성의 67.4%, 여성의 52%가 체질량지수 25 kg/m² 이상으로 과체중에 해당한다.[22] 특히 남성은 여성과 같은 비만도에서 상대적으로 복부 또는 내장비만이 심하기 때문에 심각한 대사적 합병증을 초래할 수 있으며 체중 감량에 대한 자각을 덜 느끼므로 남성 비만의 문제는 더욱 심각하다.

유럽에서 비만의 유병률은 나라마다 다르지만 대체적으로 미국이나 호주에 비해 낮은 편이다. 스칸디나비아반도에서 비만의 유병률은 남성에서 10%, 여성에서 12% 정도이다.[21] 이태리에서 비만율은 남녀 공히 6% 정도이지만 40% 이상의 남성과 25% 이상의 여성이 과체중에 해당한다. 다른 지중해 국가들도 비슷한 수준이지만 그리스 지역에서는 주변국들보다 2~3배 높다.[24]

2. 비만과 나이

비만의 유병률은 75세까지는 대체적으로 나이가 올라감에 따라서 증가하다가 이후 감소한다. 노인의 비만 유병률의 감소는 제지방체중(lean body mass) 및 지방축적능력의 감소에서 기인하고, 또한 연령이 증가함에 따라 비만 관련 질환으로 사망이 증가하기 때문인 것으로 생각된다. 미국의 경우 정상 체중에 비해서 비만 체중의 사망률이 현저하게 높았으며, 체질량지수 30 이상에서는 기대수명이 9.4년 정도 줄어드는 것으로 예상된다.[6]

3. 비만과 수입

남성의 경우 비만의 유병률은 각 경제적인 소득 군에서 비슷한 경향을 보이나, 여성의 경우 소득이 감소함에 따라 비만 유병률이 증가하고, 저소득 여성에 비해 고소득 여성의 비만도가 낮아지는 경향을 보인다.[20]

4. 비만과 교육수준

교육 수준과 관련하여 남성의 경우 비만 유병률과 교육 수준과의 유의한 추세는 없으나, 여성의 경우 비만 유병률이 교육 수준이 감소함에 따라 증가하는 경향을 보인다. 대학 학위를 소지한 여성은 교육 수준이 낮은 여성보다 비만의 정도가 적다.[20]

5. 미국의 비만 유병률

미국의 경우 국민 건강 및 영양 설문조사(National Health and Nutrition Examination Surveys, NHANES)가 2년에 한 번씩 이루어지는데, 이를 통해 그 어느 나라보다도 비만에 대한 정확한 통계를 가지고 있다. 이는 1960년에 시작한 설문조사로, 각 조사에 미국 모집단의 표본 채취는 복합적이고 계층화된, 다단계 확률 샘플링을 이용하여, 미국 전인구를 대변할 수 있도록 선정되었다. 2009-2011년 조사에서는 표준화된 측정 방법과 도구를 훈련 받은 숙련자가 실제 방문조사를 통해 키와 몸무게를 포함한 신체 계측을 하였다. 여기서 임신한 여성과 키와 몸무게를 잴 수 없는 대상은 제외하고 조사하였다. 2011-2014년도의 가장 최근 NHANES 조사에서는 20세 이상의 성인에서 37.7%가 비만이고, 2-19세의 소아청소년 중의 17.2%가 비만으로 조사되었다. 그리고 이는 1999-2000년 이래로 지속적으로 증가하고 있는 추세이다. 이와 같은 추세라면 2030년경에는 미국 인구의 51.1%가 비만이고, 86.3%가 과체중 또는 비만이 될 것이라는 추정도 나오고 있다.

그림 1-2 미국 성인(20세 이상) 및 소아청소년(2-19세)의 비만 유병률 변화 (BMI > 30)

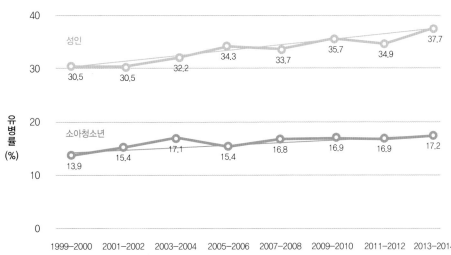

그림 1-3 미국 성인(20세 이상)에서 성별, 인종에 따른 비만

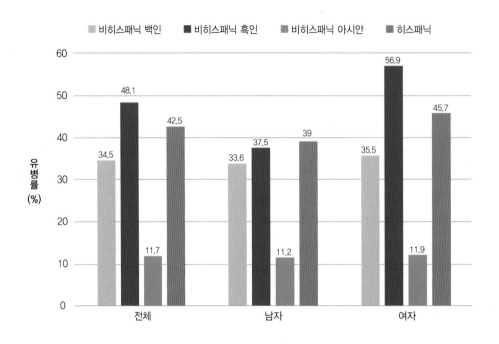

소아청소년의 경우 현재의 추세라면 과체중의 유병률은 2030년에 두 배가 될 전망이다(그림 1-2).[19]

미국 내에는 아프리카계 흑인, 히스패닉계, 아시아계, 미국계 인디언, 알라스카 원주민, 하와이 원주민 등의 다양한 인종들이 살고 있고, 이들이 전체 인구의 30%를 차지하는데 이들 간에도 비만의 유병률은 큰 차이를 보인다. 비히스패닉 흑인은 48.1%, 히스패닉은 42.5%으로 평균보다 높은 비만 유병률을 보였고, 비히스패닉 백인은 34.5%, 비히스패닉 아시안은 11.7%으로 평균보다 낮은 비만 유병률을 기록하였다(그림 1-3).[19]

6. 한국의 비만 유병률

사회경제적 상태의 개선으로 비만 유병률과 성별에 따른 비만의 양상이 변화되고 있다. 여성은 비만에 대해 사회적으로 비난을 받게 되지만, 남성은 여성에 비해서 비만에 대해서 사회적 시선이 비교적 관대한 편이다.[22] 한국은 국민건강보험제도(National Health Insurance System, NHIS)에서 전체 97%의 인구를 의료 보장을 해주며, 나머지 3%는 의료 보조에 의해서 의료 보장을 하는 시스템이다. 이러한 국민건강보험공단의 데이터베이스에는 의료의 질을 평가하는 자료, 건강 검진 자료, 의료 비용에 대한 청구 자료 등에 관한 데이터베이스 등으로 구성되어 있어, 이는 우리나라 전체 인구를 대변하는 자료라고 생각할 수 있다. 20세 이상에서 한국 성인에서 건강검진을 받은 환자를 대상으로 한 건강 검진 데이터베이스를 이용하여 산출한, 체질량지수 25 kg/m^2 이상으로 비만을 정의하였을 때, 한국의 비만의 유병률은 표 1-4와 같다.[27] 이 결과에 따르면 2002년부터 2013년까지 전체 성인 인구에서 비만의 유병률은 29%에서 31.35%로 증가하였으나, 성별에 따라서 차이가 있었다. 남성 비만 인구는 33.04%에서 38.45%로 지속적으로 증가하였지만, 여성 비만 인구는 25.17%에서 24.62%로 소폭 감소하여 남성의 비만 인구 증가 폭이 더 컸다. 2004년 이후에는 여성에서 비만 유병률은 큰 변화가 없었다. 그렇지만 체질

표 1-4 한국 성인(20세 이상)에서의 저체중, 정상체중, 비만, 병적비만의 유병률 변화: 한국 국가건강보험 데이터베이스(Korean National Health Insurance Database), 2002년-2013년

체질량지수	2002	2003	2004	2005	2006	2007	2008	2009	2010	2011	2012	2013
전체												
< 18.5	4.89	4.82	4.80	4.72	4.63	4.67	4.70	4.73	4.87	4.75	4.84	4.81
18.5-24.9	66.11	65.82	66.46	66.10	65.91	65.49	65.17	64.84	64.70	64.27	64.26	63.84
25.0-29.9	26.47	26.64	26.14	26.40	26.62	26.79	26.92	26.99	26.90	27.17	26.99	27.13
30.0-34.9	2.36	2.52	2.41	2.57	2.63	2.80	2.94	3.13	3.20	3.43	3.50	3.73
35.0-	0.17	0.20	0.19	0.21	0.21	0.25	0.27	0.31	0.33	0.38	0.41	0.49
남자												
< 18.5	2.83	2.92	2.70	2.72	2.43	2.49	2.37	2.43	2.32	2.24	2.25	2.22
18.5-24.9	64.13	64.08	63.69	63.47	62.65	62.41	61.53	61.35	60.76	60.13	59.88	59.32
25.0-29.9	30.70	30.46	31.02	31.03	32.01	31.97	32.67	32.60	33.09	33.45	33.52	33.72
30.0-34.9	2.21	2.38	2.43	2.60	2.72	2.92	3.17	3.34	3.52	3.82	3.95	4.26
35.0-	0.13	0.16	0.16	0.18	0.19	0.22	0.25	0.28	0.31	0.36	0.40	0.47
여자												
< 18.5	6.84	6.62	6.78	6.61	6.71	6.75	6.90	6.91	7.28	7.12	7.29	7.27
18.5-24.9	67.99	67.48	69.09	68.59	69.01	68.41	68.62	68.15	68.43	68.20	68.41	68.12
25.0-29.9	22.46	23.02	21.52	22.02	21.51	21.88	21.47	21.67	21.05	21.22	20.80	20.88
30.0-34.9	2.50	2.65	2.40	2.54	2.54	2.69	2.72	2.93	2.89	3.05	3.06	3.24
35.0-	0.21	0.24	0.21	0.24	0.24	0.28	0.29	0.34	0.36	0.41	0.43	0.50

량지수 30 kg/m² 이상의 비만은 전체인구, 남자, 여자 모두에서 지속적으로 증가하는 양상이다(그림 1-4). 2013년 현재 체질량지수 30 kg/m² 이상인 비만(Class II)의 유병률은 4.22%, 남자와 여자는 각각 4.73%, 3.74%였다. 그리고 이러한 경향은 특히 젊은 세대에서 그 경향이 두드러진다(그림 1-5).[21] 이는 1980년대 이후 한국에서 빠르게 도입되어 인기가 많아진 패스트푸드점과 같은 기간 동안 급속도로 보급된 자동차와 관련이 있을 것으로 설명할 수 있다.

4 결론

세계보건기구가 비만을 '전 세계적인 유행성 전염병'이라고 명명할 정도로 비만 인구는 전 세계적으로 증가하고 있으며, 2030년에는 전 세계 성인의 절반 이상이 과체중 또는 비만이 될 것이라고 예측된다. 또한 비만 및 이와 동반된 질환으로 인한 의료비 지출의 증가와 생산성 감소에 따른 사회경제적인 비용도 증가하고 있다. 비만은 체중 감량에 대한 적극적인 개입으로 관련 질환을 감소시킬 수 있는 예방 가능한 질병이다. 체질량지수와 허리둘레를 "제5의 활력징후(fifth vital sign)"로 간주하고

그림 1-4 한국 성인(20세 이상)에서 체질량지수 30 이상 비만 유병률 및 성별에 따른 차이: KNHID (Korean National Health Insurance Database), 2002-2013

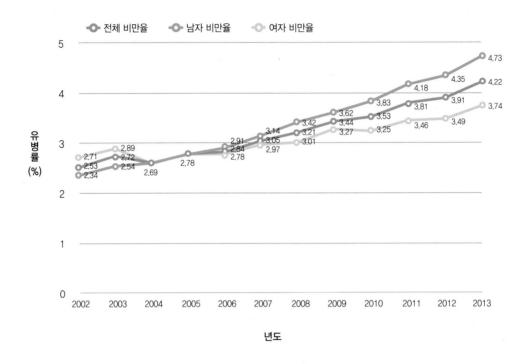

그림 1-5 나이에 따른 체질량지수 30 이상의 유병률 변화

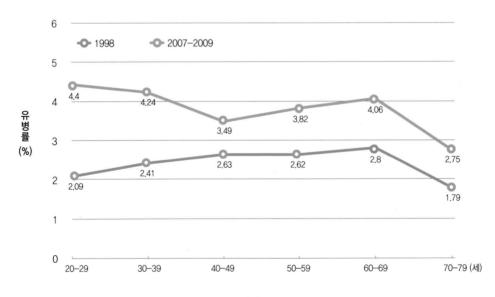

반드시 측정하여 비만에 대한 조언을 하고, 치료가 필요한 환자를 적극적으로 선별하는 노력이 필요하며, 초기에 비만에 대한 적극적인 중재적인 치료를 하는 것이 필요하다.

참고문헌

1. Adams KF, Schatzkin A, Harris TB, et al. Overweight, obesity, and mortality in a large prospective cohort of persons 50 to 71 years old. N Engl J Med 2006;355(8):763-78.

2. Bergman RN, Stefanovski D, Buchanan TA, et al. A Better Index of Body Adiposity. Obesity (Sliver Spring) 2011;19(5):1083-9.

3. Clinical guidelines on the identification, evaluation, and treatment of overweight and obesity in adults: executive summary. Expert Panel on the Identification, Evaluation, and Treatment of Overweight in Adults. Am J Clin Nutr 1998;68(4):899-917.

4. Cole TJ, Bellizzi MC, Flegal KM, et al. Establishing a standard definition for child overweight and obesity worldwide: international survey. BMJ 2000;320:1240-3.

5. Finkelstein EA, Trogdon JG, Cohen JW, et al. Annual medical spending attributable to obesity: payer-and service-specific estimates. Health Aff (Millwood) 2009;28(5):w822-31.

6. Greenberg JA. Obesity and early mortality in the United States. Obesity (Silver Spring) 2013;21(2):405-12.

7. Hong YM, Moon KR, Seo JW, et al. Nationalwide Study on Body Mass Index, Skinfold Thickness, and Arm Circumference in Korean Children. J Korean Pediatr Soc 1999;42(9):1186-200.

8. Inoue S, Zimmet P, Caterson I, et al. The Asia-Pacific Perspective : Redefining obesity and Its Treatment. Australia: Health Communications Australia. p. 15-20. 2000.

9. Jee SH, Sull JW, Park J, et al. Body-mass index and mortality in Korean men and women. N Engl J Med 2006;355(8):779-87

10. Kim CS, Ko SH, Kwon HS, et al. Prevalence, awareness, and management of obesity in Korea: data from the Korea national health and nutrition examination survey (1998-2011). Diabetes Metab J 2014;38(1):35-43

11. Klein S, Wadden T, Sugerman HJ. AGA technical review on obesity. Gastroenterology 2002;123(3):882-932.

12. Kopelman P. Health risks associated with overweight and obesity. Obes Rev 2007;8 Suppl 1:13-7.

13. Kopelman PG. Obesity as a medical problem. Nature 2000;404(6778):635-43

14. Korean Endocrine Society and Korean Socity for the Study of Obesity. Management of Obesity, 2010 recommendation. Endocrinol Metab 2010;25(4):301-4.

15. Lee SY, Park HS, Kim DJ, et al. Appropriate waist circumference cutoff points for central obesity in Korean adults. Diabetes Res Clin Pract 2007;75(1):72-80.

16. Lee SY, Gallagher D. Assessment methods in human body composition. Curr Opin Clin Nutr Metab Care 2008;11(5):566-72.

17. Lim S. Various Methods of Analysing Body Composition. Korean J Obs 2010;19(4):155-8.

18. Lim S, Shin H, Song JH, et al. Increasing prevalence of metabolic syndrome in Korea: the Korean National Health and Nutrition Examination Survey for 1998-2007. Diabetes Care 2011;34(6):1323-8

19. Ogden CL, Lamb MM, Carroll MD, et al. Obesity and socioeconomic status in adults: United States, 2005–2008. NCHS data brief 2010;(50):1-8

20. Ogden CL, Carroll MD, Fryar CD, et al. Prevalence of obesity among adults and youth: United States, 2011–2014. NCHS data brief 2015;(219):1-8.

21. Oh SW. Obesity and Metabolic Syndrome in Korea. Diabetes Metab J 2011;35(6):561-6.

22. Park HS, Park CY, Oh SW, et al. Prevalence of obesity and metabolic syndrome in Korean adults. Obes Rev. 2008;9(2):104-7.

23. Peeters A, Barendregt JJ, Willekens F, et al. Obesity in Adulthood and Its Consequences for Life Expectancy: A Life-Table Analysis. Ann Intern Med 2003;138(1):24-32.

24. Stevens J, Cai J, Pamuk ER, et al. The Effect of Age on the Association between Body-Mass Index and Mortality. N Engl J Med 1998;338(1):1-7.

25. WHO. Obesity and overweight. World Health Organization.

2016 June . <http://www.who.int/mediacentre/factsheets/fs311/en/>.

26. WHO Expert Consultation. Appropriate body-mass index for Asian populations and its implications for policy and intervention strategies. Lancet 2004;363(9403):157-63

27. Yoon YS, Oh SW. Recent Shift of Body Mass Index Distribution in Korea: a Population-based Korea National Health Insurance Database, 2002-2013. J Korean Med Sci 2017; 32(3):434-8

28. Zheng W, McLerran DF, Rolland B, et al. Association between body-mass index and risk of death in more than 1 million Asians. N Engl J Med 2011;364(8):719-29.

Chapter 02 | 비만 및 비만 관련 질환의 병태생리

Pathophysiology of obesity and obesity-related diseases

체중은 부종 및 탈수에 의한 변화를 제외한다면 에너지 섭취와 에너지 소비의 균형 및 불균형에 의해 결정된다. 에너지 섭취와 소비가 균형을 이루면 체중은 일정하게 유지될 것이고, 에너지 섭취가 소비에 비해 많으면 체중 증가가 일어나고 반대의 경우 체중감소가 일어난다. 따라서 어찌 보면 단순한 물리법칙으로 설명 가능하나 그 이면을 들여다보면 매우 복잡한 생물학적 기전이 감추어져 있다.

다는 에너지 부족을 방지하기 위해 진화해 온 결과의 산물로 생각된다. 에너지 섭취와 에너지 소비를 조절하는 기전은 크게 세 가지 요소로 구성된다.[10] 첫째는 개인의 에너지 저장고의 상태를 비롯한 정보에 대해 말초에서 중추신경으로 보내는 신호이며, 둘째는 시상하부를 비롯한 중추신경에서 말초의 신호를 통합 처리하는 것이며, 셋째는 배고픔의 정도를 결정하거나 에너지 소비를 조절하는 중추로부터의 말초로 향하는 신호인데 결국 둘째 요소에 의해 결정된다.

 ## 에너지 대사의 조절

비만은 에너지 섭취가 에너지 소비를 능가할 경우 잉여 에너지가 지방조직으로 저장되어 나타난다.[10,14,16] 최근 문명의 발달로 신체 활동이 과거에 비해 현저하게 줄어든 반면 쉽게 칼로리 밀도가 높은 음식을 구할 수 있게 되어 만성적인 에너지 과잉 상태에 노출된 사람이 많다. 특히 에너지 과잉 섭취를 쉽게 조절하지 못하는 경우가 많은데 이는 식욕의 조절 기전이 에너지 과잉을 방지하기보

1. 말초에서 중추신경으로 보내는 신호

1) 렙틴(Leptin)

우리 몸에 에너지 저장고 상태를 중추신경으로 보내는 가장 대표적인 신호로 렙틴이 있다. 렙틴은 1994년 제프리 프리드만(Jeffrey Friedman)에 의해 발견되었고, 167개의 아미노산으로 이루어진 사이토카인과 유사한 펩타이드 호르몬이다.[21] 렙틴은 지방세포에서 주로 생산된다. 렙틴은 식사에 따라 혈중 농도가 변화하지 않는, 체

내 에너지 저장고에 대한 장기 신호(long-term signal)이다. 그러나 금식을 하게 되면 12시간 내에 혈중 농도가 급히 감소하기 시작하며 반대로 다시 음식을 섭취하면 재빨리 원상 복귀한다.[12] 기저 상태에서 혈중 렙틴 농도는 지방량과 좋은 상관관계를 보이며 체중감소 시 혈중 렙틴 농도는 감소한다. 혈중 렙틴 농도의 감소는 음의 에너지 균형(negative energy balance)을 시사하며 중추신경에 에너지 저장고가 부족함을 경고한다. 렙틴의 부족은 식욕을 증가시키고 에너지 소비를 감소시켜 다시 에너지 저장고를 채우도록 유도한다. 그러나 동일한 체질량지수를 가지는 사람이라고 할지라도 혈중 렙틴 농도의 변이는 매우 크다. 따라서 비만도 혹은 체지방량 외에도 혈중 렙틴 농도를 결정하는 인자가 다양함을 시사한다.[14]

사람에서도 선천성렙틴결핍증(congenital leptin deficiency)이 관찰되며, 어린 나이부터 매우 심한 비만이 나타난다.[7] 선천성렙틴결핍증은 기아 상태를 반영하는 증상 및 징후를 동반하는데, 예를 들자면 과도한 음식 섭취, 면역 기능 저하 및 저생식샘자극호르몬 생식샘저하증(hypogonadotropic hypogonadism) 소견이 나타난다. 특히 생식샘저하증이 생기는 것은 렙틴 결핍이 생식에 부적절한 수준의 에너지 결핍이 있음을 알리기 때문으로 풀이된다. 선천성렙틴결핍증에 의한 비만의 경우 렙틴을 투여함으로써 체중을 줄이고 생식샘저하증도 회복시키는 등 관련된 모든 변화를 호전시킨다.[8]

렙틴은 펩타이드 호르몬(peptide hormone)으로 렙틴수용체(LepR)와 결합하여 작용한다.[19] 렙틴수용체는 성장호르몬, 프로락틴(prolactin), 에리트로포이에틴(erythropoietin) 수용체처럼 class I 사이토카인 수용체에 해당한다. 이들 수용체는 하나의 막경유 도메인(transmembrane domain)을 가지며 리간드가 결합하면 이합체화(dimerization)가 일어난다. 렙틴이 렙틴수용체에 결합하면 JAK2 인산화가 일어나고 이어서 STAT3가 동원되고 인산화된다. 활성화 된 STAT3는 이합체화(dimerization)가 일어나고 핵으로 이동하여 여러 유전자의 발현을 조절한다. 렙틴수용체는 거의 모든 조직에서 발현되며 5개의 형태가 알려져 있다. 이 중에서 오직 한 형태만이 STAT3를 동원하는 세포질 내 도메인이 있는데, 이 유형은 렙틴에 반응하는 뇌 영역에 발현하여 식욕 조절에 중요한 역할을 하는 것으로 여겨진다.

재조합 렙틴(recombinant leptin)이 선천성렙틴결핍증에 의해 초래된 비만에 대해서는 훌륭한 효과를 보이지만 일반적인 비만에는 체중감소 효과를 보이지 않는다.[8] 또한 일반적인 비만에서는 혈중 렙틴 농도가 증가해 있다. 혈중 렙틴 농도가 증가해 있다면 당연히 에너지 섭취를 줄이고 에너지 소비를 늘림으로써 체중이 줄어야 하는데 비만 환자에서는 그렇지 않다. 즉, 일반적으로 비만에서는 렙틴 저항성이 있는 것이다. 렙틴 저항성의 기전은 아직 잘 모르며 여러 가지 유전적 환경적 요인이 관여하는 것으로 여겨진다. 렙틴 저항성을 극복하면 비만 해결에 획기적인 전환점이 될 것이므로 많은 연구가 진행되었지만, 아직은 갈 길이 먼 상태이다.[14]

2) 위장관 호르몬(gastrointestinal hormones)

다수의 위장관 호르몬이 음식 섭취에 따라 식욕을 조절한다. 렙틴이 장기적인 관점에서의 에너지 저장 정도를 되먹이는 신호를 보내는데 비해, 위장관에서 유래하는 신호는 단기적인 관점에서의 신호(short-term signal)이다. 이 호르몬들은 포만감(satiation)을 유도하여 음식 섭취 행위를 중단하게 하고 또 배고프지 않음(satiety)을 느끼도록 하여 다시 음식 섭취를 하는 행위가 나타나지 않도록 한다. 여러 위장관 호르몬이 렙틴이 작용하는 동일 뇌영역에 작용하여 식욕을 조절하는 것으로 알려져 있다. 이러한 위장관 호르몬의 분비 혹은 작용에 이상이 있을 때 식욕 조절에 이상을 일으킨다.

콜레시스토키닌(cholecystokinin, CCK)은 십이지장의 I 세포에서 분비된다. CCK의 분비는 십이지장 내에 지방이나 단백질이 있을 때 일어나며, 위장관 운동을 촉진하고 담낭을 수축시키고 췌장 효소 분비를 촉진하고 위배출을 증가시키고 위산 분비를 증가시킨다.[13] CCK 1 수용체(CCK-1 또는 CCK-A)를 통해 국소적으로 작용하여 미주 감각 신경(vagal sensory nerve)을 자극하며 대뇌에 지방과 단백질이 곧 소화되어 흡수될 것이라는 신호를 전달하는데, 이 신호는 후뇌(hindbrain)를 거쳐 시상하부로 전달된다.[13] 혈중 CCK 농도는 식후에 증가한다. CCK-1 작용제인 CCK33을 주사하면 식후 CCK 농도 수준으로 CCK 농도가 상승하며 음식 섭취를 억제한다. 반대로 CCK-1 길항제를 주사하면 음식 섭취가 증가한다. CCK-1이 결핍되면 음식 섭취 증가에 의한 비만이 초래되는데, Otsuka Long Evans Tokushima fatty 쥐가 비만한 이유이다.

Glucagon-like peptide-1 (GLP-1)은 30개(GLP-1 7-36 amide) 혹은 31개(GLP-1 7-37)의 아미노산으로 구성되며 proglucagon 유전자로부터 유래한다.[4] GLP-1은 L 세포에서 분비되며, L 세포는 주로 하부 소장 및 대장에 분포한다. GLP-1은 장 내강으로부터 영양소가 흡수될 때 분비된다. GLP-1의 혈중 반감기는 2분 정도로 매우 짧은데 dipeptidyl peptidase-4 (DPP-4)에 의해 급속히 분해되기 때문이다. GLP-1은 혈당 의존적으로 췌장 베타세포에서 인슐린 분비를 촉진하고 췌장 알파세포에서는 글루카곤 분비를 억제하며, 동물 실험에서 베타세포의 양을 증가시키는 작용이 확인된 바 있다. GLP-1은 위배출 시간을 지연시키며 음식 섭취를 억제한다. GLP-1이 뇌에 작용하여 식욕을 억제하는 기전은 직접적인 작용 및 미주신경을 경유하는 간접적인 작용 모두가 알려져 있다. GLP-1 유사체는 제2형 당뇨병의 치료제로 개발되어 사용되고 있는데 이 중 하나인 liraglutide를 고용량(하루 3 mg)으로 투여할 경우 체중감소 효과가 뚜렷하여 비만치료제로 승인되어 이용되고 있다. 식욕 조절에 가장 중요한 호르몬으로 여겨지는 렙틴이 일반적인 비만 치료에서는 전혀 효과가 없는데 비하여 위장관 호르몬인 GLP-1이 좋은 효과를 보이는 것으로 알려지면서 위장관 호르몬을 이용한 비만 치료제 개발 연구가 활발하다. 특히

proglucagon에서 유래되는 다른 펩타이드 호르몬인 oxyntomodulin도 항비만 작용이 있어서 관련 연구가 진행 중인데, 흥미롭게도 oxyntomoudulin은 자체의 수용체는 알려진 바가 없는 대신 GLP-1 수용체 및 글루카곤 수용체에 모두 작용하는 것으로 알려져 있다. 이러한 점에 착안하여 GLP-1 수용체 뿐만 아니라 GIP 수용체, 글루카곤 수용체 등에 작용하는 이중 작용제(dual agonist) 및 삼중 작용제(triple agonist) 등도 제2형 당뇨병, 비만 등의 대사질환 치료제로 개발이 진행되고 있다.

Peptide YY (PYY)는 36개의 아미노산으로 구성되며 GLP-1과 마찬가지로 식후에 L 세포에서 분비된다.[17] 혈중에는 DPP-4에 의해 분해된 34개의 아미노산으로 구성된 PYY3-36 형태로 주로 순환하며 시상하부의 NPY-Y2 수용체에 작용하여 음식 섭취를 줄인다. 비만한 사람은 마른 사람에 비해서 식후 혈중 PYY 농도가 낮음이 보고된 바 있다. 비만치료제로도 개발이 시도되었는데 사람에서는 분출구토(projectile vomiting)이 나타나 개발은 답보 상태에 머물러 있다.

그렐린(ghrelin)은 28개의 아미노산으로 구성되며 위저부(gastric fundus)의 내분비세포로부터 분비된다.[5] 활성형 호르몬은 ghrelin O-acyltransferase (GOAT)의 작용에 의해 octanoyl기를 가지고 있다. 다른 위장관 호르몬과는 반대로 그렐린은 식욕을 증가시키는 작용을 한다. 그렐린 분비는 공복에 증가하며 특히 식전에 분비가 증가하고 음식 섭취와 함께 분비가 감소한다. 그렐린은 시상하부의 궁상핵(arcuate nudeus)의 NPY (neuropeptide Y)/AgRP (agouti-related peptide) 신경세포를 통해 식욕을 조절한다.[6] 활성형 그렐린을 만드는 GOAT의 활성을 억제하는 연구가 활발히 진행 중이다.

2. 말초 신호의 중추 통합 기전

시상하부는 지방세포에서부터 오는 신호를 통합하여 에

너지 항상성을 유지하는데 있어서 중추적인 역할을 수행한다. 특히 궁상핵(arcuate nucleus)에 중요한 역할을 하는 상보적 조절 기전을 가진 두 종류의 신경세포가 존재하는데 식욕을 억제하는 POMC/CART 신경세포와 AgRP/NPY 신경세포가 그것이다.[2-14,16] 렙틴과 인슐린은 pro-opiomelanocortin (POMC)을 생산하는 신경세포에 직접적으로 작용하고 POMC는 쪼개져서 α-melanocyte-stimulating hormone (αMSH)를 생산하고 이는 방실핵(paraventricular Nu), 측핵(lateral Nu) 및 기타 대뇌 부위에 위치한 신경세포에 MC4R을 통해 작용하고 또한 이웃한 AgRP/NPY 신경세포에 MC3R을 통해 억제 작용을 나타냄으로써 전체적으로 식욕을 억제하고 에너지 소비를 증진시키는 반응을 나타낸다.[14] 그렐린은 AgRP/NPY 신경세포에 직접 작용하여 식욕을 증진시키고, 렙틴과 인슐린은 AgRP/NPY에 대한 직접 작용으로 식욕을 억제한다.[5,15] POMC/CART 및 AgRP/NPY 사이에는 상호 조절을 위한 GABA, MC3R, Y1R 등의 수용체가 있어서 하나가 자극되면 다른 하나가 억제되는 형태의 조절이 이루어지게 된다. AgRP는 MC4R에 대해서 억제제로 작용함으로써 αMSH의 작용을 차단한다. 이처럼 매우 복잡한 기전에 의해 식욕이 조절되지만 각각의 호르몬 및 신경전달물질이 에너지 대사 외에도 다양한 작용을 가지고, 또한 사람에서는 대뇌 고위 중추의 역할 또한 매우 중요해서, 약물 치료를 통해 식욕 억제를 하는 것은 매우 어렵다.[1-14]

❷ 비만의 유전학

일반적으로 비만은 많이 먹고 적게 움직이는 탓에 생기는 것으로 알려져 있어서 모든 책임을 개인의 의지 문제 및 잘못된 습관 문제로 돌리는 경향이 있다. 그러나 쌍생아 연구나 입양 연구를 통해 체질량지수를 결정하는

데에는 유전적 요인이 40-70% 정도 관여하는 것으로 밝혀진 바 있다. 멘델 유전법칙을 따르는 드문 단일유전자 돌연변이에 의한 비만이 다수 알려져 있어서 비만 발생의 병태생리 이해에 크게 기여하였다. 그러나 일반적인 비만의 경우 전체 인구 집단 수준에서 통계적으로는 유의하나 실제로 비만에 기여하는 효과는 크지 않은 것들이 대부분이어서 한 개인 수준에서 비만 발생에 얼마나 중요한지는 의문이다.

최근 대규모의 전장유전체연관분석(genome-wide association studies)을 통해 비만과 연관된 흔한 유전자 변이들이 많이 밝혀졌다.[10,14] 그러나 이 중 다수는 단백을 코딩하지 않는 유전자 구역에 위치하고 있어서 어떤 기전으로 비만 발생에 기여하는지 잘 모른다. 이렇게 밝혀진 유전자 변이도 실제 효과는 크지 않아서 비만 발생에 있어서 유전에 의한 효과의 약 10-20% 정도를 설명할 뿐이다. 전장유전체연관분석을 통해 밝혀진 비만 유전자 중 가장 널리 알려진 것은 fat mass and obesity-associated gene (FTO)으로서 이는 2-oxoglutarate–dependent nucleic acid demethylase를 코딩하고 시상하부에서 가장 많이 발현한다. 궁상핵에서 FTO mRNA발현은 음식 섭취 및 금식에 따라 조절된다. FTO의 다양한 유전자 변이가 보고되어 있으며 해당 변이를 가질 경우 비만을 가질 위험이 약 1.3~1.5배 증가한다. 이 유전자의 변이는 비만을 통해 제2형 당뇨병 발병에도 기여한다.

멘델 유전 양식을 따르는 단일 유전자 돌연변이의 대부분은 렙틴-멜라노코르틴 시스템에 집중된다.[14] 렙틴과 렙틴수용체 유전자의 돌연변이는 심한 비만과 저생식샘자극호르몬 생식샘저하증(hypogonadotropic hypogonadism)을 보인다. POMC 유전자의 돌연변이는 심한 비만, 신생아 부신기능부전을 보이는데 각각 시상하부에서 α-MSH 생산이 안 되고 뇌하수체에서 ACTH 생산이 되지 않기 때문이다. 하지만 이와 같은 열성유전(recessive inheritance)을 하는 심한 비만은 매우 드물다. 가장 흔히 발견되는 변이는 MC4R에서 나타나는데 이 역시 전체

비만 환자의 약 2.5%에서만 나타난다. 소아 비만과 관련된 MC4R의 변이는 그 기능 저하와 비만 정도가 상관관계가 있다. 그러나 성인에서는 MC4R 변이를 가진 비만 환자의 경우 다른 비만 환자와 별다른 임상적 특성을 보이지 않아서 유전자 검사를 하지 않고서는 MC4R에 변이가 있는지 확인할 길이 없다. 물론 이 유전자 존재 유무가 치료 방법 선택에도 영향을 미치지 않기 때문에 연구 목적 이외에는 검사를 추천하지 않는다.

❸ 비만의 합병증

비만은 다양한 합병증을 유발하는데, 한 보고에 의하면 그 기여도가 고혈압의 75%, 암의 33%, 당뇨병의 44%, 허혈성심질환의 23% 수준이라고 한다.[3] 지금부터 비만의 주요 합병증과 그 발생의 병태생리에 대해 알아보고자 한다.

1. 비만 합병증의 기전의 핵심: 내분비기관으로서의 지방조직의 이상

과거 지방조직은 단순히 잉여 에너지를 저장하는 창고로만 여겨졌다. 이 외에도 외부 충격을 완충하거나 외부로부터 단열하여 체온을 유지하는데 도움을 주는 것으로 알고 있었다. 그러나 지금까지 알려진 많은 연구 결과를 통해 지방조직은 아디포카인(adipokine)이라고 하는 많은 호르몬을 분비하는 내분비기관으로 자리매김하게 되었다.[9] 대표적인 호르몬은 렙틴으로 앞서 설명한 바와 같이 체내 에너지 저장고의 수위를 중추신경에 알리는 신호이며 식욕, 에너지 소모, 면역기능, 생식능력 등을 조절한다. 아디포넥틴(adiponectin)도 지방세포에서 생산되어 분비되는데 역설적으로 비만에서 혈중 농도가 감소한다. 아디포넥틴의 감소는 고인슐린혈증 및 인슐린 저항성과 밀접한 관련을 보인다. 반대로 체중이 감소하거나 thiazolidinedione 등을 이용하여 인슐린 감수성을 증가시키면 혈중 아디포넥틴 농도는 증가한다. 아디포넥틴은 혈장 내에 풍부히 존재하며 저분자량 형태로부터 고분자량 형태에 이르는 다양한 형태로 존재한다. 아디포넥틴은 수용체를 통해 작용하며 간 및 골격근의 인슐린 감수성을 조절한다. 아디포넥틴은 골격근에서 지방산 산화 및 포도당 흡수를 촉진하고 간에서는 포도당 생산을 억제한다. 아디포넥틴 수용체(adipoR1 및 R2)가 발견되었으며 이에 대한 작용제를 투여할 경우 대사 호전이 관찰되어 신약 후보로 거론되고 있다.

비만 환자에서 경도의 만성 염증 지표가 상승되어 있음이 흔히 관찰되는데, 지방 조직의 염증성 변화가 기여하는 것으로 생각된다. 가장 널리 알려진 것은 지방조직에서 생산되는 tumor necrosis factor-α (TNF-α)인데 인접한 세포에 영향을 주거나 호르몬과 동일하게 멀리 떨어진 조직과 세포에 작용하여 염증 반응을 촉발하며 인슐린 저항성 유발에 기여한다.[9] 이외에도 interleukin 6 (IL-6), monocyte-chemoattractant protein-1 (MCP-1), plasminogen-activated inhibitor-1 (PAI-1), and colony-stimulating factor (CSF) 등이 지방조직의 염증 반응에 기여하며 전신의 인슐린 저항성을 일으키는데 기여한다.[9] 지방조직에 대식세포가 침윤하여 염증반응을 일으키는 물질을 분비하는데 주로 염증을 일으키는 M1형이 이와 반대의 기능을 하는 M2형에 비해 우세하다.

2. 인슐린 저항성과 제2형 당뇨병

비만은 잘 알려진 제2형 당뇨병의 위험인자이며 **그림 2-1**에서 도시한 바와 같은 다양한 기전에 의해 둘 사이의 연결 고리가 설명된다.[11] 특히 내장비만이 증가한 상태가 위험한데 내장비만은 쉽게 지방분해가 되어 유리지방산

그림 2-1 비만에서 인슐린 저항성 및 제2형 당뇨병이 발생하는 기전 *FFA, free fatty acid; skeletal m, skeletal muscle; TNFα, tumor necrosis factor-α*

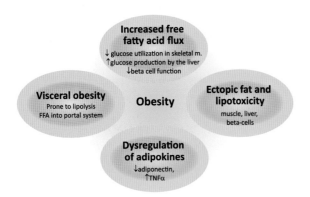

이 나타난다. 지방조직에 저장되지 못한 잉여 지방은 정상적으로는 지방을 비축하는 기관이 아닌 간, 근육, 베타세포 등에 축적되는데 이를 이소성 지방(ectopic fat)이라고 하며 각 기관의 기능 장애를 유발하여 인슐린 저항성과 인슐린 분비 장애를 일으킨다. 인슐린 저항성이 있더라도 췌장 베타세포에서 충분한 양의 인슐린을 분비하면 정상 혈당을 유지할 수 있으나, 일부에서는 이러한 보상기전이 충분치 못한 상대적 인슐린 결핍 상태가 발생하고 고혈당 및 당뇨병으로 이어진다.[11]

(free fatty acid)을 방출하고, 이 유리지방산은 문맥을 통해 간으로 유입되어 인슐린 저항성을 유발한다. 지방조직에 과도한 에너지가 축적되면 앞서 설명한 바와 같이 염증반응이 유발되고 이를 통해 전신에 인슐린 저항성이 발생한다. 혈중 유리지방산이 증가한 경우 역시 인슐린에 의한 포도당 섭취가 감소하게 되는 인슐린 저항성

3. 이상지질혈증

비만과 인슐린 저항성으로 인해 혈중 중성지방은 증가하고 HDL 콜레스테롤은 감소한다. LDL 콜레스테롤 농도 자체는 변화가 없지만 질적으로 작고 치밀하게 변하여 죽종(atheroma) 형성에 용이한 형태가 된다. 지단백, 특히 VLDL에 중성지방 함량이 증가하면 cholesteryl

그림 2-2 비만 및 인슐린 저항성 상태에서 이상지혈증이 발생하는 기전
CE, cholesteryl ester; CETP, cholesteryl ester transfer protein; FFA, free fatty acid; TG, triglyceride

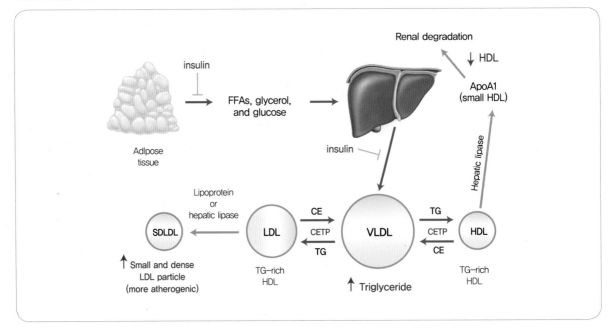

ester transfer protein (CETP) 효소의 작용에 의해 LDL 및 HDL의 콜레스테롤과 VLDL의 중성지방을 맞바꾸면서 LDL과 HDL 지단백 입자에 중성지방 함량이 증가하고 지단백지방분해효소(lipoprotein lipase)의 작용으로 크기가 줄면서 작고 치밀한 LDL이 되고 크기가 작아진 HDL은 신장으로 배설되는 등 제거가 증가하여 혈중 농도가 감소한다 (그림 2-2). 중성지방이 높고 HDL 콜레스테롤이 낮고 작고 치밀한 LDL 콜레스테롤이 증가하는 현상은 특히 복부비만이 있는 경우 잘 동반되고 이 모든 것이 심혈관질환의 위험을 높인다.[20]

그림에 표시된 인슐린이 억제하는 경로가 활성되면서 모든 변화가 순차적으로 일어난다 (그림 2-2).

4. 고혈압

비만한 사람의 약 40%가 고혈압을 동반하며 체중 증가는 혈압 상승을 수반한다. 비만이 고혈압을 유발하는 기전은 잘 알지 못하지만, 지방조직에서 생성되는 안지오텐시노겐(angiotensinogen)의 증가, 내피세포 기능 장애, 고인슐린혈증에 따른 교감신경계의 활성화 및 신장에서 소디움 재흡수의 증가 등에 의한 것으로 이해된다.[14,18]

5. 대사증후군

비만과 함께 고혈당, 고혈압, 이상지질혈증 등 각종 대사이상이 한 개인에게 동시에 나타나는 일이 흔한데, 이러한 현상을 일컬어 대사증후군(metabolic syndrome)이라고 한다. 이와 같이 여러 대사이상이 동시에 나타나는 정확한 기전은 알지 못하지만 인슐린 저항성이 근저에 있는 경우가 많다.[18] 대사증후군이 있는 경우 심혈관질환 발생의 위험이 높다 (그림 2-3). 대사증후군 자체를 치료할 수 있는 방법이 따로 있는 것이 아니고 각각을 개별적

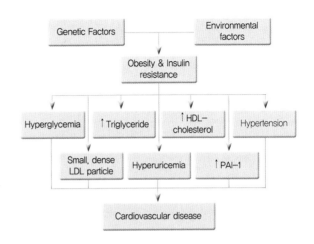

그림 2-3 비만에 흔히 동반되는 대사증후군의 발생 기전 및 심혈관질환과의 연관성

으로 치료해야 하는 경우가 많아서 대사증후군의 구성요소를 가지고 있는 환자에서 다른 대사 이상 동반 여부를 확인해서 잘 관리해야 한다는 점 이외의 임상적 중요성 부여는 어려운 실정이다.

6. 호흡기 질환

비만에 가장 흔히 동반되는 호흡기 이상은 제한성폐기능장애인데 비만에 따라 흉곽에 압력이 가해져서 발생한다. 비만 특히 병적비만은 폐포저환기(alveolar hypoventilation)를 일으킬 수 있으며 이산화탄소 분압의 증가 및 산소 분압의 감소가 동반될 수 있다. 이러한 변화는 일회호흡량(tidal volume)이 감소하고 흡기를 위한 충분한 음압을 만들기 어려우며 횡격막의 상승 등에 의해 초래된다. 환자가 누워 있을 경우 복강내 압력이 흉곽으로 전달되어 이러한 이상은 더욱 심화된다.[16]

비만은 폐쇄성수면무호흡증(obstructive sleep apnea, OSA)을 흔히 동반한다. 또한 폐쇄성수면무호흡증이 있으면 대사증후군이 동반되는 경우가 흔한데 특히 고혈압이 이와 관련 깊다. 수면 중 상기도가 간헐적으로 폐쇄

될 경우 저산소증이 발생하고 이에 따라 교감신경계가 활성화되며 기도에는 염증이 발생한다. 실제로 폐쇄성수면무호흡증이 있는 환자의 경우 전신 및 폐 고혈압이 흔하고, 심부전, 부정맥, 심근경색이 증가하고 결국 사망률이 높다. 그러나 양압치료기를 이용하여 수면무호흡증을 치료하더라도 고혈압이 개선되거나 다른 대사 이상 개선은 잘 나타나지 않는다. 대사 이상 뿐만 아니라 낮동안의 과도한 졸음으로 인한 사고 및 업무 효율 감소 등이 동반될 수 있다.

7. 위장관 합병증

비만 환자의 약 50-85%에서 비알코올성지방간질환(non-alcoholic fatty liver disease)이 발견된다. 특히 나이가 많고, 내장비만이 있고, 죽상경화성 이상지질혈증(athero-genic dyslipidemia) 및 고혈압이 있는 경우 흔히 동반된다. 최근 바이러스성 간질환이 줄어들면서 비알코올성 지방간이 만성 간질환의 가장 흔한 원인으로 자리잡고 있다.[14,16]

이외에도 위식도역류 및 열공탈장(hiatal hernia)이 비만에 흔히 동반된다. 이 두 질환 모두 하부 식도 점막에 미란성 병변을 유발하며 전암성 병변인 바렛트 식도(Barrett esophagus) 발생의 위험을 높인다.[14,16]

8. 생식능력

비만은 남성, 여성 모두에서 불임의 원인이 될 수 있다.[14,16] 특히 여성에서는 다낭성난소증후군이 비만에 의한 불임의 주된 원인이다. 다낭성난소증후군이 있는 여성은 배란 장애와 고안드로겐혈증(hyperandrogenemia)이 관찰된다. 비만한 남성은 정자 수와 정자 운동이 감소해 있으며 발기부전 및 혈중 테스토스테론 농도가 낮다.

9. 관절

비만한 경우 고요산혈증 및 통풍의 위험이 증가한다.[14,16] 체중 증가에 따라 관절에 가해지는 부하가 증가하고 특히 무릎 관절의 골관절염(osteoarthritis)이 흔히 발행할 수 있다. 골관절염은 남성보다 여성에서 더욱 흔히 발생한다. 단순한 물리적인 무게에 더하여 대사 이상이 있는 경우 골관절염 발생의 위험은 더욱 높다.

10. 암

비만할 경우 유방암, 자궁내막암, 대장암, 전립선암, 신장암의 위험이 증가한다.[14,16] 유방암과 자궁내막암이 증가하는 기전으로는 호르몬 이상이 있는데, 혈중 에스트로겐 농도가 높고 난소에서 생산되는 안드로겐(androgen) 증가에 따라 혈중 테스토스테론이 상승하고 황체호르몬의 농도가 낮아지는 것과 관련이 있다. 비만과 동반된 인슐린 저항성으로 인해 고인슐린혈증이 생기고 인슐린이 인슐린양성장인자-I (IGF-I) 수용체에 작용하여 종양의 성장을 촉진시킬 가능성이 있다. 또한 렙틴이 높고 아디포넥틴이 낮음이 비만에서 흔히 관찰되는데, in vitro에서 렙틴은 암세포 증식을 촉진시키고 아디포넥틴은 암세포 증식을 감소시킴이 알려진 바 있다. 역학연구에서 고혈당도 암 발생과 연관이 알려진 바 있어서 비만과 동반된 포도당 대사 이상에 의한 고혈당도 암 발생 증가에 기여할 수 있다.

참고문헌

1. Apovian CM, Aronne LJ, Bessesen DH, et al. Pharmacological management of obesity: an endocrine Society clinical practice guideline. J Clin Endocrinol Metab 2015;100:342-

62. Erratum in: J Clin Endocrinol Metab 2015;100:2135-6.

2. Berthoud HR, Morrison C. The brain, appetite, and obesity. Ann Rev Psychol 2008;59:55-92.

3. Cefalu WT Bray GA, Home PD, et al. Advances in the Science, Treatment, and Prevention of the Disease of Obesity: Reflections From a Diabetes Care Editors' Expert Forum. Diabetes Care 2015;38:1567-82.

4. Cho YM, Fujita Y, Kieffer TJ. Glucagon-like peptide-1: glucose homeostasis and beyond. Annu Rev Physiol 2014;76:535-59.

5. Cummings DE, Overduin J. Gastrointestinal regulation of food intake. J Clin Invest 2007;117:13-23.

6. Cummings DE. Ghrelin and the short- and long-term regulation of appetite and body weight. Physiol Behav 2006;89:71-84.

7. Farooqi IS, Wangensteen T. Collins S. et al. Clinical and Molecular Genetic Spectrum of Congenital Deficiency of the Leptin Receptor. N Engl J Med 2007; 356:237-47.

8. Farooqi IS, Jebb SA, Langmack G, et al. Effects of Recombinant Leptin Therapy in a Child with Congenital Leptin Deficiency. N Engl J Med 1999; 341:879-84.

9. Galic S, Oakhill JS, Steinberg GR. Adipose tissue as an endocrine organ. Mol Cell Endocrinol 2010;316;129-39.

10. Gardner DG and Shoback D. Greenspan's Basic & Clinical Endocrinology 9th edition. New York, USA: McGraw Hill, p. 699-709, 2011.

11. Kahn SE, Hull RL, Utzschneider KM. Mechanisms linking obesity to insulin resistance and type 2 diabetes. Nature 2006;444:840-6.

12. Kolaczynsky JW, Ohammesian JP, Considine RV, et al. Response of leptin to short-term and prolonged overfeeding in humans. J Clin Endocrinol Metab 1996;81:4162-5.

13. Little TJ, Horowitz M, Feinle-Bisset C. Role of cholecystokinin in appetite control and body weight regulation. Obesity Reviews 2005;6:297–306.

14. Melmed S, Polonsky KS, Larsen PR et al. Williams Textbook of Endocrinology 13th edition. Philadelphia, USA: Elsevier, P. 1633-1659, 2016.

15. Morton GJ, Cummings DE, Baskin DG et al. Central nervous system control of food intake and body weight. Nature 2006;443: 289-95.

16. Nguyen NT et al. The ASMBS Textbook of Bariatric Surgery: Volume 1: Bariatric Surgery. New York, USA: Springer, p13-36, 2015.

17. Price SL, Bloom SR. Protein PYY and its role in metabolism. Front Horm Res 2014;42:147-54.

18. Reaven GM. Banting lecture 1988. Role of insulin resistance in human disease. Diabetes 1988;12:1595-607.

19. Tartaglia LA et al. Identification and expression cloning of a leptin receptor, OB-R. Cell 1995;83:1263-71.

20. Van Gaal LF, Mertens IL, De Block CE. Mechanisms linking obesity with cardiovascular disease. Nature 2006;444: 875-80.

21. Zhang Y., Proenca R., Maffeim., et al. Positional cloning of the mouse obese gene and its human homologue. Nature 1994;372:425–32.

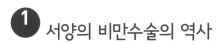

❶ 서양의 비만수술의 역사

체중감소를 위한 치료법으로 수술이 등장하게 되었으며 현재까지 다양한 비만수술이 소개되었다. 체중감소의 작용 기전을 중심으로 수술법을 크게 둘로 나눈다면 섭취제한술(restriction of intake)과 흡수억제술(malabsorptive)을 들 수 있다(표 3-1). 체중을 줄이기 위해 최초로 시도된 수술은 흡수억제를 목표로 하였으며 공장회장우회술(jejunoileal bypass)로 출발하였다. 이러한 시도는 의학계로부터 많은 비난이 따랐지만 체중감소의 효과는 뛰어났기에 외과수술 역사상 큰 혁명이었다고 최근 평가되고 있다. 공장회장우회술은 비록 간부전증 또는 영양불량에 의한 심각한 합병증을 유발하여 사용이 중지되었지만 인류의 의학 역사에 수술로 체중을 줄일 수 있다는 새로운 패러다임을 제시하였다. 이후 흡수억제에 의한 합병증을 줄이고자 섭취제한 수술법과 체중감소의 효과를 증진시키기 위해 섭취제한 및 흡수억제 혼합형 수술법들이 개발되었다.

표 3-1 비만수술의 작용기전에 의한 분류

섭취제한술식
조절형위밴드술(Adjustable gastric banding)
위소매절제술(Sleeve gastrectomy)
수직위밴드성형술(Vertical banded gastroplasty)
흡수억제술식
담췌우회술(Biliopancreatic diversion)
공장회장우회술(Jenjunoileal bypass)
섭취제한과 흡수억제 혼합형
루와이위우회술(Roux-en-Y gastric bypass)
담췌우회술 및 십이지장전환술(Biliopancreatic diversion with duodenal switch)

1. 공장회장우회술(Jejunoileal bypass)

1952년 스웨덴 의사 Viktor 는 소장 절제 후 발생하는 매우 흥미로운 신체 변화를 발표하였는데 소장 절제를 시행받은 환자가 별다른 합병증 없이 효과적으로 체중이 감소하는 것을 발견하여 이를 보고하였다.[5] 이후 미국에

그림 3-1 단측 공장대장단락술(end-to-side jejunocolic shunt)

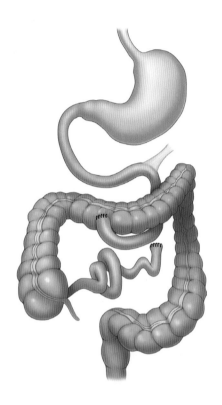

그림 3-2 루프 위우회술(loop gastric bypass)

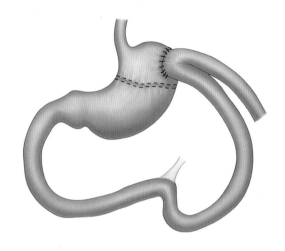

불균형 등 심각한 합병증들이 보고되었으며, 결국 1978년 NIH Consensus Development Conference[24]에서 소장 우회수술은 위험성-수익성 비율(risk-benefit ratio)이 너무 높아 일상적인 치료방법으로 권유하지 않는다는 결론을 내렸다. 병적비만(morbid obesity)이란 단어는 Payne가 만들었으며 당시 보험 회사로부터 지원을 받기 위해 사용하였다고 한다.

서도 1953년 Varco가 비슷한 결과를 발표하였다. 이후 1954년 Kremen 등[8]은 상부공장을 절제하더라도 지방흡수가 잘 유지되고 영양상태, 체중변화가 거의 없는 반면, 회장을 절제하면 지방흡수 장애가 발생하고 체중감소 및 영양결핍이 발생함을 개 실험을 통해 관찰하였다. 이후 정식보고는 되지 않았지만 체중감소를 목적으로 소장 절제술이 산발적으로 시행되었다. 1963년 Payne 등[17]은 단측 공장대장단락술(end-to-side jejunocolic shunt)(그림 3-1) 10례를 보고하였다. 모든 환자에게서 체중감소는 관찰되었지만, 1례는 폐색전증이 발생하여 수술 후 6개월 만에 사망하였으며, 6명은 원위치로 복원 받은 뒤 체중이 다시 증가함을 관찰하였다. Payne의 성공적인 체중 감량 보고 이후 1960년대 후반기부터 1970년대에는 공장회장우회술 또는 공장대장단락술(jejunoileal bypass or jejunocolic shunt)이 활발히 진행되었다. 하지만 이 수술 후 간부전증, 영양실조, 지용성 비타민 결핍, 전해질

2. 위우회술(Gastric bypass)

공장회장우회술은 합병증으로 인해 점차 사라지게 되었고 1970년대 이르러 새로운 수술법이 필요하게 되었고 1967년 Mason과 Ito는 궤양치료를 위해 시행했던 루프 위우회술(loop gastric bypass, 그림 3-2)이 체중 감량을 일으키는 것을 보고하였다[13]. 당시 공장회장우회술이 활발하던 시기라 발표 당시엔 그다지 주목을 받지 못하였지만 공장회장우회술이 합병증으로 점차 사라지자 루프 위우회술이 관심을 끌게 되었다. 하지만 자동문합기가 없던 당시에 이 수술은 굉장히 어렵고 시간이 많이 걸리는 수술이었으며, 많은 환자들이 6개월이 지나서 다시 체중이 증가하는 현상이 보고되었다. 그리고 루프(loop)형

그림 3-3 Alden의 루와이위우회술(Roux-en-Y type anastomosis)

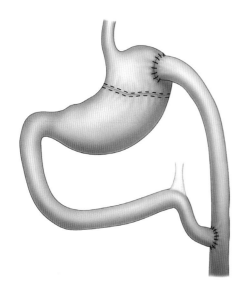

그림 3-4 담췌우회술(Biliopancreatic Diversion)

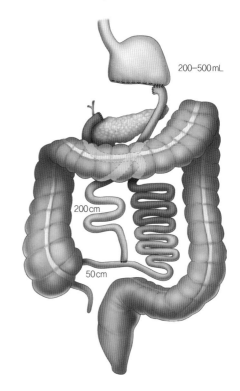

태의 소장문합은 담즙과 같은 소화액의 역류 증상이 문제점으로 지적되었다. Alden은 루프 위우회술을 받은 환자 중 담즙 역류가 있는 환자를 루와이우회술(Roux-en-Y bypass)로 재수술하여 이를 해결하였다(그림 3-3). 1977년 Alden은 위공장문합술이 공장회장우회술에 비해 합병증이 적고 안전하며 체중감소는 동등하다고 발표하였다.[1] 그리하여 1980년대엔 위우회술이 활발히 시행되었고 당시 보고에 의하면 수술은 안전하며 46.2 kg 정도의 체중이 감소하는 효과가 있고 제2형 당뇨병 환자 중 약 83%가 당뇨가 호전된다고 하였다.[18] MacDonald 등도 이 수술 후에 당뇨에 의한 사망률이 감소할 수 있다고 보고하였다.[11] 위우회술이 1980년대 이후 활발히 시행되고 많은 변형된 수술법들이 제시되었지만 이 수술법 역시 합병증이 보고되기 시작했다. 덤핑증후군(dumping syndrome), 변연부궤양(marginal ulcer) 등이 대표적인 합병증이다.

3. 담췌우회술 및 십이지장전환술
(Biliopancreatic diversion and biliopancreatic diversion with duodenal switch)

미국에서 공장회장우회술 이후 위우회술이 주로 시행되었지만 유럽에서는 공장회장우회술 이후 다른 형태의 수술법이 소개되었다. Nicola Scopinaro 등은 1979년에 담췌우회술(Biliopancreatic diversion)(그림 3-4)이라는 새로운 우회술을 소개하였다.[22] 이는 위를 2/3 이상 충분히 절제 후에 트라이츠인대(ligament of Treitz) 200 cm 하방에서 공장을 절제하고 원위부공장으로 위공장문합술을 시행하고 소화액이 나오는 근위부공장을 회장말단부(terminal ileum) 상방 50-120 cm에 문합하는 방법이다. 이렇게 함으로써 소화액과 음식물이 섞이는 소장 즉 공통채널(common channel)을 줄임으로써 소화흡수를 줄여 체중 감량을 얻을 수 있게 된 것이다. 20여년 후에 Nicola Scopinaro 등은 담췌우회술(Biliopancreatic diversion) 의 수술 후 결과를 발표하였고 2,241명의 환자에서 약 75% 정도의 체중 감량 효과가 있는 것으로 보고하였다.[21] 또한 단지 수술만으로도 모든 환자에서 혈중 포도당이나 콜레스테롤 수치가 정상화되는 효과가 있는 것을 발견하였다.[21] 수술 후 사망률은 0.5%로 매우 낮았지만 우회술을 통한 영양소 흡수불량으로 인해 합병증들이 보고되었는데 철이나 엽산결핍으로 인한 빈혈, 스토마궤양(stomal ulcer) 단백질 부족(protein malnutrition), 비타민결핍으로 인한 신경합병증, 골격탈회(bone demineralization) 등이 보고되었다. 이 중 가장 심각한 것은 단백질 부족으로 인한 영양실조이며 수술 후 오랜 기간 동안 추적관찰이 필수적이며 단백질 및 비타민, 철분과 무기질 공급이 이러한 합병증을 예방하는데 중요한 요소들이었다.

담췌우회술(biliopancreatic diversion)이 체중 감량엔 매우 효과적이지만 변연부궤양(marginal ulcer)이나 덤핑증후군 같은 합병증이 발생하여 이를 개선한 수술법이 필요하게 되었고, Douglas Hess, Bowling Green, Ohio 등은 십이지장전환술(duodenal switch 그림 3-5)을 고안하였다. 이를 Marceau 등이 1993년 학회에 발표하였고[12], 이후 Hess 와 Hess는 440명의 환자를 대상으로 십이지장전환술(duodenal switch) 수술 후 결과를 발표하였고 변연부궤양(marginal ulcer)이나 덤핑증후군 같은 합병증이 한 건도 발생하지 않았다고 보고하였다.[6] 십이지장전환술(duodenal switch)은 담췌우회술(biliopancreatic diversion)과 네 가지 차이점이 있는데 첫째, 위용적을 감소하기 위해서 위 소매절제술(sleeve gastrectomy)를 시행하였고 둘째, 유문을 지나서 십이지장을 분리하여 유문의 기능을 보존하였고 셋째, 원위부회장을 십이지장과 연결하였고, 마지막으로 공통채널(common channel)을 담췌우회술(biliopancreatic diversion)보다 길게 하여 비타민, 미네랄, 단백질 영양실조 같은 합병증을 예방하였다. Hess 등은 이 수술은 유문을 보존하여 추후 수술을 통한 역전(reversal of operation)

그림 3-5 십이지장전환술(Duodenal switch)

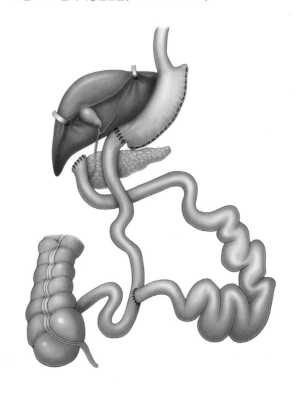

이 가능한 장점이 있고 섭취제한 수술법(restrictive operation)으로 체중 감량에 실패한 초고도비만 환자에게 효과적인 수술법이라고 주장하였다.[6]

4. 수직밴드위성형술
(Vertical banded gastroplasty)

1970년대에 체중감소를 위해 위나 소장을 우회하는 수술이 많이 시행되었지만 영양결핍 같은 합병증이나 술기상의 어려움으로 인해 다른 대안이 필요하게 되었고 많은 외과의사들이 새로운 시도를 하게 되었다. 1973년 Printen과 Mason은 기존의 루프 위우회술(loop gastric bypass)보다 간단한 수술을 소개하였다.[19] 이 수술법은 위의 소만부에서 대만부쪽으로 자동문합기를 이용하여 위를 수평으로 분절화(horizontal partitioning, 그림 3-6)

그림 3-6 수평위분절술(Horizontal gastric partitioning)

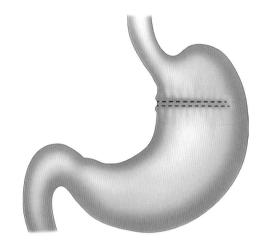

그림 3-7 수직위분절술(Vertical gastric partitioning)

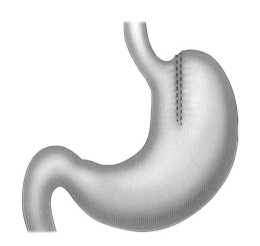

시켜 대만부에 약 1-1.5 cm 정도만 음식물이 통과할 수 있도록 만드는 수술이다. 하지만 다량의 음식섭취 시 절단부위가 변형되거나 통로가 넓어져 문제가 되었다. 이후 이 술식은 다른 외과 의사들에 의해 위를 수직으로 분절화(verticial partitioning, 그림 3-7)는 방법으로 변형되었다. 1981년 Laws가 위를 수직으로 분절화 후 새로 만들어진 통로 끝부분에 실라스틱링(silastic ring)을 넣어 통로의 변형을 줄이는 방법을 소개하였고[10] 1년 뒤 Mason이 이보다 개선된 수술법을 소개하였다.[14] Mason은 위를 수직으로 분절화하였고 통로 말단을 EEA (end to end anastomosis stapler)를 이용하여 구멍을 내고 여기에 실라스틱링 대신 polypropylene 소재의 Marlex® mesh를 이용하였다.[14] 다른 의사들에 의해 Mason의 Marlex mesh를 이용한 수직밴드위성형술(vertical banded gastricplasty, VBG) (그림 3-8)이 실라스틱링을 이용한 수술법보다 위출구협착이나 식도역류 같은 합병증이 적다는 것이 알려지면서 1980년대 이 수술법은 널리 이용되게 되었다.[15] 하지만 1990년대 이르러 수직밴드위성형술을 받은 약 50% 이상의 사람들이 체중 증가와 함께 구토 및 식도염으로 재수술을 받게 되었고 그 원인은 시간이 지남에 따라 분절화를 통해 작아진 위가 다시 늘어나고 접합

부위가 분리되는 것으로 밝혀졌다.[3]

5. 조절형위밴드술
(Adjustable gastric banding)

조절형위밴드술(adjustable gastric banding)이 나오기 전 Prolene 봉합사를 이용하여 위를 묶는 비조절형위밴드술(nonadjustable gastric banding) 방법이 시도되었는데 이 중 Wilkinson은 개 실험을 통하여 prolene 봉합사로 위대만부를 1 cm 부지(bougie)튜브가 통과할 정도로 결찰하여 관찰한 결과 우회술을 하지 않고 적은 양의 식사로도 포만감과 체중 감량을 얻을 수 있다는 사실을 발표하였다.[27] 이후 그는 100명의 환자를 대상으로 니센 위저부주름술(Nissen fundoplication)과 폴리프로필렌 그물망(polypropylene mesh)를 이용한 위밴드 수술 시행 후 그 결과를 발표하였고, 당시 결과에 따르면 99명의 환자가 특별한 합병증 없이 체중감소를 한 것으로 보고하였다.[26] 하지만 10여 년이 지나고 수술 받은 많은 환자들이 다시 체중이 늘거나 심한 구토, 식도염 등으로 재수술을 받게 되었고 이로 인하여 이 수술은 점차 시행되지 않게

그림 3-8 수직밴드위성형술(Vertical banded gastroplasty using Marlex® mesh by Mason)

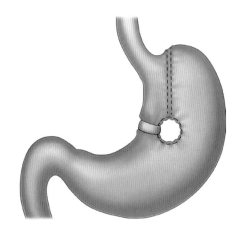

그림 3-9 조절형위밴드술(Adjustable gastric banding)

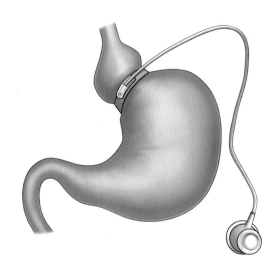

되었다.

실제로 지금의 조절형 밴드의 형태는 우크라이나 출신의 미국외과의사인 Kuzmak 의 노력의 산물이었다고 할 수 있다. 그는 기존의 Mason이 개발한 수직위분절술(VBG)의 핵심인 남은 위의 용적을 줄이는 방법을 보완하여 단점이었던 문합부위부전(stapling line disruption)을 극복하고자 실리콘을 이용하여 조절형 밴드를 개발하였다. 비슷한 시기에 스웨덴에서 Hallberg 과 Forsell은 Swedish Adjustable Gastric Band (SAGB)를 개발하였고 1985년경에 스웨덴 외과협회에 balloon band 를 소개하여 개복수술에서 조절형밴드를 이용하기 시작하였다.

1989년에 호주에서 "reversible gastric banding" 이라는 새로운 수술기법이 소개되었다. 이 수술법은 실리콘 소매(silicon cuff)를 위저부(fundus)에 둘러싸고 이를 조절하는 밸브장치를 피하에 삽입하여 주사기를 이용하여 조임을 조절하는 수술방법이다.[25] 환자의 증상에 따라서 밸브장치를 조절할 수 있고 이전의 비조절형밴드(non-adjustable band)수술법에 비해 합병증도 적고 체중감소도 좋은 것으로 보고되었다.[9] 1995년에 Belachew 등은 복강경을 이용한 조절형위밴드술(laparoscopic adjustable gastric banding(그림 3-9))을 소개하였다.[2] 이후

이 수술법은 유럽과 미국에서 파급적으로 유행하게 되었다. 하지만 최근 수술빈도가 점차 감소하게 되었는데 그 이유 중의 하나가 밴드의 이탈(slippage), 미란(erosion), 삽입물에 의한 감염(foreign body infection) 등과 같은 합병증 때문이었다.

6. 위소매절제술(Sleeve gastrectomy)

위소매절제술(sleeve gastrectomy) (그림 3-10)은 원래 초고도비만(체질량지수 > 60 kg/m²) 환자에서 십이지장전환술(duodenal switch)이나 위우회술 등을 시행 후에 합병증이나 사망 같은 심각한 부작용이 생기는 것을 줄이기 위해서 첫 단계로 시행한 수술법이었다.[20] 하지만 위소매절제술만으로도 수술 후에 충분한 체중 감량에 성공할 수 있었고 환자들도 추가적인 우회수술(bypass surgery)을 원치 않은 경우가 많았다. Gagner등은 초병적비만 환자(체질량지수 > 60 kg/m²)에서 복강경 위소매절제술(laparoscopic sleeve gastrectomy)이 기존의 복강경 조절형위밴드술(laparoscopic adjustable gastric banding) 수

그림 3-10 **위소매절제술(Sleeve Gastrectomy)**

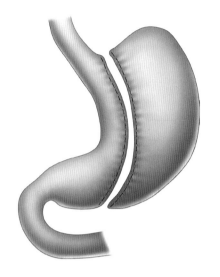

술에 비해서 1년 동안 체중 감량도 비슷하고 재수술이나 이물질(foreign body)에 대한 부담이 적은 수술이라고 기술하였고 그렐린(ghrelin) 생산량도 적은 것으로 나타났다.[4] 복강경 위소매절제술은 기존의 수술법에 비해 수술 방법이 어렵지 않고 이물질을 넣지 않으며 우회술에서 생길 수 있는 변연부궤양, 덤핑증후군, 내탈장(internal herniation), 영양결핍 등의 부작용을 줄일 수 있는 장점이 있다. 이러한 장점으로 인해 2015년 발표된 미국의 정부통계(national survery)에 따르면 복강경 위소매절제술은 미국에서 가장 많이 시행되고(49.4%) 있는 수술법이라 소개되었다.[23] 하지만 장기성적(longterm outcomes)이나 합병증에 대한 추가적인 조사가 필요한 상황이다.

7. 최소침습수술
(Minimally invasive surgery)

1990년대는 외과 수술 역사상 술기의 비약적인 발전이 이루어진 시기라 말할 수 있는데, 그 대표적인 이유가 복강경 기술의 발전 때문이라 할 수 있다. 초기에 산부인과 영역에서 주로 진단을 위한 병변의 관찰이나 조직검사 등에서 복강경이 주로 이용되다가 외과에서 복강경을 이용한 담낭절제술이 시행되면서 복강경을 이용한 수술이 기하급수적으로 늘어나게 되었다.

미국에서는 Wittgrove와 Clark등이 1993년 처음으로 복강경을 이용한 위우회술을 시행하였다.[28] 초기에는 이 수술이 기술적으로 어려운 점이 많았지만 봉합(suturing), 자동문합기, 지혈기구 등의 발전으로 복강경을 이용한 위우회술(gastric bypass)는 빠르게 파급되었다.

위밴드(gastric band)수술은 1993년에 Broadbent와 Catonia가 복강경을 이용한 수술법을 각각 보고하였고 이들은 비조절형 밴드(nonadjustable band)를 이용하였다. 다음해 Belachew가 조절형 밴드(adjustable band)를 소개하였고, O'brien은 복강경을 이용한 조절형위밴드술(laparoscopic adjustable gastric banding)을 받은 환자를 대상으로 15년간 추적 관찰하여 약 45% 정도의 체중 감량 효과가 있다고 보고하였다.[2]

1986 Hess 등은 십이지장전환술(duodenal switch)을 소개하고 나서 약 13년이 지나 Regan과 Gagner등이 복강경을 이용한 십이지장전환술(laparoscopic duodenal switch)을 소개하였다.[20] 비록 이 수술법이 현재까지 알려진 수술법 중 체중 감량에 가장 효과적인 것으로 보고되었지만 기술적으로 어렵고 수술 후 영양결핍 같은 합병증 때문에 체질량지수 > 60 kg/m² 이상의 환자에서만 제한적으로 시행되고 있다.

역사적으로 위우회술이나 수직위밴드성형술보다 간편하고 안전한 수술을 위한 시도가 지속적으로 있어 왔고 그 중 1987년에 Johnston등이 소개한 Magenstrasse and Mill procedure가 대표적인 일례이다.[7] circular stapler를 이용하여 전정부(antrum)에 구멍을 내고 40 Fr 부지(bougie) 튜브를 이용하여 소만부를 따라 위를 분절화하였다. 후에 술기를 대만부만 잘라내는 시술로 간편화하였고 이 술기는 이전에 십이지장변환시 시행하였던 위소매절제술(sleeve gastrectomy)과 같은 시술인 것을 알게 되었다.

이렇듯 대부분의 수술에서 복강경이 도입이 되었고

비만수술에 있어서 복강경의 도입은 단순한 수술 방법의 개선보다 더 큰 의미가 있다 하겠다. 그것은 바로 환자의 안전이다. 복강경 수술을 도입하면서 사망률이 크게 감소하였고 (0.2% 이하) 폐합병증, 상처감염, 수술부위 탈장, 수술 중 출혈등 합병증도 줄게 되었다. 환자 재원일 수도 3-5일에서 2일로 감소하였고 입원비용도 줄일 수 있게 되었다. 그리하여 비만수술이 일반인들에게 좀 더 매력적인 체중 감량방법으로 다가가게 되었다.

한국의 비만수술의 역사

우리나라도 1990년대 이후 비만인구가 급격히 증가함에 따라 한국의 의료계에서도 비만수술에 관심이 생기기 시작했고 2003년에 김원우가 처음으로 복강경 위소매절제술(laparoscopic sleeve gastrectomy)을 시행함으로써 비만수술의 국내도입의 기틀을 만들게 되었다.

그리고 같은 해에 김응국, 이상권, 최승호 등이 루와이위우회술(Roux-en-Y gastric bypasses, RYGB)을 시행하였으며 이후에 허경렬이 축소위위회술(minigastric bypass)을 소개하였다.

2003년 11월에는 이혁준이 담췌우회술 및 십이지장 전환술(biliopancreatic diversion with duodenal switch)을 국내 최초로 시행하였다. 2004년에 김응국과 이상권이 조절형위밴드술(adjustable gastric banding)을 처음 국내에서 시작하였고 2009년도에 당뇨조절을 위한 십이지장공장우회술(duodenojejunal bypass)을 시도하였다.

2005년도에 최윤백이 한국비만연구회의 회장을 역임하면서 학회 내 여러 임상의사들과 교류를 통하여 병적비만환자를 위한 비만수술의 필요성에 대해서 의견을 제시하였다.

실질적인 현재의 대한비만대사외과학회의 모체는 2009년에 결성된 대한비만대사수술연구회이다(그림 3-11). 그리고 이듬해인 2011년에 대한비만수술학회가 발족되었다. 첫 개회식은 서울대학교병원에서 개최되었고 다른 학회와 달리 첫 개회식부터 큰 규모로 진행되게 되었다. 2012년에는 대한외과학회의 분과학회가 되었고 또한 국제비만대사외과학회(IFSO : the International Federation for the Surgery of Obesity and Metabolic Disorders)의 정식협회원으로 인정받게 되었다.

2003년도에 국내에 첫 비만수술이 시행되고 나서 점차 회수가 증가하여 2003년도에 139례에서 10년만에 1,686례 정도로 많은 수술이 시행되었다. 또한 2003년도에 비만수술을 시행한 병원이 3개에서 2013년엔 29개로 늘어났다.

2013년까지 조사된 결과에 의하면 가장 많이 시행되는 수술은 조절형위밴드술(adjustable gastric banding, AGB)이며 그 다음이 위소매절제술(sleeve gastrectomy, SG)과 루와이위우회술(Roux-en-Y gastric bypass, RGYB)이다.

조절형위밴드술이 그동안 국내에서 많이 시행되어 온 이유는 술기가 비교적 간단하고, 단기간 내 합병증 발생이 적고 체중 감량이 효과적으로 받아들여졌기 때문으로 대부분의 개인병원에서 조절형위밴드술시술을 시행하였다. 반면에 대학병원에서는 약 72% 정도로 위소매절제술이나 루와이위우회술을 더 많이 시행하였다.

현재는 조절형위밴드술이 급격히 줄고 있는데 그 이유는 장기적으로 체중 감량의 효과가 적고 후기합병증의 발생이 증가하고 있고 추후 밴드제거술을 받아야 한다는 부담 때문이다. 2014년도에 한국의 유명한 대중가수가 의료사고로 사망하였는데, 그 사인을 조사해보니 5년 전에 개인병원에서 조절형위밴드술을 받고 이후 장폐쇄 수술 후 합병증으로 장천공에 의한 패혈증이 발생하여 사망한 것으로 밝혀졌다. 이 사건을 계기로 조절형위밴드술이 급감하게 되었고 다른 비만수술도 국내에서 크게 위축되게 되었다.

한국에서 비만 수술이 아직 널리 시행되고 있지 못한 몇가지 이유가 있다. 첫째 외국과 비교하여 한국은 병적비만이나 비만수술에 대한 부정적인 시선이 강하다. 공무원이나 정부 뿐만 아니라 많은 수의 의사들조차도

그림 3-11 대한비만대사수술연구회 제1회 학술대회(2009년)

비만수술의 필요성이나 효과에 대해서 아직 충분히 이해하지 못하고 있는 실정이다. 실제로 비만 수술을 미용이나 성형수술로만 생각하여 수술 후 합병증 발생 가능성을 인정하지 않고 있으며, 외과 의사가 아닌 가정의학과 의사나 내분비내과 의사들은 비만 수술을 부정적으로 판단하고 있으며 대부분의 병적비만 환자들에게 수술을 권유하지 않고 있는 상황이다.

그리고 비만 수술이 수술비나 수술기구가 고가임에도 불구하고 보험급여를 아직 인정받지 못하고 있다. 2011년 설문조사 결과에 따르면 한국에서 병적비만이 사회적 문제가 되고 있으며 대부분의 병적비만 환자가 경제적으로 어려운 경우가 많은 것으로 조사되었다.

현재 국내의 병적비만 환자는 약 10만 명이 넘는 것으로 보고되고 있다.

비만 수술이 단순히 미용성형 수술이 아니며 체질량지수가 40 kg/m² 이상이거나 35 kg/m² 이상이며 동반질환이 있는 환자들을 대상으로 효과적이며 안전하게 체중 감량을 할 수 있는 좋은 치료법이며, 다른 치료법에 비해 비용 대비 효과가 지속적으로, 수술 후 환자가 얻을 수 있는 삶의 질의 향상 뿐만 아니라 비만으로 인한 사회경제적인 부담도 줄일 수 있는 매우 효과적인 치료법이라는 인식의 전환이 절실히 필요한 시점이다.

참고 문헌

1. Alden JF. Gastric and jejunoileal bypass. Arch Surg 1977;112:799.

2. Belachew M, Legrand M, Vincent V, et al. Laparoscopic placement of adjustable. silicone gastric band in the treatment of morbid obesity: how to do it. Obes Surg 1995;5: 66–70.

3. Capella JF, Capella RF. The weight reduction operation of choice: vertical banded gastroplasty or gastric bypass? Am J Surg 1996;171:74–9.

4. Gumbs AA, Gagner M, Dakin G, et al. Sleeve gastrectomy

for morbid obesity. Obes Surg 2007;17:962-9.

5. Henrikson, V. Can Small Bowel Resection Be Defended as Therapy for Obesity? Obes Surg 1994;4: 54-5.

6. Hess DS, Hess DW. Biliopancreatic diversion with a duodenal switch. Obes Surg 1998; 8: 267-82.

7. Johnston D, Dachtler J, Sue-Ling HM, et al. The Magenstrasse and Mill operation for morbid obesity. Obes Surg 2003;13:10-6.

8. Kremen AJ, Linner JH, Nelson CH. An experimental evaluation of the nutritional importance of proximal and distal small intestine. Ann Surg 1954;140:439-47

9. Kuzmak LI. A review of seven years' experience with silicone gastric banding. Obes Surg 1991;1:403–8

10. Laws HL. Standardized gastroplasty orifice. Am J Surg 1981;141:393–4.

11. Macdonald K. , Long SD, Swanson MS, et al. The gastric bypass operation reduces the progression and mortality of non-insulin-dependent diabetes mellitus. J Gastrointest Surg 1997;1:213–20.

12. Marceau P, Biron S, Bourque RA, et al. Biliopancreatic diversion with a new type of gastrectomy. Obes Surg 1993;3: 29-36.

13. Mason EE, Ito C. Gastric bypass in obesity. Surg Clin North Am 1967;47:1345-51.

14. Mason EE. Vertical banded gastroplasty for obesity. Arch Surg 1982;117:701.

15. Naslund E, Granström L, Stockeld D, et al. Marlex mesh gastric banding: a 7-12 year follow-up. Obes Surg 1994;4: 269–73.

16. O'Brien PE, MacDonald L, Anderson M, et al. Long-term outcomes after bariatric surgery: fifteen-year follow-up of adjustable gastric banding and a systematic review of the bariatric surgical literature. Ann Surg 2013;257:87-94

17. Payne JH, DeWind LT, Commons RR. Metabolic observations in patients with jejunocolic shunts. Am J Surg 1963; 106-273

18. Pories WJ, Swanson MS, Macdonald KG, et al. Who would have thought it? An operation proves to be the most effective therapy for adult-onset diabetes mellitus. Ann Surg 1995;222:339–52.

19. Printen KJ. Gastric surgery for relief of morbid obesity. Arch Surg 1973;106:428.

20. Regan JP, Inabnet WB, Gagner M, et al. Early experience with two-stage laparoscopic Roux-en-y gastric bypass as an alternative in the super-super obese patient. Obes Surg 2003;13:861–4.

21. Scopinaro N, Adami GF, Marinari GM, et al. Biliopancreatic diversion. World J Surg 1998;22:936–46.

22. Scopinaro N, Gianetta E, Civalleri D, et al. Bilio-pancreatic bypass for obesity: II. Initial experience in man. Br J Surg 1979;66:618–20.

23. Spaniolas K, Kasten KR, Brinkley J, et al. The changing bariatric surgery landscape in the USA. Obes Surg 2015; 25:1544–6.

24. Surgical Treatment of Morbid Obesity. NIH Consensus Statement 1978;1:39-41

25. Szinicz G, Muller L, Erhart W, et al. "Reversible gastric banding" in surgical treatment of morbid obesity results of animal experiments. Res Exp Med 1989;189:55–60

26. Wilkinson LH. Gastric (reservoir) reduction for morbid obesity. Arch Surg 1981;116:602.

27. Wilkinson LH. Reduction of gastric reservoir capacity. Am J Clin Nutr 1980;33:515–7.

28. Wittgrove AC, Clark GW, Tremblay LJ. Laparoscopic Gastric Bypass, Roux-en-Y: Preliminary Report of Five Cases. Obes Surg 1994 Nov;4(4):353-7.

Chapter 04 | 비만수술의 현황
Current status of bariatric surgery

1 머리말

현재 비만수술은 병적 비만을 치료하는 가장 효과적인 치료법 중 하나로 인식되고 있다. 비만수술은 수술 술기 종류에 관계 없이 유의한 장기간의 체중감소와 더불어 비만과 관련된 다양한 동반질병을 개선하는데 크게 기여한다.[6,13] 비만수술의 현황을 논할 때 복강경 수술의 도입은 빼놓을 수 없는 가장 중요한 계기가 된다. 1993년 미국에서 처음으로 복강경을 이용한 위우회술이 시행된 이후, 복강경 수술 도입 초기에는 여러가지 기술적 제약이 심하였으나 외과의의 경험이 쌓이고 복강경 봉합 기법, 자동봉합기의 발달, 여러 다양한 에너지 기구의 발달에 따라 1990년대 후반에는 거의 대부분의 센터에서는 복강경 비만수술을 시도하게 되었다.[16] 이러한 최소침습 수술기법의 도입에 의해 비만수술 분야는 일대 전환을 맞이하면서 이전 개복 수술에서는 불가능했던 수준의 높은 안전성을 확보하면서 여러 가지 복잡한 위장관 수술이 복강경 수술 기법으로 가능하게 되었다.

국가나 기관마다 다소 차이가 있으나, 현재 비만수술의 사망률은 대부분 0.2% 미만으로 급격히 낮아졌으며,

합병증은 개복수술 성적의 1/3 정도 수준으로 감소했다.[9] 재원 기간은 평균 3-5일에서 2일까지 감소했으며, 복강경 수술의 도입으로 인해 수술 후 호흡기계 기능부전 감소, 수술 중 출혈 감소, 재원 기간 감소, 창상 부위 감염 및 창상 탈장(incisional hernia) 모두 감소하였다.[10,11] 이러한 합병증의 감소는 의료 비용의 감소로 이루어졌으며, 일상 생활로의 복귀도 대부분 2주 이내에 가능해졌다. 국내 후향적 다기관 코호트 연구에 의하면, 체중감소 효과 외에도 당뇨, 고혈압, 이상지혈증의 호전과 관련하여 생활습관 개선, 운동 처방, 약물치료와 같은 기존의 보존적 치료가 18개월 간 15, 20%, 24%의 호전을 보인 반면, 비만수술은 같은 기간 각각 57%, 47%, 84%의 호전을 보였다.[7] 비만수술의 이와 같은 체중감소 뿐만 아니라 동반질환 개선에 대한 치료효과는 보존적 치료군에 비해 수술 후 심리사회적 삶의 질의 유의한 향상으로 이어졌으며, 비만수술의 점증적 비용효과비(incremental cost-effectiveness ratio, ICER)는 질보정수명(quality-adjusted life years, QALY) 당 1,771달러로서 2011년 우리나라 1인 당 국내총생산(GDP)이 21,539달러임을 감안할 때 비용-효과 측면에서도 합리적인 치료법이라고 보고된 바 있

그림 4-1 세계 비만수술 건수[2]

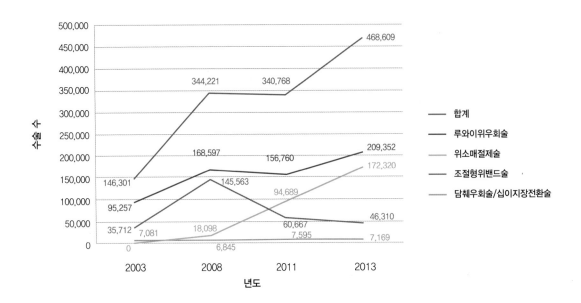

다.[12,15]

비만수술은 수술 술기 측면에서도 지속적으로 발전하고 있으며, 이와 같은 여러 학술 연구 결과 뿐 아니라 지역적 특성이나 각국, 각 기관의 치료 경험에 의해서도 그 시행 행태는 다양하게 영향을 받는다.

❷ 비만수술의 국제현황

세계 비만수술 현황은 1998년 처음으로 발표된 이후 국제비만대사외과연맹(the International Federation for the Surgery of Obesity and metabolic disorders, IFSO)의 주도하에 2003, 2008, 2011, 2013년에 걸쳐 지속적으로 보고 되었다.[2-5, 14] 이러한 세계비만수술현황에 관한 주기적인 평가는 외과의와 환자들을 포함하여, 비만수술 관련된 지역적 의료서비스 공급 이슈와 해당 정책 분석에서도 중요한 의미를 갖는다.

국제비만대사외과연맹 회원국 대상으로 한 설문조사에 따르면 세계적으로 시행되고 있는 비만수술 숫자는 지속적으로 증가하여 2013년 한해는 2011년 대비 37.5% 증가한 총 468,609건의 비만수술이 시행되었으며, 이중 95.7%는 복강경 수술로 시행되었다(그림 4-1).[2]

이는 국제비만대사외과연맹 회원 54개국 전체 인구수를 기준으로 약 0.01%에 해당하는 수치이다. 10,000건 이상을 시행한 국가는 미국/캐나다(154,276건), 브라질(86,840건), 프랑스(37,300건), 아르헨티나(30,378건), 사우디아라비아(13,194건), 벨기에(12,000건), 이스라엘(11,452건) 오스트리아-뉴질랜드(10,467건), 인도(10,002건)이었고, 전체 인구수 대비 비만/대사수술 시행률이 가장 높은 국가는 이스라엘로 0.14%였다. 국제비만대사외과연맹 회원국 중 연간 100건 이상의 비만수술을 시행하는 센터는 미국, 캐나다를 포함한 북미지역에 488개로 가장 많았다.

수술 술기 별로 보면 2013년 가장 많이 시행된 비만수술은 루와이위우회술(Roux-en-Y gastric bypass)이 45%로 가장 많았으며, 위소매절제술(Sleeve gastrectomy) 37%, 조절형위밴드술(Adjustable gastric banding) 10% 순으

그림 4-2 세계 비만수술 술기 비율[2]

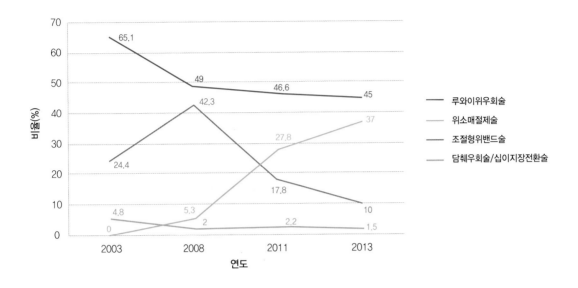

그림 4-3 세계 지역 별 대표적 비만수술 건수

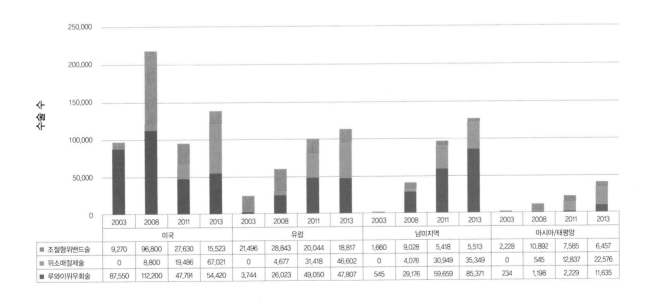

	2003	2008	2011	2013	2003	2008	2011	2013	2003	2008	2011	2013	2003	2008	2011	2013
	미국				유럽				남미지역				아시아/태평양			
조절형위밴드술	9,270	96,800	27,630	15,523	21,496	28,843	20,044	18,817	1,660	9,028	5,418	5,513	2,228	10,892	7,585	6,457
위소매절제술	0	8,800	19,486	67,021	0	4,677	31,418	46,602	0	4,076	30,949	35,349	0	545	12,837	22,576
루와이위우회술	87,550	112,200	47,791	54,420	3,744	26,023	49,050	47,807	545	29,176	59,659	85,371	234	1,198	2,229	11,635

로 많이 시행되었다(그림 4-2).[2]

특히 조절형위밴드술의 비율이 2008년 42.3%에서 2011년 17.8%, 2013년 10%로 크게 감소한 반면, 2003년 0

건이던 위소매절제술은 이후 매년 급격한 성장을 보이며 2013년 현재 루와이위우회술에 이어 37%로 두 번째로 많이 시행되는 술기로 자리매김하였다. 십이지장전환술

(duodenal switch)은 2003년에도 4.8%로 낮은 빈도를 보였으며, 2013년 1.5%로 시행 빈도가 지속적으로 낮아지고 있다.

지역별로 미국/캐나다에서는 위소매절제술이 2011년 대비 2013년 244% 증가하여 2013년에 전체 비만수술의 43%를 차지하면서 루와이위우회술(35.3%)을 앞질러 가장 많이 시행되는 시술이 되었으며, 유럽 역시 위소매절제술이 지속적으로 증가하여 2013년 현재 루와이위우회술(38%)과 위소매절제술(37%)이 비슷한 빈도로 시행되었다(그림 4-3).

남미지역에서는 루와이위우회술이 2011년 대비 43% 증가하여 전체 비만수술의 65%로 꾸준히 가장 많이 시행되는 시술로 꼽혔으며, 아시아/태평양 지역에서는 위소매절제술이 전체 비만수술의 49%로 가장 많이 시행되는 비만수술이었으며 루와이위우회술이 2011년 대비 2013년 4배 이상 증가하여 조절형위밴드술을 제치고 두 번째로 많이 시행되는 수술로 올라섰다.

❸ 비만수술의 국내현황

국내에서는 2014년 대한비만대사외과학회 주관으로 첫 전국 조사를 시작하여 2003년부터 2013년까지의 전국 비만대사수술 현황을 보고하였다.[1,8] 총 32개 기관이 참여하여, 각 기관 별 첫 번째 비만수술 환자부터 2015년 12월 31일까지 수술 시행한 환자를 대상으로 데이터를 수집하여, 35개 기관 6,881명의 증례가 수집되었다. 국내 최초 비만수술은 2003년 1월 위소매절제술을 시작으로 2003년 139례를 기록하였으며, 2008년까지는 연간 100례에 못 미치는 상태가 지속되었다. 그러나, 비만수술에 대한 관심도는 꾸준히 지속되어 2005년 대한비만학회에 베리아트릭 위원회가 신설되고 2008년 대한외과학회 산하 비만수술연구회가 조직되었으며, 2009년 3월 21일 대한비만대사외과학회(the Korean Society for Metabolic and Bariatric Surgery, KSMBS)가 창립되었다. 비만수술 관련 학술 활동이 활발해지면서 비만수술을 시행하는 기관도 매년 증가하여 2003년 4개 기관에서 2015년 말에는 전국 29개 기관으로 증가하였다. 이와 같은 지속적인 학문적 관심과 함께 2008년 이후 비만수술 건수는 매년 급격한 증가세를 보이며 2013년에는 연간 1,686례까지 가파르게 증가하였다(그림 4-4). 그러나, 수년 전 비만수술을 받았던 환자가 경과 관찰 도중 재수술을 받고 사망하는 사건이 2014년 대중매체를 통해 보도되면서 비만수술의 안전성 및 인증제도 등에 대한 사회적 이슈가 제기되었고, 이후 2015년까지 전체 비만수술 건수가 감소하는 현상을 보이고 있다. 이는 병적비만이라는 질병 자체가 가지는 사회적 특성에서 기인했다고 해석되며, 학문적 기반이나 임상 중요성 측면과는 별개로 여겨진다. 실제로 비만수술 시행 기관 숫자 측면에서는 2003년 전국 4개 기관에서 시작하여 2013년 29개, 2014년 25개, 2015년 29개로 큰 변화 없이 유지하고 있으며, 특히 연간 수술 50례 이하의 소규모 임상 경험을 갖는 기관 숫자 역시 2013년 22개, 2014년 19개, 2015년 24개로 꾸준히 유지되고 있다(그림 4-5).

국내 비만수술 술식은 2003년부터 2015년까지 통계를 합하였을 때, 조절형위밴드술이 총 4,225건으로 61.4%를 차지하며 그동안 가장 많이 시행되는 술기로 집계되었고, 위소매절제술이 1,052건(15.3%), 루와이위우회술이 896건(13.0%)으로 그 뒤를 이었다(그림 4-6).

비만수술의 사회적 이슈가 공적으로 제기된 2014년부터 조절형위밴드술을 포함한 대부분의 비만수술이 감소한 반면, 밴드제거술은 반대로 증가하여 2015년 가장 흔히 시행되는 시술로 집계되었다.

밴드제거술을 제외하면, 2015년 수술 건수 별로 위소매절제술(111건, 21.3%), 조절형위밴드술(110건, 21.1%), 루와이위우회술(65건, 12.5%)이 각각 시행되었다. 특히 위소매절제술은 이미 2013년도부터 236건으로 루와이위우회술(185건) 보다 많이 사용되는 비만수술로 분석되었다. 이러한 수술 술기 시행 행태는 기관 별로 큰 차이

그림 4-4 연도별 국내 비만수술 건수

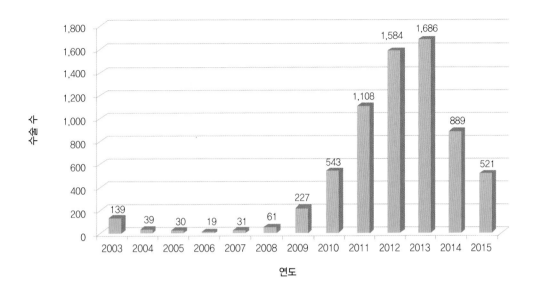

그림 4-5 수술 건수 별 국내 비만수술 기관 수

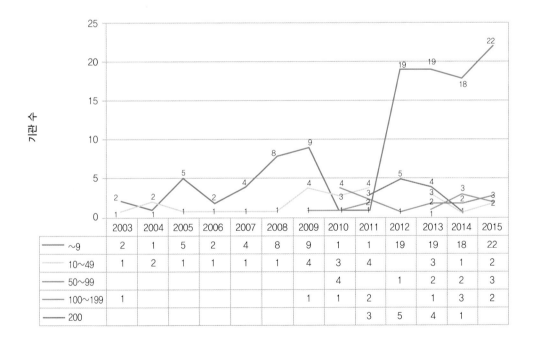

	2003	2004	2005	2006	2007	2008	2009	2010	2011	2012	2013	2014	2015
~9	2	1	5	2	4	8	9	1	1	19	19	18	22
10~49	1	2	1	1	1	1	4	3	4		3	1	2
50~99								4		1	2	2	3
100~199	1						1	1	2		1	3	2
200										3	5	4	1

가 있어, 대학병원에서는 주로 루와이위우회술(38%)과 위소매절제술(34%)이 시행되었고 그 뒤를 이어 조절형 위밴드술(11%)이 일부 시행된 반면, 비만수술 전문 병원에서는 대부분(95%)의 환자에서 조절형위밴드술이 시행되었고, 일부 환자(4%)에서 위소매절제술이 시행되었다(그림 4-7, 4-8).

그림 4-6 연도별 대표적 비만수술 건수

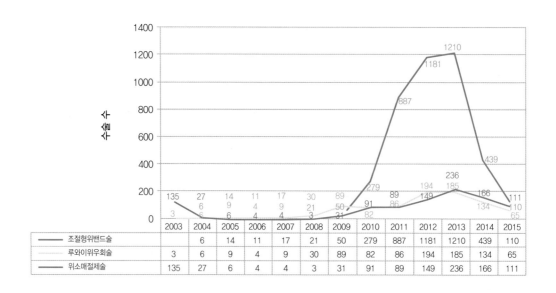

	2003	2004	2005	2006	2007	2008	2009	2010	2011	2012	2013	2014	2015
조절형위밴드술		6	14	11	17	21	50	279	887	1181	1210	439	110
루와이위우회술	3	6	9	4	9	30	89	82	86	194	185	134	65
위소매절제술	135	27	6	4	4	3	31	91	89	149	236	166	111

국내 비만수술 환자들의 특징으로는 평균 연령 35.4세로 남녀비는 약 1:4로 여자가 많았으며, 평균 체질량지수는 35.9±7.4 kg/m² 였다(표 4-1). 체질량지수 측면에서 30 kg/m² 이상이 81.0%, 35 kg/m² 이상이 53.2%, 40 kg/m² 이상이 25.3%를 차지하였다. 동반 질환 중, 당뇨가 있는 환자에서 가장 많이 시행된 수술은 루와이위우회술(31.8%)임에 반해, 당뇨 없는 환자에서는 조절형위밴드술(65.9%)이 가장 많이 시행되었다.

전체 수술의 98.8%가 최소 침습수술법으로 시행되었으며(복강경 98.5%, 로봇 0.3%), 수술 시간은 평균 96.8±79.4분, 평균 재원일은 4.6±19.3일이었다. 루와이위우회술이 평균 수술 시간 176.9분으로 가장 길었으며, 조절형위밴드술이 평균 57.5분 소요되어 가장 짧았다. 수술 후 입원 기간내 합병증은 4.9%, 사망률은 0.2%였다. 이중 사망 증례는 모두 5건으로 4건은 폐렴 및 호흡부전으로 사망하였으며, 1건은 대량 출혈 후 발생한 파종혈관내응고(disseminated intravascular coagulation)로 사망하였다. 조절형위밴드술에서는 사망 환자가 없었다.

표 4-1 국내 비만수술 환자의 임상 특성

변수	환자 수		
나이	3,440		35.4 ± 10.6
성별	3,322	남자	757 (21.9%)
		여자	2,703 (78.1%)
체질량지수 (kg/m²)	3,442		35.9 ± 7.4
ASA (American society of anesthesiologist) 분류	863	I	321 (32.1%)
		II	639 (63.9%)
		III	40 (4.0%)
동반질환 유무	3,402	유	2,243 (65.9%)
		무	1,159 (34.1%)
동반질환 개수	3,402		1.6 ± 1.64
수술 전 당화혈색소(%)	1,417		6.9 ± 1.8 (4.5–15.4)
수술 전 콜레스테롤 (mg/dL)	1,750		198.1 ± 39.5 (79–346)

그림 4-7 대학병원에서 시행된 비만수술 종류(n=1,802)

- 조절형위밴드술
- 루와이위우회술
- 위소매절제술
- 담췌우회술
- 십이지장전환술
- 위주름형성술
- 축소위우회술
- 십이지장공장우회술
- 절제위우회술
- 밴드제거술
- 기타수술

그림 4-8 비만수술전문병원에서 시행된 비만수술 종류(n=3,669)

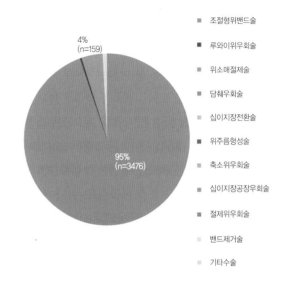

- 조절형위밴드술
- 루와이위우회술
- 위소매절제술
- 담췌우회술
- 십이지장전환술
- 위주름형성술
- 축소위우회술
- 십이지장공장우회술
- 절제위우회술
- 밴드제거술
- 기타수술

④ 요약

2010년대 들어서면서 비만수술은 다음과 같은 큰 흐름의 변화를 맞이하였다. 첫째, 병적비만의 치료로서 수술은 허용 가능한 위험성-수익성 비율(acceptable risk-benefit ratio)를 가지는 치료법이며, 심각한 비만과 연계된 여러 가지 동반 질환의 크게 개선시킬 수 있다는 인식이 공고해졌다. 둘째, 최소침습수술법은 비만수술의 위험성-수익성 비율 개선에 크게 기여하였다. 셋째, 이러한 결과, 비만수술은 외과 수술 영역의 주요 영역 중 하나로 자리매김하게 되었다.

참고문헌

1. Ahn HS, Lee HJ, Kang SH et al. 2013 Nationwide Bariatric and Metabolic Surgery Report in Korea. J Metab Bariatr Surg 2014; 3: 38-43.
2. Angrisani L, Santonicola A, Iovino P, et al. Bariatric Surgery Worldwide 2013. Obes Surg 2015;25:1822-32.
3. Buchwald H, Williams SE. Bariatric surgery worldwide 2003. Obes Surg 2004;14:1157-64.
4. Buchwald H, Oien DM. Metabolic/bariatric surgery worldwide 2008. Obes Surg 2009;19:1605-11.
5. Buchwald H, Oien DM. Metabolic/Bariatric Surgery Worldwide 2011. Obes Surg 2013;23:427-36
6. Colquitt JL, Pickett K, Loveman E, et al. Surgery for weight loss in adults. Cochrane Database Syst Rev 2014 ;(8):CD 003641.
7. Heo YS, Park JM, Kim YJ, et al. Bariatric surgery versus conventional therapy in obese Korea patients: a multicenter retrospective cohort study. J Korean Surg Soc 2012;83:335-42.
8. Lee HJ, Ahn HS, Choi YB, et al. Nationwide Survey on Bariatric and Metabolic Surgery in Korea: 2003-2013 Results.

Obes Surg 2016; 26:691-5.

9. Miller MR, Choban PS. Surgical management of obesity: current state of procedure evolution and strategies to optimize outcomes. Nutr Clin Pract 2011;26:526-33.

10. Nguyen NT, Lee SL, Goldman C, et al. Comparison of pulmonary function and postoperative pain after laparoscopic versus open gastric bypass: a randomized trial11No competing interests declared. J Am Coll Surg 2001;192:469-76; discussion 476-7.

11. Nguyen NT, Hinojosa M, Fayad C, et al. Use and Outcomes of Laparoscopic Versus Open Gastric Bypass at Academic Medical Centers. J Am Coll Surg 2007;205:248-55.

12. Oh SH, Song HJ, Kwon JW, et al. The improvement of quality of life in patients treated with bariatric surgery in Korea.

J Korean Surg Soc 2013;84:131-9.

13. Picot J, Jones J, Colquitt JL, et al. The clinical effectiveness and cost-effectiveness of bariatric (weight loss) surgery for obesity: a systematic review and economic evaluation. Health Technol Assess 2009;13:1-190, 215-357.

14. Scopinaro N. The IFSO and obesity surgery throughout the world. International Federation for the Surgery of Obesity. Obes Surg 1998;8:3-8.

15. Song HJ, Kwon JW, Kim YJ, et al. Bariatric Surgery for the Treatment of Severely Obese Patients in South Korea—Is it Cost Effective? Obes Surg 2013;23:2058-67.

16. Wittgrove AC, Clark GW, Tremblay LJ. Laparoscopic Gastric Bypass, Roux-en-Y: Preliminary Report of Five Cases. Obes Surg 1994;4:353-7.

1 서론

비만수술은 초과 체중을 가장 크고 효과적으로 감소시키며, 이를 장기간 지속시킬 수 있는 유일한 방법이다. 또한 제2형 당뇨병, 고혈압, 이상지혈증, 수면 무호흡증을 포함한 동반 대사질환의 개선에도 매우 효과적이라는 것이 이미 증명되어 있다.[77] 가장 효과적인 비만수술을 정립하기 위하여 오랜 기간 동안 많은 연구가 이루어져 왔다. 각각의 비만수술의 전통적인 작용 기전으로는, 음식물을 통한 열량 섭취의 제한과 섭취된 영양소의 소화관에서의 흡수 장애를 유도하는 것, 혹은 두 가지의 복합 작용이라고 알려져 있다. 음식물 섭취와 위장관 호르몬들 각각의 변화와 그들 간의 상호 작용이 부분적으로 밝혀지면서, 비만수술의 작용 기전은 그에 대한 체계적인 분류 변화와 함께 괄목할 만한 변화가 있었다. 실제로 최근에는 중추신경계가 체중의 항상성을 조절함에 있어서 위장관 및 지방 조직에서 분비되는 호르몬과 깊은 관련성을 가지고 상호 작용을 한다는 것이 알려지고 있다.[79] 위장관이나 지방조직 같은 말초 기관에서 분비되는 호르몬들과 시상하부와의 상호 작용의 전반적인 균형이 최종적으로 음식물 섭취량이나 흡수, 또는 에너지 소비량에 영향을 미치게 된다.[76] 이 장에서는 현재까지 가장 일반적으로 시행되고 있는 비만수술들을 중심으로 흔하게 받아들여지고 있는 작용 기전에 관한 가설 및 이론들에 대해 서술하고자 한다.

2 작용 기전

현재 거론되고 있는 비만수술에 대한 여러 가지 작용 기전에 대한 이해-특히 장관 호르몬의 역할에 대한 이해-는 기존의 비만수술에 대한 세 가지 분류(제한적 수술, 흡수 억제, 두 기전의 복합)에 대해 새로운 논쟁을 만들었다. 비록 비만수술의 모든 기전에 대해서, 명확히 밝혀지는 않았지만 다양한 이론들이 존재하고 있다. 여러 요인들이 각각의 최종적인 수술효과에 기여하고 있고 또 중복되므로, 체중 감량과 당뇨병 개선에 대한 잠재적 작용 기전에 대하여 표에 간략하게 기술하였다. 이에 대해 자세한 설명은 다음과 같다(**표 5-1**).[54, 67, 82]

표 5-1 비만수술 방법에 따른 잠재적 작용 기전

수술 방법 작용 기전	루와이 위우회술	위소매 절제술	조절형 위밴드술	담췌 우회술	담췌 우회 및 십이지장 전환술
식이습관 변화	+	+/-	-	?	?
열량섭취 제한	+	+	+/-	+	+
영양흡수 장애	+	-	-	++	++
에너지 소비	+/-	-	-	+	+
호르몬	+	+	+	+	+
미주신경	?/-	?/-	?/-	?/-	?/-
담즙산	+	+	+/-	+	+
지방 조직	+	+	+	+	+
장내 세균총	+/-	?	?	+/-	+/-
베타세포 기능	+/-	?	-	+/-	+/-
인슐린 감수성	+/-	+/-	+	++	++

기 때문에, 수술 후 저열량 식이를 선호하는 이 결과들을 단순히 기계적 식이 제한으로만 설명할 수는 없는 것이 사실이다. 이런 행동들을 설명할 다른 방법으로서는 수술 후의 미각 변화와 식품 신호에 대한 신경계의 변화된 반응이다. 두 개의 연구에서 루와이위우회술 후에 미각의 예민성과 식이에 대한 쾌락적 욕구가 변화하는 결과가 발표되었다.[19] 이 결과는 기능적 자기공명영상 촬영을 통해 검증되었는데, 루와이위우회술을 시행 받은 환자의 뇌는 고열량 식이 후에도 이에 대한 뇌의 보상 영역의 활성화가 감소되는 것이 확인되었다.

가능한 다른 기전은, 수술과 관련된 식이 회피 증상인데, 부적절한 식이 선택에 의해 발생할 수 있다. 그 예로, 덤핑증후군(Dumpig syndrome)의 불편한 증상을 경험한 환자가 이후에는 고열량 탄수화물을 멀리하게 되는 경우이다. 아직 회피 증상과 체중 감량 지속에 대한 과학적 근거는 없는 상태이나, 때때로 특정 음식에 대한 회피 증상이 부적응 식이 습관을 발생시켜 궁극적으로 체중 감량을 유도할 수도 있다.

③ 식이습관 변화

고지방 식이를 소비하는 것은 인간과 설치류 모두에서 비만의 발생과 비만 상태의 지속에 관련이 있다.[91] 연구에 의하면 비만한 사람은 마른 사람에 비해 고지방 음식을 고르는 성향을 가지고 있는데,[24] 비만수술 후에는 식이 습관이 변화하는 것으로 알려져 있다. 몇몇 연구들을 보면, 루와이위우회술(Roux-en-Y gastric bypass, RYGB) 후에는 지방 비율이 낮은 음식을 더욱 선호하는 결과를 얻었다.[24] 더 최근에는 위소매절제술(sleeve gastrectomy, SG) 후의 식이 선택에 대한 연구가 쥐에서 진행되었는데, 해부학적 구조 변화가 다른 위소매절제술을 시행한 경우에서도, 루와이위우회술을 시행한 경우와 유사하게 저지방과 저열량 식이(low calori diet)를 선호하는 결과를 얻을 수 있었다.[90] 수술 후에는 열량 섭취를 극대화하기 위한 고열량 식이의 보완적 선택이 발생할 수도 있었

④ 열량 제한

혈당 조절에 관해서는 열량을 제한하는 것이 유익한 효과를 발휘한다고 밝혀진 바 있다.[41] 탄수화물이 조절된 열량 제한 식단이, 단지 이틀 만에 인슐린 저항성과 베타 세포 기능을 40%나 개선시키는 효과가 있다는 것이 HOMA-IR (Homeostatic model assessment-insulin resistance) 측정 방법을 통해 밝혀진 바 있다. 만약, 이 식단을 11주 동안 지속하게 되면, 간의 인슐린 저항성은 변하지 않음에도 불구하고 말초 인슐린 저항성이 향상된 결과를 얻을 수 있다.[42] 비만수술 후에는 열량 섭취가 하루 200-300 kcal로 현저하게 감소하게 된다. 이 요인이 수술 직후의 체중감소에 일정 부분 기여한다는 데에는 의심의 여지가 없다. 실제로, 어떤 저자들은 수술 받지 않은

비만 환자들에게 4일 동안 비만수술 이후의 식단과 동일한 식단을 적용하였을 때, 비만수술 군과 비슷한 정도의 체중감소 효과를 얻기도 하였다. 하지만 수술 받은 그룹에서는 위장관 호르몬이 분비되는 정도에 변화가 발견되었다.[34] 이러한 현상은 다른 저자에 의해 다시 재현되어 매우 유사한 결과가 얻어진 바 있다. 이 연구에 의하면, 루와이위우회술 환자 군과 저열량 식이를 섭취한 환자 군의 단기간 체중감소 정도는 비슷하였지만, 수술을 받은 환자들에게서만 인슐린 분비 기능, 인슐린 저항성 및 인크레틴(incretin)과 같은 인슐린 친화성 위장관 호르몬들의 개선이 나타나는 것을 알 수 있었다.[69] 초기 몇 주 동안은 수술 환자 군과 저열량 식이 섭취 환자 군의 체중감소 정도가 비슷하다. 그러나, 10 kg을 감량하는데 소요되는 기간은 수술 환자 군이 현저히 짧게 나타났다(30일 vs. 55일).[62] 게다가 열량 제한이 혈당 조절에 관여하는 유일한 기전이라고 가정한다면, 모든 다양한 비만수술들 후에 이런 지표들이 일정하게 개선되어야만 한다. 그러나, 담췌우회술 및 십이지장전환술(biliopacreatic diversion with duodenal switch), 루와이위우회술, 복강경 위소매절제술은 조절형위밴드술(adjustable gastric banding)에 비하여 당뇨병이 빠르게 개선되는 것이 명확히 밝혀져 있다.[10] 이것은 조절형위밴드술, 루와이위우회술, 저열량 식이 섭취 환자들 간의 혈당/인슐린 곡선 변화의 차이를 통하여 명백히 나타난다. 조절형위밴드술과 저칼로리 식단 군이 하방으로 감소하는 곡선 형태를 보이는 반면, 루와이위우회술은 혈당과 인슐린의 최고치 도달 시간이 감소하여 곡선이 좌측으로 이동하는 형태를 보인다(그림 5-1).[50] 결론적으로, 비록 칼로리 제한이 간의 인슐린 저항성 개선에 기여하는 중요한 요인이긴 하지만, 수술 직후 일정 기간에만 작용하고, 장기간의 체중감소와 당 조절 개선에는 다른 인자들이 관련되어 있다고 볼 수 있다.

5 흡수 억제

정상적인 위장관 흡수 과정에 대한 수술 후의 변화는 다양한 정도의 체중 감량을 유도한다. 흡수 억제 현상은 담췌우회술(biliopancreatic diversion), 담췌우회술 및 십이지장전환술을 함께하는 수술처럼 긴 담췌소화관(250-300 cm)을 만들고 우회시켜 100 cm 이내의 공통 소화관만으로 영양을 흡수하게 만든 방식에서 잘 관찰할 수 있다. 이 경우 대변의 지방 증가 정도를 이용하여 측정한 지방의 흡수 장애 정도는, 6개월에 126%, 12개월에 87%로 측정되었다.[45] 그러나, 단백질과 탄수화물 흡수에 있어서는 그다지 중요한 변화가 없어서, 가연성 에너지 흡수의 전반적인 감소는 단지 6-11%로 나타났다.[61] 이러한 흡수 장애를 위주로 만들어진 수술 방법이 다른 방식에 비해서 더욱 인상적인 초과체중 감량(excess weight loss, EWL, 79%) 효과와 당뇨 개선(98.9%) 효과를 나타내지만, 영양소 흡수 억제 그 자체만으로 체중 감량을 모두 설명하는 것은 부족한 면이 있다.[10]

6 에너지 소비

정상적인 상태에서 칼로리 제한에 의해 에너지 소비량은 감소하고, 체중이 감소하는 결과로 이어진다.[75] 이 적응 기전은 한편으로는 개체를 보존하기 위한 것이지만, 다른 한편으로는 칼로리 제한 식이의 장기적 실패의 원인이 될 수도 있다. 비만수술 후의 에너지 소비량에 대한 연구 자료들은 그 결과가 다소 상충하는 면이 있다. 어떤 연구자들은 루와이위우회술 후에 이차적으로 에너지 소비량이 감소함을 발견하였으나, 또 다른 연구자들은 반대로 루와이위우회술과 담췌우회술 후에는 에너지 소비량이 증가하는 결과를 발견하였고, 조절형위밴드술의 경우에는 증가하지 않는 것을 발견하였다.[13, 69, 88] 지금으로

그림 5-1 비만당뇨 환자에서 루와이위우회술 또는 초저열량 식이 전후의 혼합식이 부하 검사 시 혈당/인슐린 농도의 변화. 루와이위우회술 전(흰 사각형)과 후(검은 사각형)의 혈당/인슐린 변화(a), 당뇨 환자에서 루와이위우회술 전(흰 사각형)과 후(검은 사각형)의 혈당/인슐린 변화(b).

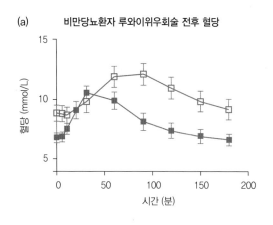

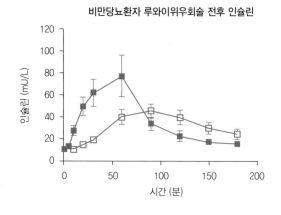

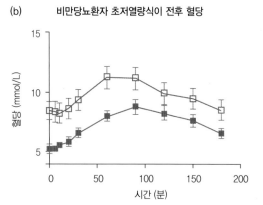

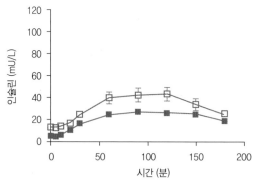

서는 수술 후 에너지 소비량 변화의 체중 감량에 대한 역할에 대해 결론 내기 어렵고, 이보다는 부가적인 기전들이 비만수술 후의 대사적 개선을 설명하기 위해 더 밝혀져야 한다.

 위장관 호르몬

식이 섭취는 위장관, 내분비, 췌장의 호르몬 분비에 변화를 야기한다. 이 기전의 주요 조절인자인 글루카곤양펩타이드-1(glucagon like peptide-1, GLP-1), 포도당 의존 인슐린친화성펩타이드(glucose dependent insulinotropic peptide, GIP), 펩타이드 YY(peptide YY, PYY), 옥신토모둘린(oxyntomodulin), 콜레시스토키닌(cholecystokinin, CCK) 및 그렐린(ghrelin)들이 특정 비만수술 후에 변화하는 것이 이미 잘 밝혀져 있다(표 5-2).

1. 그렐린(Ghrelin)

그렐린(Ghrelin)은 주로 위 기저부의 옥신틱샘(oxyntic

표 5-2 비만수술 후 장호르몬의 특징

	기원 세포	포만감	혈당 조절	위장관 운동성	루와이 위우회술	위소매 절제술	조절형 위밴드술	담췌 우회술	담췌우회술 및 십이지장 전환술
Ghrelin	Oxyntic	↓	−	−	↓	↓↓	−	↓	↓↓
GLP-1	L세포	↑	↑	↓	↑	↑	−	↑	↑
GIP	K세포	−	↑	−	↓	?	−	↓	↓
PYY	L세포	↑	↑ or −	↓	↑	↑ or −	−	↑	↑
Oxyntomodulin	L세포	↑	↑	↓	↑	↑	−	↑	↑
CCK	I세포	↑	−	↑	?	↑ or −	?	?	?

gland)에서 분비되고, 소량은 소장에서 분비되는 호르몬이다. 그 이름이 암시하듯이 성장호르몬의 분비와 연관되어 있다. 이 호르몬은 시상하부를 직접적으로 자극하는 일차적인 식욕 유발 호르몬이다. 비만한 사람은 식사 후의 그렐린 농도가 감소되어 있다.[14] 그렐린은 잘 알려지지 않은 기전을 통해 인슐린 분비를 억제한다.[23] 이로 인하여 인슐린 증감 호르몬인 아디포넥틴(adiponectin)을 억제하여 당 대사에 부정적인 영향을 끼친다. 이러한 당 항상성에 대한 부정적 효과 때문에 특정 비만수술 후에 보이는 그렐린의 감소가 전반적 혈당 조절에 유익하게 작용할 수 있다고 추정된다.[16] 비록 그렐린 대부분의 생물학적 효과가 아실기 형태에 의해 나타나지만, 비아실기 형태도 역시 생물학적 효과를 나타내는데 작용할 수 있다.[33] 두 형태를 구분하려는 노력이 비만수술 후에 나타나는 그렐린 변화의 다양성과 불일치 현상을 설명할 수 있을지도 모른다. 비록 위 기저부와 음식물의 접촉 간에 변화를 주지 않는 조절형위밴드술이나 담췌우회술에서는 수술 전후 그렐린 농도의 유의한 차이가 없을 것이라 추정되지만, 그 반대의 증거들도 존재한다.[65] 어떤 연구에서는 루와이위우회술 후에 그렐린 농도의 감소를 보였고, 어떤 저자들은 변화 없거나 오히려 증가하는 결과를 보고하였다.[32] 무작위 연구에서 그렐린 농도는 위소매절제술에서 루와이위우회술보다 더 영구적으로 낮은 농도를 보였고, 이는 위소매 절제술에서 위 기저부의 완전한

절제가 이루어졌기 때문에 발생한 현상으로 보인다.[66] 미주신경 자극도 그렐린 분비를 자극한다. 미주신경 절제는 그렐린 분비 감소와 연관되어 있다. 하지만 그렐린 분비에 대한 미주신경의 역할은 논쟁의 여지가 남아 있다.[64] 비만수술 후 체중 감량에 대한 그렐린의 역할에 대한 여러 가지 상충하는 근거들이 존재하는데, 이를 통해 볼 때 그렐린의 체중 감량에 대한 역할은 한정적인 정도에 머무르는 것으로 보인다.

2. 글루카곤양펩타이드-1
(Glucagon like peptide-1, GLP-1)

GLP-1은 식이 섭취에 반응하여 회장과 대장의 L세포에서 분비되는 펩타이드이다. 일반적으로 이것은 인슐린 분비성 호르몬이기 때문에 당 섭취에 반응하여 인슐린 분비를 증가시키는 원인이 된다(인크레틴 효과, incretin effect). 또 베타세포의 성장 자극에 연관되어 있어 베타세포의 세포사멸을 감소시키고 궁극적으로 그 부피를 증가시키는 것으로 쥐를 대상으로 한 연구에서 증명된 바 있다.[33] GLP-1의 식후 고혈당에 대한 조절 효과는 글루카곤(glucagon) 분비 억제, 위배출과 장 운동성의 감소(ileal brake)와 함께, 포만감을 유도하는 중추신경계 전달 과정에 의해서도 발생한다.[33,86] 일반적으로 GLP-1

은 포만감을 증가시키고 식이 섭취를 감소시킨다. 보통 GLP-1의 분비는 회장 말단에서 영양분(nutrient)에 의하여 자극되어 발생한다. 이것이 위장관을 우회하는 수술(루와이위우회술, 담췌우회술 및 십이지장전환술)을 통한 대사 수술 후에 호르몬의 신속하고- 수술 후 몇 일 이내 - 지속적인 혈액 내 농도 증가를 설명하는 이론이다.[31] 이 가설은 우회술과 다르게 복강경하 조절형위밴드술과 같이 순수한 제한적 수술의 경우 GLP-1의 식후 변화가 결핍되어 있다는 점에서도 추가적인 근거를 얻는다.[43] 게다가 루와이위우회술 후 남은 위를 통한 식사로 근위부 장과 영양소가 접촉하게 하면, 수술 후 발생한 인슐린 과분비성 저혈당증과 GLP-1의 농도를 수술 전과 같이 되돌려 놓을 수 있다.[55] 실제로 루와이위우회술 후의 식후 저혈당증은 과도한 인슐린의 반응과 함께 말초 인슐린 감수성의 증가에 기인한 것으로 보이고, 과도한 식후의 인슐린 분비는 GLP-1 반응의 향상으로 인한 것이다. 실제로, GLP-1 수용체 작용제(exenatide, liraglutide)의 사용이 저혈당 증후군에 대해 긍정적 효과를 발휘하는 것으로 밝혀진 바 있다.[30] 한편, 음식물의 위장관 통과 시간 감소가 복강경하 위소매절제술 후에도 유의하게 증가하는 GLP-1분비의 원인으로 작용하는 것으로 보인다.[70] GLP-1의 증가를 설명하는 부가적인 기전은 루와이위우회술 후에 GLP-1 분해 효소인 디펩티딜 펩티데이즈-4(Dipep tidyl peptidase-IV, DDP-IV)의 억제와 관련되어 있는데, 이 현상은 제2형 당뇨병에서는 발생하지 않는다.[2] 그러나, 또 한번의 불일치가 발견되는데, 같은 우회술인 담췌우회술에서는 DPP-IV 억제가 발생하지 않는 연구 결과도 있다.[51]

GLP-1에 의해 유도된 배고픔 조절과 식이 섭취의 감소가 비만수술 후 체중 감량에 미치는 역할에 대해서는 아직 논란의 여지가 있다. 비록 더 현저한 체중 감량을 보이는 수술 방법들이 역시 GLP-1 농도도 높긴 하지만, 장기 추적관찰 연구에서 포만감 증가가 GLP-1의 유의한 증가와 연관성이 없음이 보고되어 있다.[26] 비록 GLP-1이 비만수술 후 체중 감량의 주요한 원인 인자는 아닐지라도,

체중 감량에 일정 부분 기여하고 혈당의 항상성 유지에 주요 인자가 된다고 결론지을 수 있다.

3. 포도당 의존 인슐린 친화성 폴리펩타이드 (Glucose-dependent insulinotropic polypeptide, GIP)

이 호르몬은 십이지장과 근위부 공장에 있는 K세포(K-cell)에서 영양소(특히 탄수화물과 지방)의 자극에 의해 분비된다. 이름이 가리키듯이 이것은 인슐린 분비성 호르몬으로 비록 GLP-1보다는 약하게 작용하지만, 식후 인슐린 분비와 췌장 베타세포의 증가를 일으킨다.[56] GLP-1과 다르게 GIP는 위와 장의 운동성에는 영향을 미치지 않는다. GIP는 지방질 생성의 증가와 지방 축적의 증진을 통하여 지방질 대사에도 영향을 미친다.[33] 당뇨병 환자에서의 GIP 역할은 명확하지 않지만, 분비나 기능에 장애가 있는 것으로 일관된 연구 결과를 보이고 있다.[87] 게다가 GIP에 대한 비만수술의 효과도 일치되는 결과를 보여주지 못하고 있다. 루와이위우회술과 담췌우회술의 경우, 근위부 장관의 우회로 인하여 이 호르몬의 수술 후 농도가 감소하는 증거들이 존재한다.[43, 15] 대조적으로 복강경하 위밴드조절술의 경우 GIP 농도는 변화가 없다.[43] 위소매절제술 후의 GIP변화는 잘 알려져 있지 않다. 비만수술의 작용 기전에서의 GIP의 일반적인 역할은 아직까지 규정하기 어려운 상황이다.

4. 펩타이드 YY (Peptide YY, PYY)

GLP-1과 유사하게 펩타이드 YY도 회장과 대장의 L세포에서 분비되고 DPP-IV에 의해 분해된다. 펩타이드 YY는 뇌에서도 분비된다. 펩타이드 YY의 분비량은 영양분의 열량 밀도에 비례한다.[81] 펩타이드 YY의 주요 작용 기전은 위배출과 장운동의 방해이다(ileal brake). 또한 펩타

이드 YY는 직접 중추계신경계를 통하여 식욕을 감소시키기도 한다.[6] 당 대사에 관여하는 펩타이드 YY의 효과는 멜라노코틴(melanocortin) 뉴런들의 활성화에 의한 이차적인 인슐린 감수성 변화에 의해 간접적으로 결정된다.[44] 기본적으로 비만한 사람은 공복 시 펩타이드 YY 농도가 낮고 식이에 대한 자극에서도 낮은 반응을 보인다.[33] 펩타이드 YY는 특정 비만수술에서 체중 감량 효과에 결정적 역할을 하는 것으로 보인다. 루와이위우회술과 담췌우회술, 위소매절제술 후에는 펩타이드 YY 농도가 신속하고 또 지속적으로 증가하지만, 조절형위밴드술의 경우에는 그렇지 않은 결과를 보인다.[9, 47] 루와이위우회술과 대조적으로 위소매절제술에서는 펩타이드 YY 농도가 시간이 흐를수록 다시 정상화되려는 경향을 보인다.[57] 앞에 GLP-1의 경우에서 설명한 것과 마찬가지로, 회장 말단에 존재하는 미처 소화되지 못한 영양소의 존재와 신속한 위배출이 이 현상을 동일하게 설명할 수 있다.[17] 위소매절제술에서 위 산성도(pH)의 잠재적 감소 현상 때문에 어떤 저자들은 높은 pH와 덜 소화된 유미즙(chyme)의 십이지장으로의 이동이 펩타이드 YY 분비 증가에 기여한다고 주장한다.[37] 포만감 성취와 체중 감량에서의 펩타이드 YY의 중요성이 여러 연구에서 밝혀져 있다.[47] 루와이위우회술 후 펩타이드 YY 변화 정도의 감소가 체중 감량 실패나 체중 재 증가와 관련되어 있음이 전향적 연구들에서 밝혀져 있다.[47] 비만수술 후 펩타이드 YY의 변화가 체중 감량에 중요한 역할을 한다는 사실이 현재까지 잘 정립되어 있는 것으로 보인다.

5. 옥신토모듈린(Oxyntomodulin)

옥신토모듈린은 GLP-1과의 폴리펩타이드 구조가 유사하여, 식이에 유도되는 분비와 DPP-IV에 의한 분해 과정 등, 대사 과정에서도 그 유사성이 존재한다.[1] GLP-1과 유사하게 옥신토모듈린도 위장관 운동성을 감소시키고 당 항상성의 제어 기전에 관여한다. L세포에서 분비되는 다른 두가지 호르몬(GLP-1, PYY)에서 보았듯이 옥신토모듈린도 루와이위우회술 후에 농도가 증가하고, 조절형위밴드술 후에는 증가하지 않는다.[46] 분비와 기능의 유사성 때문에 수술 후 체중 감량에 미치는 각각의 실질적인 효과는 구별하기 쉽지 않다.

6. 콜레시스토키닌(Cholecystokinin, CCK)

CCK는 포만감의 잠재적 유도체이다. 이는 영양소에 대한 반응으로 십이지장과 근위부 공장에서 분비된다. 부가적으로 CCK는 담낭과 위배출, 외분비 췌장 분비에 주요한 역할을 한다. 비만수술 후의 이 호르몬의 농도 변화에 대해서는 명확하지 않지만, 몇몇 증거들이 존재한다. 어떤 저자들은 위소매절제술 후 그 농도가 증가함을 밝혔지만, 이 수술의 작용 기전에 대한 전반적 역할에 대해서는 아직 제대로 정의되지 않은 상황이다.[1]

제2형 당뇨병 개선

제2형 당뇨병 개선을 설명하기 위한 장 호르몬의 기전은 몇 년 전부터 제시되어 왔다.[54] 이것은 위밴드술 후 체중 감소 곡선에 따른 당뇨 개선 패턴과 위우회술 후에 보이는 여러 호르몬들의 변화에 의해 간접적으로 증명될 수 있다. 특히 유의한 체중감소 이전에도 인슐린과 렙틴(Leptin) 농도가 감소하고, GLP-1, GIP, 펩타이드 YY 농도가 증가한다.[20, 72] 당뇨병 개선에 대해서는 두 가지 주요한 고전적 이론이 존재한다. 전장 이론(foregut theory)과 후장 이론(hindgut theory)이 그것이다.

1. 전장 이론(Foregut Hypothesis)

이 이론에 따르면 십이지장이 영양소의 통과로부터 우회되는 과정에서 아직 알려지지 않은 "항인크레틴(anti-incretin)" 물질의 분비가 억제된다. 실제로 당뇨병은 인슐린 분비와 인슐린 저항성을 감소시키고 베타세포 부피를 감소시키는 항인크레틴 물질의 과생성 때문에 발병한다. 음식물이 십이지장을 우회하게 되면 이 항인크레틴 효과가 억제 된다. 이 이론의 옹호론자들 중에서 Rubino 등은 쥐에서 십이지장을 수술로 우회시켜 당뇨가 개선되는 것을 명쾌하게 증명하였다.[71] 같은 실험 쥐에서 십이지장 통로를 복구하면, 다시 내당능 장애 상태가 재발하는 결과를 보였다. 다른 저자들은 십이지장 우회술 후에 당의 흡수가 변화한다고 생각한다. 설치류에서 위우회술 후에 위장관의 형태학적 변화와 더불어 나트륨/당 공동 수송체1 (Na/glucose cotransporter 1, SGLT1)의 기능이 변화한다는 사실이 발표된 바 있다.[78] 특히 영양소와 접촉하는 장관의 융모의 길이와 깊이가 증가하고, 예상과는 다르게 당 수송체의 활동은 감소한다. 저자에 따르면 이것은 위우회술과 같이 십이지장 우회 시술 후에 당뇨가 개선되는 여러 기전 중 하나일 것이라고 한다. 비록 십이지장 우회가 당 수송체의 감소로 이어지는 과정은 명확하지 않지만, 어떤 저자들은 단맛 수용체인 T1R2와 T1R3을 통해 SGLT1의 상부위장관 조절이 방해받기 때문이라고 의심하고 있다.[78]

2. 후장 이론(Hindgut Hypothesis)

당 항상성의 또다른 이론은 후장에서 당 부하의 증가에 따른 가상의 펩타이드의 분비를 수반한다는 것이다. 이 두 번째 이론에 따르면 소화되지 않은 음식물이 소장 말단에서 인크레틴(incretin) 물질들의 분비를 자극하면, 그 결과로 혈당이 정상화되고 인슐린 생성이 증가하며 인슐린 저항성이 감소한다. 비록 어떤 물질도 밝혀지지 않았지만, GIP와 GLP-1이 가장 유력한 후보이다. 초기에 증가하는 GIP와 GLP-1으로 당내성의 개선을 설명할 수는 없지만, 당이 정상화되어 가면서, 특히 GIP의 인슐린 분비에 대한 작용은 복구될 수도 있다.

❾ 미주신경(Vagus nerve)

위장관의 미주신경 지배에 의해 뇌와 장관 세포간의 신경 연결을 제공한다. 앞에 언급되었던 여러 호르몬들의 일부 효과는 미주신경에 의해 중개된다.[60] 미주신경 절제는 그렐린 농도의 감소를 초래한다. 그러나 비만수술 후 체중 감량에 대한 미주신경 절제의 장점에 대한 근거는 아직 없다. 조절형위밴드술과 루와이위우회술 시행시에, 추가적인 미주신경 절제술은 체중 감량에 대해 장점을 발휘하지 못하는 것으로 보고되었다.[64]

1. 포만감에 의해 유도되는 위의 감각 수용체

위의 분문부는 다량의 구심성 미주신경들을 가지고 있다. 신경절 사이의 말단 판(intraganglionic laminar endings, IGLEs)은 기계적 수용체로서 장근육 신경절초에 붙어 존재하고 위 벽 안에서 팽창력을 감지하는 것으로 알려져 있다. 조절형위밴드술 후 비디오 압력측정검사(Video-manometry)를 통하여 음식물이 하부 식도 괄약근에 도달하기까지의 식도가 연동운동을 하며, 음식물이 도달하면 식도괄약근이 이완하는 것을 볼 수 있다.[11] 수축 후에 연동 운동의 일부 압력이 유지되면서 음식물의 일부가 위의 상부로 이동한다. 밴드 아래의 위 부분으로 반고체 상태의 음식물이 이동하는 데에는 잠깐의 지연시간 차가 있으며, 전반적인 위배출은 정상에 가깝다. 밴드 아래 부분까지 포함하는 위의 상부는 이 IGLE의 기계적 압력수용체에 민감해질 수 있다. 적절하게 조절된 밴드는 기초 내강 압력을 25-30 mHg로 유지할 수 있고 식후에 즉각적으로 식사 중에 포만감을 유도할 수 있다.[11] 이 포만감 효과는 작은 위낭의 팽창으로 인하여 위감각 수용체의 활성에도 기여한다.[36] 또다른 가능성은 직접적인 압력이나 위벽의 밴드의 접촉이 포만감을 유도할 수 있다는 것이다. 잘 조절된 밴드에서도 밴드의 압력을 제거하면 식욕이 다시 증가하는 것을 볼 수 있다. 급속한 체중 증가는 포만감의 부족과 관련되어 있고, 이는 밴드를 제거하게 되면 1-2일 후에 빠르게 나타나는 현상이다.[80]

⑩ 담즙산(Bile acid)

담즙산은 에너지 균형의 중요한 조절 인자이며, 갈색 지방조직에서 에너지 소비를 증가시키는 작용을 한다.[33] 담즙산의 농축은 루와이위우회술과 위소매절제술에서 일관되게 나타난다.[58] 이것은 아마도 장간순환(enterohepatic circulation)의 감소와 그로 인해서 콜레스테롤이 담즙산으로의 전환이 증가되기 때문일 것이다. 조절형위밴드술 후 어떤 경우에는 담즙산이 증가하는 것으로 나타나고 그 반대의 증거들도 나타난다.[68] 조절형위밴드술 후 담즙산이 증가하는 이유로 제시될 수 있는 것은, 음식 섭취의 감소로 인한 이차적인 내인성 콜레스테롤 생성의 증가 현상이다.[33] 당 대사에 있어서 담즙산의 효과는 TGR5수용체를 통하여 L세포를 활성화시켜 앞서 언급되었던 호르몬들을 분비시키는 것이다.[39] 위소매절제술은 담즙산 대사에 관여하는 특정한 간내 유전자의 발현을 변형시키는 것으로 밝혀졌다.[58] 이 소견들의 중요성은, 이것들이 모두 새로 밝혀진 담즙산의 역할이라는 데에 있다. 잘 알려져 있는 지방의 소화와 흡수에 중요하다는 사실 뿐만 아니라, 담즙산은 신호 분자로도 인지되어졌다.[73] 담즙산과 핵내 수용체인 FXR (farnesoid X recep-tor)가 결합하면, 식이 습관을 긍정적으로 변화시키고, 당 내성을 개선하며, 위소매절제술을 시행받은 쥐에서 장내 서식 미생물총을 변화시키는 현상이 발견되었고, 이는 FXR knock-out mouse에서 시행될 경우 반대의 현상을 초래한다.[73]

⑪ 지방 조직

말초의 과도한 지방 축적은 말초와 간의 인슐린 저항성과 관련된다.[22] 더구나 내장지방이 어떻게 호르몬을 생성하는 기질을 구성하는지에 대해서도 잘 알려져 있다. 결과적으로 비만한 사람은 종양괴사인자(tumor necrosis factor, TNF), 인터루킨-6 (interleukin-6, IL-6), 렙틴(leptin)과 같은 전염증성 사이토카인들이 증가되어 있고, 아디포넥틴(adiponectin) 같은 항염증성 호르몬들의 농도는 감소되어 있다.[52] 염증 표지자들에 대한 비만수술의 효과, 특히 어떤 염증 표지자들이 비만의 변화와 인슐린 감수성의 향상에 관련되어 있는지에 대해서는 아직 더 밝혀지는 것이 필요하다. 지방 조직의 내분비적 역할은 잘 확립되어 있다.[93] 기술된 여러 아디포카인(adipokines)들 중에 오멘틴-1 (omentin-1)이 최근에 인슐린 감수성과 관련된 중요한 조절 인자로 밝혀졌다.[21] 혈중 오멘틴-1 농도와 지방조직 내에서의 유전자 발현이 비만한 사람에게서는 현저히 줄어들어 있다.[21] 혈중 오멘틴-1 농도는 아디포넥틴과 고밀도 지질단백(high density lipoprotein, HDL) 농도에 긍정적 영향을 주고, 인슐린 저항성에는 부정적 영향을 미친다.[21] 오멘틴-1 유전자는 제2형 당뇨병 발병과 관련된 동일한 염색체 구역에 위치하고 있다.[28]

1. 렙틴(Leptin)

렙틴은 흰색 지방 조직에서 분비되는 아디포사이토카인(adipocytokine)이고, 그 농도는 에너지 균형과 직접적

관련이 있다. 일반적으로 렙틴의 농도가 감소하면 식욕이 증가한다.[40] 어떤 저자들은 렙틴과 지방 합성 억제 및 지방 분해 증가와 직접적인 연결이 있다고 주장한다.[5] 실제로 비만한 사람은 높은 기초 렙틴 농도를 가지고 있고 체중감소에 따라 그 농도가 감소한다.[85] 렙틴의 감소는 에너지 요구량의 감소도 유발하여 단순히 식이 조절을 통한 체중 감량의 유지는 쉽지 않다.[44] 렙틴의 감소는 모든 비만수술 방법에서 발견되고 그것은 직접적으로 체중 감량과 연결된다. 재미있게도 루와이위우회술 후 여전히 비만한 환자에서 렙틴이 감소되어 있는데, 수술 후 변화를 설명하기 위해서는 체중 감량 이외의 기전을 고려하게 한다.[27]

2. 아디포넥틴(Adiponectin)

아디포넥틴(adiponectin)도 지방 조직에서 생성되고 인슐린 감수성과 지방산 산화에 관련되어 있다.[7] 렙틴과 대조적으로 아디포넥틴 농도는 비만할 때 감소하고 체중이 감소하면서 증가한다. 낮은 아디포넥틴 농도는 인슐린 저항성과 관상동맥질환과 관련되어 있다.[89] 루와이위우회술 후에 아디포넥틴 농도는 증가하고 HOMA-IR (homeostasis model assessment-insulin resistance)을 통하여 검사한 인슐린 감수성이 향상되어 있다.[27] 수술 전 아디포넥틴 농도가 낮을수록 수술 후의 증가율이 크고 체중 감량의 정도도 크다. 이는 아마도 증가된 지방산의 근육으로의 산화 때문일 것이다.[27] 아디포넥틴과 관련한 TNF-a의 감소는 내피세포에 부착하는 단핵구 감소의 잠재적 기전으로 추정된다.[63] 루와이위우회술 후 언급된 사이토카인 변화의 이유는 중요하나 완전히 배타적이지는 않게 체중 감량과 연관되어 있고, 이는 다른 비만수술 방법이나 칼로리 조절 식이의 경우와 유사하다.[44]

⑫ 장내세균총

위장관의 미생물 구성은 영아기의 1년 동안 다양한 환경적, 대사적 요인들에 영향을 받으며 확립되고, 성인이 되면 상대적으로 안정된다. 성인의 대장에는 대략 1,000-36,000개의 다른 박테리아 종류들이 풍부하게 그 내강을 채우고 있다.[4] 이 다양한 박테리아 분포는 아마도 인간 게놈의 100배 이상의 유전자들을 포함하고 있을 것이다.[84] 장 미생물과의 공존은 비타민 생성 등과 같은 숙주의 여러 기능들에 필수적이다. 최근에 추가적으로 장 미생물과 대사와의 관계가 밝혀졌다. 이 과정의 배경은 쥐와 인간이 일반적으로 동일한 박테리아 종류를 가지고 있다는 사실에 기반한다. 유전적으로 비만한 쥐와 그와 한배에서 난 새끼들의 원위부 장관의 미생물에 대한 비교를 통해, 그들에게서 풍부한 두 종류의 박테리아(Bacteriodetes and Firmicutes) 변화가 비만의 정도와 관련되어 있음을 밝혀냈다.[49, 84] 비만한 쥐는 마른 쥐에 비하여 유의하게 많은 수의 Firmicutes 균주를 가지고 있고 적은 Bacteriodetes 수를 가지고 있다.[48] 이와 유사한 결과가 인간에서도 확립되었다.[49] 게다가 생화학 검사들을 통해서, 장내 세균총 구조의 변화가 비만한 사람에게 칼로리 부하가 주어졌을 때 에너지 흡수의 효율성이 증가하는 것과 관련되어 있다는 사실을 발견했다. 이 현상들을 통해 장내 세균총이 개인의 에너지 균형에 있어 중요한 기여 인자라는 것을 알 수 있다.

제2형 당뇨병을 동반한 비만한 사람에게서 체중 감량은 인슐린 저항성을 치료하기 위한 약물 치료 필요성을 없애는데 유익하다는 점이 이미 밝혀져 있다.[29] 식이 조절을 통한 체중 감량이 장내 세균총의 구성을 변화시킬 수 있고, 마른 사람의 장내세균총과 유사하게 변화시키는데 효과가 있다는 것이 밝혀져 있다.[49] 흥미롭게도, 유전적으로 비만한 쥐의 장내 세균총 변화는 체중 감량과 독립적으로 혈당을 개선하는 효과를 나타내었다.[12] 비만 환자에서 관찰되는 장내세균총의 변화는 장내세균총이 비만과 관련된 동반질환에 중요한 역할을 하며, 그것을 변형시킴으로 해서 동반질환을 치료하는데 중요한 역할을 담당할 수 있음을 시사한다.

루와이위우회술 후 장 미생물 조성의 변화는 체중 감량과 동반 질환 개선 모두에 대한 잠재적인 기여 인자이다. 그러나, 그 기전은 크게 주목받지 못했다. Zhang 등은 3명의 위우회술 환자들을 정상 체중 또는 비만인 사람과 비교한 결과, Firmicutes가 감소하여 있는 것을 발견하였다.[94] Woodard 등이 위우회술 후에 락토바실루스(Lactobacillus) 유산균 제제를 이용하여, 직접 위장관 미생물을 조정해 본 결과, 유산균을 사용한 그룹이 더 현저한 체중 감량을 보였다고 발표하였다.[92] 이 실험들은 장내 미생물들이 인간의 에너지 항상성에 중요한 역할을 한다는 것을 보여준다.

⑬ 베타 세포의 변화들

이전에 언급한 위장관 호르몬들 외에 베타 세포의 기능도 비만수술 후의 혈당 조절에 중요한 결정 인자로 작용한다.[8] 사실 당뇨병 관해 비율은 환자 고유의 당뇨 특징과 연관이 있다. 당뇨병 유병 기간이 짧을수록, 베타 세포 부전 비율이 적을수록, 또는 인슐린 요구량이 적거나 또는 필요하지 않은 상태가 수술 후 당뇨 관해 기회를 높이는 것과 밀접한 관련이 있다.[8] 루와이위우회술 후 일정한 범위에서는 체중 감량과 비례하여 인슐린 감수성이 증가하고, 다른 측면에서는 체중 감량과는 독립적으로 베타세포의 당에 대한 민감도가 증가한다.[59] 남은 베타 세포 기능의 중요성을 검증하기 위하여 시행된 최근의 연구들에서, 제1형 당뇨병 환자에서 루와이위우회술 시행 후에 제2형 당뇨병 환자와 비슷한 체중 감량과 GLP-1 변화를 보였지만 결국 혈당 개선에는 유의한 효과를 보지 못한 결과가 나타났다.[8] 루와이위우회술 이후에 제1형 당뇨의 개선에 대해서는 부분적일 뿐, 아마도 설득력

이 낮은 정도의 증거만 있음에 주목하는 것이 중요하다. 단 세 명의 환자에 대한 작은 규모의 연구 결과이긴 하지만, 루와이위우회술 수술 후에 유의한 정도의 지속적인 혈당 개선 효과를 발견하였고, 이는 아마도 남아있는 베타세포 기능 이외의 기전에 의한 것으로 생각된다.[18] 제1형 당뇨에서 GLP-1이 증가하는 현상은 제2형 당뇨병의 경우와 유사하지만, 글루카곤 분비를 억제하지는 않았고, 오히려 다소 증가시키는 경향이 있다.[8] 이 설명되지 않는 현상은 다시 한번 언급하건대, 베타 세포의 잔여 기능 말고도 혈당 조절에 관여하는 부가적인 인자가 있을 것이라는 사실을 시사한다.

⑭ 인슐린 감수성 증가

비만수술의 장점은 인슐린 분비 증가와 인슐린 감수성의 개선 모두에 있다. 일반적으로 체중 감량이 말초의 인슐린 감수성을 증가시키지만, 이것이 비만수술의 유일한 기전은 아니다.

말초 조직에서의 인슐린 감수성 증가의 가장 설득력 있는 증거는 담췌우회술을 통한 연구에서 나온다.[53] Mary 등은 Hyperinsulinemic-euglycemic clamp test를 이용하여 담췌우회술 당일에 이미 인슐린 감수성의 유의한 개선이 있음을 증명하였다. 반면에 루와이위우회술에 대한 자료는 이와 합치하는 결과를 보여주지는 못하고 있다.[38] 조절형위밴드술과 위소매절제술에서는 수술 직후에 유의한 변화가 보이지는 않았다.[38]

⑮ 결론

현재까지 다양한 종류의 비만수술들이 개발되어 시행되어 왔다. 각각의 수술 방법들에 따라서 다른 정도의 체

중 감량과 대사질환의 호전을 보여주고 있으나, 각 수술의 개별 특성에 따른 정확한 작용 기전에 대해서는 아직 명확히 밝혀야 할 부분이 많이 남아있다. 음식물을 통한 전체 열량 섭취를 기계적으로 제한하거나, 소화관의 해부학적 구조를 변화시켜 섭취된 음식물의 흡수 장애를 유도하는 것이 체중감소에 가장 크게 기여한다는 이론이 전통적으로 받아들여지고 있다. 그 이외에도 식이 습관의 변화, 에너지 소비량 변화, 위장관 호르몬의 변화, 장내세균총의 변화, 담즙산 농도의 변화 및 미주신경 절제의 영향 등이 연구되고 있으며, 최종적인 체중감소는 이들 인자들 간의 복합적인 작용의 결과로 나타난다고 여겨진다. 섭취 제한 기전은 비만수술 후 체중 감량에 단지 부분적으로만 기여한다고 보여지며, 장내 호르몬과 중추신경계의 상호작용은 식욕 감소를 유발하는 방향으로 작용한다. 장내세균총의 변화나 담즙산염의 변화는 체중 감량과 관련이 있는 것으로 그 가능성이 대두되고 있지만 추가적인 연구가 필요한 수준이다.

비만수술 후 제2형 당뇨병이 개선되는 기전에도 역시 여러가지 인자가 복합적으로 관여한다고 보여지며, 열량 섭취 제한에 의해서 간에서의 인슐린 감수성이 개선되거나, 원위부 위장관이 영양소에 빠르게 노출되면서 초래된 위장관 호르몬의 증가와 이차적인 췌장 베타세포에서의 인슐린 분비 기능의 향상으로 부분적인 설명이 가능하다. 이후에 발생하는 내당능 향상은 체중감소로 유발된 말초 근육 세포의 인슐린 감수성 향상에 기인하는 것으로 여겨진다. 근위부 소화관을 영양분의 자극으로부터 우회시킴으로서 내당능 감소에 관여하는 항인크레틴 신호를 차단하고, 이로 인해서 제2형 당뇨병을 개선시킨다는 가설은 향후 추가적인 검증이 요구된다.

참고문헌

1. Akkary E. Bariatric surgery evolution from the malabsorptive to the hormonal era. Obes Surg 2012;22:827-31.
2. Alam ML, Van der Schueren BJ, Ahren B, et al. Gastric bypass surgery, but not caloric restriction decreases dipeptidyl peptidase-4 activity in obese patients with type 2 diabetes. Diabetes Obes Metab 2011;13:378-81.
3. Angrisani L, Cutolo PP, Ciciricllo MB, et al. Laparoscopic adjustable gastric banding with truncal vagotomy versus laparoscopic adjustable gastric banding alone: interim results of a prospective randomized trial. Surg Obes Relat Dis 2009;5:435-8.
4. Backhed F. Changes in intestinal microflora in obesity: cause or consequence? J Pediatr Gastroenterol Nutr 2009;48 Suppl 2:S56-7.
5. Bai Y, Zhang S, Kim KS, et al. Obese gene expression alters the ability of 30A5 preadipocytes to respond to lipogenic hormones. J Biol Chem 1996;271:13939-42.
6. Batterham RL, Cohen MA, Ellis SM, et al. Inhibition of food intake in obese subjects by peptide YY3-36. N Engl J Med 2003;349:941-8.
7. Berg AH, Combs TP, Scherer PE. ACRP30/adiponectin:an adipokine regulating glucose and lipid metabolism. Trends Endocrinol Metab 2002;13:84-9.
8. Blanco J, Jimenez A, Casamitjana R, et al. Relevance of beta-cell function for improved glycemic control after gastric bypass surgery. Surg Obes Relat Dis 2014;10:9-13; quiz189-90.
9. Bose M, Machineni S, Olivan B, Teixeira J, et al. Superior appetite hormone profile after equivalent weight loss by gastric bypass compared to gastric banding. Obesity 2010;18:1085-91.
10. Buchwald H, Avidor Y, Braunwald E, et al. Bariatric surgery: a systematic review and meta-analysis. JAMA 2004;292(14):1724-37.
11. Burton PR, Brown WA, Laurie C, et al. Criteria for assessing esophageal motility in laparoscopic adjustable gastric band patients: the importance of the lower esophageal contractile segment. Obes Surg 2010;20:316-25.
12. Cani PD, Bibiloni R, Knauf C, et al. Changes in gut micro-

biota control metabolic endotoxemia-induced inflamma-tion in high-fat diet-induced obesity and diabetes in mice. Diabetes 2008;57:1470-81.

13. Carrasco F, Papapietro K, Csendes A, et al. Changes in resting energy expenditure and body composition after weight loss following Roux-en-Y gastric bypass. Obes Surg 2007; 17:608-16.

14. Castaneda TR, Tong J, Dutta R, et al. Ghrelin in the regula-tion of body weight and metabolism. Front Neuroendocri-nol 2010;31:44-60.

15. Clements RH, Gonzalez QH, Long Cl, et al. Hormonal changes after Roux-en Y gastric bypass for morbid obe-sity and the control of type-II diabetes mellitus. Am Surg 2004;70:1-4 discussion 4-5.

16. Cummings DE, Foster-Schubert KE, Overduin J. Ghrelin and energy balance: focus on current controversies. Curr Drug Targets 2005;6:153-69.

17. Cummings DE, Overduin J, Foster-Schubert KE. Gastric bypass for obesity: mechanisms of weight loss and diabetes resolution. J Clin Endocrinol Metab 2004;89:2608-15.

18. Czupryniak L, Wiszniewski M, Szymariski D, et al. Long-term results of gastric bypass surgery in morbidly obese type 1 diabetes patients. Obes Surg 2010;20:506-8.

19. Delin CR, Watts JM, Saebel JL, et al. Eating behavior and the experience of hunger following gastric bypass surgery for morbid obesity. Obes Surg 1997;7:405-13.

20. DePaula AL, Macedo ALV, Schraibman V, et al. Hormon-al evaluation following laparoscopic treatment of type 2 diabetes mellitus patients with BMI 20-34. Surg Endosc 2009;23(8):1724-32.

21. de Souza Batista CM, Yang R-Z, Lee M-J, et al. Omentin plasma levels and gene expression are decreased in obesity. Diabetes 2007;56:1655-61.

22. Despres J-P. Excess visceral adipose tissue/ectopic fat the missing link in the obesity paradox? J Am Coll Cardiol 2011;57:1887-9.

23. Dezaki K, Sone H, Koizumi M, Nakata M, et al. Blockade of pancreatic islet- derived ghrelin enhances insulin secre-tion to prevent high-fat diet-induced glucose intolerance. Diabetes 2006;55:3486-93.

24. Drewnowski A, Kurth C, Holden-Wiltse J, et al. Food prefer-ences in human obesity: carbohydrates versus fats. Appetite 1992;18:207-21.

25. Ernst B, Thurnheer M, Wilms B, et al. Differential changes in dietary habits after gastric bypass versus gastric banding operations. Obes Surg 2009;19:274-80.

26. Falken Y, Hellstrom PM, Holst JJ, et al. Changes in glucose homeostasis after Roux-en-Y gastric bypass surgery for obe-sity at day three, two months, and one year after surgery: role of gut peptides. J Clin Endocrinol Metab 2011;96:2227-35.

27. Faraj M, Havel PJ, Phelis S, et al. Plasma acylation-stimu-lating protein, adiponectin, leptin, and ghrelin before and after weight loss induced by gastric bypass surgery in mor-bidly obese subjects. J Clin Endocrinol Metab 2003;88:1594-602.

28. Fu M, Damcott CM, Sabra M, et al. Polymorphism in the calsequestrin 1 (CASQ1) gene on chromosome 1q21 is asso-ciated with type 2 diabetes in the old order Amish. Diabetes 2004;53:3292-9.

29. Gagliardi L, Wittert G. Management of obesity in patients with type 2 Diabetes mellitus. Curr Diabetes Rev 2007;3:95-101.

30. Goldfine AB, Mun EC, Devine E, et al. Patients with neu-roglycopenia after gastric bypass surgery have exaggerated incretin and insulin secretory responses to a mixed meal. J Clin Endocrinol Metab 2007;92:4678-85.

31. Guidone C, Manco M, Valera-Mora E, et al. Mechanisms of recovery from type 2 diabetes after malabsorptive bariatric surgery. Diabetes 2006;55:2025-31.

32. Holdstock C, Engstrom BE, Ohrvall M, et al. Ghrelin and adipose tissue regulatory peptides: effect of gastric by-pass surgery in obese humans. J Clin Endocrinol Metab 2003;88:3177-83.

33. Ionut V, Burch M, Youdim A, Bergman RN. Gastrointes-tinal hormones and bariatric surgery-induced weight loss. Obesity 2013;21:1093-103.

34. Isbell JM, Tamboli RA, Hansen EN, et al. The importance of caloric restriction in the early improvements in insulin sensitivity after Roux-en-Y gastric bypass surgery. Diabetes Care 2010;33:1438-42.

35. Jorgensen NB, Jacobsen SH, Dirksen C, et al. Acute and long-term effects of Roux-en-Y gastric bypass on glucose metabolism in subjects with Type 2 diabetes and normal

glucose tolerance. Am J Physiol Endocrinol Metab 2012:303: E 122-31.

36. Kampe J, Stefanidis A, Lockie SH, et al. Neural and humoral changes associated with the adjustable gastric band: insights from a rodent model. Int J Obes 2012;36:1403-11.

37. Karamanakos SN, Vagenas K, Kalfarentzos F, et al. Weight loss, appetite suppression, and changes in fasting and postprandial ghrelin and peptide-YY levels after Roux-en-Y gastric bypass and sleeve gastrectomy: a prospective, double blind study. Ann Surg 2008;247:401-7.

38. Kashyap SR, Daud S, Kelly KR, et al. Acute effects of gastric bypass versus gastric restrictive surgery on beta-cell function and insulinotropic hormones in severely obese patients with type 2 diabetes. Int J Obes 2010;34:462-71.

39. Katsuma S, Hirasawa A, Tsujimoto G. Bile acids promote glucagon-like peptide-1 secretion through TGR5 in a murine enteroendocrine cell line STC-1. Biochem Biophys Res Commun 2005;329:386-90.

40. Keim NL, Stern JS, Havel PJ. Relation between circulating leptin concentrations and appetite during a prolonged, moderate energy deficit in women. Am J Clin Nutr 1998;68: 794-801.

41. Kelley DE, Wing R. Buonocore C, et al. Relative effects of calorie restriction and weight loss in noninsulin-dependent diabetes mellitus. J Clin Endocrinol Metab 1993;77:1287-93.

42. Kirk E, Reeds DN, Finck BN, et al. Dietary fat and carbohydrates differentially alter insulin sensitivity during caloric restriction. Gastroenterology 2009;136:1552-60.

43. Korner J, Bessler M, Inabnet W, et al. Exaggerated glucagon-like peptide-1 and blunted glucose-dependent insulinotropic peptide secretion are associated with Roux-en-Y gastric bypass but not adjustable gastric banding. Surg Obes Relat Dis 2007;3:597-601.

44. Korner J, Leibel RL. To eat or not to eat - how the gut talks to the brain. N Engl J Med 2003;349:926-8.

45. Kumar R, Lieske JC, Collazo-Clavell ML, et al. Fat malabsorption and increased intestinal oxalate absorption are common after Roux-en-Y gastric bypass surgery. Surgery 2011;149:654-61.

46. Laferrere B, Swerdlow N, Bawa B, et al. Rise of oxyntomodulin in response to oral glucose after gastric bypass surgery in patient with type 2 diabetes. J Clin Endocrinol Metab 2010;95:4072-6.

47. le Roux CW, Welbourn R, Werling M, et al. Gut hormones as mediators of appetite and weight loss after Roux-en-Y gastric bypass. Ann Surg 2007;246:780-5.

48. Ley RE, Backhed F, Turnbaugh P, et al. Obesity alters gut microbial ecology. Proc Natl Acad Sci USA 2005;102:11070-5.

49. Ley RE, Turnbaugh PJ, Klein S, et al. Microbial ecology: human gut microbes associated with obesity. Nature 2006;444:1022-3.

50. Lips MA, de Groot GH, van Klinken JB, et al. Calorie restriction is a major determinant of the short-term metabolic effects of gastric bypass surgery in obese type 2 diabetic patients. Clin Endocrinol 2014;80:834-42.

51. Lugari R, Dei Cas A, Ugolotti D, et al. Glucagon-like peptide 1 (GLP-1) secretion and plasma dipeptidyl peptidase IV (DPP-IV) activity in morbidly obese patients undergoing biliopancreatic diversion. Horm Metab Res 2004;36:111-5.

52. Madsbad S, Dirksen C, Holst JJ. Mechanisms of changes in glucose metabolism and bodyweight after bariatric surgery. Lancet Diabetes Endocrinol 2014;2:152-64.

53. Mari A, Manco M, Guidone C, et al. Restoration of normal glucose tolerance in severely obese patients after biliopancreatic diversion: role of insulin sensitivity and beta cell function. Diabetologia 2006;49:2136-43.

54. Mason EE. Ileal transposition and enteroglucagon/GLP-1 in obesity surgery. Obes Surg 1999;9:223-8.

55. McLaughlin T, Peck M, Holst J, et al. Reversible hyperinsulinemic hypoglycemia after gastric bypass: a consequence of altered nutrient delivery. J Clin Endocrinol Metab 2010;95:1851-5.

56. Meier JJ, Nauck MA, Schmidt WE, et al. Gastric inhibitory polypeptide: the neglected incretin revisited. Regul Pept 2002;107:1-13.

57. Mohlig M, Spranger J, Otto B, et al. Euglycemic hyperinsulinemia, but not lipid infusion, decreases circulating ghrelin levels in humans. J Endocrinol Invest 2002;25:RC36-8.

58. Myronovych A, Kirby M, Ryan KK, et al. Vertical sleeve gastretomy reduces hepatic steatosis while increasing serum bile acids in a weight-loss-independent manner. Obesity 2014;22:390-400.

59. Nannipieri M, Mari A, Anselmino M, The role of beta-cell

function and insulin sensitivity in the remission of type 2 diabetes after gastric bypass surgery. J Clin Endocrinol Metab 2011;96:E1372-9.

60. Nauck MA. Unraveling the science of incretin biology. Eur J Intern Med 2009;20 Suppl 2:S303-8.

61. Odstrcil EA. Martinez JG, Santa Ana CA, et al. The contribution of malabsorption to the reduction in net energy absorption after long-limb Roux-en-Y gastric bypass. Am J Clin Nutr 2010;92:704-13.

62. Olivan B, Teixeira J, Bose M, et al. Effect of weight loss by diet or gastric bypass surgery on peptide YY3-36 levels. Ann Surg 2009;249:948-53.

63. Ouchi N, Kihara S, Arita Y, et al. Novel modulator for endothelial adhesion molecules: adipocyte-derived plasma protein adiponectin. Circulation 1999;100:2473-6.

64. Perathoner A, Weiss H, Santner W, et al. Vagal nerve dissection during pouch formation in laparoscopic Roux-Y-gastric bypass for technical simplification: does it matter? Obes Surg 2009;19:412-7.

65. Perez-Romero N, Serra A, Granada ML, et al. Effects of two variants of Roux-en-Y Gastric bypass on metabolism behaviour: focus on plasma ghrelin concentrations over a 2-year follow- up. Obes Surg 2010;20:600-9.   .

66. Peterli R, Wolnerhanssen B, Peters T, et al. Improvement in glucose metabolism after bariatric surgery: comparison of laparoscopic Roux-en-Y gastric bypass and laparoscopic sleeve gastrectomy: a prospective randomized trial. Ann Surg 2009;250:234-41.

67. Pories WJ, Swanson MS, MacDonald KG, Who would have thought it? An operation proves to be the most effective therapy for adult-onset diabetes mellitus. Ann Surg 1995;222:339-50.

68. Pournaras DJ, le Roux CW. Are bile acids the new gut hormones? Lessons from weight loss surgery models. Endocrinology 2013; 154:2255-6.

69. Pournaras DJ, Osborne A, Hawkins SC, et al. Remission of type 2 diabetes after gastric bypass and banding: mechanisms and 2 year outcomes. Ann Surg 2010;252:966-71.

70. Romero F, Nicolau J, Flores L, et al. Comparable early changes in gastrointestinal hormones after sleeve gastrectomy and Roux-en-Y gastric bypass surgery for morbidly obese type 2 diabetic subjects. Surg Endosc 2012;26:2231-9.

71. Rubino F, Forgione A, Cummings DE, et al. The mechanism of diabetes control after gastrointestinal bypass surgery reveals a role of the proximal small intestine in the pathophysiology of type 2 diabetes. Ann Surg 2006;244:741-9.

72. Rubino F, Gagner M, Gentileschi P, et al. The early effect of the Roux-en-Y gastric bypass on hormones involved in body weight regulation and glucose metabolism. Ann Surg 2004;240:236-42.

73. Ryan KK, Tremaroli V, Clemmensen C, et al. FXR is a molecular target for the effects of vertical sleeve gastrectomy. Nature 2014;509(7499): 183-8.

74. Schauer PR, Kashyap SR, Wolski K, et al. Bariatric surgery versus intensive medical therapy in obese patients with diabetes. N Engl J Med 2012;366:1567-76.

75. Schwartz A, Doucet E. Relative changes in resting energy expenditure during weight loss: a systematic review. Obes Rev 2010;11:531-47.

76. Schwartz MW, Woods SC, Porte D, et al. Central nervous system control of food intake. Nature 2000;404:661-71.

77. Sjostrom L, Lindroos A-K, Peltonen M, et al. Lifestyle, diabetes, and cardiovascular risk factors 10 years after bariatric surgery. N Engl J Med 2004; 351:2683-93.

78. Stearns AT, Balakrishnan A, Tavakkolizadeh A. Impact of Roux-en-Y gastric bypass surgery on rat intestinal glucose transport. Am J Physiol Gastrointest Liver Physiol 2009;297: G950-7.

79. Sumithran P, Prendergast LA, Delbridgc E, et al. Long-term persistence of hormonal adaptations to weight loss. N Engl J Med 2011;365:1597-604.

80. Tadross JA, le Roux CW. The mechanisms of weight loss after bariatric surgery. Int J Obes 2009;33 Suppl 1:S28-32.

81. Thomas S, Schauer P. Bariatric surgery and the gut hormone response. Nutr Clin Pract 2010;25:175-82.

82. Trachta P, Dostalova I, Haluzikova D, et al. Laparoscopic sleeve gastrectomy ameliorates mRNA expression of inflammation-related genes in subcutaneous adipose tissue but not in peripheral monocytes of obese patients. Mol Cell Endocrinol 2014;383:96-102.

83. Turnbaugh PJ, Backhed F, Fulton L, et al. Diet-induced obesity is linked to marked but reversible alterations in the mouse distal gut microbiome. Cell Host Microbe. 2008; 3:213-23.

84. Turnbaugh PJ, Ley RE, Hamady M, et al. The human microbiome project. Nature 2007; 449:804-10.

85. van Dielen FMH, van't Veer C, Buurman WA, et al. Leptin and soluble leptin receptor levels in obese and weight-losing individuals. J Clin Endocrinol Metab 2002;87:1708-16.

86. Vetter ML, Ritter S, Wadden TA, et al. Comparison of bariatric surgical procedures for diabetes remission: efficacy and mechanisms. Diabetes Spectr 2012;25:200-10.

87. Vollmer K, Holst JJ, Baller B, et al. Predictors of incretin concentrations in subjects with normal, impaired, and diabetic glucose tolerance. Diabetes. 2008;57:678-87.

88 Werling M, Olbers T, Fandriks L, et al. Increased postprandial energy expenditure may explain superior long term weight loss after Roux-en-Y gastric bypass compared to vertical banded gastroplasty. PLoS One 2013;8:e60280.

89. Weyer C. Funahashi T, Tanaka S, Hotta K, et al. Hypoadiponectinemia in obesity and type 2 diabetes: close association with insulin resistance and hyperinsulinemia. J Clin Endocrinol Metab 2001;86:1930-5.

90. Wilson-Perez HE, Chambers AP, Sandoval DA, et al. The effect of vertical sleeve gastrectomy on food choice in rats. Int J Obes. 2013;37:288-95.

91. Winzell MS, Ahren B. The high-fat diet-fed mouse: a model for studying mechanisms and treatment of impaired glucose tolerance and type 2 diabetes. Diabetes 2004;53 Suppl 3:S215-9.

92. Woodard GA, Encarnacion B, Downey JR, et al. Probiotics improves outcomes after Roux-en-Y gastric bypass surgery: a prospective randomized trial. J Gastrointest Surg 2009;13: 1198-204.

93. Wozniak SE, Gee LL, Wachtel MS, et al. Adipose tissue: the new endocrine organ? A review articles. Dig Dis Sci 2009;54:1847-56.

94. Zhang H, DiBaise JK, Zuccolo A, et al. Human gut microbiota in obesity and after gastric bypass. Proc Natl Acad Sci USA 2009;106:2365-70.

Chapter 06 | 동물을 이용한 비만수술 연구 Animal research for bariatric surgery

① 서론

병적비만수술은 20세기 중반에 개발되어 현재는 전 세계적으로 가장 많이 시행되고 있는 수술 중의 하나이다. 초기 수술을 개발할 당시에는 돼지와 같은 대동물을 사용하여 수술기법을 개발하는데 이용하였다. 초기에 수술기법 개발과 적용을 위해서 동물실험을 시행한 것과는 달리, 이후 병적비만수술에 의한 동반질환이 호전되는 기전을 밝혀내기 위해서 차츰 초기의 동물 실험과 달리 설치류를 이용한 연구가 다양한 방법으로 시행되었고, 이를 통해서 내분비적 기전을 밝혀내는데 큰 역할을 하였다. 위장관수술 후 발생하는 호르몬이 뇌에 식이조절중추를 통해서 음식섭취를 조절한다는 뇌신경조절 기전을 밝혀내는데, 소동물을 이용하여 비만수술의 다양한 기전을 밝혀냈다.

최초의 동물을 이용한 병적비만수술기법은 흡수억제술식인 공장회장우회술(jejunoileal bypass)을 1950년대 세 명의 외과의(Varco, Kremen, Henrikson)들이 각각 시행하였으며 이는 사람에 대한 병적비만수술의 시초가 되었다.[4,5,17] Kremen 등은 개를 사용하여 우회되는 소장의 길이에 따라 체중감소의 차이가 있다고 보고하였고, 우회한 소장의 원상복구를 시킴으로써 다시 체중이 증가한다는 사실을 밝혀냈으며, 이 수술에 의한 흡수억제와 합병증에 대하여 보고하였다. 이후 공장회장우회술 후 부갑상선항진증이 발생함으로써 골감소증이 유발된다는 것을 쥐와 개를 사용한 실험을 통해서 밝혀냈다.[26,38] 또한 설치류를 이용한 공장회장우회술을 통해서 대사기전에 중요한 역할을 하는 포도당 의존 인슐린 친화성 폴리펩타이드(glucose-dependent insulinotropic polypeptide, GIP) 와 같은 장호르몬의 변화에 대해서 기술하였다.[29] 불행하게도 이 수술방법은 설사, 지방변, 단백질 결핍 등과 같은 합병증을 유발하여 유행되지는 않았다. 하지만 이 수술방법에 의한 대사변화에 대한 연구를 통해서 이후 루와이위우회술(Roux-en-Y gastric bypass, RYGB)의 술기를 발전시키는데 중요한 역할을 하였다.

위밴드술(gastric banding)에 대한 연구는 1980년에 시행되었다. 이 수술방법은 초기 위저부주름술(gastric fundoplication) 후 비만환자의 체중감소 결과를 기반으로 해서 처음 개발되었다. 이 당시 실리콘, 고어텍스(Gore-

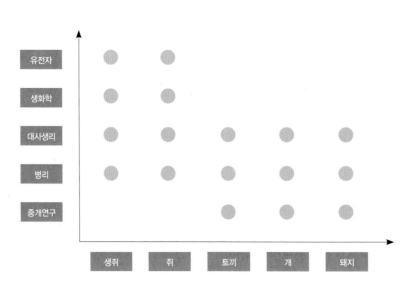

그림 6-1 대사수술에 사용된 동물모델의 진화

Tex®), 다크론(Dacron®) 등 재료의 종류와 크기에 따라 돼지에 적용하여 체중 감량 효과를 비교하였고 수술에 의한 합병증을 보고하였다.[7] 복강경 기술의 발전으로 위밴드술을 인간에게 적용하기 전 돼지를 이용한 동물실험을 시행하였으며 이것이 랩밴드(Lap-Band®)의 원형이 되었다.[8]

1982년 Mason이 수직밴드위성형술(vertical banded gastroplasty, VBG)을 발표한 이후 이 수술방법의 장기성적에 대한 결과는 다양하게 보고되었고, 때때로 다른 수술방법으로 치환을 할 필요가 있었다.[9] 수술에 따른 합병증인 구토와 위식도 역류 등은 위봉합 부위에 손상을 주어 심각한 합병증을 발생시켰으며, 봉합 부위의 합병증을 줄이기 위해서 여러 종류의 재료와 방법을 사용한 동물실험을 시행하였으나, 이후 이 수술방법은 합병증으로 인해서 더 이상 시행되지 않았다.

루와이위우회술은 비만수술의 표준술식으로 알려져왔다. 이 수술방법은 1990년대에 돼지를 이용한 복강경 수술방법으로 다양한 수술방법을 사용하여 술기를 발전시켰다. 1994년도에 WIittgrove 등이 처음으로 복강경을 이용한 임상결과를 보고하였다.[51] 1990년대 후반까지 동물을 이용한, 특히 돼지를 사용하여 수술기법을 개발 및 발전시키는 노력을 많은 연구자들에 의해서 시도되었다. 이후 2000년 대에는 쥐를 이용하여 대사질환의 호전기전을 밝히는 연구를 다양하게 시행하였다. 쥐를 이용한 연구는 비교적 적은 비용으로 실험을 할 수 있고 분자생물학 및 생화학적 기전의 변화를 밝힘으로써 대사질환을 연구하는데 좋은 모델이 되었다. 하지만 동물 수술이 기술적으로 매우 어렵고 미세수술을 시행해야 하므로 인간에게서 시행하는 것과 같은 정확하고 동일한 방법으로 수술을 재현하기가 어려웠다. 하지만, 이 동물실험을 통해서 인간과 마찬가지로 체중의 변화를 확인할 수 있었으며 장호르몬의 변화[42] 및 시상하부 신경화학 물질변화, 유전적 인자 등의 변화를 발견하게 되었다. 동양에서 루와이위우회술 시행을 꺼려하는 원인 중 하나인 위암에 대한 연구도 쥐를 사용하여 시행하였으며 헬리코박터균 감염이 증가하지 않음을 보고하였고[41] 위암 발생 위험성이 오히려 감소하였음을 확인하였다.[15] 최근에는 생쥐모델을 사용하여 당대사의 변화 및 장호르몬, 장포도당 신생의 기전을 간으로 가는 신호에 의해서 조절됨을 밝혀내는 결과를 보고하였다.[45]

공장회장우회술의 합병증을 일으키지 않으면서 과도한 체중 감량을 달성하기 위해서 Nicola Scopinaro는 담췌우회술(biliopancreatic diversion, BPD)을 시행하였다. 이 술식은 위를 수평으로 절제한 후 위공장문합술을 시행한 후 십이지장공장 췌담관 부위를 말단회장에 연결하는 술식이다. 이 술기는 1979년도 개를 사용하여 처음으로 시도되었으며 맹관(blind loop)에 의한 합병증이 생기지 않고 담즙, 수분 및 전해질에 흡수를 유지하면서 체중감소를 급격히 유발하게 만들었다. 이로 인해서 이 수술방법을 많은 외과 의사들이 시행하게 되었고 특히 초병적비만환자에게 시행되었다. 하지만 위공장문합부위에 궤양이 발생하는 합병증으로 인해서 위와 십이지장을 연결한 상태로 루와이 형태의 답즙전환술을 시행하여 알칼리성 담즙 역류를 감소시키는 술식을 개발하였으며, 이를 담췌우회술 및 십이지장전환술(biliopancreatic diversion with duodenal switch, BPD with DS)이라 하였다.

회장전위술(ileal interposition)은 원위부 소장으로 영양소가 빨리 이동해 접촉함으로 인해서 체중감소가 일어난다는 가정으로 시행되는 술기로 쥐를 이용한 실험에서 십이지장 또는 공장 사이에 절제한 회장을 삽입시켜 체중감소가 일어난다고 보고하였다.[1,16] 특히 이 수술방법은 당뇨쥐를 이용한 연구에서 당뇨병이 호전되었음을 보고하였으나 인간에게서는 아직 많은 연구가 필요하다.

십이지장공장우회술(duodenojejunal bypass)은 십이지장을 우회하는 경우 변연부궤양(marginal ulcer)의 발생위험이 높아 이를 예방하기 위해서 시행한 모델이다. 최근 전장이론(foregut theory)을 뒷받침해주는 연구모델로 많은 연구자들이 동물실험을 시행하였다. 앞창자 부위에 당뇨병을 유발하거나 당대사장애를 유발하는 물질이 있을 것으로 가정하고 이 부위를 음식물이 거치지 않고 우회하는 경우 당뇨병에서 당조절이 호전될 수 있다는 가설이다. 루비노 등은 마른 당뇨쥐를 이용해 이 연구모델을 개발하여 당뇨병의 호전을 밝혀내 전장이론의

근거를 보고하였다.[34] 최근에는 생쥐를 이용한 모델을 개발하여 당뇨병 호전의 기전을 연구하는데 큰 기여를 하고 있다.[21] 십이지장공장우회술은 마른 당뇨병 환자의 치료방법으로 연구되고 있으며 위소매절제술(sleeve gastrectomy)과 동시에 시행할 경우 체중감소 효과를 같이 얻을 수 있다.

위소매절제술은 1998년 담췌우회술의 변형으로 처음 소개되었다.[22] 본 수술방법은 다른 비만수술방법과 달리 수술방법의 개발을 위해서 동물모델이 사용되지 않았다. 담췌우회술 및 십이지장전환술의 두 가지 수술방법의 일부분으로 위소매절제술 자체만으로도 체중감소효과가 이후 추가적인 수술을 시행하지 않고도 좋은 결과로 보고되었기 때문에 수술 일부분이 자체적으로 독립된 수술방법으로 인정되었다. 이후 설치류를 이용한 동물모델을 통해서 위소매절제술 자체만으로도 체중감소 효과가 뛰어나다고 여러 연구에서 보고하였다.

비만수술에 이용되는 동물

동물모델을 이용한 임상수술기법의 발전과 더불어서 병적비만수술의 효과 중 특히 대사질환의 호전 및 관해와 관련된 분자생물학적, 유전적 요소의 규명을 위해서 다양한 동물을 이용하여 연구를 진행해 왔다. 그 중 병적비만수술이 특히 제2형 당뇨병에 미치는 기전에 대한 연구는 많은 연구자들에게 가장 큰 연구주제로 부각되었다. 설치류를 이용한 비만관련 동물연구는 당뇨병 유무 및 비만 유무에 따른 종을 선택해서 실험을 계획하는 것이 중요하므로 각각의 종류에 따른 동물모델의 적정성 및 연구효과에 대해서 알아보도록 하겠다.

당뇨병 및 비만에 따라 쥐를 다음과 같이 4가지로 분류한다.

1. 비만당뇨쥐
2. 비 비만당뇨쥐

3. 비만 비 당뇨쥐

4. 비 비만 비 당뇨쥐

1. 비만당뇨쥐

1) Zucker Diabetic Fatty Rat

이 종은 선택적 근친교배를 통해서 제2형 당뇨병을 발현시킨 쥐로서 출생 초기에 골격근에 인슐린 저항성이 발현되며, 이후 약 7-10주령이 되면 당뇨병이 발현되어 특히 제2형 당뇨병 연구에 유용하게 사용되는 동물이다. 췌장베타세포가 불완전하여 세포자멸사가 발생됨으로써 인슐린을 생성할 수 있는 능력이 결핍됨으로써 당뇨병이 유발된다고 알려져 있다. 성별에 따라 인슐린 저항성이 달라 수컷의 경우에만 인슐린 생성이 결핍되어 있고 암컷의 경우에는 비만에 취약한 반면, 인슐린 생성능력은 유지되어 정상혈당을 유지하기 때문에 수컷이 제2형 당뇨병의 연구대상군으로 유용하게 사용된다. 이 종은 수술에 매우 취약하여 외과적 사망률이 매우 높아 동물모델을 완성하는 것이 어렵다.

2) SHR/N-cp Rat

유전적으로 비만한 고혈압 쥐로 비만, 고인슐린혈증, 고혈당, 고지질혈증을 가지고 있고 제2형 당뇨병의 병리현상을 가지고 있다. 특정 유전자의 돌연변이로 과식증과 조기비만을 유발한다. 이 동물모델은 비만과 식이에 의한 제2형 당뇨병의 기전을 연구하는데 유용하다. 또 다른 특징적인 소견은 혈중 렙틴(leptin)수치가 매우 높아 대사증후군에서 고렙틴혈증과의 연관성을 연구하는데 이용된다. 아직 병적비만수술을 사용하여 연구한 동물모델은 보고되어 있지 않다.

3) JCR/LA-cp Rat (James C Russell/LA-corpulent)

유전적으로 렙틴결핍을 유발한 쥐이며 말초조직에서 인슐린 민감도가 낮아서 고인슐린혈증과 비만, 포도당불내성이 발생하며 지속적인 인슐린 요구량이 증가하여 췌장섬세포과형성이 발생한다. 당뇨병 연구에 사용되지만 공복 시에는 혈당이 정상이다. 식이 및 외부요소와 무관하게 혈관질환을 유발하여 심혈관질환 및 대사증후군과 관련된 질병이 발생하여 유용한 연구모델로 사용된다. 아직까지는 병적비만수술 모델로 연구된 보고는 없다.

4) OLETF Rat (Otsuka Long-Evans Tokushima Fatty)

이 종은 제2형 당뇨병이 생애 늦은시기(18-25주령)에 경도의 비만과 같이 발생하는 특징을 가지고 있다. 주로 당뇨병 치료제 개발에 사용되고 있다. 수술모델을 이용한 연구결과는 아직 없다.

2. 비 비만당뇨쥐

1) GK (Goto Kakizaki) Rat

Goto Kakizaki (GK) 쥐는 일본에서 개발된 종으로 Wistar 쥐를 여러 세대를 거쳐서 근친교배를 시행하여 포도당불내성을 가지게 만든 동물이다. 이 쥐는 말랐으며 췌장베타세포가 감소하여 인슐린 농도가 낮아 공복 시 고혈당 소견을 보이며 생애 초기 약 2주령 경에 당뇨병 관련 합병증이 발생한다.[13] 이 종이 다른 쥐와 틀린 특징적인 소견 중 하나는 간에서 인슐린 저항성이 나타난다는 점이다.[31] 이 소견은 말초기관에서 인슐린 저항성과 다른 기전을 연구하는데 유용하다. 또한 췌장베타세포와 당뇨병관련 신장병과의 관련성을 연구하는데 중요한 모델로 이용된다. 병적비만수술의 제2형 당뇨병 관해에 체중감소와 흡수장애를 주요한 기전으로 일반적으로 알려져 있으나 이 동물모델을 이용한 연구는 신경내분비신호의 변화가 당대사에 미치는 중요한 기전으로 설명하고 있다.[27,33,47]

2) Cohen Rat

이 쥐는 식이를 통해서 제2형 당뇨병을 유발한 종으로 유전학적으로 취약한 대상군에서 당뇨병과 환경 요인 간의 상관관계를 연구하는데 유용한 연구모델이다. 이 쥐에서는 비만수술모델을 연구한 보고는 아직 없다.

3) Spontaneously Diabetic Torri (SDT) Rat

이 쥐는 Sprague-Dawley 쥐의 근친교배를 통해서 자연적으로 당뇨병을 가진 비 비만쥐를 개발한 종이다. 이 종의 특징은 포도당불내성, 고혈당, 저인슐린혈증, 고중성지방소견을 보이며 인슐린 치료 없이 오랜기간 생존하기 때문에 제2형 당뇨병의 합병증관련 연구에 유용하다고 알려져 있다.[37] 이 동물도 아직 비만수술모델로 연구된 바는 없다.

3. 비만 비 당뇨쥐

1) Zucker Fatty Rat

이 쥐는 렙틴유전자의 변이로 과식증이 발생하여 비만과 관련 대사장애를 발생하는 종이다. 특히 간의 당대사장애가 발생하여 고혈당이 생기는 특징을 가지고 있다. 이 연구모델은 제2형 당뇨병의 약물치료를 위한 방법으로 사용되었으며 더불어서 병적비만수술을 이용한 초기 연구모델로 루와이위공장문합술을 적용하였다.[53] 이후 루와이위우회술, 위소매절제술, 조절형위밴드삽입술을 적용한 동물모델을 만들었다.[11,32,52]

4. 비 비만 비 당뇨쥐

1) Sprague-Dawley Rat

이 쥐는 다양한 동물실험에서 대조군으로 사용되는 동물로써 비근교계(outbred) 교배를 통해서 개체를 번식시키는 종이다. 전통적으로는 제2형 당뇨병 연구 시 대사기능에 이상이 없어 대조군으로 사용되었다. 일부 연구에서는 비만을 유발하여 대사변화를 연구하는데도 사용되었다. 고지방식이를 지속적으로 주입할 경우에는 비만과 당불내성과 같은 대사질환이 발생한다. 동물실험을 통해서 신경호르몬의 변화 및 식이조절중추의 역할이 위우회술을 시행한 경우에 일어나는지를 연구하였다. 하지만 제2형 당뇨병은 유발되지 않아서 대사수술의 기전을 연구하는 데에는 한계가 있다.[25,32]

2) Wistar Rat

이 동물은 동물실험모델을 만드는데 처음으로 사용된 쥐로 다른 종들을 추후 개발하는데 사용되었다. 고칼로리 지방식이를 주입하면 비만과 대사질환이 잘 발생하는 특징이 있어 당불내성과 제2형 당뇨병을 일으킬 수 있다. 식이조절을 통해서 비만한 쥐를 유발시킨 후 다양한 비만수술기법을 적용하여 대사수술 및 비만수술의 기전을 연구한 동물실험 모델들이 많다.[3,6,18]

위에 언급한 동물들을 이용하여 다양한 동물모델들을 만들어서 위장관신경호르몬의 기능을 규명하기 위해서 많은 연구가 시행되어 왔다. 여러 가지의 장호르몬 중 인크레틴 효과와 관련된 글루카곤양펩타이드-1 (glucagon-like peptide 1, GLP-1)과 포도당 의존 인슐린 친화성 폴리펩타이드(glucose-dependent insulinotropic polypeptide, GIP)의 발견이 대표적이다. GLP-1은 원위부소장의 L 세포에서 만들어지고 GIP는 근위부소장의 K 세포에서 장내로 흡수된 영양소에 의해서 분비되어 당대사를 조절한다고 알려져 있다. 이 두 장호르몬에 의해서 전장이론(foregut theory)과 후장이론(hindgut theory)이 대두되었다. 루비노는 대표적인 전장이론을 주장하고 있고 또 다른 연구자들은 원위부소장으로 소화되지 않은 음식물이 접촉되어 GLP-1을 자극하여 당대사를 호전시킨다고 주장하고 있다.[10]

특정 병리학적 기전을 연구하기 위해서는 적절한 동물을 선정하여 진행하는 것이 매우 중요하다. 이들 연구

결과를 기반으로 하여 임상적으로 적용을 할 수 있는 발판을 마련하기 때문이다. 특히 제2형 당뇨병의 외과적 치료를 위한 연구모델을 만들기 위해서는 각각의 쥐들의 선천적인 특성을 인지하고 동물실험을 추진하는 것이 매우 중요하다. 일례로 Zucker fatty rat은 수술에 따른 합병증과 사망률이 낮아 비만수술을 통해서 호르몬변화에 의한 체중과 식욕의 조절인자를 연구하는게 유용하다. 하지만, Zucker diabetic fatty rat은 유사한 종임에도 불구하고 수술에 따른 합병증과 사망률이 매우 높다. 하지만 인슐린 저항성과 관련된 비만의 기전을 연구하는데 유용하다. GK rat의 경우는 비 비만형 제2형 당뇨병을 연구하는데 유용하다. Sprague-Dawley rat은 대조군으로 이용된다. 결론적으로 여러 수술적 모델을 이용한 대사효과를 연구하기 위해서는 적절한 동물을 선정하는 것이 가장 효과적이며 각기 다른 형질을 이용하여 제2형 당뇨병과 비만을 연구하는 것을 심사숙고해야 한다. 비만수술에 사용되는 쥐의 종류를 다음의 **표 6-1**과 같이 정리하였다. 또한 실험에 사용되는 동물구입과 수술에 대한 관련 사이트를 참고해서 보다 다양한 정보를 얻어 동물실험을 시작하길 바란다.

표 6-1 비만수술에 사용되는 쥐의 종류

비만당뇨	비 비만당뇨	비만 비 당뇨	비 비만 비 당뇨
ZDF	GK	ZF fa/fa	Wistar
SHR/N-cp	Cohen diabetic		Sprague-Dawley
JCR/LA-cp	SDT		
OLETF			

실험동물관련 사이트
http://www.criver.com/find-a-model?loc=KR
http://www.orient.co.kr/common/main.asp

3 동물을 이용한 비만수술의 효과평가

동물모델을 이용한 비만수술의 기전을 연구하고 있으나 중개연구에 의한 기전을 이용하여 임상에 적용하는 것은 매우 신중해야 한다. 따라서 동물모델을 이용한 연구 결과에 대한 장단점을 숙지해야 한다. 비만수술 후 체중감소는 에너지흡수감소와 식이 및 식욕의 변화가 중요한 역할을 하는 것은 인간과 동물연구에서 많은 부분이 유사하다고 알려져 있다. 특히 동물실험은 대조군을 사용하여 식이 등을 조절함으로써 임상연구에서는 할 수 없는 제한적인 사항을 유동적으로 조작할 수 있으므로 다양한 비교연구를 할 수 있다. 하지만 동물모델을 이용한 비만수술에서는 대부분의 임상연구결과와 달리 에너지 소모의 증가를 통한 체중감소가 흡수감소에 의한 기전보다 중요한 기전이라고 보고하고 있다.[6] 이는 인간과 동물간의 체표면적과 체질량의 비가 정반대이기 때문일 것으로 여겨진다. 식이의 변화는 비만수술 후 발생하는 체중감소의 중요한 요소이며 동물실험에서도 인간과 마찬가지로 지방과 탄수화물에 대한 식습관의 변화가 일어난다.[19,24,36,54] 하지만 비만수술을 받은 환자의 경우 동물과는 달리 인위적인 통제 및 관찰을 할 수 없으므로 이런 식습관의 변화가 얼마나 장기간에 걸쳐서 체중감소에 미치는지는 정확히 알려져 있지 않아서 효과를 판단하는데는 어려움이 있다. 또한 동물과 인간간의 해부학적 구조의 차이점이다. 생쥐는 인간과 마찬가지로 담낭을 가지고 있으나 쥐는 존재하지 않는다. 또한 담즙의 종류가 동일하지 않아 당대사에 중요한 담즙의 기능을 인간과 동일하게 평가할 수 없다.[39]

동물을 이용한 장호르몬 연구

1. 렙틴(leptin)

렙틴은 식욕을 조절하는 중추역할을 하는 중추신경호르몬으로 체지방에서 분비되며 비만수술에 따라 혈중농도가 변화되어 체중조절에 영향을 미친다고 알려져있다. 비만수술 중 루와이위우회술을 시행한 후 혈중 렙틴의 농도가 대조군에 비해 감소하였음을 보고하였다.[14] 또한 위소매절제술을 시행 후에도 혈중농도가 감소하였음을 확인하였다. 하지만 렙틴의 민감도는 위소매절제술군과 대조군간에는 차이를 보이지 않아서 체중감소를 유지하는 기전은 민감도와는 관련이 없다고 보고하였다.[42]

2. 그렐린(Ghrelin)

그렐린은 렙틴과 정반대의 역할을 한다고 알려져 있다. 동물에서 비만수술을 이용한 그렐린 호르몬에 대한 연구는 당뇨쥐를 유발하여 위소매절제술 시행 후 그렐린의 농도가 감소함으로써 체중조절 및 당뇨병 호전이 된다고 보고하였다.[20,49] 하지만 위밴드술은 오히려 그렐린의 농도를 증가한다고 보고하였다.[48] 루와이위우회술을 시행한 경우에는 그렐린의 변화가 상반된 연구결과들이 보고되었다.[46]

3. 콜레시스토키닌(Cholecystokinin)

콜레시스토키닌은 배고픔을 조절하는 식욕억제호르몬이다. 이 호르몬은 십이지장과 공장에서 혈액으로 음식에 의한 자극, 특히 지방 및 단백질이 풍부한 경우 분비되며 또한 위팽창에 의해서도 자극되어 미주신경을 통해서 식욕을 억제한다. 비만수술에 의한 연구는 매우 드물며 초기 몇몇 연구에서 루와이위우회술 후에 혈중농도의 변화가 없음을 보고하였다.[43]

4. 글루카곤양인슐린자극펩타이드
(glucagon-like insulinotropic peptide)

이 호르몬은 소장의 L 세포에서 생성되어 분비되는 장호르몬으로 영양소에 의해서 반응적으로 나타나며 인슐린분비를 유발하는 역할을 한다고 알려져 있다. 더불어서 위산분비억제, 위배출지연, 글린카곤분비억제, 간포도당생성억제, 식욕저하와 같은 작용을 말초 및 중추신경계통을 통해서 조절한다. 동물연구에 의하면 루와이위우회술 및 위소매절제술 후 이 호르몬 및 인슐린농도가 대조군에 비해서 증가하며 인슐린에 대한 간당대사를 호전시킨다고 보고하였다.[7]

5. 펩타이드 YY(Peptide YY)

이 호르몬도 GLP-1과 같이 회장의 L 세포에서 영양분의 작용에 의해서 분비되며 GLP-1과 유사한 변화가 생긴다고 알려져 있다. 이 호르몬도 소장의 수분 및 전해질 흡수를 증가시키고 췌장호르몬과 위산분비억제, 담즙분비 저하, 위배출지연을 일으킨다. 루와이위우회술 후에는 호르몬의 농도가 증가하며 호르몬수치가 감소 시에는 체중감소율이 적다고 동물실험에서 보고하였다.[8]

6. 장내포도당신합성(Intestinal gluconeogenesis)

장내포도당신합성은 비만수술 후 당대사조절의 중요한 기전이라고 알려져 있다. 생쥐를 이용한 연구에서 십이지장전환술을 시행한 군이 위밴드술을 시행한 군에 비해 식이조절과 포도당 항상성을 유지하였다고 보고하였다.[45] 본 연구에서는 당대사의 조절이 간문맥을 통한 당농도의 감지를 통해서 장내포도당신합성이 조절된다고 주장하였다. 추후에는 위소매절제술모델을 이용하여 장내포도당신합성의 조절 기전을 연구하는 것이 필요할 것으로 생각된다.

7. 담즙산(Bile acid)

담즙산은 최근 비만수술에 의한 당 및 지방대사에 중요한 인자로 부각되고 있다. 담즙산에 의한 담즙산수용체의 발현은 GLP-1 분비를 자극함으로써 당조절의 중요한 기전이라고 보고하고 있다.[28,44] 담즙산은 루와이위우회술과 위소매절제술 모두에서 발현이 증가됨으로써 두 가지 비만수술의 효과에 동일한 기전으로 여겨지고 있다.[12,35] 담즙산의 변화는 GLP-1의 변화를 매개하고 당 항상성을 유지하는 핵심적인 인자로 밝혀지고 있다. 루와이위우회술과 위소매절제술에 비해서 위밴드삽입술에 대한 담즙산의 연구는 부족한 현실이며 추후 비교연구가 필요할 것으로 생각된다.

8. 식사행동조절(Diet behavior) 및 선호음식(Food choice)

여러 연구에서 비만수술을 받은 환자는 식사량과 식욕이 변화한다는 사실을 증명하고 있다. 이는 비만수술로 위의 크기가 줄고 영양분의 흡수가 줄기 때문에 생긴다

는 것은 이미 알려져 있다. 하지만 각각의 수술방법에 따른 선호음식의 변화는 다양한 결과를 보여주고 있다. 동물실험에서는 루와이위우회술 및 위소매절제술을 시행한 경우에 고지방식이에 대한 선호도가 감소한다고 보고하였다.[19,50] 식이선호도에 대한 변화는 칼로리 흡수를 줄이고자 하는 경향에 의한 것인지 음식선호도가 변해서 발생한 것인지는 아직 명확히 밝혀지지 않았으며 추가적인 연구를 동물실험 및 임상시험을 통해서 밝혀야 할 필요성이 있다.

5 결론

동물을 이용한 병적비만연구는 초기에 임상에 적용하기에 알맞은 병적비만수술의 기법을 연구하기 위해서 대동물을 이용한 술기 개발연구가 주를 이루었으며 이후 수술기법의 발전을 통해서 대사질환의 변화를 확인하기 위해서 소동물, 주로 쥐를 이용한 연구를 하였다. 포도당대사, 장호르몬, 식욕조절중추, 장내세균총 등에 대한 광범위한 연구가 시행되었으며 이를 통해서 분자생물학적 연구, 특정유전자결핍 생쥐를 이용한 유전자 연구를 통해서 병적비만수술의 궁극적인 조절 기전에 대해서 최근에는 그 발전속도가 급속히 빨라지고 있다. 이후 이들 연구를 바탕으로 언젠가는 수술에 의해서가 아니라 약물요법으로 병적비만과 관련된 동반질환을 치료할 수 있는 시대가 올 것으로 믿어 의심치 않는다. 하지만, 그 시기를 예측할 수 없고 더욱이 현재 전 세계적으로 병적비만의 생명단축과 사망률의 증가는 외과의사로 간과할 수 없는 심각한 현실임을 인지하고 병적비만으로 새로운 삶을 줄 수 있는 방법을 제시해야 한다. 이를 위해서는 임상연구뿐만 아니라 동물실험을 통해서 기초와 임상의사의 협업을 통해서 병적비만수술의 기전을 밝히는 노력에 매진해야 한다.

참고문헌

1. Atkinson RL, Whipple JH, Atkinson SH, et al. Role of the small bowel in regulating food intake in rats. Am J Physiol 1982;242:R429-33.

2. Belachew M, Legrand MJ, Vincent V. History of Lap-Band: from dream to reality. Obes Surg 2001;11:297–302.

3. Borg CM, le Roux CW, Ghatei MA, et al. Biliopancreatic diversion in rats is associated with intestinal hypertrophy and with increased GLP-1, GLP-2 and PYY levels. Obes Surg 2007;17:1193–8.

4. Buchwald H, Buchwald JN. Evolution of operative procedures for the management of morbid obesity 1950-2000. Obes Surg 2002;12:705–17.

5. Buchwald H, Rucker RD, Schwartz MZ, et al. Positive results of jejunoileal bypass surgery: emphasis on lipids with comparison to gastric bypass. Int J Obes 1981;5:399–404.

6. Bueter M, Löwenstein C, Olbers T, et al. Gastric bypass increases energy expenditure in rats. Gastroenterology 2010;138:1845–53.

7. Chambers AP, Jessen L, Ryan KK, et al. Weight-independent changes in blood glucose homeostasis after gastric bypass or vertical sleeve gastrectomy in rats. Gastroenterology 2011;141:950–8.

8. Chandarana K, Gelegen C, Karra E, et al. Diet and gastrointestinal bypass-induced weight loss: the roles of ghrelin and peptide YY. Diabetes 2011;60:810–8.

9. Coelho JC, Solhaug JH, Moody FG, et al. Experimental evaluation of gastric banding for treatment of morbid obesity in pigs. Am J Surg 1985;149:228–31.

10. Cummings DE, Overduin J, Foster-Schubert KE. Gastric bypass for obesity: mechanisms of weight loss and diabetes resolution. J Clin Endocrinol Metab 2004;89:2608–15.

11. Endo Y, Ohta M, Kai S, et al. An obese rat model of bariatric surgery with gastric banding. Obes Surg 2007;17:815–9.

12. Goncalves D, Barataud A, De Vadder F, et al. Bile Routing Modification Reproduces Key Features of Gastric Bypass in Rat. Ann Surg 2015;262:1006–15.

13. Goto Y, Kakizaki M, Masaki N. Production of spontaneous diabetic rats by repetition of selective breeding. Tohoku J Exp Med 1976;119:85–90.

14. Guijarro A, Osei-Hyiaman D, Harvey-White J, et al. Sustained weight loss after Roux-en-Y gastric bypass is characterized by down regulation of endocannabinoids and mitochondrial function. Ann Surg 2008;247:779–90.

15. Inoue H, Rubino F, Shimada Y, et al. Risk of gastric cancer after Roux-en-Y gastric bypass. Arch Surg Chic Ill 1960 2007;142:947–53.

16. Koopmans HS, Sclafani A, Fichtner C, et al. The effects of ileal transposition on food intake and body weight loss in VMH-obese rats. Am J Clin Nutr 1982;35:284–93.

17. Kremen AJ, Linner JH, Nelson CH. An experimental evaluation of the nutritional importance of proximal and distal small intestine. Ann Surg 1954;140:439–48.

18. le Roux CW, Aylwin SJB, Batterham RL, et al. Gut hormone profiles following bariatric surgery favor an anorectic state, facilitate weight loss, and improve metabolic parameters. Ann Surg 2006;243:108–14.

19. le Roux CW, Bueter M, Theis N, et al. Gastric bypass reduces fat intake and preference. Am J Physiol Regul Integr Comp Physiol 2011;301:R1057-1066.

20. Li F, Zhang G, Liang J, et al. Sleeve gastrectomy provides a better control of diabetes by decreasing ghrelin in the diabetic Goto-Kakizaki rats. J Gastrointest Surg Off J Soc Surg Aliment Tract 2009;13:2302–8.

21. Liu W, Zassoko R, Mele T, et al. Establishment of duodeno-jejunal bypass surgery in mice: a model designed for diabetic research. Microsurgery 2008;28:197–202.

22. Marceau P, Hould FS, Simard S, et al. Biliopancreatic diversion with duodenal switch. World J Surg 1998;22:947–54.

23. Mason EE. Vertical banded gastroplasty for obesity. Arch Surg Chic Ill 1960 1982;117:701–6.

24. Mathes CM, Spector AC. Food selection and taste changes in humans after Roux-en-Y gastric bypass surgery: A direct-measures approach. Physiol Behav 2012;107:476–83.

25. Meguid MM, Ramos EJB, Suzuki S, et al. A surgical rat model of human Roux-en-Y gastric bypass. J Gastrointest Surg Off J Soc Surg Aliment Tract 2004;8:621–30.

26. Mezey E, Imbembo AL, Potter JJ, et al. Endogenous ethanol production and hepatic disease following jejunoileal bypass for morbid obesity. Am J Clin Nutr 1975;28:1277–83.

27. Pacheco D, de Luis DA, Romero A, et al. The effects of duodenal-jejunal exclusion on hormonal regulation of glu-

cose metabolism in Goto-Kakizaki rats. Am J Surg 2007; 194:221–4.

28. Parks DJ, Blanchard SG, Bledsoe RK, et al. Bile acids: natural ligands for an orphan nuclear receptor. Science 1999;284: 1365–8.

29. Pederson RA, Buchan AM, Zahedi-Asl S, et al. Effect of jejunoileal bypass in the rat on the enteroinsular axis. Regul Pept 1982;5:53–63.

30. Pereferrer FS, Gonzàlez MH, Rovira AF, et al. Influence of sleeve gastrectomy on several experimental models of obesity: metabolic and hormonal implications. Obes Surg 2008;18:97–108.

31. Picarel-Blanchot F, Berthelier C, Bailbé D, et al. Impaired insulin secretion and excessive hepatic glucose production are both early events in the diabetic GK rat. Am J Physiol 1996;271:E755-762.

32. Romanova IV, Ramos EJB, Xu Y, et al. Neurobiologic changes in the hypothalamus associated with weight loss after gastric bypass. J Am Coll Surg 2004;199:887–95.

33. Rubino F, Forgione A, Cummings DE, et al. The mechanism of diabetes control after gastrointestinal bypass surgery reveals a role of the proximal small intestine in the pathophysiology of type 2 diabetes. Ann Surg 2006;244:741–9.

34. Rubino F, Marescaux J. Effect of duodenal-jejunal exclusion in a non-obese animal model of type 2 diabetes: a new perspective for an old disease. Ann Surg 2004;239:1–11.

35. Ryan KK, Tremaroli V, Clemmensen C, et al. FXR is a molecular target for the effects of vertical sleeve gastrectomy. Nature 2014;509:183–8.

36. Shin AC, Zheng H, Pistell PJ, et al. Roux-en-Y gastric bypass surgery changes food reward in rats. Int J Obes 2011;35:642–51.

37. Shinohara M, Masuyama T, Shoda T, et al. A new spontaneously diabetic non-obese Torii rat strain with severe ocular complications. Int J Exp Diabetes Res 2000;1:89–100.

38. Simmons DJ, Hyland G, Lesker PA, et al. The effects of small-bowel resection or bypass on the rat skeleton. Surgery 1975;78:460–71.

39. Spinelli V, Lalloyer F, Baud G, et al. Influence of Roux-en-Y gastric bypass on plasma bile acid profiles: a comparative study between rats, pigs and humans. Int J Obes 2016;40: 1260–7.

40. Stefater MA, Pérez-Tilve D, Chambers AP, et al. Sleeve Gastrectomy Induces Loss of Weight and Fat Mass in Obese Rats, but Does Not Affect Leptin Sensitivity. Gastroenterology 2010;138:2426–2436.e3.

41. Stenström B, Løseth K, Bevanger L, et al. Gastric bypass surgery does not increase susceptibility to Helicobacter pylori infection in the stomach of rat or mouse. Inflammopharmacology 2005;13:229–34.

42. Suzuki S, Ramos EJB, Goncalves CG, et al. Changes in GI hormones and their effect on gastric emptying and transit times after Roux-en-Y gastric bypass in rat model. Surgery 2005;138:283–90.

43. Suzuki S, Ramos EJB, Goncalves CG, et al. Changes in GI hormones and their effect on gastric emptying and transit times after Roux-en-Y gastric bypass in rat model. Surgery 2005;138:283–90.

44. Thomas C, Gioiello A, Noriega L, et al. TGR5-mediated bile acid sensing controls glucose homeostasis. Cell Metab 2009;10:167–77.

45. Troy S, Soty M, Ribeiro L, et al. Intestinal gluconeogenesis is a key factor for early metabolic changes after gastric bypass but not after gastric lap-band in mice. Cell Metab 2008;8:201–11.

46. Tymitz K, Engel A, McDonough S, et al. Changes in ghrelin levels following bariatric surgery: review of the literature. Obes Surg 2011;21:125–30.

47. Wang TT, Hu SY, Gao HD, et al. Ileal transposition controls diabetes as well as modified duodenal jejunal bypass with better lipid lowering in a nonobese rat model of type II diabetes by increasing GLP-1. Ann Surg 2008;247:968–75.

48. Wang Y, Liu J. Plasma ghrelin modulation in gastric band operation and sleeve gastrectomy. Obes Surg 2009;19:357–62.

49. Wang Y, Yan L, Jin Z, et al. Effects of sleeve gastrectomy in neonatally streptozotocin-induced diabetic rats. PloS One 2011;6:e16383.

50. Wilson-Pérez HE, Chambers AP, Sandoval DA, et al. The effect of vertical sleeve gastrectomy on food choice in rats. Int J Obes 2005 2013;37:288–95.

51. Wittgrove null, Clark null, Tremblay null. Laparoscopic Gastric Bypass, Roux-en-Y: Preliminary Report of Five Cases. Obes Surg 1994;4:353–7.

52. Xu Y, Ohinata K, Meguid MM, et al. Gastric bypass model in the obese rat to study metabolic mechanisms of weight loss. J Surg Res 2002;107:56–63.

53. Young EA, Taylor MM, Taylor MK, et al. Gastric stapling for morbid obesity: gastrointestinal response in a rat model.

Am J Clin Nutr 1984;40:293–302.

54. Zheng H, Shin AC, Lenard NR, et al. Meal patterns, satiety, and food choice in a rat model of Roux-en-Y gastric bypass surgery. Am J Physiol Regul Integr Comp Physiol 2009;297: R1273-1282.

Chapter 07 | 비만수술의 적응증

Indication of bariatric surgery

 개요

비만수술은 비만과 비만 관련 동반 질환의 입증된 치료법이다. 비만수술은 비수술 요법으로 얻을 수 있는 최고의 효과에 비해서 더 크고 지속적인 체중감소를 보인다. 비만수술 후 체중감소 이외에도 환자들이 지니고 있는 당뇨병, 고혈압, 고지혈증, 폐쇄성수면무호흡증, 위식도역류, 가뇌종양(pseudotumor cerebri)과 같은 질환의 해결과 개선 또한 나타났다. 또한 비만 환자의 유방암 및 대장암의 발병 감소가 입증되었을 뿐만 아니라 몇몇 연구는 장기 생존의 향상 또한 입증하였다. 수술의 적응증을 정의할 때 자주 관련되어 언급되지는 않지만 비만수술의 주요 이점은 비만환자들의 전반적인 삶의 질 향상이라는 것이다. 이렇게 적절한 수술 후보자를 선택할 때, 이러한 이점과 잠재적인 수술 전후 및 장기간의 위험도를 신중하게 비교해야 한다.

 비만수술에 대한 적응증

20년 이상 되었지만, 병적 비만의 수술에 관한 1991년 미국 국립보건원(National Institutes of Health; NIH) 합의형성 회의 성명서는 비만수술에 대한 체질량지수(body mass index)의 적응증을 결정할 때 가장 자주 언급되는 지침이다.[12] 이 성명서는 환자가 수술 위험을 감수하고, 동기를 부여 받고, 필요한 정보를 모두 알고 있고, 치료 및 추적 관찰에 참여할 수 있어야 한다고 강조한다. 비수술적 방법으로 체중감소 성공 확률이 낮다고 판단되는 환자에서 수술을 고려할 수 있다 하더라도 모든 환자에서 위험도 - 이익의 평가가 각각 수행되어야 한다. 가능한 후보 군은 다음과 같다:

1. 체질량지수가 40 kg/m² 이상인 환자

2. 위험도가 높은 동반 질환이나 생활 습관을 제한하는 비만 유발 신체 조건을 가진 35 - 40 kg/m²의 체질량지수를 가진 환자

체질량지수가 40 kg/m² 미만인 환자에서 고려해야 할 합병증의 예로는 수면무호흡증, 비만저환기증(obesity hypoventilation), 당뇨병 및 비만 관련 심근 병증과 같은 생명을 위협하는 심폐 기능 문제가 있다. 고려해야 할 신체 조건에는 치료할 수 있는 관절 질환이나 취직, 가족 기능 또는 보행을 방해하는 비만 및 신체 크기 문제도 포함된다. 이외에도 체질량지수가 40 kg/m² 미만인 환자에서 수술의 적합성을 결정할 때 흔히 고려되는 다른 비만 관련 동반 질환에는 고혈압, 고지혈증, 비알코올성 지방간, 위식도역류, 가뇌종양(pseudotumor cerebri), 천식, 정맥 저류 및 요실금이 포함된다.[9]

2005년 아시아 태평양 비만수술 단체(Asia-Pacific Bariatric Surgery Group; APBSG)는 NIH의 기준이 동양인에게는 적절하지 않다고 지적하며 체질량지수가 37 kg/m² 이상이거나, 체질량지수가 32 kg/m² 이상이면서 당뇨병 혹은 두 가지 이상의 비만관련 질환이 있는 경우로 비만수술의 기준을 제시하였다.[7] 2011년 국제비만대사외과연맹 - 아시아 태평양 지부(International Federation for the Surgery of Obesity and Metabolic Disorders - Asia-Pacific Chapter; IFSO-PAC) 합의 성명서에서도 역시 아시아 인구에서 상대적으로 낮은 체질량지수에서 제2형 당뇨병, 고혈압, 고지혈증의 발병 위험도가 높아진다는 것을 근거로 체질량지수가 35 kg/m² 이상이거나, 혹은 체질량지수가 30 kg/m² 이상이면서 조절되지 않는 제2형 당뇨병이나 대사증후군이 동반된 경우를 기준으로 제시하였다.[1,6] 하지만 국내를 비롯하여 전 세계적으로 통용되는 체질량지수에 따른 비만수술 기준은 NIH 합의 회의 성명서를 따르고 있다(표 7-1).

NIH 합의 회의 성명서는 수술 후보자가 의학적, 외과적, 정신적 및 영양의 전문 지식을 갖춘 종합 팀에 의해 평가되어야 한다고 지적하고 있다.[12] 수술 결정 전에 수술 및 비수술적인 다양한 치료 옵션의 장단점은 환자와 논의되어야 한다. 비만수술은 합당한 과정을 수행한 외과 의사가 수행해야 하며, 수술 중 및 수술 후 관리의 모든 측면에 대한 적절한 지원이 가능한 프로그램을 가진 기관에서 수행되어야 한다. 수술 후 관찰은 가능한 오랜 기간 동안 계속되어야 한다.

비만수술에 대한 연령 상한선은 합의위원회에서 권고되지 않았으나 발표 당시에는 청소년 인구에서 수술을 권장하거나 반대하는 자료가 부족하였던 것이 사실이다.

비만수술에 대한 적응증을 정의하는 것은 수술의 위험도 - 이익의 평가로 시작된다. 수술 기술의 발전, 수술 위험도의 감소 및 치료되지 않은 비만의 잠재적 위험에 대한 더 많은 지식은 1991년 이래로 수술의 위험도 - 이익의 정도를 크게 변화시켰다. 이러한 변화의 대부분은 병적 비만의 비만수술에 대한 2004년 미국비만외과학회(American Society for Bariatric Surgery; ASBS) 합의 회의 성명서에 다음과 같이 요약되어 있다.[2]

1. 비만의 발생 빈도의 현저한 증가
2. 수술 방법의 확대(예: 복강경 위소매절제술 및 복강경 조절형위밴드술)
3. 수술 전후 사망률 및 이환율의 현저한 감소
4. 복강경 기술의 도입
5. 팀 관리 접근 방식
6. 청소년 및 노인에서 비만수술 경험 증가
7. 수술의 비만 관련 합병증의 개선 효과
8. 비만수술로 인한 기대 수명 향상

또한, 여기에는 치료되지 않은 비만의 건강 저해 및 사망 위험이 1991년에 평가된 것보다 더 잘 정의되어 있고 그 위험도 역시 증가되었다고 평가하고 있다. 그 결과 수술을 선호하는 쪽으로 위험도-이익이 변화하였고, 이는 비만수술의 체질량지수 적응증을 낮추게 되었다. 미국비만대사외과학회(American Society for Metabolic & Bariatric Surgery; ASMBS), 미국임상내분비의사협회(American Association of Clinical Endocrinologists; AACE) 및 국제당뇨병연맹(International Diabetes Federation; IDF)등은 당뇨병 또는 대사증후군을 앓고 있는 체질량지수 30-34.9 kg/m2 환자의 비만수술에 대한 지침을 승인했으며 미국식품

표 7-1 비만수술의 시행 기준

*NIH	*APBSG	*IFSO-PAC
체질량지수 > 40 kg/m²	체질량지수 > 37 kg/m²	체질량지수 > 35 kg/m²
체질량지수 > 35 kg/m² + *비만관련 합병증	체질량지수 > 32 kg/m² + *비만관련 합병증	체질량지수 > 30 kg/m² + *비만관련 합병증

*NIH (National Institutes of Health): 미국 국립보건원.
*APBSG (Asia-Pacific Bariatric Surgery Group): 아시아 태평양 비만수술 단체.
*IFSO-PAC (International Federation for the Surgery of Obesity and Metabolic Disorders – Asia-Pacific Chapter): 국제비만대사외과연맹 – 아시아 태평양 지부.
*비만 관련 합병증: 심근병증, 당뇨, 고혈압, 저환기증, 수면무호흡증, 체중관련 관절질환 및 보행기능저하, 비알콜성지방간, 위식도역류, 가뇌종양, 천식

의약품안전청(U.S. Food and Drug Administration; FDA)는 비만 관련 동반 질환이 있는 30-34.9 kg/m2의 체질량지수를 가진 환자에 대해 Lap-Band TM을 이용한 복강경 조절식위밴드술을 승인하였다.[3, 9]

표 7-2 비만수술의 금기

- 일반적인 전신마취 금기사항(심각한 심폐질환, 혈액응고장애 등)을 지니고 있는 비만환자
- 심각한 정신과적 질환(조현병, 심한 우울증, 악성 과식증)
- 문맥압 항진증이나 동반된 간질환
- 내분비 질환에 의한 비만
- 암환자

 비만수술의 금기

비만수술에는 몇 가지 절대 금기 사항이 있다(표 7-2). 이의 대부분은 다른 외과적 수술의 금기 목록에 포함되는 것들이다. 전신 마취에 대한 금기 사항이나 교정되지 않는 응고 장애가 있는 환자들은 수술을 받아서는 안 된다. 회복 불가능한 심폐 기능 또는 다른 장기의 말기 기능 부전을 가지고 있거나 전이성 또는 수술 불가능한 악성 종양으로 인해 기대 수명이 짧은 환자에게는 비만수술을 해서는 안 된다. 임신 중이거나 또는 12개월 이내에 임신 계획이 있는 환자는 수술을 연기해야 한다.

상대적인 금기 사항에는 지적 능력의 저하와 성공적이며 안전한 수술 결과를 보장하기 위해 필요한 외과적 조치나 일생 동안의 행동 패턴 변화를 이해하지 못하는 것이 포함된다. 다시 말해 환자는 수술 후 라이프 스타일 변화, 부족 영양소 보충 및 정기적인 병원 방문을 기꺼이 할 수 있어야 한다. 프래더윌리(Prader-Willi) 증후군과 같이 악성과식증(malignant hyperphagia)을 가진 환자를 대상으로 한 비만수술에 대한 불량한 결과가 보고되었으므로 정신 지체와 통제 불가능한 식욕이 결합된 이러한 상태는 금기 사항으로 간주한다. 약물 또는 알코올 남용 및 심각한 정신 질환을 가진 경우 역시 수술에 대한 상대적 금기 사항이다. 소화기 궤양을 가진 환자에서는 치료가 완전히 종료될 때까지 비만수술을 연기해야 한다.

특수한 고려 사항

1. 연령 제한

여러 기관과 저자들이 65세 미만으로 비만수술을 제한했음에도 불구하고, 1991년 NIH 합의 회의 성명서에는 비만수술을 위한 연령 제한을 포함하지 않았다. 몇몇 보고에서 수술 후 합병증의 위험 인자로 연령 증가를 지적

했지만, 다른 보고들에서는 노인 환자에서 비만수술을 안전하고 효과적으로 수행할 수 있음을 입증하였다.[11] 약 50,000명의 환자를 대상으로 시행한 비만수술의 미국외과학회(American College of Surgeons; ACS) 질 향상 프로그램(National Surgical Quality Improvement Program) 데이터베이스 분석에서 노인 환자의 사망률은 유의한 증가를 보이지 않았다.[4] 수술로 인한 수명 연장은 입증하기가 어렵다 하더라도, 65세 이상 적절하게 선택된 환자에서 비만수술을 시행하는 것은 이들 환자의 비만 관련 합병증 및 삶의 질 향상을 가져올 수 있다.

적절히 선택된 병적 비만 청소년들에게 비만수술을 치료법으로 고려할 수 있는 여러 문헌들이 보고되고 있다.[10] 하지만 비만수술의 성숙과 성장에 대한 영향은 아직 완전히 밝혀지지 않았기 때문에 사춘기 이전의 청소년에서는 비만수술은 권장되지 않는다. 청소년 비만대사의 수술 전 평가 및 수술 후 관리에 대한 선별 기준과 구체적인 고려 사항은 "4부-1장 청소년의 비만수술"에서 다루도록 하겠다.

2. 정신질환

식이 장애를 포함한 정신 병리학 진단을 받았다 할지라도 비만수술을 완전히 시행할 수 없는 것은 아니다. 주요 우울 장애, 양극성 장애, 안정화된 조현병 및 폭식증 환자에게서도 비만수술의 성공적인 결과가 보고되고 있다. 선별 검사에서 정신병이 의심되거나 정신병 이력이 있는 비만 환자의 수술 전 심리적 평가는 수술 시 환자의 정서적인 안정성을 평가하고 수술 전과 후 단계에서 적절한 지원을 유지하기 위하여 반드시 시행되어야 한다.[13]

현재 활동적 정신병이 있는 환자, 정신병으로 인해 최근 입원사실이 있는 환자, 자살 충동 또는 최근 자살 시도의 경력이 있는 환자는 수술을 연기해야 하고 정신병에 대한 치료를 먼저 시작해야 한다. 치료가 종료되고 수술에 적합한 상태로 판단되었다 할지라도, 이 환자들에대한 지속적인 정신병 관리는 수술 후 기간에 필수적으로 이루어져야 한다.

3. 간경화

비 알코올성 지방간은 병적 비만에서 흔히 나타나며, 비만수술 시 환자의 거의 90%에서 지방증(steatosis)이 나타나고 2%의 환자에서 예상치 못한 간경변이 발견된다.[8] 비만수술 후 체중 감량은 지방증과 지방간염(steatohepatitis)을 개선시킨다. 간경변의 동반 증상이 없는 환자에서는 안전하게 비만수술을 시행할 수 있다.[15] 그러므로 간경변이 수술 시 우연히 발견되었다 할지라도, 다량의 복수 및 정맥류를 포함한 심한 문맥 고혈압이 발견되지 않는다면 수술을 진행하는 것이 권고된다. 예상치 못했던 문맥 고혈압의 증상이 발견되면 수술을 중단하는 것이 좋다.

간 이식을 준비중인 진행성 간경변을 가진 선택된 환자들에게 비만수술이 보고된 적이 있으나, 그 사례는 매우 적으며 만약 시행한다 할지라도 간 이식 치료와 연계된 3차 병원에서만 수행해야 한다.

4. HIV 감염

HIV 감염 환자는 에이즈 및 에이즈로 인한 악액질(cachexia)로 진행하기 때문에 한때 비만수술의 후보로 고려되지 않았다. 현재의 항 바이러스 요법은 에이즈의 진행을 급격히 감소시켜 환자의 수명을 연장시켰다. 하지만 항 바이러스 요법으로 인한 지방이영양증은 HIV 감염자의 비만 발생을 초래했으며, 20%의 환자가 항 바이러스 요법을 시작한 후 2년 이내에 비만으로 진행하였다.

최근 잘 조절된 HIV 감염 환자에서 비만수술의 안전성과 효능을 입증하고 있다.[5, 14] 수술을 고려하는 HIV 감염 환자는 항 바이러스 요법에 대한 안정되고 적절한 반응을 보이는지 CD4 수치로 검사하여야 한다. 그리고 HIV 감염병 전문의와의 수술 전과 수술 후 상담은 필수적으로 이루어져야 한다.

5. 보행이 불가능한 자

비 보행 상태는 몇몇 가이드라인에서 비만수술의 금기로 간주된다. 비 보행 상태와 그에 따른 신체 기능 감소가 수술 중 이환율을 높이고 수술 후 체중 감량 효과를 저하시키는 것으로 나타나기는 하였으나, 적절하게 선택된 환자들에게서는 비만수술로 인한 이득이 더 크다고 하겠다.

⑤ 결론

비만수술은 약물과 행동치료보다 지속적인 체중감소를 가져오며, 비만 관련 동반 질환 및 삶의 질을 개선시킨다. 현재 비만수술에 관련된 여러 분야의 발전으로 수술 적응증이 확대되고 있다. 적절한 환자 선택은 비만수술의 최적의 결과를 보장하고 수술 합병증을 최소화하기 위해서 필수적이다.

참고문헌

1. Appropriate body-mass index for Asian populations and its implications for policy and intervention strategies. Lancet 2004;363:157-63.

2. Buchwald H. Consensus conference statement bariatric surgery for morbid obesity: health implications for patients, health professionals, and third-party payers. Surg Obes Relat Dis 2005;1:371-81.

3. Dixon JB, Zimmet P, Alberti KG, et al. Bariatric surgery: an IDF statement for obese Type 2 diabetes. Surg Obes Relat Dis 2011;7:433-47.

4. Dorman RB, Abraham AA, Al-Refaie WB, et al. Bariatric surgery outcomes in the elderly: an ACS NSQIP study. J Gastrointest Surg 2012;16:35-44; discussion 44.

5. Flancbaum L, Drake V, Colarusso T, et al. Initial experience with bariatric surgery in asymptomatic human immunodeficiency virus-infected patients. Surg Obes Relat Dis 2005;1:73-6.

6. Kasama K, Mui W, Lee WJ, et al. IFSO-APC consensus statements 2011. Obes Surg 2012;22:677-84.

7. Lee WJ, Wang W. Bariatric surgery: Asia-Pacific perspective. Obes Surg 2005;15:751-7.

8. Marceau P, Biron S, Hould FS, et al. Liver pathology and the metabolic syndrome X in severe obesity. J Clin Endocrinol Metab 1999;84:1513-7.

9. Mechanick JI, Youdim A, Jones DB, et al. Clinical practice guidelines for the perioperative nutritional, metabolic, and nonsurgical support of the bariatric surgery patient--2013 update: cosponsored by American Association of Clinical Endocrinologists, the Obesity Society, and American Society for Metabolic & Bariatric Surgery. Surg Obes Relat Dis 2013;9:159-91.

10. Michalsky M, Reichard K, Inge T, et al. ASMBS pediatric committee best practice guidelines. Surg Obes Relat Dis 2012;8:1-7.

11. Nelson LG, Lopez PP, Haines K, et al. Outcomes of bariatric surgery in patients > or =65 years. Surg Obes Relat Dis 2006;2:384-8.

12. NIH conference. Gastrointestinal surgery for severe obesity. Consensus Development Conference Panel. Ann Intern Med 1991;115:956-61.

13. Pull CB. Current psychological assessment practices in obesity surgery programs: what to assess and why. Curr Opin Psychiatry 2010;23:30-6.

14. Selke H, Norris S, Osterholzer D, et al. Bariatric surgery outcomes in HIV-infected subjects: a case series. AIDS Patient Care STDS 2010;24:545-50.

15. Shimizu H, Phuong V, Maia M, et al. Bariatric surgery in patients with liver cirrhosis. Surg Obes Relat Dis 2013;9:1-6.

서론

비만수술 환자의 수술 전 관리의 목적은 수술 위험도, 수술 합병증과 체중 감량 실패자를 예측하고 불필요한 수술은 시행하지 않고자 하는데 있다. 데이터에 기반한 환자 선택(data-driven patient selection) 프로토콜의 정립과 수술 전 검사 과정은 비만수술 환자 관리를 능률적으로 할 뿐만 아니라 환자의 안전을 증대시킬 수 있다. 수술 전 검사와 환자 개인의 위험도 평가는 최선의 수술결과를 달성하고, 환자 맞춤형 정보 제공에 필수적인 부분이다. 이상적인 수술 전 설명은 환자의 대사 이상, 체중감소 결과, 비만에 따른 합병증 해소에 대한 구체적인 내용을 포함하고 예측해야 한다. 심혈관 상태, 정맥혈전색전증 위험도, 수면 건강, 폐기능, 위장관의 해부학적 상태, 헬리코박터 감염 유무 및 정신과적 병력 등의 수술 전 평가를 통하여 환자 전체를 이해를 하게 되며, 이는 안전한 비만수술과 수술 후 효과적인 체중감소를 기대할 수 있다. 그리고 이러한 준비들은 데이터 기반 프로토콜을 통해 표준화가 되어야 한다.

　이 장에서는 비만수술 환자에서 데이터 기반의 포괄적인 수술 전 관리(preoperative care)를 기술하고, 수술 환자 선택과 정보 제공을 최적화하기 위한 위험도 평가와 수술 전 표준임상지침 정립에 대하여 논의하고자 한다.

② **환자 선택**

비만수술 전 과정에서 가장 중요한 과정은 환자 선택이다. 수술 전 평가에서 환자를 제대로 선택하는 과정은 중요한 수술 결과의 변화를 가져올 수 있다. 이상적으로 환자 선택과정은 일부 한 부분을 보고 결정하기 보다 역동적인 일련의 과정이다. 환자 초기 사정 중, 의사는 과거병력과 이학적 검진을 통하여 수술의 금기가 있는지 확인해야 한다. 그 이후 연속적인 수술 전 평가 과정에서 위험도에 대한 새로운 환자의 정보를 얻게 되고, 비만수술의 이익 대 위험 비율(benefit-to-risk ratio)을 고려하여 수술 대상자를 최종적으로 선택하게 된다. 그리고 이러한 과정에서 얻어진 정보는 환자한테도 잘 알려야 한다.

　전통적으로 여러 연구들에서 높은 체질량지수(body

mass index; BMI)와 높은 체중이 수술 합병증과 사망률에 연관성이 높다고 보고하였다. Livingston 등은 제대군인 환자들을 대상으로 한 연구에서 체질량지수 50 kg/m² 이상이거나 체중 160 kg 이상이 수술 합병증의 예후인자라고 발표하였고,[21] Gupta 등은 11,023명의 National Surgical Quality Improvement Program (NSQIP) 환자에서 체질량지수 60 kg/m² 이상이 합병증의 예측인자로 확인하였다.[16] Flum 등의 Longitunidal Assessement of Bariatric Surgery (LABS) 컨소시엄은 체질량지수 70 kg/m² 이상의 초병적비만을 위험인자로 보았다.[12] 그 외의 많은 연구들에서는 남성과 고혈압이 합병증이나 사망률을 높이는 인자로 보고하였다.[7, 9, 11, 16]

환자 선택에 있어서 성별, 체질량지수, 고혈압은 피하기 힘든 요소인 반면, 조절할 수 있는 두 가지 선택 요소는 나이와 이동성(mobility)이다.[11] 한 연구는 50세를 기준으로 위험도가 증가 한다고 보고하는가 하면 다른 연구는 45세를 기준으로 제시하기도 한다.[7, 11] 생리적 나이와 달력상의 나이 중 어느 것을 고르느냐가 환자 선택에 기준이 될 수 있으며, 평균수명의 연장도 고려해야 할 것이다. 많은 연구에서 환자의 이동성 제한이 수술 합병증에 영향을 미친다고 한다.[11, 12, 16] 거동이 불편한 환자에서 수술을 결정할 때에는 환자의 다른 대사적 상태를 살피고 결정해야 한다. 환자병력의 다른 요소 역시 수술의 위험도를 높이는 인자가 된다. 가장 높은 위험도를 일관적으로 보여주는 인자는 폐색전증(pulmonary embolism)의 병력과 정맥혈전색전증(venous thromboembolism)이다.[7, 9, 11, 16] 수술 전 환자 선택에서 위의 두 가지는 필수적으로 고려해야 한다.

최근 Michigan Bariatric Surgery Collaborative는 규모가 큰 다기관 연구를 통해 이전 정맥혈전색전증, 거동제한, 나이 50세 이상, 관상동맥질환, 폐질환, 남성 및 흡연력이 수술 합병증의 주요 예후인자로 발표하였다.[11] 그 외의 다른 연구에서도 비슷한 결과를 보고하였다. Flum 등은 Longitunidal Assessement of Bariatric Surgery 데이터를 이용하여 초병적비만, 수술 전 6 m 이상 거동 장애, 정맥색전증 또는 폐쇄성수면무호흡증이 있는 경우 합병증이 증가하였고, 특히 정맥혈전증 병력, 수면무호흡, 체질량지수 70 kg/m² 이상의 경우에는 합병증 발생 예측이 10% 이상까지 된다고 보고하였다.[12] 2007년 DeMaria 등은 비만수술 후 Obesity Surgery Mortality Risk Score (OS-MRS)를 개발하였다.[7] 이 점수에서는 사망률과 관련된 다변량 분석을 통해 남성, 고혈압, BMI 50kg/m² 이상 및 폐색전증 위험도 4가지의 독립적인 예측인자가 포함되어 있다. 이후 여러 다기관, 단일기관 연구를 통해 검증하였으나, 주로 개복 비만수술을 대상으로 했다는 단점을 가지고 있다.

고위험 환자들의 수술 여부를 최종적으로 결정하는 권한은 외과 의사에게 있다. 이익 대 위험 비율(benefit-to-risk ratio)은 수술 방법이 변하고 의료기술의 안전성이 증가함에 따라서 동반하여 바뀌고 있다. 외과 의사는 수술이 안전한 환자와 위험한 환자의 경계를 결정해야 하며, 이는 비만수술의 위험도 경계 영역에 있는 환자들에 대한 책무이다. 그리고 수술 결정 토론에 환자의 의견도 포함해야 한다. 외과 의사는 모든 병적비만 환자에게 수술로 도움을 줄 수 있다고 믿기를 원하는 반면에, 데이터는 환자의 수술을 시행하지 않음으로써 더 나은 결과를 주기도 한다는 점을 기억해야 한다.

❸ 심혈관(Cardiovascular) 평가

병적비만 환자의 수술 안전을 위한 핵심적인 요소 중의 하나는 환자의 심장 상태와 수술 전 심혈관 위험도를 정확하게 평가하는 것이다. 이미 잘 알려져 있다시피 비만환자는 고혈압, 당뇨, 이상지질혈증 및 폐쇄성수면무호흡증(obstructive sleep apnea)을 포함한 여러 가지 동반질환과 연관되어 있으며, 관상동맥질환, 심부전, 급성심장사, 부정맥과 같은 심각한 심혈관 질환과도 관련성이 높다. 또한 비만은 교감신경 긴장(increasing sympathetic tone), 심박수와 심충만압력(filling pressure)을 증가시켜 심박출량과 심장 작업부하(cardiac workload)를 높이게 된다.[18] 여러 연구에서 심혈관계 문제들에 대하여 비만의 역설적인 예방 효과(paradoxical protective effect)를 주장했지만, 병적비만 환자가 수술의 심혈관 위험이 낮은 환자라는 개념은 받아들여서는 안 된다. 고BMI는 높은 심혈관 사망률을 예측하고, 정상 체중 환자에 비하여 2-4배 정도 그 사망률이 높다고 지속적으로 보고되고 있다.[19]

병적비만 환자들은 관상동맥질환의 병력, 관상동맥증후군 증상 및 고혈압, 당뇨, 고지혈증, 흡연, 앉아서 일하는 생활 양식(sedentary lifestyle) 등의 관상동맥질환 위험인자를 포함한 정밀 심장 질환 병력 청취와 이학적 검진이 필요하다. 특히 50세 이상의 환자에서는 광범위한 신체 평가를 해야하지만, 50세 이하라고 수술 전 평가를 소홀히 해서는 안 된다.

심장 관련 병력 청취와 이학적 검진 후에는 심전도(electrocardiogram, ECG) 검사를 시행한다. 심장 관련 병력과 비만을 제외한 순환기계 위험 요소가 없는 50세 이하의 환자가 심전도에서 정상으로 판단된다면, 수술 전후 관상동맥 질환 발생의 저위험군으로 분류될 수 있다. 비만은 QT 간격 증가와 관련되어 있고, QT 간격 증가는 부정맥, Torsade de pointes 와 급성심장사의 위험성과 관련되어 있기 때문에 심전도 해석에서 QT 간격의 평가에 주의해야 한다. 위장관 수술이나 정신과적으로 사용되는 약물 중 상당수가 QT 간격 연장을 야기시키기 때문에 어떤 환자가 기본적으로 QT 간격 연장을 가지고 있는지 파악하는 것이 좋다.

심장병력이나 증상이 점차 늘어날수록 그에 따른 심장 정밀 검사 과정도 증가한다. 보상되는 허혈성심질환, 과거 신부전, 뇌혈관 질환, 당뇨나 신부전증의 병력이 있는 환자는 American College of Cardiology와 American Heart Association 가이드라인에 따라 정확한 좌심실 기능 평가를 위해 비침습적 스트레스 검사(noninvasive stress test)를 시행해야 된다. 불안정성 관상동맥질환 증상이나 심부전, 심각한 부정맥이나 판막 질환이 있는 환자들은 반드시 광범위한 검진 과정이 필요하며, 적절한 평가가 이루어질 때까지 비만수술을 연기해야 한다. 이미 중재적 심장 시술(interventional cardiac therapy)과 항혈소판 치료(antiplatelet therapy)를 받은 비만수술 환자들이 종종 있다. 심장 스텐트 시술(cardiac stenting)을 받고, 스텐트에 대한 항혈소판 치료를 받는 환자들은 현재의 항혈소판 치료를 유지하면서 수술을 받게 하는 최근 권고를 상기하고 따르는 것이 중요하다. 아스피린과 그 외 가능한 항혈소판 치료는 중지해서는 안 된다.

비만수술 전 심장 위험 평가는 그 정확성을 위하여 순환기내과 전문의에게 맡기는 것이 좋다. 심장전문의와 협업을 통해서 정밀한 위험도 분석을 제공받게 되고, 수술 후 심장 문제 관리도 가능하게 된다.

 ## 정맥혈전색전증 (Venous Thromboembolism) 평가

폐색전증은 비만수술을 받은 환자에서 누출 다음으로 두 번째로 많은 사망 원인이다. 그 사망률은 약 40-50% 정도이다. 폐색전증과 심부정맥혈전증을 포함한 정맥혈전색전증의 발생 빈도는 0.2-3.5%로 다양하게 보고된다. 최대 97%의 환자들은 1% 미만의 정맥혈전색전증 발생 위험도를 가지고 있지만, 그 나머지 발생 위험도가 높은 3%의 환자들을 확인하는 것은 필수적이다. 정맥혈전색전증의 일반적인 위험 인자로는 남성, 높은 BMI, 3시간 이상의 수술시간, 고령, 담췌우회술 및 십이지장전환술(bilo-pancreatic diversion with duodenal switch) 수술 방법이 있다.[10] 과거에는 BMI 55 kg/m² 이상, 폐고혈압 또는 비만저환기증후군(obesity hypoventilation syndrome)과 같은 위험도가 극히 높은 환자들에게는 수술 전 하대정맥 필터(vena cava filter) 설치를 권장했다.[3] 하지만, 최근 연구에서는 하대정맥 필터가 필터의 이동, 대정맥 혈전, 치명적인 폐색전증 등의 합병증과 연관성이 입증되어 수술 전 하대정맥 필터 설치보다는 수술 후 충분한 약물적 혈전예방(chemical thromboprophylaxis)으로 치료방침이 전환되고 있다.[1] 혈전 생성 위험을 계층화(stratification)하기 위해 나이, 성별 및 BMI 등의 중요한 인구통계학적 정보를 확인해야 한다. 환자가 걸어서 이동 가능한 거리도 중요한 정보이다. 정맥혈전색전증의 과거력이나 Factor V Leiden, 단백질 C와 S 결핍(protein C and S deficiency) 및 단백질 C 저항(protein C resistance)과 같은 비교적 흔치 않은 응고항진상태(hypercoagulable state)의 병력, 가족력도 정맥혈전색전증의 발생 위험을 높인다. 환자가 이미 가지고 있는 정맥혈전색전증으로 항응고제를 복용하고 있는지를 확인하는 것은 정맥주사를 이용한 항응고제 투여를 결정하는데 중요한 정보가 된다. 신기능부전이 있는 환자에서 분획화된 헤파린(fractionated heparin)을 사용하게 된다면 10번 혈액응고인자 검사(Factor X assay)를 시행해야 한다. 대체해서 분획화되지 않은 헤파린(unfractionated heparin)을 활성화 부분 트롬보플라스틴시간(aPTT)을 모니터링하면서 사용할 수 있으며, 복잡한 케이스 환자의 경우에는 혈액내과 전문의한테 의뢰하는 것이 바람직하다. 이학적 검사에서 정맥부전(venous insufficiency)의 소견을 가진 환자들은 이미 생성된 혈전이 있는지를 확인하기 위해 양 하지의 듀플렉스 초음파 스캔(duplex scanning)을 시행해야 한다. 불행하게도 Bariatric Outcomes Longitudinal Database (BOLD) 같은 이전 비만수술 데이터 베이스에서 정맥정체질환에 대한 자료가 수집되지 않아 정맥혈전색전증 발생의 위험에 어떠한 영향을 미치는지 불분명하다. 수술 전 하대정맥 필터의 설치에 대한 정확한 역할은 분명하지 않고, 필터 그 자체로 치명적인 폐색전을 예방할 수 없었기 때문에 하대정맥 필터에만 의존할 수는 없다. 현재 두 가지의 정맥혈전색전증 위험 평가 시스템이 이용 가능하다. 첫 번째는 Michigan Bariatric Surgery Collaborative의 위험 평가 시스템으로 웹사이트(https://www.michiganbsc.org)를 통해 접근이 가능하다. 이 시스템에서는 저위험(<1%), 중위험(1-4%) 및 고위험(>4%)

으로 나누고 각 군에 따라 적절한 약물적 혈전예방 가이드라인을 제공한다. 두 번째는 폐색전위험점수(pulmonary embolism risk score, PERS)로 수술 전후 하대정맥 필터와 항응고제 사용을 권고해 주고 있다.[4] 수술 전후 순차적 압박 장치(sequential compression devices, SCD), 혈전색전증 억제 압박 스타킹(thromboembolsim-deterrent hose)과 항응고요법에 추가적으로 적극적인 보행, 금연, 수술 전 체중감소를 통해 정맥혈전색전증의 위험을 줄일 수 있다.

 ## 5 수면무호흡과 비만저환기 (Sleep Apnea and Obesity Hypoventilation) 평가

비만수술을 받는 환자 중 폐쇄수면무호흡(obstructive sleep apnea)의 발생 빈도는 88%로 그 비율이 높고, 수면 중에 기도가 좁아져서 발생한다. 폐쇄수면무호흡으로 고통 받는 환자들은 수면 중에 저산소증이 있고, 폐고혈압으로 진행되며 부정맥이 생길 수 있다. 비만수술 환자들은 특히 마취제 또는 진통제가 저산소증 상태에서의 각성을 둔화시켜 저산소증을 더 악화시키거나 호흡정지를 초래할 수 있다. 비만저환기 증후군(obesity hypoventilation syndrome)의 한 요소로 이산화탄소가 높아진 환자들은 과잉수면으로 진행하거나 이산화탄소중독으로 호흡정지가 되는 위험이 있다. 폐쇄 수면무호흡을 평가하는 가장 좋은 방법은 야간 수면다원검사(nocturnal polysomnography)이다. 정기적인 수면다원검사는 가격이 비싸고 불편하지만, 현재 신뢰할 수 있는 다른 선별검사는 이용 가능하지 않다. 두 단계의 모델(two-step model)이 최근 보고되었지만 추가적인 유효성 검증이 필요하다. 이 모델은 나이, 허리둘레, 수축기 혈압, 관찰된 무호흡 증상을 첫 번째 단계에 이용하고, 두 번째 단계로 무호흡 증상과 산소포화도저하지수(oxygen desaturation index)

가 3% 이상인 것을 이용하였다. 이 검사는 민감도, 특이도, 정확도가 90%이고 불필요한 수면 테스트를 방지한다.[13] 야간 수면다원검사의 필요성을 결정하기 위하여, 선별검사로 주로 주간졸음자가평가척도(Epworth Sleepiness score)를 쓰게 되며, 점수가 10점 이상이면 수면다원검사를 하게 된다. 신뢰할 수 있는 관찰자로부터 코골이 병력이나 수면무호흡 사건의 기록을 확인해야 한다. 수면다원검사 동안 무호흡 또는 저산소사건, 하지불안증후군(restless leg syndrome)과 같은 수면장애의 수를 수량화할 수 있다. 무호흡-저호흡 지수(apnea-hypopnea index, AHI)에서 5 미만은 수면무호흡이 없고, 5-15는 경도(mild), 15-30은 중등도(moderate), 30 이상은 심각한(severe) 폐쇄 수면무호흡으로 정의한다. 수면무호흡으로 진단되면 환자가 무호흡 상황에서 기도 개방성을 유지하는데 도움을 주는 지속적양압환기(continuous positive airway pressure, CPAP) 장치의 적절한 설정을 결정하는 적정 검사를 하게 된다. 폐쇄 수면무호흡이 의심되는 환자는 저산소증과 주간졸림증(daytime sleepiness), 피로와 연관된 잠재적인 심장과 폐합병증을 예방하기 위하여 비만수술을 진행하지 않더라도, 평가되고 치료 받아야 한다. 많은 환자들이 지속적 양압 환기 장치의 얼굴마스크를 견디는데 힘들어하기 때문에, 수술 전에 이 장치에 대한 적응 훈련이 추천된다. 환자들은 마취에서 깨어날 때 편안하고 친숙한 장치가 필요하므로, 수술 시 이전에 치료 받았던 병원에서 자신이 사용하던 장치를 가져오는 것이 좋다.

비만의 결과로 흉벽, 폐순응도(lung complicance)와 가스교환이 감소된 반면에 기도저항(airway resistance), 호흡 부하(work of breathing), 환기관류 불균형(ventilation perfusion mismatch)은 증가한다. 비만수술을 받으려는 환자들은 흔히 천식, 호흡곤란, 만성폐쇄성폐질환 등의 폐질환을 앓고 있다. 비만저환기 증후군으로 불리는 폐기능 이상의 심각한 형태는 극심한 호흡곤란, 과도한 주간졸림 상태로 나타난다. 비만저환기증후군의 진단은 호흡기계 또는 신경근육질환이 없고 BMI >30 kg/m², pCO_2 >45 mmHg인 경우이다. 이 환자들은 수면 시 폐쇄수면무호흡보다 더 심한 저산소증으로 고통받게 되며, 폐쇄수면무호흡과 비만저환기증후군이 겹치는 경우도 있다. 선별검사는 주간맥박산소측정법(daytime pulse oxymetery)과 혈청중탄산염(serum bicarbonate level)이 있다. 실내 공기에서 산소포화도 94% 미만이면 동맥혈산소분압이 70 mmHg보다 적은 것이 의심되고, 혈청중탄산염 27 mEq/L 초과는 pCO_2 증가에 민감도는 높지만, 특이도는 낮다. 이 선별검사에서 양성이면 동맥혈가스분석으로 저산소증과 고탄산혈증을 확인해야 한다.[25] 이러한 환자들과 심각한 만성폐쇄성폐질환환자들은 수술 전에 폐기능검사가 필요하다. 심각한 폐질환을 가진 환자들은 장기간의 기계적 인공호흡, 기관절개술, 높은 사망률 등의 높은 위험도를 가지고 있다. 환자의 수술 전 폐기능의 이해는 임상적인 처리를 유용하게 하는데 도움이 되고, 만일의 사태에 적절하게 준비할 수 있게 한다.

❻ 상부위장관의 해부학적(Upper Gastrointestinal Anatomy) 평가

몇몇 기관은 비만수술 지원자에게 상부위장관내시경(esophagogastroduodenoscopy, EGD), 상부위장관조영술(upper gastrointestinal series, UGI)로 평가하는 반면에 다른 기관들은 더 선택적인 접근방법을 이용한다. 이전 비만수술 후에 교정 수술을 진행하는 환자들은 대부분 상부위장관내시경, 상부위장관조영술이 필요하다. 이는 해부학적 구조 파악에 도움이 되고, 이전의 수술기록으로부터 확인된 수술방침 결정에 도움이 된다. 때때로 식도운동장애(esophageal dysmotility)와 산역류(acid reflux)가 의심되는 환자들은 압력측정법(manometry)과 산성도측정(pH studies)이 필요하다. 다른 한편으로는 최초 비만수술을 받는 환자들에게 이러한 검사들이 필요한지에 관하여서는 논쟁의 여지가 있다. 유럽내시경 복강경외과학회(European Association for Endoscopic Surgery, EAES)는 이전에 정기적인 상부위장관내시경 후에 루와이위우회술(Roux-en-Y gastric bypass)을 시행한 몇몇 기관들의 데이터를 바탕으로, 비만수술을 진행하는 모든 환자들에게 상부위장관조영술 또는 상부위장관내시경 중 한가지 검사의 시행을 권고한다.[27] 한 연구에서는, 정기적인 상부위장관내시경 후에 루와이위우회술을 시행한 272명의 환자들 중에서 단지 12%에서 임상적으로 의미 있는 소견을 확인했다. 이러한 환자들에서 67%는 상부위장관 증상이 있지만, 저자들은 증상과 내시경 소견 사이에 별다른 관계가 없다는 것을 발견했고, 한 환자에서 다발성유암종(multiple carcinoids) 때문에 원래 계획된 루와이위우회술에서 위아전절제술(subtotal gastrectomy)로 변경하였다. 그럼에도 불구하고 저자들은 우회된 장기에서 놓치는 병변들을 피하기 위하여 정기적인 상부위장관내시경을 권유하였다.[24] 다른 연구에서 상부위장관내시경을 시행한 536명의 환자들 4.9%에서 추가 수술(주로 위루술(gastrostomy) 또는 횡격막 각근육(crural) 교정술 추가)이 있었고, 2명의 환자에서 수술 계획의 변경이 있었다.[28]

이와 반대의견을 가진 연구들을 보면, 복강경 조절형위밴드술(adjustable gastric banding) 시행 전에 정기적으로 상부위장관내시경을 시행한 145명의 환자 중에서 단지 10%에서 이상소견이 발견되었고, 위식도 관련증상이 있는 환자들에서 상부위장관내시경 상 이상소견이 더 발견되었다. 저자들은 조절형위밴드술을 시행한 경우에 정기적인 상부위장관내시경은 불필요하다고 주장했다.[22] 정기적인 상부위장관조영술의 역할은 루와이위우회술을 시행한 657명 환자에서 평가되었고, 그 중에 약 60%가 정상이었고, 이 검사로 수술이 변경된 경우는 없었다. 상부위장관조영술에서 가장 흔한 소견은 역류와 식도열공탈장(hiatal hernia)과 연관되어 있다. 식도열공탈장이 있는 경우 수술 중 눈으로 확인가능하고 바로 교정할 수 있다.[15]

앞서 언급한 데이터에 기반하여 다음 사항들을 권고한다. 비만수술을 진행하는 환자 중에서 위장관 증상이 있는 경우에는 상부위장관조영술 또는 상부위장관내시경은 가치가 있는 검사이다. 상부위장관내시경은 병변을 시각화할 수 있으며, 조직검사를 시행하며, 헬리코박터를 평가할 수 있기 때문에 우선적으로 선호하는 검사이다. 위소매절제술(sleeve gastrectomy) 또는 조절형위밴드술을 진행하는 무증상환자들에서 상부위장관내시경과 상부위장관조영술이 둘 다 절대적으로 필요하지는 않다. 하지만, 상부위장관조영술은 식도운동장애(조절형위밴드술을 결정하는 중요한 검사), 식도열공탈장(비만수술 시에 교정 가능)을 진단할 수 있다. 루와이위우회술 또는 담췌우회술 및 십이지장전환술(bilopancreatic diversion with duodenal switch) 수술 시에는 위장관 해부학의 정확한 정보를 얻기 위해 모든 환자들에서 상부위장관조영술 또는 상부위장관내시경 시행이 필요하다. 다른 한편으로, 교정 수술을 진행하는 환자들에서는 해부학의 평가가 필수적이므로 두 가지 검사 다 시행할 수 있다. 그리고, 미국암학회지침(American Cancer Association guidelines)에 따르면 비만환자에서 높은 유병률을 보이는 대장암의 선별검사도 중요하다. 또한 헬리코박터의 정기적인 선별검사는 높은 유병률 지역에서 권고한다. 특히, 위암의 유병률이 높은 우리나라에서는 비만수술 전 상부위장관내시경 시행과 헬리코박터 검사는 필수적이다. 마지막으로, 상부위장관내시경을 시행할 때 진단되지 않은 수면무호흡증이 진정 상태에서 나타날 수 있다는 것도 명심해야 한다.

 정신심리학적 평가

최근 비만수술의 정신심리학적 측면에 대한 관심이 증가함에도 불구하고, 수술에 대한 심리학적 금기 사항은 분명하지 않은 것 같다. 수술 전 평가에서 가장 중요한 목표는 환자가 진단 또는 보고되지 않았거나 알고 있는 정신과적 문제를 확인하는 것이다. 정신심리학적 문제가 확인된다면, 이러한 문제점들은 치료 가능하고, 잘 통제되며, 수술 후 환자의 악화 위험은 무엇인지를 파악해야 한다. 결국 수술 결과에 악영향을 미칠 우려를 분석해야 한다. 비만수술이 보편화된 미국에서는 대부분의 보험회사는 수술 전 정신심리학적 평가를 수행하기 위해 정신건강 전문가를 필요로 한다. 하지만 정신심리 평가의 방법은 너무 다양하고 일반화되어 있지 않다. 거의 대부분은 인터뷰를 통해 평가를 포함하지만, 소수에서는 공식 서면 테스트를 하기도 한다.[8]

비만수술의 정신심리학적 금기는 다양하게 보고되지만, 활성 약물 사용(active drug use), 정신분열증 및 비만수술의 위험과 이득을 제대로 이해할 수 없거나 약물 지시사항을 따를 지적 능력이 떨어지는 사람의 경우는 보편적인 금기이다. 약 15% 정도의 환자들은 덜 치료된 우울증, 정신병 또는 양극성 장애와 수술에 대한 과도한 기대나 이해 부족 등의 이유로 수술을 거부 당하거나 수술을 연기하게 된다.[29] 이상적으로는 정신심리학적 평가는 비만수술 외과의사의 시술과 임상경과를 이해하고 있는 전문가에 의해 객관적으로 진행되어야 한다. 환자들은 그들 자신의 심리치료사를 통한 평가를 원하기도 하는데, 이는 많은 심리치료사들이 비만수술 전 정신심리학적 평가에 대한 전반적인 이해가 부족한 경우가 많고, 심리적 이유로 수술이 거부되는 것을 꺼려할 수 있기 때문에 추천하지 않는다.

❽ 정보에 근거한 동의서 작성

정보에 근거한 동의서(informed consent) 작성은 외과 의사와 환자 모두에게 중요하다. 수술 전 평가를 정확하게 마치기 위해서는 환자의 전반적이고 정확한 정보를 충분히 획득해야 한다. 이 새로운 정보들은 수술의 이익 대 위험 비율(benefit-to-risk ratio) 결정에 중요한 단서가 될 수 있다. 환자한테 완전한 동의를 얻기 위해서는 수술 전 관리에 대한 정보들이 공유되어야 한다.

정보에 근거한 결정(informed decision)의 한 방법으로는 환자의 동의 결정에서 외과 의사의 동의 결정을 분리하는 방법이 있다. 의사가 어떤 특정한 환자를 만나기 전에, 수술 결정의 선택 기준을 표준화시키고 있다면, 그들은 그 수술의 위험도를 정확하게 정할 수 있다. 외과 의사가 생각하는 수술의 안전 영역이 어디인지를 결정함으로써, 개별 환자를 평가하기 전에 연령, 이동성, 체중 및 유병질환 문제(medical problems)에 관한 결정을 내릴 수 있다. 이전에 기술하였듯이, 심각한 이동성 제한이 있거나 초고령의 환자들은 수술을 시행하지 않는 것이 합리적이다. 하지만 수술자는 자신의 경험을 고려하고, 수술의 이익 대 위험 비율의 한계(cutoff)를 결정해야 한다. 그런 다음 환자에 대한 추가 검사를 시행하고, 정보에 근거한 수술 동의를 얻고, 그런 과정에 수술에 대한 위험성을 환자한테 분명히 설명해야 한다. 많은 통계 자료가 환자에게 제공될 수 있지만, 외과 의사는 긍정적인 부분만 강조하지 말고, 환자 각각의 개별적인 위험과 기대되는 결과에 대한 객관적인 데이터를 제공해야 한다. 만약 환자 개개인과 전반적인 통계 수치에 큰 차이가 있다면, 그 부분은 환자한테 강조해야 하는 것이 좋다. Madan 등은 비만수술 환자들이 종종 심각한 합병증 발생의 가능성을 포함해서 수술 전 교육 받았던 부분에 대하여 망각하는 경우가 많다고 보고하였다.[23] 그리하여 정보에 근거한 동의 과정은 이론적으로 그리고 이상적으로는 환자 맞춤화된 수술의 위험과 이익을 강화하는 데 초점을 두고 설명하고, 진행되어야 한다.

❾ 수술 전 체중 감량

병적비만 환자의 수술 전 체중 감량은 체중이 적게 나가는 환자가 수술로 인한 위험이 감소되고 체중과 관련된 합병증이 적을 것이라는 개념에서 시작되었고, 수술을 받는 환자들의 수술 성공에 대한 선별(screeing) 검사로 도입되었으며, 현재 많은 외과 의사와 보험관계자들이 이를 적용하고 있다. 수술 전 BMI 감소에 성공한 환자들은 체중이 줄어듦에 따라 덜 침습적인 수술을 받을 기회를 가지고, 수술 전후 전체적인 체중 감량의 효과도 증대되며, 수술의 기술적인 면과 수술 시간 감소에도 도움이 될 수 있다. 그리고 수술 후의 식이 및 운동과 관련된 행동 변화를 유도할 수도 있다. 하지만, 체중 감량의 정의나 방법이 모순될 수 있으며, 이미 다이어트 경험이 많은 환자들에게 불필요한 다이어트를 강요하여 수술적 치료에 대한 좌절감을 줄 수 있으며, 꼭 필요한 수술의 적절한 시간적 시기를 놓치거나 보험적용에 불이익을 당할 수 있다는 단점이 있다.[6]

이전의 여러 연구결과들을 분석한 체계적 문헌고찰(systemic review)에서는 수술 후 체중감소, 수술 합병증, 재원 기간 등 수술 결과에 대하여, 일관되지 않고 다양한 결과를 보여 수술 전 체중 감량의 유용성에 대하여 명확한 결론을 내리지 못하였다.[5,17,20] 최근 Gerber 등은 2개의 무작위 전향적 연구, 7개의 전향적 연구와 14개의 후향적 연구를 분석한 체계적 문헌고찰에서도 수술 전 체중 감량이 수술 후 체중 감량 결과에 대한 효과는 확실하지 않다고 보고하였다.[14] 저자들은 수술 전 체중 감량에 성공한 환자들은 수술에 대한 동기가 더 확실하고 자신의 새로운 생활습관에 잘 적응하게 되어, 선택 오류(selection bias)가 결과에 기인한다고 주장하였다.

2011년에 ASMBS에서 발표한 수술 전 체중 감량에 대한 요구 사항에 관한 입장진술문(position statement)에서는 비만수술 전 보험적용 승인을 위한 수술 전 식이 조절을 통한 체중 감량 정책은 병적 비만 환자의 생명을 보호하고, 비용 효과적인 치료로 입증된 비만수술을 연기하고, 방해할 수 있다고 기술하였다.[2]

수술 전 체중 감량의 효과에 대한 유일한 증거 기반 지지(evidence-based support)는 환자의 수술 준비를 돕고 수술 후 보다 건강한 생활 습관을 유지할 수 있게 해주는 수단으로서 가능성이다. 이전 연구들의 대다수는 체중 감량을 시행한 환자에서 합병증의 차이가 없음을 보였다. 그리고, 수술 전 체중 감량에 대한 지금까지의 데이터들은 일관성이 없으며 그 이점과 관련하여 결정적이지 않다. 만약 수술 전 체중 감량을 고려한다면, 2주 정도의 짧은 기간의 수술 전 식이 조절을 통해 심각한 위험요소 증가 없이, 간 용량을 감소시키고, 수술 시간을 줄일 수 있다. 이를 초과한 체중 감량 프로그램은 환자들에게 해가 되며 효과를 지지하는 증거는 없다.

 결론

표준화된 진료 지침
(Standardized Care Pathways)

요약하면, 수술 전 각 환자에게 최적화된 치료를 위해 표준화되고(standardized), 증거 기반 방식(evidence-based fashion)의 진료 표준을 정하는 것은 필수적이다. 최근 문헌 리뷰에서도 표준진료치침(standardized care pathway)과 병원 합병증의 감소가 상관관계가 깊다고 주장한다. 최근 한 연구는 도뇨관의 이른 제거, 수술 당일 병동 보행, 폐활량계의 더 많은 적용과 영양관리 등의 표준진료지침을 적용한 환자 65명과 적용하지 않은 64명의 환자들의 결과 비교에서, 표준진료지침 적용 군에서 더 나은 수술결과를 보였다.[26] 임상진료 지침은 입원 시 뿐만 아니라 수술 전 환자 관리에도 적용될 수 있다. 외과 의사는 이러한 진료지침을 설정하는데 데이터 검토를 통해 관여하게 되며, 이는 임상활동을 잘 알려 치료를 개선 시킬 수도 있다. 또한 개괄적인 데이터 분석을 통한 수술 전 표준화된 프로토콜은 불필요한 수술 전 검사를 없애고 효율성을 높여 누락하는 실수와 부적절한 수술 결과를 최소화시킬 수 있다(표 8-1). 이러한 방식으로 치료과정

표 8-1 비만수술 전 관리 점검 항목

환자선택
- 병력청취와 이학적 검진을 통한 수술 금기 확인
  (성별, BMI, 체중, 고혈압 병력, 이동성(mobility), 과거력(폐색전증, 정맥혈전색전증, 수면무호흡증, 관상동맥질환, 폐질환), 흡연력 등)

심혈관 평가
- 심장관련 병력청취(관상동맥질환, 고혈압, 당뇨, 고지혈증, 흡연, 앉아서 일하는 생활양식, 중재적 시술 과거력, 항혈소판 치료 등)
- 이학적 검진(혈압 측정 등)
- 심전도(ST-T, QT 간격 증가, 부정맥 등)
- 심초음파
- 운동부하검사
- 관상동맥 조영술

정맥혈전색전증 평가
- 과거력(정맥혈전색전증, 응고항진 상태의 병력, 항응고제 복용력 등)
- 위험평가 시스템
- 폐색전위험점수 평가

수면무호흡과 비만저환기 평가
- 수면무호흡 관련 병력청취
- 동맥혈가스분석
- 폐기능검사
- 수면다원검사
- 주간졸음자가평가척도

상부위장관의 해부학적 평가
- 상부위장관내시경
- 상부위장조영술
- Helicobactor pylori 검사
- 식도입력측정법(식도운동성 장애, 역류성 식도염 평가)
- 간기능 평가

정신심리학적 평가
- 수술에 적합하지 않는 정신병력평가(활성약물 중독, 정신분열증, 정신지체, 양극성 장애 등)
- 식이장애 평가
- 스트레스
- 사회적 지지도 평가

기타
- 내분비 평가(당뇨 평가, 갑상선 기능 평가, 지질/대사 프로파일 등)
- 영양 평가영양 상태 평가, 과거 식습관, 사회력, 식이 장애 등)
- 환자 정보에 근거한 동의서 작성
- 수술 전 체중 감량 (?)

실패를 최소화하고 환자의 위험도 감소하게 되어 치료의 질(quality of treatment)이 향상된다.

아직까지 정식 수술 전 환자관리 과정을 정하지 못한 외과 의사는 자신의 임상 형태, 진료 과정, 수술 결과에 초점을 맞추어 수술 전 관리 과정을 적립해야 한다. 그런 다음 이러한 요소들은 다른 문헌의 데이터와 비교하고, 차이가 있다면 차츰 고쳐 나가야 한다. 최종적으로 수술 환자의 선택, 다중 시스템을 이용한 수술 전 평가 및 정확한 정보에 입각한 동의서 작성을 포함한 표준 프로토콜을 완성된다. 마지막으로 이 표준은 새로운 데이터가 나오게 되면 새롭게 변하고 진화하며, 정기적으로 검토되어야 한다.

참고문헌

1. Birkmeyer NJ, Share D, Baser O, et al. Preoperative placement of inferior vena cava filters and outcomes after gastric bypass surgery. Ann Surg 2010;252:313-8.

2. Brethauer S. ASMBS position statement on preoperative supervised weight loss requirements. Surg Obes Rela Dis 2011;7:257-60.

3. Carmody BJ, Sugerman HJ, Kellum JM, et al. Pulmonary embolism complicating bariatric surgery: detailed analysis of a single institution's 24-year experience. J Am Coll Surg 2006;203:831-7.

4. Caruana JA, Anain PM, Pham DT. The pulmonary embolism risk score system reduces the incidence and mortality of pulmonary embolism after gastric bypass. Surgery 2009;146:678-85.

5. Cassie S, Menezes C, Birch DW, et al. Effect of preoperative weight loss in bariatric surgical patients: a systemic review. Surg Obes Relat Dis 2011;7:760-7.

6. Colleen T, Noel NW, Kristoffel RD, et al. Preoperative medical weight management in bariatric surgery: a review and reconsideration. Obes Surg 2017;27:208-14.

7. DeMaria EJ, Portenier D, Wolfe L. Obesity surgery mortality risk score: proposal for a clinically useful score to predict mortality risk in patients undergoing gastric bypass. Surg Obes Relat Dis 2007;3:134-40.

8. Fabricatore AN, Crerand CE, Wadden TA, et al. How do mental health professionals evaluate candidates for bariatric surgery? Survey results. Obes Surg 2006;16:567-73.

9. Fernandez Jr AZ, Demaria EJ, Tichansky DS, et al. Multivar-

iate analysis of risk factors for death following gastric bypass for treatment of morbid obesity. Ann Surg 2004;239:698-703.

10. Finks JF, English WJ, Carlin AM, et al. Predicting risk for venous thromboembolism with bariatric surgery: results from the Michigan Bariatric Surgery Collaborative. Ann Surg 2012;255:1100-4.

11. Finks JF, Kole KL, Yenumula PR, et al. Predicting risk for serious complications with bariatric surgery: results from the Michigan Bariatric Surgery Collaborative. Ann Surg 2011;254:633-40.

12. Flum D, Belle S, King W, et al. Perioperative safety in the longitudinal assessment of bariatric surgery. N Engl J Med 2009;361:445-54.

13. Gasa M, Salord N, Fortuna AM, et al. Optimizing screening of severe obstructive sleep apnea in patients undergoing bariatric surgery. Surg Obes Relat Dis 2013;9:539-46.

14. Gerber P, Anderin C, Thorell A. Weight loss prior to bariatric surgery: an undated review of the literature. Scand J Surg 2015;104:33-9.

15. Ghassemian AJ, MacDonald KG, Cunningham PG, et al. The workup for bariatric surgery does not require a routine upper gastrointestinal series. Obes Surg 1997;7:16-8.

16. Gupta PK, Franck C, Miller WJ, et al. Development and validation of a bariatric surgery morbidity risk calculator using the prospective, multicenter NSQIP dataset. J Am Coll Surg 2011;212:301-9.

17. Kakeli DK, Sczepaniak JP, Kumar K et al. The effect of preoperative weight loss before gastric bypass: a systemic review. J Obes 2012;2012:867540.

18. Lavie CJ, Milani RV, Ventura HO. Obesity and cardiovascular disease: risk factor, paradox, and impact of weight loss. J Am Coll Cardiol 2009;53:1925-32.

19. Litwin SE. Which measures of obesity best predict cardio-vascular risk? J Am Coll Cardiol 2008;52:616-9.

20. Livhits M, Mercado C, Yermilov I, et al. Does weight loss immediately before bariatric surgery improve outcomes: a systematic review. Surg Obes Relat Dis 2009;5:713-21.

21. Livingston EH, Huerta S, Arthur D, et al. Male gender is a predictor of morbidity and age a predictor of mortality for patients undergoing gastric bypass surgery. Ann Surg 2002;236:576-82.

22. Madan AK, Speck KE, Hiler ML. Routine preoperative upper endoscopy for laparoscopic gastric bypass: is it necessary? Am Surg 2004;70:684-6.

23. Madan AK, Tichansky DS, Taddeucci RJ. Postoperative laparoscopic bariatric surgery patients do not remember potential complications. Obes Surg 2007;17:885-8.

24. Mong C, Van Dam J, Morton J, et al. Preoperative endoscopic screening for laparoscopic Roux-en-Y gastric bypass has a low yield for anatomic findings. Obes Surg 2008;18:1067-73.

25. Piper AJ, Grunstein RR. Obesity hypoventilation syndrome: mechanisms and management. Am J Respir Crit Care Med 2011;183:292-8.

26. Ronellenfitsch U, Schwarzbach M, Kring A, et al. The effect of clinical pathways for bariatric surgery on perioperative quality of care. Obes Surg 2012;22:732-9.

27. Sauerland S, Angrisani L, Belachew M, et al. Obesity surgery: evidence-based guidelines of the European Association for Endoscopic Surgery (EAES). Surg Endosc 2005;19:200-21.

28. Schirmer B, Erenoglu C, Miller A. Flexible endoscopy in the management of patients undergoing Roux-en-Y gastric bypass. Obes Surg 2002;12:634-8.

29. Walfish S, Vance D, Fabricatore AN. Psychological evaluation of bariatric surgery applicants: procedures and reasons for delay or denial of surgery. Obes Surg 2007;17:1578-83.

Chapter 09 | 비만수술의 수술장 준비

Setting of operating room for bariatric surgery

비만수술은 대부분 고체중의 환자를 대상으로 하므로 적절한 기계 및 기구를 구비해야 하고, 필요한 장비들이 적절히 위치하고 쉽게 이동할 수 있으며, 인력의 이동이 쉽도록 수술장은 충분히 크게 설계되어야 한다.[4]

수술장에서 고려해야 할 사항은 다음과 같다.

- 비만환자전용 수술대로 환자 이송(Transferring patient to operating table)
- 비만환자전용 수술대(Operating table size/maximum weight)
- 수술대에서 환자 위치 잡기(Positioning on table)
- 비만환자전용 수술기구(Instruments)
- 심부정맥혈전증 예방용 순차적 압축소매(Sequential compression device sleeve)

 비만환자전용 수술대로 환자 이송 (Transferring patient to operating table)

병실에서 수술장으로, 수술장에서 비만환자전용 수술대로 환자를 안전하게 운반하는데 필요한 장비들을 갖추어야 한다. 모든 설비는 제조사에서 제공한 감당 가능한 무게중량을 표시해야 하며 이를 다루는 인력들이 숙지하고 확인할 수 있어야 한다. 이를 위해 최소한 2명 이상의 인력이 필요하며, 이런 장비들은 환자 및 수술인력의 손상을 줄여준다(그림 9-1).

1. 미끄럼 공기이동기(Glide air transfer)

미끄럼 공기이동기(glide air transfer)는 공기 쿠션으로 환자를 들어올려 매우 적은 노력으로 아주 큰 환자를

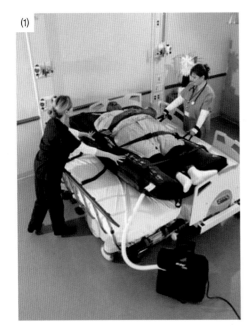

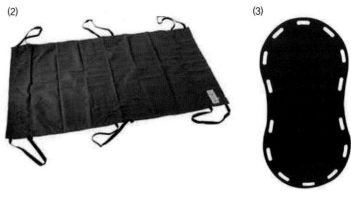

그림 9-1 (1) 미끄럼 공기이동기. Glide Lateral Air Transfer (Stryker, USA)
(2) 이동 미끄럼시트. Transfer Glide Sheet (NRS Healthcare®, UK)
(3) 과체중자 이동보드. Bariatric Patient Shifter (AliMed®, USA)

이동시킬 수 있게 하는 장치이다. 두 명의 인력이 환자를 안전하게 옆으로 옮겨서 허리 부상의 가능성을 줄일 수 있다.

2. 이동 미끄럼시트(Transfer glide sheet)

이동 미끄럼시트(transfer glide sheet)는 두 명의 인력이 사람을 옆으로 이동시킬 수 있는 도구로 사람을 침대 위 아래로도 움직일 수 있다.

3. 과체중자 이동보드(Bariatric shifter)

과체중자 이동보드(bariatric shifter)는 환자 이동 표면의 마찰을 최소화하여 보조인력이 적은 노력으로 환자를 이송시킬 수 있게 한다. 길쭉한 형태는 손잡이를 인체공학적 위치로 유지하며 유연한 플라스틱은 고르지 않은 표면에 유용하다.

❷ 비만환자전용 수술대(Operating table size/maximum weight)

흔히 비만환자전용 수술대는 많은 무게만 감당할 수 있으면 된다고 생각하지만, 그것은 기본적인 요구사항 중 하나일 뿐이다. 비만수술에서 더욱 중요한 것은 수술대에서 환자의 정확한 위치잡기(position on table)이다. 이를 위해서 비만환자전용 수술대는 매우 낮은 높이까지 내려오고(extreme low height), 급격한 경사각까지 상체를 올릴 수 있어야 하며(steep head-up tilt), 환자 위치잡기에 필요한 다양한 기구들을 잘 부착시킬 수 있어야 한다.

비만환자전용 수술대가 갖추어야 할 사항들은 다음과 같다(그림 9-2).

- 일반적으로 32인치까지 내려오는 수술대에 비해 25인치까지 내려올 수 있어야 한다.
- 60도까지 상체를 세울 수 있어야 한다.
- 최소 200 kg 이상의 무게를 감당할 수 있어야 하며, 450 kg까지도 고려해야 한다.

(1)
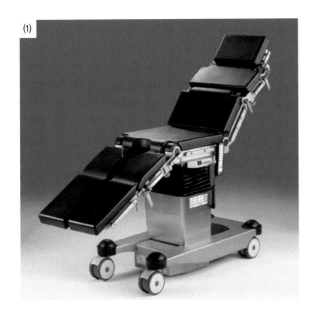

(2)
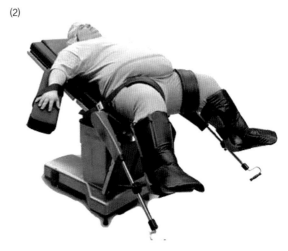

그림 9-2 비만환자전용 수술대. (1) TITAN (Trumpf Medical, Germany). (2) Amsco 3085 SP Surgical Table (STERIS, USA).

- 앉은자세(sit-up)가 가능해야 한다.
- 길이와 넓이를 확장할 수 있는 기구들을 부착할 수 있어야 한다.
- 환자를 안전하게 고정할 수 있는 기구들을 부착할 수 있어야 한다.
- 환자의 다리 사리로 쉽게 접근할 수 있도록 다리 벌림(split leg position)이 가능해야 한다.
- 이동형 X-선투시기(C-arm)를 사용할 수 있어야 한다.
- 자동 수평-맞춤(auto-leveling)을 포함한 전자동이어야 한다(automatic table).

③ 수술대에서 환자 위치 잡기
(Positioning on table)

수술대에서 환자 위치 잡기의 주된 목적은 다음과 같다.[5]

- 환자를 수술대로 안전하게 옮기기(safe transfer to the operating room table)
- 각 관절 및 사지의 정상적인 위치확보(neutral positioning of the major joints and extremities)
- 피부 및 신경의 눌림 방지(avoidance of pressure injuries to skin or nerve)
- 수술 시야의 확보(accessibility of the operative field by the surgical team)
- 수술대에서 환자 안전 확보(security of the patient on the table)

수술대 위 바로누움자세(supine position)에서 환자의 허리와 다리를 따로 묶어 고정하고, 발받침대(foot board)를 거치하여 역 트렌델렌버그자세(reverse Trendelenberg position)에서 환자가 안전하게 위치할 수 있도록 한다.[1]

이 모든 과정이 끝나고 환자를 소독하고(prepping) 수술포로 가리기(draping) 전에 마지막 점검("final check")을 통하여 신체의 각 부위에 압력이 가하지 않는지 다시 한 번 확인하도록 한다.[5]

그림 9-3 비만환자용 수술기구들

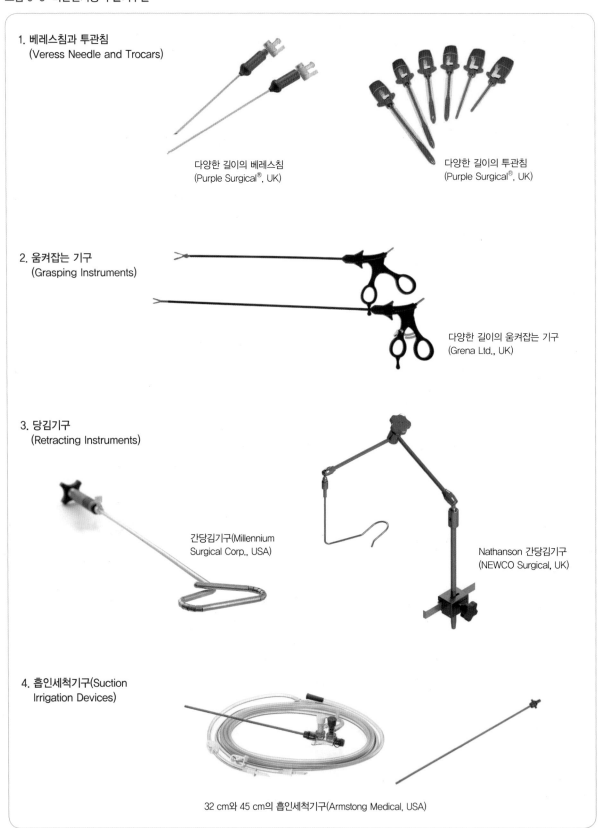

1. 베레스침과 투관침
   (Veress Needle and Trocars)

   다양한 길이의 베레스침
   (Purple Surgical®, UK)

   다양한 길이의 투관침
   (Purple Surgical®, UK)

2. 움켜잡는 기구
   (Grasping Instruments)

   다양한 길이의 움켜잡는 기구
   (Grena Ltd., UK)

3. 당김기구
   (Retracting Instruments)

   간당김기구(Millennium
   Surgical Corp., USA)

   Nathanson 간당김기구
   (NEWCO Surgical, UK)

4. 흡인세척기구(Suction
   Irrigation Devices)

   32 cm와 45 cm의 흡인세척기구(Armstong Medical, USA)

④ 비만환자전용 수술기구
(Instruments)

대부분의 비만수술이 복강경으로 이루어지고 있지만 개복수술로의 전환 가능성을 항상 생각하고 개복수술에 필요한 당김기구(retractor) 및 긴 수술기구들이 수술장에 같이 구비되어 있어야 한다.[2]

복강경으로 이루어지는 대부분의 비만수술에서는 일반적인 수술에 사용하는 기구들로 수술이 가능하지만 복벽이 매우 두꺼운 초병적비만 환자에서는 일반기구보다 더 긴 기구들을 사용해야 한다(그림 9-3).[4]

1. 베레스침과 투관침(Veress needle and trocars)

비만 환자는 피하지방이 두꺼우므로 기복(pneumoperitoneum)을 만드는 방법으로 베레스침을 주로 사용한다. 150 mm의 긴 베레스침이 사용되며 복압이 높아 기복을 만들기 위해 복벽의 전방견인(anterior traction)이 필요할 때도 있다. 안전하고 공기누출(air leak)을 최소화하며 복벽에 잘 고정되고 기구들의 교환을 쉽게 하기 위한 충분한 길이의 투관침을 사용해야 한다.

2. 움켜잡는 기구(Grasping Instruments)
비만 환자의 복강경 수술을 위해서는 충분히 긴 기구들을 준비해야 한다.

3. 당김기구(Retracting Instruments)
식도-위 경계부의 노출을 위해 간의 좌엽을 전방으로 견인해야 한다. 중요한 것은 크고 무거운 간을 안전하게 견인할 수 있을 만큼 충분히 단단해야 한다. 일반적으로 당김기구는 외부기구에 의해 수술대에 안정적으로 고정되어야 한다.

4. 흡인세척기구(Suction Irrigation Devices)
고여있는 피와 증기 등을 제거하여 깨끗한 수술시야를 만들기 위해 효과적이고 안정적인 흡인세척기구는 필수적이다. 흡인세척기구 또한 움켜잡는 기구와 마찬가지로 충분히 긴 기구들을 준비해야 한다.

⑤ 심부정맥혈전증 예방용 순차적 압박장치(Sequential compression device sleeve)

심부정맥혈전증 예방을 위하여 마취 전에 병적비만환자에 맞는 순차적 압축 장치를 반드시 착용하도록 한다.[3]

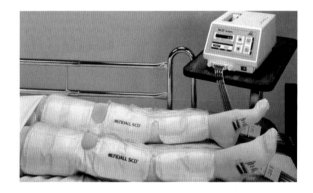

Kendall 5325 SCD (Covidien, USA)

참고문헌

1. Association of periOperative Registered Nurses. AORN Bariatric Surgery Guideline. AORN J 2004;79:1026-52.
2. Cid Pitombo, Kenneth Jones, Kelvin Higa, et. al. Obesity Surgery: Principles and Practice. McGraw-Hill Medical. p. 67-74, 2008.
3. Nguyen NT, Cronan M, Braley S. Wolfe BM. Duplex ultra-

sound assessment of femoral venous flow during laparoscopic and open gastric bypass. Surg Endosc 2003;17:285–290.

4. Richard L. Whelan MD, James W. Fleshman Jr. MD, Dennis L. Fowler MD. The Sages Manual: Perioperative care in minimal invasive care. New York: Springer. p. 76-84, 2006.

5. Stacy Brethauer, Philip R. Schauer, Bruce D. Schirmer. Minimally Invasive Bariatric Surgery. 2nd ed. New York: Springer. p. 87-103, 2015.

Chapter 10 | 비만환자의 마취

Anesthetic considerations of bariatric patient

❶ 소개

비만수술을 받는 환자의 마취는 정상 환자의 간단한 수술을 위한 마취와는 확연히 다르다. 병적비만이 마취 관리에 미치는 영향을 숙지한 후, 철저한 계획과 근거 있는 마취 관리를 시행해야 한다. 비만으로 인한 여러 병태 생리 뿐만 아니라 동반된 질환과 생리적 변화가 안전 및 의사 결정에 영향을 미친다. 본 단원의 목적은 병적비만인 환자를 마취하는데 있어서 중요한 점을 알아보는 것이다.

❷ 수술 전 평가

환자를 평가한 일차 진료 의사나 외과 의사가 동반 질환에 대해 기록을 누락할 가능성이 있다. 주술기 합병증과 관련이 있는 의학적 상태에 대해 철저히 평가해야 한다. 수술 전 평가에서 발견된 장기 부전은 철저히 평가되어야 하며, 수술 전에 최적의 상태로 만들어야 한다.

❸ 마취와 관련된 호흡기계 쟁점

호흡기와 관련하여, 비만은 마취제의 안전역(safety margin)을 감소시키고 주술기에 호흡 부전의 위험성을 증가시킨다[16]. 비만수술 후에 호흡 부전은 생명을 위협하는 합병증이며, 발생율은 1.35% 정도로 보고되고 있다[18]. 호흡 부전을 일으키는 위험 요인으로는 울혈성 심부전, 개복 수술, 만성 신부전, 말초 혈관 질환, 남성, 50세 이상, 음주, 만성 폐질환, 당뇨, 흡연이 있다[18].

병적비만 환자의 특징으로 적은 일회 호흡량, 많은 호흡 횟수, 저산소 혈증이 있다. 호흡 기계의 순응도는 감소되어 있고, 호흡을 하는데 쓰이는 에너지의 양은 높다. 기능잔기용량(functional residual capacity)과 호기예비량(expiratory reserve volume)은 기하급수적으로 감소한다. 환자가 마취된 상태에서 누워 있으면, 체질량지수(Body mass index, BMI)는 기능잔기용량에 더욱 영향을 미치게 되며, 일회 환기량은 폐쇄폐공기량 안에서 감소하게 되며 션트를 유발하게 된다[21]. 폐역학과 폐용적과는 별도로, 비만수술 환자에서 수면무호흡 발생률은 75%에 달한다[13]. 수면무호흡과 심한 비만이 있는 환자들의 20%는 비만저환기증후군(obesity hypoventilation syndrome, OHS), 주간 고탄산혈증, 저산소혈증, 증가된 HCO_2^-을 가지고 있는 것으로 보고되고 있다.[19] 마취과 의사는 환자들이 OHS가 있는지 여부를 주의해서 살펴보아야 한다. OHS가 동반된 환자들은 심한 상기도폐색, 제한성 폐질환, 중심 호흡 드라이브 감소, 폐동맥 고혈압, 높은 사망률과 관련이 있기 때문이다. 이런 환자들은 비만수술 전에 수면다원검사와 양압 호흡법(positive airway pressure) 조절을 위하여 수면 의학에 자문을 구해야 한다. 심전도는 우측 심장 기능과 폐동맥 고혈압을 평가하기 위해 반드시 시행되어야 한다. 우심실 기능이 떨어져 있고 폐동맥 혈압이 높은 경우(>35 mmHg), 주술기 마취 관련 사망률이 올라가는 것으로 보고되고 있다. OHS를 가지고 있는 환자들을 위해 신중한 기도 관리, 빠른 각성, 환기 장애 모니터, 빠른 양압 호흡법 적용이 필요하다.

비만한 환자들은 호흡기계가 손상되어 있으므로 마취 유도, 유지, 수술 후에 저산소증을 방지하기 위해 사전에 준비가 필요하다. 심한 비만인 환자가 100% 산소로 탈질소화한 뒤, 마취가 되어 앙와위로 누워있는 상태에서, 산소포화도가 100에서 90%로 감소하는데 걸리는 시간은 약 2.5분이다[11]. 수술 전 처치 투약은 자발적 호흡을 감소시킬 수 있기 때문에 최소화해야 한다. 수술 전 예방적 산소 투여는 저산소증의 시기를 연기할 수 있기 때문에 반드시 사용되어야 한다. 25도 머리를 올린 자세는 저산소증을 초래하지 않는 무호흡 시간을 증가시킬 수 있으며[7], 마취 유도 중 지속적 양압을 적용할 경우, 무호흡 시간을 50%까지 증가시킬 수 있다.[8]

마취 유도 직후에, 폐의 아래쪽 부위에 무기폐가 발생한다. 무기폐는 폐션트 및 저산소혈증을 초래한다. 무기폐와 관련된 염증 사이토카인은 폐렴, 호흡 부전과 같은 환기(ventilation) 관련 폐손상을 일으킬 수 있다. 심한 비만 환자에서 무기폐를 방지하기 위해, 10 cm H_2O 보다 높은 호기말 양압(positive end-expiratory pressure, PEEP) 및 보충 조작(recruitment maneuver)을 시행해 볼 수 있

다. 높은 PEEP와 복강 내 공기투여를 동시에 시행할 경우, 복귀정맥혈(venous return)을 감소시키고 저혈압을 유도할 수 있다. 그럼에도 불구하고, 수액 보충이 적절히 이루어진 병적비만 환자의 경우 20 cm H_2O 이상의 PEEP도 견딜 수 있다.[4]

❹ 마취와 관련된 심혈관계 쟁점

병적비만 환자의 조직은 양이 많아서 총혈류량의 증가를 야기한다. 총혈류량은 증가하지만, 단위 체중당 혈류량은 감소한다. 단위 체중당 혈류량 총체중(total body weight, TBW)은 BMI가 증가하면 기하급수적으로 감소한다. 예를 들면, BMI 22 kg/m²인 사람이 70 mL/kg TBW이면 BMI 65 kg/m²인 사람은 40 mL/kg TBW이다 (그림 10-1).[15] 이런 경우에, 70 mL/kg TBW로 착각할 경우, 병적비만 환자의 혈량을 과대평가하게 된다. 또한, 수술 중 심각한 출혈이 발생할 경우, 수혈을 부족하게 시행할 수 있다. 병적비만 환자에서 총혈류량 증가로 인하여 심박출량이 증가하게 된다. BMI 20 kg/m²인 환자에서 심박출량이 4 L/min인 반면, BMI 40 kg/m²인 환자에서는 심

그림 10-1 단위 체중당 혈류량 총체중(Total body weight, TBW)에 체질량지수(Body mass index, BMI)가 미치는 영향. 주어진 BMI (BMIp)를 가진 환자의 혈류량(mL per kg TBW)은 다음의 공식으로 계산될 수 있다:

$$\sqrt[70]{\dfrac{BMIp}{22}}$$

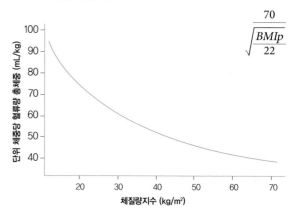

박출량이 6 L/min 이상이다. 심박출량은 약물 투여 후에 초기 약물역학, 약물 분포 및 희석에 영향을 준다. 심박출량이 증가할 경우, 약물이 뇌로 접근하는 것을 감소시키며, 체내 재분배를 촉진시킨다. 결과적으로 약물 농도가 감소하고, 빠르게 각성하게 되며 필요한 약물의 양이 증가하게 된다. 이런 현상은 정맥 마취제를 이용한 마취 유도 시 큰 의미를 가지게 된다.

비만수술을 받는 환자들이 가장 흔하게 가지고 있는 질환은 고혈압이다. 고혈압과 관련된 혹은 관련되지 않은 여러 가지 기전들을 통해 비만은 심장 기능을 비정상적으로 만든다. 비만과 관련된, 고혈압과는 연관이 없는 심장 기능 저하는 대사 이상과 관련된 것으로 보이지만, 아직 확연히 밝혀진 바는 없다. 높은 BMI, 대사 증후군, 인슐린 저항성, 제2형 당뇨병, 신체 활동량 저하가 모두 건강한 젊은 비만 환자에서도 수축기 및 이완기 심장 기능 저하를 초래한다. 이는 결과적으로 좌측 그리고/혹은 우측 심장 부전으로 진행되기도 한다. 고혈압, 당뇨, 병적비만(BMI >50 kg/m²)이 모두 있을 경우, 주술기 심장 관련 사고와 사망의 위험도가 2배 증가하는 것으로 보고된 바 있다.[9] 울혈성 심장 부전, 말초 혈관 질환, 만성 신장 부전은 수술 후 재원 기간 내 사망의 예측 인자이다. 비만은 또한 심방 세동, 심실주기외박동과도 연관되어 있다. 심장 관련 사고는 비만수술 이후 30일 내 사망률에 큰 영향을 준다.

❺ 약리학적 고려 사항

최근까지, 비만한 환자들은 임상 시험을 사용한 연구에서 제외되었다. 이런 조치들로 인해 권장 약물 용량은 정상인들에게만 통용되는 몸무게를 근거로 제작되었다. 하지만, 이런 약물 용량은 비만 환자에겐 적절하지 않다. 병적비만은 마취제의 약물 역학과 약물 반응에 영향을 준다. 게다가 심장과 폐의 기능이 떨어져 있어서 마취제의

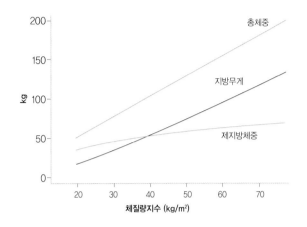

그림 10-2 160 cm 여성에서 체질량지수(Body mass index, BMI) 증가로 인한 몸의 구성 성분의 변화. 지방 무게는 총체중에서 제지방체중을 감하여 계산하였다.

안전역이 심각하게 감소한다. 따라서 잘못된 약물 용량은 주술기 합병증을 증가시킬 수 있다.

비만은 조직의 양에도 영향을 줄 뿐만 아니라, 몸의 구성 및 조직 관혈류에도 영향을 준다. 지방과 제지방체중(lean body weight, 제지방체중 = 체중 - 체지방)은 모두 증가하지만, 두 가지가 비례하여 증가하지는 않는다. 제지방체중의 비율은 몸무게가 증가함에 따라 감소한다(그림 10-2). 제지방체중 대 지방 무게의 비율은 BMI가 변함에 따라 달라지며, 이는 약물 분포에 영향을 준다. 지방으로의 혈류도 또한 BMI가 변함에 따라 달라진다. 낮은 BMI에서는 지방으로의 혈류가 원활하나, 높은 BMI에서는 지방으로의 혈류가 원활하지 않다. BMI에 따라 지방 대 제지방체중의 비가 달라지고, 지방으로의 혈류량이 다르기 때문에 비만이 약물의 조직 분포에 미치는 영향은 거의 알려진 바가 없다.

병적비만 환자는 심박출량이 증가되어 있어서, 마취 유도제의 용량을 증가시켜야 한다. 정상 심박출량을 가진 환자의 경우, 심박출량은 주로 제지방체중과 상관 관계가 높다. 따라서 약물 용량을 정할 때, 제지방체중과 심박출량이 체중보다 더 적절한 변수라고 할 수 있다. 체중에 근거하여 마취 유도제의 용량을 정할 경우, 과량 투

표 10-1 병적비만 환자에서의 추천 용량 계산 척도

	계산 척도	비고
마취 유도제		
티오펜탈	제지방체중	
프로포폴	제지방체중	지속 정주 혹은 유지 용량은 TBW 이용
에토미데이트	제지방체중	패혈증 환자에서의 사용은 논란의 여지가 있음
아편양 제제		
펜타닐	제지방체중	효과를 감시하면서 조절
알펜타닐	제지방체중	
수펜타닐	제지방체중	
레미펜타닐	제지방체중	총체중으로 계산할 경우 심한 저혈압 혹은 서맥 야기함
근이완제		
석씨닐콜린	총체중	병적비만 환자에서의 근육통 발생률은 낮음
로큐로니움	제지방체중/이상적체중	이상적 체중은 작용 시간 감소를 야기함
베큐로니움	제지방체중/이상적체중	
시사트라큐리움	제지방체중/이상적체중	
아트라큐리움	제지방체중/이상적체중	급속 주입은 히스타민 분비를 야기함
판큐로니움	체표면적	사용 금지. 작용 시간이 김

여로 인해 저혈압과 같은 부작용이 발생할 수 있다.

많은 약역학 연구들에 의하면 청소율(clearance, 유지 용량을 정하는데 가장 신뢰할만한 약역학 지수)이 제지방체중과 비례한다. 이런 사실은 제지방체중이 마취 유도 및 부하 약물 용량 뿐만 아니라 마취 유지 용량을 정하는데도 적절하다는 것을 말해 준다. 마취제들에 용량을 정하는데 추천할만한 기준이 되는 항목에 대해 **표 10-1**에 정리되어 있다.

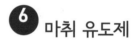

❻ 마취 유도제

1. 티오펜탈(thiopental)

티오펜탈이 세계 건강 기구에서 필수 약물 항목에 포함되어 있기는 하지만, 한국에서는 현재 티오펜탈을 대신하여 프로포폴(propofol)을 사용하고 있다. 그럼에도 불구하고, 티오펜탈은 프로포폴보다 부작용이 적다는 의견도 있으며, 이상적인 마취유도제이기는 하다. 티오펜탈은 정맥으로 주입되자마자 뇌, 폐, 간, 심장, 신장, 위장, 췌장과 같은 혈류가 풍부한 조직으로 분포하게 된다. 마취유도제를 투입한 후, 근육으로 재분포되어 뇌에서의 티오펜탈의 농도는 낮아진다. 이로 인해 마취 효과는 불과 5-10분 정도 유지된다. 병적비만 환자는 심박출량이 증가되어 있고, 이는 티오펜탈의 필요 용량에 크게 영향을 미친다. 예를 들어, 병적비만 환자에게 마취 유도를 위해 티오펜탈 250 mg을 투여할 경우, 마른 환자에 비해서, 최대 동맥 혈중 농도가 50%까지 감소하는 것을 관찰할 수 있다. 티오펜탈 용량을 제지방체중 혹은 증가된 심박출량을 고려하여 정하는 것이 필요하다.

2. 프로포폴(propofol)

현재, 비만 환자를 위한 마취제로서 프로포폴이 가장 많이 사용되고 있다. 심박출량은 혈중 농도와 효과의 지속 시간에 큰 영향을 미친다. 마취 유도를 위해 정맥으로 대량 주입할 경우, 프로포폴의 최대 혈중 농도는 심박출량과 반비례한다. 또한, 심박출량이 높아질수록 마취제 투여 후 각성하는 시간이 더 짧아지는 것으로 알려져 있다. 예를 들어, 심박출량이 8.5, 5.5, 2.5 L/min 일 경우에, 의식을 회복하는 걸리는 시간은 약 2.9, 8.6, 18.7분이다. 심박출량은 약물 발현 시간에는 영향을 주지 않는다. 병적비만 환자에서, 프로포폴마취 유도 용량을 정할 때 제지방체중이 일반 TBW보다 적절하다고 할 수 있다. 병적비만 환자에서 제지방체중을 근거로 프로포폴 용량을 정하여 투여할 경우, 비만하지 않은 환자에서 마취 유도할 때와 비슷한 정도의 의식 소실 시간을 보여 준다.

3. 에토미데이트(etomidate)

에토미데이트는 티오펜탈과 프로포폴 같은 약제에 비하여 혈압을 덜 낮추는 것으로 알려져 있다. 따라서, 심각한 심장 질환이나 혈역학적으로 불안정한 환자의 마취 유도를 하는 경우, 에토미데이트는 적절한 선택이라고 할 수 있다. 비만 환자에서 에토미데이트의 약리학적 성질

은 연구가 된 적이 없다. 그러나, 에토미데이트는 티오펜탈과 프로포폴 같은 약제와 약동학과 약역학이 유사하므로, 마취 유도 용량을 제지방체중과 심박출량에 근거하여 정하는 것이 타당하다.

에토미데이트는 가역적으로 11-베타-수산화효소를 차단하여 부신 피질 억제를 한다. 이로 인해 코르티코스테로이드의 합성을 저해하기도 한다. 이런 스테로이드 합성 차단 효과는 마취 유도를 위한 일회성 주입에서는 임상적으로 큰 영향을 주지 않을 것으로 생각된다. 그러나, 패혈증이 있는 환자의 경우, 에토미데이트를 마취 유도제로 사용하는 것은 논란의 여지가 있다. 다른 부작용으로는 주입 시 통증, 근육통, 술후 오심 및 구토가 있다.

4. 덱스메데토미딘(dexmedetomidine)

덱스메데토미딘은 항불안과 진통 효과를 가진 진정제이다. 덱스메데토미딘은 선택적 알파2-아드레날린수용체다. 호흡 억제 작용이 약하긴 하지만, 아편양 제제와 벤조다이아제핀과 함께 사용할 경우, 호흡 억제를 일으킬 수 있다. 짧은 분배 반감기(8분)와 상대적으로 짧은 제거 반감기(2시간)로 인해 지속 정주용으로 사용되고 있다. 덱스메데토미딘의 항불안 효과는 노르에피네프린의 분비를 감소시키고 혈압과 심박수를 감소시킨다. 이런 효과로 인해 체내 용적이 부족한 환자들에게는 심한 저혈압을 유발시킬 수 있고, 심장 차단이 있는 환자에서는 심한 서맥이 나타날 수 있다. 다른 부작용으로 입마름이 생길 수 있고, 이는 기관지 내시경을 이용한 기관내삽관 시 장점으로 작용되기도 한다. 수술 후에 덱스메데토미딘은 오한을 감소시킨다. 위 우회로 조성 수술을 시행할 때, 덱스메데토미딘을 펜타닐(fentanyl) 대신 사용할 경우, 혈압과 맥박수를 낮추며, 기관내관 발관 시간의 감소, 통증 점수의 감소, 몰핀(morphine)과 회복실에서의 항구토제 사용 감소를 기대할 수 있다(10분 간 부하 용량 0.5 mcg/kg 투여 후, 0.4 mcg/kg/h 지속 정주). 복강경을 이용한

비만수술에서, 심혈관 부작용을 줄이기 위해서는, 적은 양의 주입량(0.2 mcg/kg/min)이 추천된다.

❼ 아편양 제제

펜타닐(fentanyl)과 유사물질인 알펜타닐(alfentanil), 수펜타닐(sufentanil), 레미펜타닐(remifentanil)과는 달리, 오랜 시간 작용하는 아편양 제제인 몰핀(morphine)과 하이드로몰폰(hydromorphone)은 수술 중의 신체 반응과 자율 신경계 반응을 차단할 만큼 강력하지 않다. 게다가 몰핀과 하이드로몰폰을 사용할 경우, 병적비만 환자에서 마취 후 각성 시 졸음, 졸림을 유발할 수 있다. 따라서 몰핀과 하이드로몰폰은 수술 중에는 사용하지 않는 것이 좋다.

1. 레미펜타닐(remifentanil)

레미펜타닐의 물리화학적 특성으로 인해, 발현 시작 시간이 1분 미만이다. 깨어 있는 환자에서 레미펜타닐을 대량 주입할 경우 심한 서맥, 저혈압, 근육 강직을 유발할 수 있다. 혈장과 조직의 가수분해효소는 레미펜타닐을 빠르게 분해한다. 이로 인해 아주 높은 청소율(3 L/min)을 보이며 이는 간, 신장 기능 장애에 영향을 받지 않는다. 빠른 발현 시작 시간과 높은 청소율로 인해 레미펜타닐은 지속 정주에 매우 적합하다. 용적과 청소율은 TBW이 아닌 제지방체중과 깊은 관련이 있다. 따라서 비만 환자의 경우, 레미펜타닐 TBW를 고려하여 투여할 경우, 과량이 투여되며 저혈압, 서맥과 같은 부작용들이 나타나게 된다. 비만 환자에서는 제지방체중을 바탕으로 레미펜타닐을 투여할 경우, 일반 환자에서 TBW을 기반으로 투여하였을 때의 혈중 농도와 유사하게 된다. 지속 투여를 종료하면, 약물 효과는 5-10분 안에 빠르게 사라진다.

빠른 약물 효과 감소로 인해, 수술 후 통증이 예상되며, 레미펜타닐 투여 종료 전에 다른 진통제 투여를 고려해야 한다.

2. 수펜타닐(sufentanil)

수펜타닐은 가장 강력한 아편양 제제이다. 친지질성이 강하며, 신체 반응과 자율 신경계 반응은 약 5분이다. 펜타닐과 유사하게, 일반인들의 약역학을 적용할 경우, 병적비만 환자에서는 수펜타닐의 혈중 농도가 과평가될 것이다.

3. 펜타닐(fentanyl)

펜타닐은 작용이 빠르며(작용 발현 시간 5분), 수술 중에 신체 반응과 자율 신경계 반응을 효과적으로 차단한다. 펜타닐은 아마도 비만수술 중에 가장 많이 사용하는 아편양제제일 것이다. 비만 환자의 높은 심박출량으로 인해 초기 분배 시에 펜타닐은 혈중 농도가 낮다. 또한 나중에 일반인의 약역학을 적용할 경우, 비만 환자에서의 펜타닐 혈중 농도는 과평가될 가능성이 있다. 비만 환자에서의 펜타닐 청소율은 높으며, TBW보다는 제지방체중에 비례한다. 이런 자료들은 펜타닐의 부하 용량 및 유지 용량을 정하는데 제지방체중을 사용해야 한다는 점을 시사한다. 하지만, 비만은 주술기 호흡 저하는 일으킬 수 있다. 따라서 펜타닐과 다른 아편양 제제들의 투여는 환자 별로 조심스럽게 조절해 주어야 한다.

4. 알펜타닐(alfentanil)

알펜타닐의 발현 시작 시간은 약 1분이다. 병적비만 환자는 심박출량 증가로 인하여, 알펜타닐의 초기 분배 시에 혈중 농도가 낮을 것이다. 알펜타닐 친지질성은 펜타닐과 수펜타닐보다는 약하며, 작은 분포용적을 가지고 있다. 알펜타닐의 약역학과 관련하여 비만의 영향은 알려진 바가 없다.

⑧ 흡입 마취제

1. 데스플루레인(desflurane)

체질량지수 데스플루레인의 섭취에 대한 영향은 미미하다. 2-4시간 동안의 0.6 MAC의 데스플루레인을 사용하였을 때, 비만한 환자와 정상인의 마취 후 각성까지의 시간은 동등하게 빠르다(4분). 비만한 환자들에서의 몇몇 연구들은 데스플루레인과 세보플루레인(sevoflurane)을 비교하였는데, 데스플루레인이 더 빨리 각성에 도달한다는 연구도 있었고, 둘 사이에 차이가 없다는 연구도 있었다.

2. 세보플루레인(sevoflurane)

비만 환자 마취에서, 세보플루레인은 아이소플루레인에 비해 약간 빠른 섭취와 제거를 보여 주는 것 같다. 불화물(fluoride, 세보플루레인의 대사물)은 농도가 50 mmol/L일 경우, 신독성이 있을 수 있다. 게다가 세보플루레인은 바륨 수산화물 석회 혹은 소다라임이 들어 있는 이산화탄소 흡수제에 의해 화합물 A (compound A)로 분해된다. 신선 가스 양의 감소 혹은 가스혼합물 온도의 상승은 화합물 A의 농도를 증가시킨다. 화합물 A를 160 ppm/h 이상 흡입하게 되면 알부민뇨, 당뇨(glycosuria), 효소뇨가 발생할 수 있다. 신기능이 떨어져 있는 환자가 참여한 몇몇 임상 연구들은 세보플루레인의 사용이 신장 기능

악화와 관련이 없다는 보고를 하고 있다. 그러나, 신장 기능이 떨어져 있는 환자에서의 세보플루레인 안전성은 논란의 여지가 있다.

⑨ 근육이완제

1. 로큐로니움(rocuronium)

로큐로니움은 비탈분극성 근이완제이며, 빠른 연속기관삽관 시에 석씨닐콜린을 대신하여 사용 가능하다. 이상체중(ideal body weight, IBW, IBW = 50(여자는 45.5) + 0.91 × (키 – 152.4 cm))을 적용하여 1.2 mg/kg을 투여할 경우, 60초 후에 기관내삽관을 위한 최적의 근이완에 도달할 수 있다. 그러나, T1이 다시 발생하는데 걸리는 시간이 무려 52 분이다. 제지방체중을 기반으로 한 로큐로니움 유지 용량은 아직 연구가 된 바가 없다. 그러나, IBW을 이용한 용량 계산은 적절해 보인다. 로큐로니움의 최대 효과와 회복 시간은 다른 근이완제와 마찬가지로 매우 가변적이다. 따라서 근이완 정도의 지속적인 감시가 필수적이다.

2. 베큐로니움(vecuronium)

체중으로 보정하지 않은 약역학 지수들은 비만한 환자와 정상인 사이에 차이가 없다. 비만한 환자에서 TBW를 기준으로 0.1 mg/kg 베큐로니움을 투여했을 때, 회복하는데 걸리는 시간은 정상인에 비해 약 60% 더 긴 것으로 알려져 있다. 긴 회복 시간은 베큐로니움이 과다 투여된 것으로 설명할 수 있다. 이런 약역학은 결국 비만환자에서 높은 베큐로니움 혈중 농도를 유발한다. 베큐로니움이 과다 투여되고 혈중 농도가 높아지면, 회복은 더 느려

지게 된다(소량 투여했을 때, 재분배에 의해 약물 농도 감소 속도가 빠르다). 베큐로니움의 과다 투여를 예방하기 위하여, IBW에 근거하여 약물 농도를 정하는 것을 추천한다.

3. 시사트라큐리움(cisatracurium)

시사트라큐리움은 호프만 분해(Hoffman degradation)에 의해 제거된다. 호프만 분해는 신장 및 간의 기능과는 무관하다. TBW에 근거하여 약물 용량을 투여하면, 정상인에 비해 비만 환자에서 작용 시간이 길어지는 것을 알 수 있다. 병적비만 환자에서 IBW에 근거하여 시사트라큐리움을 투여할 경우, 정상인에 비해 작용 시간이 감소한다.

4. 석씨닐콜린(succinylcholine)

석씨닐콜린은 탈분극성 근육이완제이다. 이것은 니코틴 아세틸콜린 수용체 활성제이며 근섬유다발수축을 일으킨다. 이후에 운동 종말판의 탈분극에 의한 이완 마비가 발생한다. 석씨닐콜린은 가장 빠른 발현 시간과 가장 짧은 지속 시간을 가지고 있다. 이런 속성들은 기관내삽관을 신속하게 하기 위해 필요하다. 기도 관리가 어려울 것으로 예상되는 경우, 투여 후 근이완의 회복과 자발 호흡의 시작은 5-7분 안에 발생한다. 최대 효과와 작용 지속 시간은 세포 외 수액 용적과 혈장 효소 부티릴콜린 에스테르분해효소(슈도콜린에스트라제)에 의한 분해에 의해 결정된다. 세포 외 수액 용적과 부티릴콜린 에스테르 분해효소의 활성도는 BMI에 비례한다. 따라서, 병적비만 환자는 석씨닐콜린의 용량을 증가시켜야 한다. TBW을 대입한 석씨닐콜린 1 mg/kg은 비만한 환자에서 완전한 근육 이완과 훌륭한 기관내삽관 환경을 제공할 것이다. 석씨닐콜린 1 mg/kg 보다 낮은 용량은 근이완이 불완전하게 발생하여 기관내삽관에 적절치 못할 수 있다. 석씨닐콜린의 사용은 포타슘 증가와 근육통과 연관이 있다. 병적비만 환자에서의 석씨닐콜린 사용으로 인한 근육통 발생은 적다고 알려져 있다.

❿ 근이완역전제

병적비만 환자의 경우, 신경근 차단에서 신속하고 완전한 회복이 특히 중요하다. 잔여 근이완은 수술 직후 호흡 기능 저하를 일으킬 수 있다.

1. 슈가마덱스(Sugammadex)

슈가마덱스는 로큐로니움, 베큐로니움과 결합하고, 근이완제를 둘러싸서 결합체를 형성하는 최초의 선택적 근이완제-결합제이다. 슈가마덱스는 로큐로니움의 기관삽관 용량을 투여한 후에도 즉각적인 근이완 역전을 가능하게 한다. 근이완제는 슈가마덱스의 중심 내에서 높은 친화력으로 결합하며, 신경근 접합부에 있는 아세틸콜린 수용체에는 결합할 수 없다. 근이완제-슈가마덱스가 결합된 복합체는 신장에 의해 사구체 여과율과 동일한 속도로 배설된다. 아세틸콜린 분해제 억제제인 네오스티그민과 달리 슈가마덱스는 수용체 단계에서는 효과가 없으며, 아트로핀(atropine)이나 글라이코피롤레이트(glycopyrrolate)와 같은 항무스카린성 제제를 병용할 필요도 없다.

슈가마덱스는 2008년 유럽 연합(European Union)에서 승인 받았으나 미국 식약청(US Food and Drug Administration, FDA)은 과민증 및 알레르기 반응 가능성에 대한 우려 때문에 같은 해에 신청서를 거부했다. 2015년이 되어서야야 미국에서도 사용이 승인되었다.

2. 네오스티그민(neostsigmine)

병적비만 환자에서 근이완 역전에 대한네오스티그민의 용량-반응 관계는 연구된 바가 거의 없다. 베큐로니움이 연축 높이의 25% 회복 시 네오스티그민으로 역전할 때, 비만이 아닌 환자와 병적비만 환자 간에 사연속반응(train-of-four, TOF) 비율은 0.7 (3.8-4.8분)로 회복되는 시간에 차이는 없다. 그러나 적절한 역전(TOF ratio 0.9)을 위해 필요한 시간은 병적비만 환자에서 4배나 더 필요했다(25.9분 대 6.9분). 네오스티그민의 권장용량은 0.04-0.08 mg/kg이며, 총 5 mg을 넘지 않도록 한다. 깊은 신경근 차단(TOF ratio 0)이 된 경우에는 네오스티그민으로 역전시킬 수 없다.

⑪ 마취 중 감시(monitoring)

비만수술을 받는 비교적 건강한 환자의 경우, 마취 중 비침습적 감시만으로도 충분할 것이다. 중증의 심폐질환이 없는 병적비만 환자에서 침습적 감시가 결과를 개선시킨다는 데이터는 없다.[22]

수술 중 심전도에서 전극 ll와 V의 조합은 심근 허혈을 감지하는 데 있어 80%의 민감도를 보인다. 전극 V4와 V5 감시는 90%의 민감도를 보인다. 최상의 조합은 V4, V5, lead ll 감시이며, 이는 98%의 민감도를 제공한다. 박동 및 전도 문제와 같은 심장 이상은 병적비만 환자에서 자주 발생한다. 심방세동은 가장 흔히 발생하는 부정맥이며, 특히 수면무호흡증(OSA) 환자들에게서 자주 보인다. 만약 수술 중이나 수술 후 심방세동이 발생하면, 수액의 과량 투여로 인한 심방 팽창이 그 원인이 될 수 있다. QT 간격 증가 증후군(prolonged QT interval syndrome)은 갑작스런 심장사를 초래할 수 있는 torsades des pointes의 전조이다. 온단세트론(ondansetron), 세보플루레인, 메타돈(methadone) 등과 같이 주술기에 사용되는 많은 약제들이 QT 간격을 연장시킬 수 있고, 이러한 약제들은 QT 간격 증가 증후군 환자들에게는 사용되어서는 안 된다.

신뢰할 만한 혈압 측정을 위해서는 팔의 75% 이상을 감싸는 적합한 크기의 커프가 사용되어야 한다. 커프가 너무 크면 혈압이 낮게 측정되고, 커프가 너무 작으면 혈압이 높게 측정된다. 병적비만 환자를 위한, 특수한 원뿔 모양의 커프가 도움이 될 수 있다. 만약, 커프가 상완에 맞지 않아 위치시킬 수 없는 경우, 표준 크기의 커프를 전완에 위치시키는 방법이 대안으로 유용하게 사용될 수 있다. 하완부에서 혈압 측정을 하는 경우, 혈압이 실제보다 높게 측정된다. 비침습적 혈압 측정이 어려울 수 있으며, 침습적 혈압 측정이 정확하고 요골 동맥관내 카테터 삽입은 합병증이 드물기 때문에, 동맥내 카테터 거치에 거부감을 가질 이유는 없다.

비만 환자에게 통상적으로 중심정맥관을 삽입하는 것은 추천되지 않는다. 말초 정맥로 접근이 어려울 수 있지만, 이 때문에 중심정맥관을 삽입하지는 않는다. 만약 말초 정맥 카테터 삽입이 쉽지 않을 경우, 중심정맥관 삽입을 시도하기 전에 말초 정맥로의 위치를 결정하기 위해 초음파를 사용할 수 있다. 내경정맥을 통한 중심정맥로 접근은 쇄골하 정맥 천자 시보다 합병증 발생률이 낮다. 어깨 아래 롤을 사용하여 기관내삽관 시 사용하는 경사진 자세(ramped position)와 유사하게 환자를 위치하게 하면, 목 노출이 극대화되고, 중심정맥관 삽입이 용이해진다. 그후, 환자는 트렌델렌버그 자세(Trendelenburg position)를 취하게 한다. 초음파 유도하 중심정맥관 삽입술은 최근 권장되는 방법으로, 카테터를 올바른 위치에 거치시킬 수 있다.[5]

중심정맥압(central venous pressure, CVP) 측정은 순환혈액량이나 수액 투여에 대한 반응의 적절성을 반드시 반영하지는 않는다. 감소한 중심정맥압은 정맥확장이나 저혈량증을 반영할 수 있고, 증가한 중심정맥압은 심장 펌프 기능감소, 흉곽압력/심낭압력 증가, 또는 폐동맥 저항 증가를 반영할 수 있다. 이러한 중심정맥압 값을 해석하는 것과 달리, 중심정맥압 파형의 모양은 진단적으로 유용하다. 예를 들어, v 파형이 두드러질 경우, 삼첨판 폐쇄 부전의 진단을 가능하게 하고, 이러한 큰 v 파형의 존재는 우심부전과 폐동맥 고혈압을 나타낼 수 있다.

비만 환자에서는 혈관 내 용적을 평가하기가 어렵다. 맥압 변화, 양압 환기로 인한 동맥 맥파 압력의 감소는 저혈량증을 나타내는 데 있어서 중심정맥압보다는 더 믿을 만한 지표이다. 인공호흡의 흡기 동안, 심장으로 들어가는 대정맥이 압박되어, 우심실 전부하가 감소되고 후부하가 증가한다. 이렇게 감소된 전부하와 증가된 후부하는 호기말에 좌심실 박출량을 감소시킨다. 이러한 현상이 과도하게 진행되면, 환자의 혈액용적이 줄어들어, 수액을 투여함으로써 심박출량을 호전시킬 수 있다. 맥압 변동의 실시간 변화를 보여주는 상용 장치가 현재 시판되고 있다.

폐동맥압 감시는 좌심실 전부하나 순환 혈액량을 나타내는 데 좋은 지표는 아니지만, 폐고혈압을 평가하는 용도로 여전히 사용되고 있다.

경식도 초음파는 벽운동 이상, 색전, 저혈량증과 관련된 심근 허혈과 같이, 수술 중에 갑자기 벌어질 수 있는 혈역학적 불안정의 가능한 원인을 평가할 수 있는 매우 중요한 도구이다. 초음파 탐지자가 수술 필드(식도 및 위)에 있기 때문에, 경식도 초음파는 비만수술 중에 통상적으로 사용할 수는 없다.

신경근 차단의 정도는 수술 중에 반드시 감시되어야 한다. 수술 중 사연속 반응 감시(Train-of four monitoring, TOF)는 근이완제 투여 지침으로 사용된다. 수술 종료 시점에 TOF ratio는 근이완 역전제 투여의 가이드로 사용된다. 깊은 신경근 차단(TOF ratio 0)의 경우에는 네오스티그민에 의한 역전은 불가능하며, 근이완 역전은 사연속 자극 반응 수가 2가 될 때까지 기다려야 한다. 네오스티그민의 투여량은 총 5 mg을 넘어서는 안 되며, 기관내관 발관은 TOF ratio가 0.9보다 작으면, 시행해서는 안 된다.

뇌파를 이용한 뇌기능 감시는 수술 중 각성을 막고, 마취제 투여를 조절하기 위해 사용되고 있다. 뇌파를 이용한 뇌기능 감시의 효용성은 논란이 있고, 뇌기능 감시의 통상적인 사용과 관련된 자료는 부족한 실정이다. 그러나, 뇌기능 감시는 수술 중 각성의 위험도가 높다고 추측되는 경우에 사용이 추천된다. 일산화질소(nitrous oxide), 케타민(ketamine), 아이소플루레인, 할로테인(halothane)은 BIS의 역설적인 증가와 연관될 수 있다.

요도관은 주요 수술 전에 거치할 수 있다. 만약, 수술이 짧고 통상적인 경우에는 필요하지 않다. 복강경 비만 수술 중 소변 배출량이 적은 경우를 흔히 볼 수 있다. 기복 상태는 항이뇨 호르몬(antidiuretic hormone), 알도스테론(aldosterone), 혈청 레닌(renin) 활성도를 증가시켜 소변 배출량을 줄인다.

⑫ 수술 전 진정(preoperative sedation)

대부분의 환자들에게서 진정제를 이용한 수술 전 처치는 주의하여 사용되어야 한다. 벤조다이아제핀(benzodiazepine)과 아편양 제제에 의한 호흡 억제는 병적비만 환자, 특히 수면 무호흡증이 있는 경우에 더욱 두드러지게 나타난다. 병적비만 환자의 상기도 폐쇄 가능성과 기도 폐색에 대한 각성 반응의 감소는 이러한 환자들이 약물 유발 호흡 억제에 특히 민감하게 만든다. 벤조다이아제핀은 상기도 근육 활동을 감소시켜, 결과적으로 폐색을 유발하고, 약물 초기 투여 수 분 후 동안 중심 무호흡을 야기한다. 매우 예민한 환자에게 수술 전 처치가 필요한 경우, 소량의 미다졸람(midazolam)을 투여한 후, 환자를 직접 감시하고, 대화를 지속하면서 이송할 수 있다. 이송 중에는 산소 투여가 추천된다.

수술실에서는, 수술 전 처치를 하지 않은 환자가 이송용 카트에서 수술실 테이블로 직접 이동하는 것이 현실적이다.

⑬ 기도 관리(airway management)

미국 마취과학회 종료 소송 데이터베이스의 최근 자료에 따르면, 마취 유도 중 기도 관련 유해 사건의 약 40%가 비만 환자에서 발생했으며, 상당한 비율로 영구적 뇌손상이나 사망이 발생하였다.[1] 이는 병적비만 환자에게 기관 삽관과 마스크 환기가 불가능할 수 있어, 급격한 저산소혈증이 초래될 수 있으므로, 놀라운 일이 아니다. 뜻밖의 사고를 피하기 위해서는 기도 관리와 적절한 준비가 다양하게 필요함을 이해하는 것이 중요하다.

일반적인 마취 유도 시에 사용되는 앙와위 자세는 병적비만 환자에게서 적절하지 않다. 앙와위는 기능적 잔기량을 더욱 감소시키고, 복강내 압력을 증가시켜, 호흡으로 횡격막 움직임을 제한하게 된다. 병적비만 환자의 상반신은 마취 유도에 앞서 30-45° 높게 해야 한다. 복부와 가슴의 질량 하중을 없애면, 기능적 잔기량이 증가하고, 폐기능의 제한적 요소가 감소하며, 유순도가 증가한다. 따라서, 병적비만환자의 상반신을 높이는 것은 백과 마스크를 이용한 환기를 용이하게 할 뿐 아니라, 기도 관리가 불가능할 경우에 산소 포화도 저하가 일어나기 시작하기까지의 시간을 증가시킨다. 일반적으로 머리와 목의 축을 최적으로 정렬시키는, 기관삽관 시

그림 10-3 기관내삽관을 위한 "경사진(ramped)" 자세

표준인 "냄새 맡는 자세(sniffing position)"는 병적비만 환자에게는 부적합하다.

환자의 상체, 머리, 목을 외이도와 흉골 절흔이 수평을 이룰 때까지 높인 "경사진(ramped)" 자세는 기관삽관을 하기에 최적의 자세이다(그림 10-3). 경사진 자세는 턱 아래 공간을 확장시켜, 후두경과 후두경 손잡이를 조작하기에 용이하게 한다. 비만은 그 자체만으로 어려운 기관삽관의 독립적 위험 요인은 아니나, 목 지름이 큰, 특히 기관 전방의 지방 조직이 많은, 비만 환자와 말람파티(mallampati) 분류로 높은 정도에 해당되는 환자는 기관내삽관이 어려울 가능성이 더욱 높다. 비만과 수면 무호흡증은 어려운 마스크 환기의 독립적인 위험 요인이지만, 어려운 삽관에 대한 위험 요소는 아니다. 수염은 백(bag)과 마스크를 이용한 환기를 효과적으로 하지 못하게 할 수 있으므로, 수술 전 면도를 환자에게 요청하는 것이 좋다. 마스크 환기 또는 기관내삽관이 아주 어려울 것으로 예상되는 경우에는, 각성하 굴곡성 기관지경을 이용한 삽관이 이용된다. 깨어 있는 환자의 경우, 자발 호흡과 기도 개통성이 유지될 것이나, 진정제가 조심스럽게 투여된다고 가정할 때 – 소량이라도 기도 폐쇄가 일어날 수 있음을 인지하고 있어야 한다. 후두와 인두의 적절한 국소 마취와 신중한 시술로 삽관 시 환자의 불편을 최소화하여야 한다. 지방 조직의 중첩으로 인한 기도의 협착으로 후두를 직접 보는 것은 어려울 수 있다. 앉아 있는 환자의 경우, 인두 공간이 증가하여 환자에게 혀를 내밀라고 지시하면, 기도의 직경을 더욱 크게 할 수 있다. 몇몇 연구에서는 깨어 있는 환자에게 후두 마스크를 사용하여 주변 조직을 열어 성대를 쉽게 보이게 하고, 굴곡성 기관지경을 통과시킬 수 있는 방법에 대해 보고하였다.

비만 환자의 기관내삽관과 마스크를 이용한 환기에 실패한 경우, 후두 마스크를 사용하는 것을 미국 마취과학회에서 권고하고 있다.[3]

최근, 비디오 기관지경이 널리 보급되고 있다. 비디오 기관지경의 사용으로 인해 병적비만 환자에서 후두가

더 잘 보여 기관내삽관을 용이하게 해 준다는 연구가 발표되었다.[17] 매우 다양한 종류의 비디오 기관지경이 사용되고 있으며, 이들은 후두 시야를 향상시켜서 기관내삽관을 용이하게 한다고 보고된 바가 있다.[6, 17] 각각의 비디오 기관지경들 중, 어떤 장비가 우월한지에 대해서는 연구가 부족한 실정이다.

⑭ 기도 흡인 위험성(aspiration risk)

비만 환자가 마취 유도 시 기도 흡인의 위험이 더 높다는 종래의 믿음은 근거가 없다. 공복 상태의 비만 환자 위내 용적이 정상 체중의 환자와 비교했을 때, 더 크지 않고, 아래에 서술한 비만 관련 질환을 제외하고는 위배출이 지연되지 않는다. 실제로, 마취 전 투약이 되지 않은 비만 환자에서 고용량의 낮은 pH의 위산 비율(26.6%)은 정상 체중 환자와 비교할 때, 더 낮다(42%).

증상이 있는 위식도역류증, 당뇨병, 위마비증과 같은 합병증이 있는 환자는 위산 흡인의 위험이 증가한다. 위밴드결찰술을 받은 모든 환자 뿐 아니라, 이러한 환자들에게는 윤상 연골 압박을 이용한 빠른 연속 마취 유도(rapid sequence induction)가 행해져야 한다.

⑮ 기복증(pneumoperitoneum): 기계 환기, 혈역학, 소변량에 미치는 영향

복강 내 공기를 넣게 되면, 증가된 복강 내압과 이산화탄소 흡수가 생리학적 변화의 대부분을 야기한다. 횡격막은 머리쪽으로 이동하고, 이로 인해 기관 내관은 우측 주기관지로 이동할 수 있다. 이러한 현상을 적시에 인지, 시정하지 않으면, 높은 최대흡기압력과 저산소혈증 및 저혈압이 발생한다. 적절한 환기 조절을 통해 흡수된 이산화탄소의 대부분을 제거하고, 산염기 장애를 예방할 수 있다.

복강 내 가스를 주입할 때, 심박수와 혈압은 일반적으로 상승한다. 그러나, 일부 환자는 복막 신전에 의한 미주신경 매개 서맥을 경험할 수도 있다. 대개는 짧은 시간 동안 지속되며, 복강 내로 주입한 가스를 제거하거나, 아트로핀 정맥 주사로 해소된다. 병적비만 환자들에게서, 복강 내 가스를 주입함에 따라 전신혈관 저항, 폐혈관 저항, 평균 동맥압, 우심방압, 폐모세혈관 쐐기혈압이 증가함에 따라 심박출량은 감소한다. 대개 병적비만 환자의 심혈관계에 기복증이 미치는 영향은 잘 견딜 수 있는 정도이다.

신장 관류량의 감소는 항이뇨 호르몬 방출 증가, 혈장 레닌 활성도, 혈청 알도스테론의 증가와 함께 기복증과 동반하여 발생하며, 이는 수분 저류와 소변량 급감을 유발한다. 수술 중 핍뇨의 정도는 복강 내 압력 증가 정도와 직접 연관된다. 호르몬 변화와 일시적인 핍뇨에도 불구하고, 복강경을 이용한 우회술 중 주입하는 가스의 압력이 15 mmHg를 넘지 않은 경우, 혈청 크레아티닌에 의해 측정된 임상적으로 유의한 신장 장애는 발생하지 않는다. 그러나 신기능 장애가 있는 환자의 경우, 신부전 악화를 막기 위해 주입 가스 압력과 혈관내 수액 투여는 적절히 제한되어야 한다.

간 혈류량과 간기능에 있어 기복증의 영향은 신장과 아미노전달효소(transaminase) 수치가 수술 후 24시간 후 6배까지 상승하는 것과 비슷하다. 병적비만 환자들에게 대부분 간 질환이 있으므로, 이러한 영향이 두드러져 보일 수 있다.

개복하여 수술의 경우, 역 트렌델렌버그자세, 10 cm H_2O의 호기말 양압환기, 폐 회복조작(recruitment maneuver)이 병적비만 환자에서 산소화를 상당히 개선시킬 수 있다. 복강경 수술 도중에는 이러한 방법들의 효과가 유의하게 적었다.

순차적 압박장치(sequential compression devices:

SCDs)를 기복증과 함께 사용하면, 심박출량, 일회심박출량, 문맥과 간동맥혈류가 유의하게 증가되고, 신장 관류, 소변량, 전신혈관 저항이 눈에 띄게 호전된다.

16 수액 관리(fluid management)

병적비만 환자는 총 혈액량이 증가되어 있으나, (마취와 관련된 심혈관계 쟁점 참고) 체중 기준으로 kg당 혈액량은 실질적으로 감소되어 있다.

수술 중 수액 투여(15-40 mL/kg TBW)는 수술 후 오심 및 구토 발생률을 줄이고, 횡문근 융해증 발생률을 감소시킬 수 있다.

복강내 고혈압은 복강내 압력이 12 mmHg 보다 큰 경우로 정의한다. 복부구획증후군은 복강 내 압력이 20 mm Hg보다 높으며, 말단기관 기능이상의 징후가 있는 경우를 말한다. 병적비만 환자들은 기준 복강 내 압력이 정상 체중인보다 높으나, 복강 내 고혈압의 범위에 속하지는 않는다. 높은 기준 복강 내 압력과 수액 투여가 복합되고, 기복증이 행해지면, 병적비만 환자들은 복강 내 고혈압 및 구획 증후군에 걸리기 쉽다. 수술 중 정맥 내 수액 관리를 위한 적절한 계획이 필요하다.

17 수술 후에 고려할 점
(postoperative considerations)

복강경 비만수술에서, 적절한 수술 시야를 확보하기 위해서는 깊은 신경근 차단이 필요하다. 기관내관발관을 시도하기 전에 수술을 마친 후에는, 신경근 차단을 필수적으로 완전히 역전시켜야 한다. 아무리 경도의 잔류 마비라 하더라도, 이는 흡기 시 혀와 입천장 뒷공간의 좁아져서, 상기도 허탈을 야기할 수 있다.

지속적 양압 환기(Continuous positive airway pressure, CPAP)의 사용은 무기폐의 위험을 감소시키고, 비침습적 환기는 가스 교환을 개선하기 위한 예방적 또는 치료적 도구로 사용될 수 있다. 지속적 양압 환기는 위낭(gastric pouch)으로 들어가는 공기에 의한 문합 누출의 가능성을 증가시킬 수 있다는 우려가 있다. 그러나, 최근 연구에서 지속적 양압 환기 적용으로 위낭 전층의 압력 변화는 일어나지 않는다.[25]

수면 무호흡증 환자의 수술 중 관리에 대한 미국마취과학회 진료 지침에 따르면, 지속적 양압 환기로 치료받은 수면 무호흡증 환자는 수술 후 가능한 빨리 지속적 양압 환기를 적용해야 한다.[2] 또한, 수면 무호흡증 환자들은 마취회복실에서 퇴실하기 전 비-수면무호흡증 환자들보다 3시간 이상 감시가 필요하다고 권고하였다. 더 필요하다고 권고된 감시에 대한 사항은 과학적 근거가 아닌, 전문가 견해에 근거한다. 수면 무호흡증이 있거나, 수면 무호흡증이 의심되는 환자의 외래 상복부 복강경 수술을 시행할 때도 같은 지침이 적용된다. 수면 무호흡증이 있는 746명의 환자들이 외래 복강경 위밴드수술을 받은 후, 40%는 수술장 또는 마취 회복실에서 저산소증을 경험하였으나,[12] 기도 재삽관이나 호흡 부전은 없었다.

1. 수술 후 오심 및 구토(postoperative nausea and vomiting, PONV)

비만수술은 수술 후 구역 및 구토(PONV)의 높은 발생률과 관련이 있다. 수술 자체, 비만, 여성, 수술 후 구역 및 구토의 병력, 멀미 등은 이미 알려진 위험 요소이다. 아편양 제제, 흡입마취제, 일산화질소 모두 용량과 관련하여 구토 유발 효과가 있다. 구역은 외과적 문합 보존을 해칠 수 있으므로, PONV의 예방이 중요하다. PONV의 예방을 위해 가장 흔하게 사용되는 항구토약제는 항세로토닌제제인 온단세트론(ondansetron)으로 반감기는 4시간이다. 온단세트론의 짧은 반감기는 외래 수술 환경에서와 같이 오래 지속되어야 하는 예방에 대하여, 약제의 효능을 장담할 수 없게 한다. 외래 수술 후 퇴원 후 구역 및 구토(post-discharge nausea and vomiting, PDNV)의 발생률은 PONV보다 높고, 이는 PONV를 겪지 않은 환자에서 50%까지 높게 보고되었다.

정맥 내 수액으로 충분한 수분 공급을 하는 것 이외에, 오랜 시간동안 지속될 수 있는 항구토 전략이 개발되어야 한다.[23] 서로 다른 작용 메커니즘을 가진 다수의 약제(multimodal therapy)가 단일 약제보다 효과적이다. 수술 시작 시점에 덱사메타존(dexamethasone) 8 mg을 정맥 내 투여하고, 병합하여 항콜린제제인 스코폴아민(scopolamine)을 경피 부착하는 전략은 장 시간 지속되는 효과적인 방법이다. 몇몇 위험 요인이 있는 환자들에게는 장시간 작용되는 새로운 5-HT 길항제인 팔로노세트론(palonosetron)을 추가하여 사용할 수 있다. 팔로노세트론의 일회 용량은 정맥 내 주사 0.075 mg이며, 3일 동안 PONV의 발생률을 감소시킨다. 난치성 구역 및 구토 병력이 있는 환자들에게는 4번째 항구토 제제로 뉴로키닌(neurokinin)-1 수용체 길항제인 아레피탄트(aprepitant) 40 mg을 수술 전 경구 투여할 수 있으며, 수술 후에도 지속할 수 있다. 침술, 지압과 같은 비약물요법의 효능은 제한적이나, 추가 요법으로는 사용할 수 있다.

2. 수술 후 통증 조절
(postoperative analgesia)

적절한 수술 후 통증 완화는 환자의 편안함, 폐관리(pulmonary toilet) 및 조기 보행에 중요하다. 수술 후 무통의 정도는 PONV, 진정, 장폐색증, 호흡 억제와 같이 마약 관련 합병증을 피하기 위하여 균형을 맞추어야 한다. 복강경 접근법은 수술 후 통증과 약물 사용을 줄여 실질적으로 이점이 있다.

수술 후 진통제의 경구 투여는 외래 수술 환경에서 사용될 수 있고, 약제의 경구 흡수는 비만환자에서 본질적인 변화는 없으며, 액상 제조가 가장 바람직하다. 가장 흔히 사용되는 경구용 진통제는 비스테로이드 항염증제제(nonsteroidal anti-inflammatory drugs, NSAIDS)와 아편양 제제이다. NSAIDS는 특히 수술 부위 스테이플라인 출혈의 잠재적 위험 요인이 될 수 있어 보편적으로 투여하지는 않는다. 펜타닐은 강력한 마약성 진통제이다. 피부 첩포로 사용하여 경피적으로 흡수될 수 있다. 그러나 펜타닐 첩포는 조절할 수 없고, 첩포 제거 후 최대 17시간까지 펜타닐 흡수가 지속될 수 있다는 점을 감안하여, 수술 후 환경에서는 사용해서는 안 된다. 비만환자의 경우, 진통제의 근육 주사는 권장되지 않으며, 근육 주사의 경로는 예측이 힘들고, 효과가 미미하다.

자가조절 진통장치(patient-controlled analgesia, PCA)는 진통제를 점진적으로 정맥 내 투여를 할 수 있도록 개발되어, 호흡 억제와 과한 진정을 피할 수 있다. PCA 사용은 병적비만 환자에게 적극 권장된다.[10] 또한, 수술 상처로 수술후에도 지속적인 진통제를 침투시키기 위한 국소 마취제인 부피바케인(bupivacaine) 주입 장치가 개발되어, 아편양제제와 관련된 호흡 억제의 위험을 피할 수 있게 되었다. 복강경 수술에서 수술 후 통증 완화에, 기복증 시 사용하는 이산화탄소를 가열 및 가습하는 것이 잠재적 이점이 있다는 것에 관하여 상반된 결과들이 있다. 유럽 내시경 수술 협회(European Association for Endoscopic Surgery) 수련 지침에는 "따뜻하고, 가습된 주입 가스의 임상적 이점은 크지 않고, 논란의 여지가 있다"라고 명시되어 있다.[20] 이론적으로 복막내 국소 마취제 주입은 아편양 제제 관련 합병증 없이 통증을 완화시킬 수 있다. 단일 무작위 임상 시험에서 복강경 조절식 위밴드 술식에서 지속적인 복막 내 국소 마취제 주입 사용을 조사하였다.[24] 복막 내 국소마취제 주입 군에서 통계적으로 유의한 시각통증등급(visual analogue scale, VAS)의 감소가 나타났으며, 어깨 통증 환자와 추가적인 약물 사용에는 차이가 없었다.

선행 진통(preemptive analgesia)은 수술 전 통각 수

용기의 과민 반응을 감소시키기 위해, 절개 전에 신경 경로를 차단하는 접근 방법이다. 선행 진통은 경막외 카테터 또는 절개 전 트로카 절개 부위에 국소 마취제인 리도카인(lidocaine)을 국소적으로 주입함으로써 얻을 수 있다.

수면 무호흡증(obstructive sleep apnea syndrome, OSAS)이 있는 비만 환자는 정상인보다 진정에 더욱 민감한 것으로 여겨진다. 폐색을 유발하는 기도의 변화로 인해 마취제 또는 진정제를 최소량으로 투여했음에도 OSAS 환자는 사망할 수 있다.[14]

OSAS 환자들에 대한 미국 마취과학회지침(American Society of Anesthesiologists Guidelines)은 주술기 치료를 개선하고, 진정, 진통, 마취를 받는 OSAS 환자들의 부작용 위험을 줄이기 위한 것이다. 수술 전 평가를 할 때, 환자의 OSAS의 심각도, 수술 종류와 마취, 수술 후 마약성 진통제의 요구량이 고려되어야 한다.[2]

요약하면, 복강경 수술 후, PCA에 의해 저용량의 아편양 제제 투여와 국소 마취제의 상처 침윤, 경구 진통제 투약은 수술 후 통증을 완화시킬 수 있다.

참고문헌

1. Anesthesia Closed Claims Project. http://depts.washington.edu/asaccp/projects. Last accessed 22 Nov 2016.

2. American Society of Anesthesiologists Task Force on Perioperative Management of patients with obstructive sleep a. Practice guidelines for the perioperative management of patients with obstructive sleep apnea: an updated report by the American Society of Anesthesiologists Task Force on Perioperative Management of patients with obstructive sleep apnea. Anesthesiology 2014;120:268-86.

3. Apfelbaum JL, Hagberg CA, Caplan RA, et al. Practice guidelines for management of the difficult airway: an updated report by the American Society of Anesthesiolo-gists Task Force on Management of the Difficult Airway. Anesthesiology 2013;118:251-70.

4. Bohm SH, Thamm OC, von Sandersleben A, et al. Alveolar recruitment strategy and high positive end-expiratory pressure levels do not affect hemodynamics in morbidly obese intravascular volume-loaded patients. Anesth Analg 2009;109:160-3.

5. Brusasco C, Corradi F, Zattoni PL, et al. Ultrasound-guided central venous cannulation in bariatric patients. Obes Surg 2009;19:1365-70.

6. Dhonneur G, Abdi W, Ndoko SK, et al. Video-assisted versus conventional tracheal intubation in morbidly obese patients. Obes Surg 2009;19:1096-101.

7. Dixon BJ, Dixon JB, Carden JR, et al. Preoxygenation is more effective in the 25 degrees head-up position than in the supine position in severely obese patients: a randomized controlled study. Anesthesiology 2005;102:1110-5; discussion 5A.

8. Gander S, Frascarolo P, Suter M, et al. Positive end-expiratory pressure during induction of general anesthesia increases duration of nonhypoxic apnea in morbidly obese patients. Anesth Analg 2005;100:580-4.

9. Glance LG, Wissler R, Mukamel DB, et al. Perioperative outcomes among patients with the modified metabolic syndrome who are undergoing noncardiac surgery. Anesthesiology 2010;113:859-72.

10. Graves DA, Batenhorst RL, Bennett RL, et al. Morphine requirements using patient-controlled analgesia: influence of diurnal variation and morbid obesity. Clin Pharm 1983;2:49-53.

11. Jense HG, Dubin SA, Silverstein PI and O'Leary-Escolas U. Effect of obesity on safe duration of apnea in anesthetized humans. Anesth Analg 1991;72:89-93.

12. Kurrek MM, Cobourn C, Wojtasik Z, et al. Morbidity in patients with or at high risk for obstructive sleep apnea after ambulatory laparoscopic gastric banding. Obes Surg 2011;21:1494-8.

13. Lecube A, Sampol G, Lloberes P, et al. Asymptomatic sleep-disordered breathing in premenopausal women awaiting bariatric surgery. Obes Surg 2010;20:454-61.

14. Lee W, Nagubadi S, Kryger MH and Mokhlesi B., et al. Epidemiology of Obstructive Sleep Apnea: a Population-

based Perspective. Expert Rev Respir Med 2008;2:349-64.

15. Lemmens HJ, Bernstein DP and Brodsky JB., et al. Estimating blood volume in obese and morbidly obese patients. Obes Surg 2006;16:773-6.

16. Littleton SW. Impact of obesity on respiratory function. Respirology 2012;17:43-9.

17. Marrel J, Blanc C, Frascarolo P and Magnusson L., et al. Videolaryngoscopy improves intubation condition in morbidly obese patients. Eur J Anaesthesiol 2007;24:1045-9.

18. Masoomi H, Reavis KM, Smith BR, et al. Risk factors for acute respiratory failure in bariatric surgery: data from the Nationwide Inpatient Sample, 2006-2008. Surg Obes Relat Dis 2013;9:277-81.

19. Mokhlesi B, Tulaimat A, Faibussowitsch I, et al. Obesity hypoventilation syndrome: prevalence and predictors in patients with obstructive sleep apnea. Sleep Breath 2007;11:117-24.

20. Neudecker J, Sauerland S, Neugebauer E, et al. The European Association for Endoscopic Surgery clinical practice guideline on the pneumoperitoneum for laparoscopic surgery. Surg Endosc 2002;16:1121-43.

21. Pelosi P, Croci M, Ravagnan I, et al. The effects of body mass on lung volumes, respiratory mechanics, and gas exchange during general anesthesia. Anesth Analg 1998;87:654-60.

22. Schumann R, Jones SB, Cooper B, et al. Update on best practice recommendations for anesthetic perioperative care and pain management in weight loss surgery, 2004-2007. Obesity (Silver Spring) 2009;17:889-94.

23. Schuster R, Alami RS, Curet MJ, et al. Intra-operative fluid volume influences postoperative nausea and vomiting after laparoscopic gastric bypass surgery. Obes Surg 2006;16:848-51.

24. Sherwinter DA, Ghaznavi AM, Spinner D, et al. Continuous infusion of intraperitoneal bupivacaine after laparoscopic surgery: a randomized controlled trial. Obes Surg 2008;18:1581-6.

25. Weingarten TN, Kendrick ML, Swain JM, et al. Effects of CPAP on gastric pouch pressure after bariatric surgery. Obes Surg 2011;21:1900-5.

Chapter 11 | 환자의 안전

Patient's safety

① 서론

모든 의료 종사자들은 환자를 위해 수술을 더욱 안전하게 하는 목표를 적극적으로 받아들여야 한다. 비만수술과 관련하여 비만대사외과의나 비만대사 다학제 프로그램의 치료 질을 정의하는 몇 가지 방법이 있는데, 이들 중 무엇보다도 안전한 비만환자 치료는 환자 치료가 잘 되고 있다는 지표이며, 치료의 방법, 절차 그리고 결과를 명확히 하는 것이 매우 중요한 문제로 대두된다. 외과의들은 이러한 방법들이 어떻게 시작되었는지를 명확히 하여야 한다. 치료결과를 공개하고 이것을 급여와 연계하게 되면 향후에는 모든 의료 공급자들이 자발적으로 이러한 정보들을 전향적으로 수집하게 될 것이다.

질 관리의 가장 중요한 목표는 환자의 안전이다. 이제는 외과의가 다학제적인 수술 전후 관리 없이 수술하는 것이 더 이상 가능하지 않게 되었다. 비만환자에 있어서 치료 접근성의 문제가 있기는 하나 출장 수술이나 의료 쇼핑은 이제 더 이상 바람직하지 않다. 많은 외과의들이 비만수술을 시행할 능력을 가지고 있지만 적절한 다학제적인 치료, 추적관찰 및 수술 결과와 합병증에 대한 분석 없이 시행하는 수술은 이제 표준치료의 범주에서 벗어난 것으로 간주된다. 그리고 비만치료를 시행하는 병원, 외과의 그리고 내과의들 사이에서 수술 결과, 합병증 그리고 의료과실의 형태 등은 서로 투명하게 정보가 공유되어야 한다. 질 향상의 문제는 비단 비만치료에서 뿐만 아니라 다른 모든 의료 영역에서 전혀 새로운 문제가 아니다. 그러나 질 향상의 문제는 자료의 질과 자료의 분석에 대한 신뢰성과 밀접한 연관을 갖는다.[20] 이러한 자료에 대한 분석은 치료의 질을 정의하는 데 많은 도움을 준다. 임상 데이터 등록은 더 풍부하고 상세하지만 문제가 있을 수 있다. 예를 들어, 적절한 데이터가 항상 등록되는 것은 아니며, 이 데이터를 식별하는 데 사용되는 지표는 반드시 수술 절차와 관련이 있는 것 또한 아니다.[32]

❷ 질의 정의(Defining Quality)

위험을 줄이고 환자의 안전을 증가시키는 열쇠는 합병증의 수, 빈도 그리고 심한 정도를 감소시키는 것이다. Adverse event, Near miss, Never event 등은 보건 분야에서 사용하는 특수한 어휘인데, 이런 것들을 통해 의료공급자들은 교훈을 얻고 이후에는 이러한 사건들의 재발을 방지하는 데 노력 하여야 한다. 최근에는 이러한 사건들의 발생 여부가 급여와 연계되고 있다. 미국의 예를 들면 "Never event"가 발생할 경우 이것은 Medicare를 통해 급여에서 제외된다. 그러므로 어떤 병원의 의료의 질을 정의하는 간단한 방법은 그 병원의 Adverse event, Near miss, Never event의 빈도를 확인해 보면 된다. 특히, 수술에서 일어나는 Adverse event의 절반 이상을 차지하는, 예방 가능한 부작용(preventable adverse event; PAE)이 치료의 질을 평가하는 방법으로 연구되어 왔다.[18] The Agency for Healthcare Research and Quality (AHRQ)에서는 재원기간 동안 발생하는 PAE의 빈도를 측정하기 위해 환자안전지표(patient safety indicator, PSI)를 개발하였다(표 11-1).[25] 병원들은 부작용 결과의 원인을 확정하기 위해 그들의 환자안전지표(PSI) 뿐만 아니라 예방 가능한 부작용(PAE)을 추적할 수 있다.[3]

"Near misses"는 에러가 Adverse event 결과를 동반하지 않고 발생하여 병원이 인지했을 때를 말한다. 이러한 "Near miss"는 관리 과정에서 문제를 나타낼 수 있다. 따라서 병원들은 과정들을 향상시키고 더 이상의 사건들을 방지하기 위해 적극적으로 사건을 평가하게 된다.

"Never event"는 특징적인 사건들의 대중적인 책임성과 투명성 측면에서 대중과 보건의료 제공자들 모두를 고려하였을 때, 심각하지만 실제로 예방 가능한 Adverse event로 정의할 수 있다.[21] 27건의 "Never event"들의 original list는 2002년에 있었던 National Quality Forum (NQF)에서 채택되었고 최근 2012년에 수정하여 발표되었다. 11개주의 병원들로부터 이러한 사건들을 보고 받았

표 11-1 환자안전지표[25]

1. 마취 합병증
2. 낮은 사망률 DRG에서의 사망
3. 압력에 의한 궤양 비율
4. 구조실패
5. 수술중 남겨 놓은 이물질
6. 외상성 기흉
7. 중심정맥관 관련 혈액감염
8. 수술 후 골반골절
9. 수술 후 출혈 또는 혈종
10. 수술 후 생리적 그리고 대사적 교란비율
11. 수술 후 호흡부전비율
12. 수술 후 폐색전 또는 심부정맥혈전 비율
13. 수술 후 패혈증 비율
14. 수술 후 상처벌어짐 비율
15. 우연히 발생하는 천자 또는 열상
16. 수혈 부작용
17. 출산에 의한 손상 – 신생아 손상
18. 분만손상 – 기구를 이용한 질식분만
19. 분만손상 – 기구를 이용하지 않는 질식분만
20. 분만손상 – 제왕절개

고, 또 다른 16개주에서 NQF의 Never event list를 포함한 심각한 Adverse event들을 보고받았다. Never event가 상대적으로 드물긴 하지만, Joint Commission은 71%에서 매우 치명적이라고 기술하고 있다.[23]

2007년, 메디케어 및 메디케이드 서비스 센터는 예방 가능한 에러들과 관련된 추가적인 비용에 대해서는 더 이상 지불하지 않기로 발표하였고, 2009년 이래로 메디케어 및 메디케이드 서비스 센터는 부적절한 부위의 수술에 대해서도 비용을 지불하지 않아 왔다. 또한, 메디케어 및 메디케이드 서비스 센터는 이러한 사건들을 점차 대중적인 발표를 통해 추가해 왔다.[19] 분석에 따르면, 모든 이벤트 관리 제공자들과 시스템에 공헌한 것들을 인

정해주는 것과 행정적인 대표와 제공자들이 문제를 해결하기 위해 헌신하는 노력들이 사건을 예방하는데 무엇보다 중요하다. Crossing the Quality Chasm은 어떻게 하면 건강 제공자가 급성 관리 제공자와 만성병 사이에서 효과적인 관리가 될 수 있는지에 대한 차이를 정의하는 데 초점을 맞추었으며, 더 좋은 치료를 받기 위해서는 적절한 의료기술을 사용해야 하며, 복잡한 질병들을 치료하기 위해 더욱 질 좋은 전문가에게 적절하게 의뢰해야 한다.[4, 30] 이 보고서들의 결론은, (1) 시스템은 환자의 안정성 또는 관리를 위해 적절하지 않았고, (2) 건강 관리자의 향상은 모든 건강 관리 제공자와 함께 병원 대표자의 책임이었다고 말한다. 사실상, "전반적인 건강관리 시스템의 발전을 위해, 국민 성명을 일임하고 있는 모든 의료 전문가, 의료 제공자 및 주 정책 입안자, 공공 및 민간 구매자, 조직 관리자 및 관리 위원회 및 소비자가 함께 해야 한다"고 보고했다.[30] 건강 관리 향상을 위해 헌신하는 또 다른 조직은 1991년에 설립된 건강증진연구소이다. 건강증진연구소 집단의 처음 목적은 환자들의 삶, 공동체의 건강, 그리고 건강 관리 인력의 즐거움을 향상시키는 것이었다.[4] 최근에는, 세 가지 목표를 시행하고 있는데 그것은 보다 나은 관리, 더 나은 건강, 저렴한 비용이다.[5] 이 세 개의 목적은 결국, 관리의 경험을 향상시키는 것, 공동체의 건강을 향상시키는 것, 그리고 건강 관리의 일인당 비용을 감소시키는 것으로 건강 관리의 가치를 향상시키는 것이다.

❸ 인증 표준화의 발전

2002년은 비만수술의 분수령이 된 해였다. 그 당시, 수술 전후 사망률이 2%까지 보고되었고,[28] 수술은 개복수술이 우선이 되었으며, 몇몇 외과 의사는 그들의 수련 경험과 전혀 상관 없이, 또한 철저한 수술 전 프로그램에 따라 시행되었는지 여부와 상관없이 복강경루와이위우회

술을 시행하였다. 텔레비전에서 비만수술 후 높은 사망률에 대한 보도와 더불어 의료 과오에 대한 보험료가 점점 높아져 갔다. 미국비만대사외과학회(American Society for Metabolic & Bariatric Surgery, ASMBS), 미국 대학의 외과 의사들과 그 주변의 경험 있는 외과 의사들의 교육, 수련, 수술 그리고 프로그램 구조의 표준화는 환자의 안정성과 효율성을 향상시키는데 무엇보다 중요한 역할을 했다. 2004년, Betsy Lehman Center for Patient Safety and Medical Error Reduction은 메사추세츠주에서 설립되었고 첫 번째 대책위원회는 비만 관리에 집중하였다. 100명 이상의 전문가들로 구성된 전문가 패널은 최고의 술식들을 결정하기 위해 9가지 과제에 집중하였다. 그들의 작업은 수술적 관리 뿐만 아니라, 다학제적 접근의 필요성, 모든 건강 관리 공급자 수준에서 비만치료 교육의 필요성, 그리고 장기적인 성공과 질적 보장을 위한 데이터 베이스의 중요성이 포함되었다. 이 결과들은 메사추세츠주 관리의 표준화로 자리잡았다. 비만수술의 발전과 대사수술의 발전으로 인해, 패널은 2009년 증거에 기초한 권고안을 최신화하기 위해 다시 모였다.[22]

2004년에 미국비만대사외과학회는 Bariatric Surgery Center of Exellence (BSCOE)로서 인증에 대한 지침들을 정립하였다. Bariatric Surgeon Review Committee (BSRC)는 임시적으로, 그리고 최종적인 지정을 위한 기관들의 조사에 대해 책임 있는 비만수술 외과의들로 구성되었다. 그들은 비만 프로그램 또는 병원이 BSCOE로 인정받기 위해 해야 하는 열 가지 요인을 확인하였다. 그 중 더 나은 질의 첫 번째 지표로 수술 개수(125 case)에 대해 강조하였다. 지원한 병원들을 방문하였고 2007년에 전국적인 등록기관을 설립하게 되었다. 데이터의 발표로 인증을 받을 수 있는 기초가 되었고, 2012년에 458개의 병원들이 미국비만대사외과학회의 BSCOE가 되는 범주에 들게 되고 또 다른 226개의 병원들은 이러한 기준을 획득해가는 과정에 있게 되었다.[6]

그림 11-1 세계보건기구의 수술안전 체크리스트

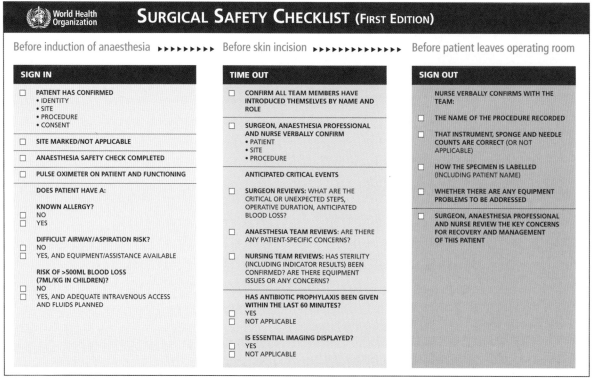

American College of Surgeons (ACS)은 2005년에 Bariatric Surgery Center Network Accreditation Program (BSCN)을 발전시켰다. 2012년 현재, 비만수술 기술에 대한 ACS 인증기준을 만족하는 151개의 기관들이 포함되어 있다.[1] ACS와 미국비만대사외과학회 프로그램들은 관리의 비슷한 요소들, 즉, 관리의 과정, 사이트 감사, 필요로 하는 데이터 보고 등에 집중하여 내용들을 발전시켰다. 두 단체의 프로그램을 통해서 통일화된 표준화를 발전시키기 위한 표준화 위원회가 조직되었으며, 새롭게 통일된 표준화는 계속 발전되고 있다. 전례 없는 공공의 투자와 투명도는 수술자 특정의 인증을 추가하는 것을 포함해 원래 디자인을 상당히 발전시키는 결과를 가져왔다. 인증 기입을 위한 기준들은 환자 경험들, 술자들과 조직된 보건팀, 병원과 지급자들에 대한 명확한 표준화

들을 마련하는 것일 것이다. 각 단체의 역할은 상호보완적이다. ACS는 자금과 후방지원을, 반면에 미국비만대사외과학회는 특수한 전문지식을, 데이터 분석을 통한 안정성 향상을 위한 공동의 노력을 발전시키고 표준화시키는 내용을 정립하기 위해 제공하였다.[7]

④ 확인사항(Checklist)

1952년에 Virginia Apgar는 분만 직후 신생아의 건강상태를 확인하기 위한 채점체제(scoring system)를 고안했다. 이 채점은 문제점의 정확한 발견을 제공하여 분만에 문제가 있는 아이에 대한 즉각적인 관리를 향상시켰다.[27]

표 11-2 폐쇄수면무호흡증(Obstructive sleep apnea)

폐쇄수면무호흡증의 식별 및 평가
폐쇄수면무호흡증을 나타내는 임상소견 및 증상

1. 선행적 신체 특성

- BMI 35kg/㎡(나이와 연령별95th 백분위수)
- 목둘레 17인치(남자) or 15인치(여자)
- 기도에 영향을 주는 두개 및 안면의 이상
- 해부학적 비폐색
- 편도선이 정중선에서 거의 만나거나 만나 있는 경우

2. 수면 중 명확한 기도폐쇄의 병력. 다음 중 2개 이상이 있는 경우(만약 환자가 홀로 살거나 다른 사람이 수면을 볼 수 없다면 다음 중 1개만 있는경우)

- 코골이(닫힌 문을 통해 큰 소리로 들을 수 있는 소리)
- 빈번한 코골이
- 수면 중에 관찰 된 일시적 무호흡
- 질식 감각으로 잠에서 깸
- 수면중 간헐적 발성
- 아이들의 경우, 수면 중 수면장애, 호흡곤란 또는 호흡곤란에 대한 부모의 보고

3. 졸음(다음 중 하나 이상이 있을 경우)

- 충분한 수면에도 불구하고 졸음이나 피로감
- 적절한 수면에도 불구하고 비 시각적 환경(예, TV시청, 독서, 승차 또는 운전)에서 쉽게 잠이 듦
- 어린아이의 경우, 학부모 또는 교사가 아이가 낮에 졸린 것처럼 보이거나, 산만하거나, 지나치게 공격적이거나, 집중하기 어려워한다고 말할때
- 보통 일어나야 할 시간에 종종 깨우기 힘든 아이

	Points
A. 수면연구에 근거한 수면 무호흡증의 심각도 (또는 수면장애가 없는 경우 임상지표)	
없음	0
경미함	1
보통	2
심함	3
B. 수술 및 마취의 침습성	
진정작용이 없는 국소 또는 말초신경차단 마취하 표면수술	0
중등도 진정 또는 전신마취를 이용한 표면수술	1
척추 또는 경막 외 마취를 이용한 말초수술 (중등도 진정 이상)	1
전신마취를 이용한 말초수술	2
적당한 진정작용을 가진 기도수술	2
주요수술, 전신마취	3
기도수술, 전신마취	3
C. 수술 후 마약에 대한 요구사항	
없음	0
저용량 경구 마약	1
고용량 마약, 비경구 또는 신경 경편 마약	3
수술 중 위험도 예측	
전체점수: A 점수와 B 또는 C 점수 중 더 큰 점수를 더함	
만약, 수술 전 환자가 지속적 양성기도 압력(CPAP) 또는 비 침습적 양압 인공 호흡기(NIPPV)를 사용 중이며 수술 후 자신의 기구를 일관되게 사용한다면 점수 한 점을 뺄 수 있음	
폐쇄수면무호흡이 있거나 중등도 인 환자가 휴식 동맥혈 이산화탄소 장력(PaCO₂)을 갖고 있다면 점수 한 점을 더함	
5점 또는 6점의 점수를 가진 환자는 수술 전후 폐쇄수면무호흡의 위험이 유의하게 증가할 수 있음	

Adapted from Chung et al.[10]

비슷한 노력으로, Atul Gawande와 세계 보건 기구(WHO)는 2008년에 수술의 안정성 관련 확인사항(checklist)을 고안했다(그림 11-1).[17, 31] 수술팀들은 실수와 누락을 방지하는데 도움을 받기 위해 수술 중 한 시점에서 확인사항을 사용하였다. 이것은 수술방에 있는 모든 사람들이 어떤 수술이 진행되고 있고 그것에 대비할 수 있으며, 수술 중 발생할 수 있는 사건들에 대해 예측할 수 있게 한다. 연구들은 확인 사항의 실행이 병원 내에서의 합병증과 사망을 상당히 줄여주었다는 것을 보여주었다.[12, 17] 확인사항은 마취시작 전에 시행하는 "sign-in"로 시작한다. 이 때는, 정확한 환자, 수술, 부위, 그리고 동의서를 확인한다. 마취의 기구 안정성 확인이 시행되고 환자의 알레르

기 사항과 기도/흡입 위험을 검토한다. 수술 시간의 예측과 심각한 출혈 가능성을 결정한다. 환자가 수술 준비된 후 피부절개 전에 "time-out"이 시행된다. 팀의 모든 멤버들의 이름과 그들의 역할이 대화를 통해 조수에게 알려진다. 정확한 환자의 수술과정이 두 번째 확인된다. 약물에 대한 알레르기와 힘든 기도 같은 중요한 환자 데이터가 검토된다. 간호사는 환자에게 필요할지 모르는 특별한 장비를 확인하게 된다. 치료적인 또는 예방적인 적절한 항생제 사용을 검토한다. 수술이 끝나고 수술방을 떠나기 전에 어떤 수술이 시행되었는지(수술 전에 진술되었던 것과 다를 수도 있기 때문에), 스폰지와 바늘 개수가 정확한지, 검사물이 정확히 분류되었는지, 그리고 어떤 장비의 사안이 있었다면 간호사는 구두로 확인한다. 마지막으로, 전 팀이 환자의 회복과 관련된 부분을 검토한다.

대사 및 비만수술에서도 확인사항은 의학적 문제들을 확인하는 빠른 방법으로 사용되어질 수 있다. 비만환자에게 흔한 수면 무호흡 진단 시 사용하는 미국마취과학회(ASA) 확인사항이 한 예이다.[16] 많은 비만환자들은 수술 중간 그리고 수술 후에 폐 합병증을 야기할 수 있는 수면 무호흡을 진단받지 못해 왔다. 미국마취과학회 폐쇄수면무호흡(Obstructive sleep apnea, OSA) 확인사항은 환자들의 수면 무호흡을 예측할 수 있고 만약 폐쇄수면무호흡 가능성이 있다면 폐합병증에 대한 위험성을 예측할 수 있는 유효한 지표가 된다(표 11-2, 3).[10] 2004년, 미국건축가협회(AIA)는 안전한 비만관리를 제공하는 기관에 대한 지침들을 발표했다.[2] 미국건축가협회(AIA)는 환자들 뿐만 아니라 건강관리 제공자들에게 잠재적인 손상에 대해 기본적으로 136 kg 이상 체중의 환자들을 견디는 기구들의 권고 수치들과 중량을 세밀화하였다. 비만기구의 안정성 확인 사항은 비만 환자에게 필요한 것이 무엇인지를 포함한다(표 11-3).[2]

병원들은 병원이 소유하고 있는 장비들이 비만특수한 환자에게 적용 가능한 재원들인지를 확인해야 한다. 필요한 항목은 확인되어야 하며 계획은 장비교체, 수선

표 11-3 비만관리를 위한 시설요건[2]

1. 샤워룸
2. 방 가구
3. 침대
4. 저울
5. 휠체어
6. 쓰레기통
7. 바닥에 설치되어 있거나 구조적으로 지지되는 화장실
8. 출입구
9. 혈압계
10. 복부 바인더
11. 가운
12. 신발
13. 순차압박장치(Sequential compression devices)
14. 환자 운동/수송 시스템

또는 비품들의 교체가 포함되어 준비되어야 한다. 확인된 장비들의 무게 한계는 병원 스탭에 의해서 알려지고 명시되어야 한다. 체중이 명시된 의자들, 벤치 시트, 침대들, 방사선 장비들을 환자에게 사용해야 한다. 이송기구, 수술방 침대들 그리고 환자관리 에피소드를 안전하게 다룰 수 있는 이송 기구들은 별다른 문제 없이 사용 가능해야 한다. 큰 저울, 혈압계, 순차적인 압박호스, 그리고 비만 환자에게 사용가능한 적절한 가운들과 같은 환자관리 항목들은 역시 별다른 문제 없이 사용 가능해야 한다.[2]

  효과적인 대화와 팀워크

1997년 James reason은 조직적 실수들에 대한 스위스 치즈모델을 기술하였다. 이 모델은 개인의 실수가 심각한 결과로 발생하기까지 여러 층의 방어 기전이 있다고 제

안하였다.[26] 하지만 사건이 드물게 발생하기 때문에 사람들은 해당 사건이 다시는 일어나지 않을 것이라고 결론 짓고 습관을 바꾸지 않는다. 만약 각 층들이 적절한 감시와 관리가 되지 않는다면 사고가 발생하게 되고 의학 분야에서는 심각할 결과를 초래할 수 있다. 의학적 사고가 다시 일어나지 않게 예방하기 위한 환경을 구축하기 위해서 개인에서부터 병원까지 세부사항에 대한 주의가 권장될 뿐만 아니라 표준화되어야 한다. 이러한 안전의 문화는 반드시 모든 구성원이 참가해야 하며 전체 팀원 간의 효율적인 소통으로 이루어진다.

모의 훈련은 병원의 팀워크를 만들어내는 방법 중의 하나이다. 수술방 사고 팀 훈련은 어떤 병원에서는 일상이 되었다. 모의 사건에서 화재, 수술 중 기도의 소실, 심근경색 그리고 다량의 수혈 같은 드문 시나리오에 대응하기 위해 함께 작업하게 된다. 모의 훈련은 실제사건과 동일한 강도, 현실성, 복잡성으로 이루어진다. 수술 팀 구성원들은 신속하게 사용할 수 있는 자원과 신속하게 사용 불가능한 것을 판단한다. 또한 팀원들은 효율적인 소통의 중요성, 단일 지도자를 따르는 것과 빠른 반응의 필요성을 이해한다. 사건에 대한 영상기록을 가지고 어떤 부분에서 향상이 필요할지 보여주고 참가자 전원이 리뷰하는 것은 효과적인 트레이닝 방법이다.[29]

모의 훈련을 통해 표준 작동 절차를 이끌어낼 수 있고 현실에서 사건이 일어났을 때 체계를 가지고 빠르게 대응할 수 있다. 게다가 전체 스피커 시스템을 통한 한 번의 방송으로 여러 그룹이 질문 없이 즉각 대응하도록 하게 할 수 있다. 예를 들어, "코드블랙"인 경우 수술 환자가 출혈이 심하여 다량의 수혈이 필요할 때 이용될 수 있다. 방송은 혈액은행에서 Rh 마이너스 O형 혈액과 신선냉동혈장(FFP)을 준비하게 한다. 또한 주로 병리학자로 구성되는 당직 혈액은행의 장은 보고를 받게 되고 혈액제제 사용에 대한 중요한 역할을 하게 된다. 이송반은 혈액 수송을 위해 혈액은행으로 보내지며 다른 팀은 응급 혈액검사 검체 이송을 담당하게 된다. 대기중인 순환 간호사는 수술방으로 가서 개복과 수혈 준비를 돕는다. 마취과 의사는 수술방에서 소생에 도움을 주게 된다. 외과 의사는 출혈을 조절하기 위해 투입된다. 모든 과정들이 한번의 방송에 의해 자동으로, 그리고 동시에 일어나서 필요한 곳에 도움을 주어 환자의 목숨을 구하게 된다. 이러한 모의훈련이 이루어지는 병원에서는 많은 그룹의 직원들이 훈련받게 된다. 소통의 실패가 다양한 과실을 만들어낸다. 하버드 병원의 의료 과실 운송 업체인 CRICO는 최근 외과의사, 마취과 의사, 간호사, 스크럽 등이 시뮬레이션 교육을 받는 의료기관에게 프리미엄 할인을 실시했다. 팀 구성원들은 심장 마비, 과량의 출혈, 화제 그리고 스폰지를 잃어버리는 상황을 통해 시뮬레이션 훈련을 받게 된다. 교육의 목표는 폐쇄 고리 대화, 말하기, 체크리스트의 사용을 강조하는 것이다. 팀 기반 훈련의 초기 성공으로 CRICO는 프로그램을 확대하고 있다.[24]

비만수술에서 가장 중요한 소통 중의 하나는 외과 의사가 환자를 인계해 주는 범위에서 서로 넘겨 줄 때 발생한다. 사실, 최근 보고에서 합병증의 15%가 지원 의사가 인계 받은 직후에 발생한 것이었다. 외과 의사 지원요청을 다루는 외과 의사에게 핸드 오프를 위한 프로토콜은 안전한 관행의 핵심 구성요소이다.[11]

 표준화 진료(Clinical Pathways)

인정받은 프로토콜이나 환자-관리에 대한 진료는 각각의 실천 행동과 시설들을 통해 환자를 돌보는 것에 대한 표준화와 환자 안전을 향상시키는 또 다른 방법을 제공한다. 게다가, 환자-관리에 대한 진료는 수술 후 기대치와 중요 단계들이 문서화되어 있고 따르기 쉽게 되어있기 때문에 환자 관리의 준수 정도와 환자의 만족을 상승시킨다. 표준화 진료는 행정과 병원의 연계성을 보장하는데 도움을 줄 수 있다. 포괄적 다학제팀은 표준화 진료의 발전과 성공적 시행에 필요하다. 게다가 보완 가이드라인을 위한 추가적인 의료 인력과 병원의 지원이 특정

의료현장에서 필요하다. 적절한 진료과정은 교육의 과정, 평가, 연구, 장기 경과 관찰을 통해 환자에게 직접적인 도움을 줄 수 있어야 한다. 환자들에게 추가적인 새로운 시술 또는 서비스가 제공된 경우 주기적으로 재평가와 수정이 되어야 한다. 누구든지 수술 전 검사와 수술기간 동안의 관리에 대한 계획을 문서화할 수 있으며, 이는 모든 의료인이 검토할 수 있다. 이런 경로는 비 비만전문 의료인들이 수술적 치료 후 표준화 진료 이외의 변화에 대한 이해를 제공할 수 있다.

포괄적 경로는 환자의 비밀, 세심한 훈련, 이송 그리고 수술 후 합병증에 대해 다루게 된다. 비만환자들을 돌봐야 하는 직원과 의료인들은 교육을 필요로 한다. 입원사무실, 식당, 수술, 마취 회복실, 중환자실, 환자처치구역 응급실, 환경과, 환지 이송, 가족대기실, 사회사업팀, 비만센터 행정과도 포함이 된다. 어떤 프로그램들은 수술 후 치료를 포함하는 경로를 계속 유지하며 30일, 6개월 및 연례적으로 후속 조치를 위한 구체적인 절차를 포함한다.

만약 새로운 센터를 짓고 새로운 프로토콜을 도입하는 경우 "트레이너" 또는 비만 "챔피언"을 지정해야 한다. 새로운 인력, 또는 통합된 다른 의료 서비스 제공자가 직원에게 합류하거나 직원에게 돌아 오는 경우, 빈번한 매출액, 해당 프로그램에서 수행되는 핵심 절차의 관찰을 포함해야 하는 일반적인 방향이 제공될 수 있다. 매년 제공되는 추가 측정에서 기술 박람회, 역량 및 교육을 위한 온라인 모듈, 감성 교육이 포함될 수 있다. 연간 계획 또는 전략 개발은 프로그램 업데이트 또는 프로토콜 변경에 중요하다. 비만에 관련된 많은 합병증과 비만의 유비쿼터스 특성 때문에 각 간호 단위에는 비만 자원 매뉴얼이 있어야 한다.

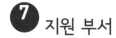

❼ 지원 부서

지원 부서는 중요 자원으로 환자 교육, 지원, 사회 관계 그리고 비만의학 팀과의 접촉에 이용 가능하다. 이는 환자의 순응도를 증가, 결과의 향상 그리고 환자와 가족들의 기대치 부응을 증가시킨다.

❽ 수술 전 환자 교육

비만수술과정에서 매우 중요한 부분은 수술 전 평가와 환자 교육이다. 이런 과정은 환자의 사인을 포함한 문서에 그치지 않고 환자가 정보와 교육을 받고 압박 없이 질문을 할 수 있는 종합적인 과정을 포함한다. 프로그램에는 정보를 알려주고 동의하는 과정이 반드시 필요하다. 수술 전 환자 교육의 목표는 환자가 합리적인 이해를 바탕으로, 완전하고 정확히 구성된 서류에 동의하는 것이다. 정보는 평균적인 비전문가가 이해할 수 있는 언어와 환자가 말하는 특정 언어로 제공되어야 한다. 동의의 개념에서 고유한 것은 의학적인 치료를 포함한 모든 과정들이 비만 관련 질병을 가진 환자들의 특별한 설정을 고려한 전국적이고 지역적인 데이터 결과를 환자에게 제공하는 것이다. 이것은 환자가 의학적 관리 또는 치료과정의 결정함에 있어 선택을 할 수 있게 한다(표 11-4).

책임 있는 의사와 스탭은 환자와 가족에게 가능한 다른 절차들과 권유되지 않은 절차들, 예상 되는 수술 전과 수술 후 과정, 일생동안 필요한 추적기간, 그것의 이점들, 잠재적인 위험들, 그리고 합병증들에 대해 교육한다. 특히 비만 관련 질환을 가진 환자라면 수술을 받지 않았을 때의 결과들에 대해 알아야 한다. 서류는 의학적 기록의 부분이 되어야 한다. 수술 전 교육 시기는 통합적인 건강팀과 외과 의사와의 최초 협의, 그리고 수술 전에 직면하는 사전동의 과정의 모든 부분을 포함한 교육 과정

표 11-4 환자 선택 기준

1. 충분한 정보를 가진, 동기가 충분한 환자

2. 수용 가능한 수술 위험

3. 장기추적관찰이 가능하고 기꺼이 동의하는 환자

4. 심리적 안정성

5. 마약 및 알코올 남용으로부터 자유로운 환자

6. 수술 전 체중 감량 시도 시연

7. 수술 전과 후의 생활방식의 변화에 대한 명확하고 현실적인 이해

이 포함된다. 교육과 전파에 더 많은 시간을 소비하는 것은 환자들로 하여금 이러한 정보에 대한 이해를 높이고 더 많은 정보를 보유하게 만들 것이다. 이 교육은 환자와 그들의 가족 또는 지원 시스템에 의해 이루어지는 각 단계의 기록에 포함되어 이루어진다. 만약 수술 전 교육이 이루어졌을 경우 15%의 환자들이 그들이 원래 하려했던 선택이 바뀌었고, 9%의 환자에서 수술을 취소하게 되었다는 연구 결과가 있었다.[14]

수술 전 환자 교육은 환자의 배우자, 가족, 또는 동반자에게 확장되어야 한다. 이상적으로, 환자는 공공의 정보교육 또는 협의 회의 그리고 수술 전 그리고 수술 후 교육 세미나에 그들의 주된 지원자를 데리고 갈 것이다. 우선 질의 응답 세션에 충분한 시간을 투자하여야 한다. 배우자 및 가족의 지원은 환자의 장기적인 성공에 도움이 될 것이다. 또한 환자와 가족에게 수술 후 합병증의 징후와 증상에 대해 교육하여 치료를 받는 데 지체하지 않도록 하는 것도 중요하다. 사전 토론에서 이러한 유형의 양식을 사용하면 기대치를 설정하고, 교육을 강화하며, 불리한 사건 토론에 사용할 수 있다. 환자 교육에 도움이 되는 추가 조치에는 지원 그룹, 정보 세미나, 전자 미디어, 교육 영화 및 의료 정보 프로그램 참석이 포함된다. 미국비만대사외과학회는 영어와 스페인어로 비만수술에 관한 환자 정보 책자를 제공한다. 증인 입증을 포함하는 2세대 절차 별 동의서 문서가 환자에게 주어져야 하며, 환자의 차트에 사본이 보관되어야 한다. 이 동의서는 특정

절차의 위험성과 절차 대안을 문서화하고 환자가 이해할 수 있는 문서를 허용한다. 절차 별 동의서의 몇 가지 예는 미국비만대사외과학회 웹 사이트의 회원 섹션에서 볼 수 있다. 절차 별 동의서는 일반적으로 건강 관리 환경에서 서명한 일반 용어를 사용하는 양식과 다르다. 절차 별 동의서 사본은 환자의 병력 및 신체 검사와 함께 병원의 의료 기록에 포함될 수 있다. 식이 및 영양 상담은 전자 의료 기록의 동의 절차의 일부로 문서화되어야 한다. 예비 환자 및 그 가족에게 제공된 모든 문서의 보관은 업데이트가 이루어질 때까지 유지되어야 한다.

평생 중점을 두어야 하는 후속 조치로 의사는 환자에게 수술 전 영양 결핍이 나타날 수 있으며 대사 효과를 제공하지 않는 수술 후에도 영양 결핍이 나타날 수 있다는 것을 알려야 한다. 환자는 이상인 체중 회복을 위한 평생 매년 감시가 이루어진다. 환자가 검사를 시행하지 않거나 후속 방문을 놓치면 "위험에 처한" 편지를 보낼 수 있다. 그리고 보고 시스템을 통해 환자의 담당 의사와 후속 프로토콜을 설정하여 검사 및 신체 검사에 대한 정보가 데이터 레지스트리의 장기 의료 기록의 일부가 될 수 있도록 해야 한다. 이러한 정보는 대사적, 비만수술에 대한 교육이 이루어지는 동안 공개되어야 한다. 또한, 환자가 멀리 이사 가더라도 그들의 기록이 함께 전송될 수 있고 평생 관리가 가능해야 한다.

후속 프로토콜을 위한 새로운 미국임상내분비학회/비만협회/미국비만대사외과학회 지침은 포괄적인 후속 조치를 위한 최선의 근거 기반 프로그램을 약술했으며 의사들은 이들을 채택해야 한다.[11]

수술 전 표준화 치료에는 포괄적인 신체 검사가 포함되어야 하며, 바람직하게는 외과 의사, 비만의학 전문가 또는 임상 간호사/보조의가 필요하다. 초기 신체검사의 목적은 수술 위험 및 이전에 밝혀지지 않은 의학적 상태를 결정하는 데 도움이 되어야 한다. 필요한 경우 적절한 전문가의 의료평가를 받아야 한다. 클리닉의 결정 경로는 수술 전 특정 전문 평가가 필요한 시기를 나타내야 한다. 예를 들어, 적응이 된다면, 폐쇄수면무호흡에 대한 수

그림 11-2 의사-감독 다이어트 양식

의사 감독 다이어트 양식

날짜:

 * 일반적인 건강평가

시작 몸무게: _____ 키: _____

시작 BMI

최근 몸무게: _____

최근 BMI: _____

몸무게 증가: _____ 몸무게 감소: _____

 * 다이어트 계획

칼로리 레벨: 1,000 1,200 1,400 1,600 1,800

탄수화물: 15 g, 30 g

단백질: 21 g, 28 g

지방: 총칼로리 레벨의 20% 이하

다이어트로 힘든점: _____

다이어트 전반적 진행?

 * 체중측정 빈도: 주, 달

 * 권유되는 운동 계획(방법, 기간, 빈도)

   걷기, 자전거 타기, 에어로빅, 웨이트 트레이닝

   30분, 45분, 60분

   매일

   기타: _____

* 목표 체중량

 주단위 목표: _____

 월단위 목표: _____

* 약물 처방: _____

* 의사에 의한 개입: _____

* 행동 수정(예, 소량의 식사, 더 작게 베어먹기, 30분에 걸쳐 식사하기): _____

의사확인: _____ 날짜: _____

면검사는 특정 위험인자를 가진 환자에 대한 심장학 평가, 또는 위 식도 역류 또는 궤양 질환에 대한 위 내시경 검사를 수행해야 한다. 수술 전 수 주 전에 지속적인 양압장치(CPAP)를 사용하는 폐쇄수면무호흡 환자는 환자의 심장 기능을 향상시켜 심폐 기능을 향상시킬 수 있다. 저 칼로리식이는 비 알코올성 지방성 질환 환자의 지방간의 부피를 줄이고 혈당 조절을 도와준다. 확장된 저 칼로리식이 4-8주와 함께 운동을 위한 등급에 따른 걷기 프로그램을 시행하면 몇몇 환자에서는 심혈관 기능을 향상시킬 수 있다. 또는, 합리적인 칼로리 감소 프로그램과 수술 90일 이상 연장 운동을 하면 수술 후 섭취할 수 있는 섭취량에 대한 규정을 준수할 수 있다. 일반적으로 이 접근법을 사용하는 프로그램은 환자가 동의한 명시된 목표를 가지고 체중을 5-10% 감소를 유지할 수 있다. 이것은 환자의 비만 관련 질환의 예리함을 감소시키고 어느 정도는 환자에게 "위험 감소"를 가져온다. 사실, 환자의 신진대사와 심리적 감각을 인지하고 팀과 의사소통을 하면 치료 과정에 영향을 미칠 수 있다(그림 11-2).[8,9]

비만외과의사들은 현재 그들의 환자들과 함께 다른 환경에서 일하고 있다. 환자의 인식과 기대가 바뀌었으며, 비만 뿐만 아니라 사망률이 낮고, 입원 기간이 짧고, 심각한 중증도의 부작용이 있는 심각한 비만 관련 질환, 재입원 및 재수술 같은 복잡한 수술이 환자에게 일어날 수 있다는 인식이 확고하게 확립되었다. 결과에 대한 투명성은 현대 비만 대사 수술 실행의 결과이다. 외과 의사 및 시설에 대한 정보는 인터넷, 소셜 미디어, 결과에 대한 공개 보고 그리고 성과에 대한 지불을 통해 즉시 이용할 수 있다. 환자 경험 측정은 환자가 진료를 인식하는 방식을 반영하고 상황에 연계된 요인 중 하나가 될 것이다. 외과의사 및 스탭은 환자와 가족의 질문이나 관심 사항에 귀를 기울이고 그들의 만남을 기록하기 위해 지지를 얻어야 한다. 환자의 치료 과정에서 환자의 기대치를 충족시키면 소송의 위험이 줄어들고 환급이 증가할 수 있다.

9 불리한 상황에서의 합병증과 과실 공개(Disclosure of Complications and Error in Post-Adverse Event Management)

예기치 않은 결과들은 실망과 실패한 기대, 분노, 그리고 소송으로까지 이어질 수 있다. 불리하거나 예기치 못한 사건이 발생하면 환자, 가족 및 기타 간병인과의 의사 소통이 중요하다. 환자와 가족은 의학적 오류가 있을 때 사과를 기대한다. 2003년 연구에 따르면 환자들은 사과를 듣고 싶어 한다.[13] 일반적으로 의료 사고의 원인이 되는 대부분의 합병증은 여러 가지 합병증을 일으킬 수 있는 문합부 또는 수술 부위 누출의 결과이거나 누출과 관련이 있다. 그러나 일반적으로 클레임의 원인은 누출보다는 진단의 지연이 더 큰 원인이다.[11] 또한 수술한 기관의 손상에 대한 클레임과 관련하여, 대부분은 수술 담당의가 환자를 80% 정도는 직접 관리하지 않기 때문에 오류 관리를 모두 할 수 없다.[11] 이 두 가지 문제는 위독한 사람들이 이러한 합병증에 대해 경계심을 갖고 병원과 관련하여 환자 및 그 가족과 계속 연락을 취할 필요성을 강조한다. 사과를 시작하기 전 전문직 책임자, 위험 관리팀 및 변호인에게 연락해야 한다. 회의 전에 필요한 모든 정보를 수집하고 이를 상담원과 상의해야 한다. 더 중요한 것은 외과 의사는 알려진 합병증이 의학적 오류가 아니라는 것을 기억해야 한다. 사건 관리의 일환으로 환자 및 가족과 함께 알려진 합병증에 대한 그들의 논의는 공감이나 돌봄을 표현할 수 있다. 환자 및 가족과의 이전 문서와 논의는 이러한 사건을 토론할 때 도움이 될 것이다. 가족과 만날 때 외과의사는 앉아서 가능한 낮은 수준의 언어로 여유를 갖고 질문에 대답해야 한다. 그들은 이 모임을 서두르지 않을 만큼 충분한 시간을 가져야 한다. 이 관계는 예비 환자가 사무실이나 센터에 처음 접촉할 때부터 시작되는 것을 명심해야 한다. 만약 이것이 시스템 과정 중에 발생하는 사건이라면 그 팀은 설비 담당 과실

관리팀에 관여하기를 원할 것이다. 만약 이것이 다른 헬스케어 제공자를 포함한다면, 그 제공자와의 논의도 또한 필요할 수 있다.

다른 제공자의 응답을 조정하는 것이 바람직하며 제공자 간의 솔직한 논의가 중요하다. 모든 요청을 환자들이나 가족에게 되돌려 주도록 노력해야 함을 명심해야 한다. 이 논의들을 각각 객관적으로 문서화해야 한다. 환자들로부터 전해진 어떤 메시지라도 의료기록으로 복사하거나 남겨 두어야 한다. 각각의 과실은 다음 사건이나 논의들을 어떻게 다룰지 계획을 돕는 도구가 된다. 폐쇄된 청구 데이터 분석은 소송 또는 합의로 이어지는 최악의 청구 또는 결과를 검토한다. 의사소통 문제와 외과 의사의 행동은 ACS에 의한 폐쇄 청구 분석에서 청구 및 합의의 심각성을 증가시키는 것으로 나타났다.[15] 78%의 주장은 행동 패턴이 적어도 하나의 결함을 포함했다. 이 분석을 위한 데이터 수집이 시작되었을 때, 의사 행동은 연구된 요소 중 하나가 아니었다. 이 연구는 이들 행동의 요소들을 포함한 70개의 클레임이 검토된 이후 디자인이 바뀌었다. 관찰된 가장 안 좋은 행동은 환자 및 다른 간병인과의 의사 소통의 실패이다.[12]

⑩ 결론(Conclusion)

최근 의학적 환경에서는, 결과를 측정하고 잘 문서화 되어있는 지침을 사용하는 비만수술이 발전된 의학적 치료의 주요한 예가 되고 있다. 오늘날 최고의 임상학자들은 비만 환자들을 단순히 치료하는 것이 아니라, 정신적, 사회적, 영양적, 신진대사 측면, 신체 측면, 또한 긍정적이든 부정적이든 수술 후 발생할 수 있는 변화를 치료하는데 헌신하는 종합적 치료 프로그램의 한 부분이다. 비만 환자들을 위한 치료 커뮤니티를 만드는 것은 환자들이 일생동안 참여도를 높여주는 프로그램에 연결되어 있다고 느끼도록 도와준다. ASMBS, ACS, SAGES가 만들어 놓은 지침과 최고의 사례들을 따르고 계속적으로 맞춰 나감으로써, 제공자들은 환자들이 국가공인 기관의 기준을 준수하고 있다고 확신시켜 줄 수 있다. 환자 안전과 향상된 치료가 우선 순위이다. 안전한 환자 치료를 정의한 몇몇 기준과 기관들이 있고, 때때로 이런 기준들은 겹친다. 이 데이터의 올바른 해석이 확정되지 않았다는 점을 언급하는 것이 중요하다. "만약 합병증이 없다면 수술을 하지 않는다." 라는 오래된 격언은 여전히 옳다. 그러므로, 결코 이벤트나 환자안전지표가 없다고 해서 반드시 제공자가 의료 과실을 저지른 것을 의미하지는 않는다. 그러나 의사와 병원이 합병증을 보고 그에 따른 재발을 막기 위해 노력하는 것이 필수적이다. 전체 건강 관리 공급자 스펙트럼 및 병원 관리자가 이러한 일을 할 책임이 있다. 대부분의 오류는 한 사람의 과실로 인해 발생하는 것이 아니라 오류가 발생 할 수 밖에 없는 시스템 또는 오류를 발생하는 것을 용납하지 않는 시스템으로 인해 발생한다.

참고문헌

1. American College of Surgeons. American college of surgeons bariatric surgery center network accreditation program. www.acsbsn.org Web site. http://www.acsbscn.org/Public/AboutBSCN.jsp. Updated 2009. Accessed 29 May 2012.

2. Andrade S. Planning and designing guidelines for bariatric healthcare facilities. www.aia.org Web site. http://info.aia.org/nwslt.print.cfm?pagename=aahjrnl.20061018awardwinner. Updated 2004. Accessed 29 May 2012.

3. Battelle. Quality indicator user guide: patient safety indicators (PSI) composite measures version 4.4. AHRQ Quality Indicators; 2012.

4. Berwick DM, Calkins DR, McCannon CJ, et al. The 100,000 lives campaign: Setting a goal and a deadline for improving health care quality. JAMA 2006;295(3):324-7.

5. Berwick DM, Nolan TW, Whittington J., et al. The triple aim: care, health, and cost. Health Aff (Millwood) 2008;27:759-69.

6. Blackstone R. http://s3.amazonaws.com/publicASMBS/items_of_interest/Segment1.pdf. Updated 2012. Accessed 29 May 2012.

7. Blackstone R. Overview of the transition of the ASMBS BSCOE to the MBS AQIP. www.asmbs.org Web site. http://asmbs.org/2012/08/mbsaqip-update/. Updated 2012. Accessed 23 Jul 2012.

8. Blackstone R, Cortes MC. Metabolic acuity score: effect on major complications after bariatric surgery. Surg Obes Relat Dis 2010;6:267-73.

9. Blackstone R, Cortes MD, Messer LB, et al. Psychological classification as a communication and management tool in obese patients undergoing bariatric surgery. Surg Obes Relat Dis 2010;6:274-81.

10. Chung F, Yegneswaran B, Liao P, et al. Validation of the berlin questionnaire and American Society of anesthesiologists checklist as screening tools for obstructive sleep apnea in surgical patients. Anesthesiology 2008;108:822-30.

11. Cottam D, Lord J, Dallal RM, et al. Medicolegal analysis of 100 malpractice claims against bariatric surgeons. Surg Obes Relat Dis 2007;3:60.

12. de Vries EN, Prins HA, Crolla RM, et al.; SURPASS Collaborative Group. Effect of a comprehensive surgical safety system on patient outcomes. N Engl J Med 2010;363:1928-37.

13. Gallagher TH, Waterman AD, Ebers AG, et al. Patients' and physicians' attitudes regarding the disclosure of medical errors. JAMA 2003;289:1001-7.

14. Giusti V, De Lucia A, Di Vetta V, et al. Impact of preoperative teaching on surgical option of patients qualifying for bariatric surgery. Obes Surg 2004;14:1241-6.

15. Griffen FD, Stephens LS, Alexander JB, et al. Violations of behavioral practices revealed in closed claims reviews. Ann Surg 2008;248:468-74.

16. Gross JB, Bachenberg KL, Benumof JL, et al.; American Society of Anesthesiologists Task Force on Perioperative Management. Practice guidelines for the perioperative management of patients with obstructive sleep apnea. Anesthesiology 2006;104:1081-93.

17. Haynes AB, Weiser TG, Berry WR, et al.; Safe Surgery Saves Lives Study Group. A surgical safety checklist to reduce morbidity and mortality in a global population. N Engl J Med 2009;360:491-9.

18. Hernandez-Boussard T, McDonald K, Morton J., et al. Using patient safety indicators as benchmarks. In: Tichansky DS, Morton J, Jones DB, editors. The SAGES manual of quality, outcomes, and public safety. New York: Springer 2012.p. 387-90.

19. Hospital associations put nix on billing for 'never events'. Healthcare Benchmarks Qual Improv 2008;15:13-6.

20. Hutter M. Data drives quality: ACS-NSQIP. In: Tichansky DS, Morton J. Jones DB, editors. The SAGES manual of quality, outcomes, and public safety. New York: Springer 2012.p.111-8.

21. Kizer K. The emerging imperative for health care quality improvement. Acad Emerg Med 2002;9:1078-84.

22. Lehman Center Weight Loss Surgery Expert Panel. Commonwealth of Massachusetts Betsy Lehman Center for patient safety and Medical error reduction expert panel on weight loss surgery: executive report. Obes Res 2005;13:205-26.

23. Patient safety primers: never events. www.psnet.ahrq.gov. Web site. http://www.psnet.ahrq.gov/primer.aspx?primerID=3. Updated 2012. Accessed 26 Apr 2013.

24. Pawlowski J, Jones DB. Simulation and OR team performance. In; Tichansky DS, Morton J, Jones DB, editors. The SAGES manual of quality, outcomes, and public safety. New York: Springer 2012.p.496-7.

25. Plerhoples T, Morton J. Creating a dashboard for quality. In; Tichansky DS, Morton J, Jones DB, editors. The SAGES manual of quality, outcomes, and public safety. New York: Springer 2012.P.25-33.

26. Reason J. Understanding adverse events: human factors. Qual Health Care 1995;4:80-9.

27. Schmidt B, Kirpalani H, Rosenbaum P, Cadman D. , et al. Strengths and limitations of the apgar score: a critical appraisal. J Clin Epidemiol 1988;41:843-50.

28. Sugerman HJ. Bariatric surgery for severe obesity. J Assoc Acad Minor Phys 2001;12:129-36.

29. Tsuda S, Scott D, Doyle J, Jones DB, eds. Surgical skills training and simulation. New York: Mosby;2009. Ashley SW, Creswell LL, eds. Current problems in surgery; No. 46.

30. Tymitz K, Lidor A. The institute of medicine: crossing the quality chasm. In; Tichansky DS, Morton J, Jones DB, editors. The SAGES manual of quality, outcomes, and public safety. New York: Springer 2012.P.379-86.

31. WHO surgical safety checklist and implementation manual. www.who.int Web site. http://who.int.patientsafety/safe-surgery/ss_checklist/en/. Updated 2008. Accessed 29 May 2012.

32. Wachter RM. The end of the beginning: patient safety five years after "to err is human". Health Aff (Millwood). 2004;Suppl Web Exclusives:W4-534-45.

Chapter 12 | 비만수술의 질관리 및 비만수술 인증제

Quality control and accreditation for bariatric surgery

 개요

2014년 우리나라 비만수술 분야에서 큰 사건이 있었는데, 한 유명가수가 비만수술 이후 합병증으로 인한 사망사건이었다. 이후, 지금까지 특별한 제도적 제한 없이 여러 전문 의료기관에서 시행되어 오던 비만수술에 대하여 그 안정성이 일반 국민들에게 의심받는 상황에 이르게 되었다.

이에 대한비만대사외과학회는 2018년부터 시행될 비만수술의 급여화에 맞물려, 비만수술의 질 관리(quality control)를 위한 방안을 모색하게 되었다. 질 관리는 일반국민 및 정부에게 비만수술의 안정성에 대한 신뢰감을 심어주기 위한 가장 우선적인 과제라 할 수 있다. 현재 미국 및 구미 각국에서 시행되고 있는 비만수술 인증 제도(Accreditation System)는 이러한 질 관리의 표본이라 할 수 있다.

② 미국 및 구미 각 국에서 시행되는 비만수술 인증제도의 효과 분석

비만수술에 있어, 기관의 등급 혹은 수술의 분량에 따라 합병증의 발병 및 재원 기간 등의 수술 결과에 유의한 차이를 보일 수 있다는 많은 연구 결과들이 있었고,[3, 6, 10, 13] 이에 따라 일정 분량의 이상의 수술을 시행하는 기관에 대하여 비만수술의 등급을 정하는 인증제도가 발달하게 되었다.[2]

이후, 이러한 인증제도 시행 이후 그 효과에 대하여 여러 연구결과가 보고되고 있는데, 2012년 미국외과학회(American College of Surgeons, ACS)의 보고에 의하면, 2007년부터 2009년까지의 대학의료체계 협력모임(University Health System Consortium)에서 얻은 35,284 환자의 비만수술 결과를 분석한 결과, 수술 후 사망률에서 인증기관이 유의하게 낮은 결과를 보였으며(0.06% vs. 0.21%), 짧은 재원기간과 낮은 의료비를 나타내어, 수술 후 발생한 합병증을 좀 더 빨리 인지하고 교정한 것이 그 원인이라고 하였다.[12]

또한, 2014년에 시행된 2008년부터 2010년까지의 국가적 환자추출 데이터베이스(Nationwide Inpatient Sample database)에서 추출한 277,068 환자의 비만수술 분석 결과, 이 중 88.4%의 환자가 인증기관에서 수술을 시행받았는데, 사망률이 비인증기관에 비해 유의하게 낮았으며(0.08% vs. 0.19%), 다변량 분석 결과 비인증기관 수술인자가 사망률을 3배 정도 높이는 위험인자로 나타났다.[4]

한편, 같은 해, 2010년의 국가 환자추출 데이터베이스에서 ICD code 9번의 케이스 중, 72,615명의 환자와 145개의 병원을 대상으로 분석을 시행하였는데, 이 중 66개(45.5%)의 인증기관과 79개(54.5%)의 비 인증기관의 비만수술결과를 비교 분석한 결과, 비 인증기관에서 더욱 긴 재원기간, 높은 비용, 높은 합병증 발생률과 사망률을 보였다.[9]

이와 같이, 여러 대규모 연구결과에서 합병증 및 사망률에 있어 유의한 차이를 보여, 향후 우리나라에서 시행될 비만수술의 보험급여화에 앞서 안정성 및 경제성 확보를 위하여 이러한 비만수술 인증 제도의 수립 및 시행이 필수적이다.

❸ 미국 비만수술 인증 제도

미국의 경우, 비만수술 인증 제도는 이미 2000년대부터 있어 왔는데, 2004년 미국비만대사외과학회(American Society of Metabolic & Bariatric Surgery, ASMBS)의 "비만수술 우수기관"(Bariatric Surgery Centers of Excellence) 프로그램과 2005년 ACS의 "비만수술센터 네트워크"(Bariatric Surgery Center Network) 프로그램을 만들어 비만수술에 있어 외과의가 주도가 되어 다학제 팀을 만들어 운영하며, 국가기관에 수술 결과를 보고하는 시스템을 갖추었다.[5, 14] 이후, 2012년 이러한 두 가지 시스템을 통합하여 "비만수술 인증 및 질 향상 프로그램"(Meta-bolic and Bariatric Surgery Accreditation & Quality Improvement Program)이 만들어져 오늘날까지 전국적으로 확대되어 시행되어 오고 있는 실정이다.[1, 8]

이 프로그램에서는 비만수술에 있어 높은 수준의 환자 진료를 다학제 팀을 구성하여 공급하기 위한 내용을 기본 골자로 하는데 우선 각 기관 내 인력과 내부 구조에 대한 인증을 필요로 하고 있으며, 환자에게 질 높은 수술을 제공할 수 있는 방안을 제시하고, 환자의 안전과 좋은 임상 결과를 보장할 수 있는 사항을 포함하고 있다.

❹ 국제비만대사외과연맹 내 유럽지부의 비만수술 우수기관 프로그램

국제비만대사외과연맹(International Federation for the Surgery of Obesity and Metabolic Disorders, IFSO) 내 유럽 및 중동, 아프리카 등지의 국가별 지부에서는 2005년 IFSO에서 공식적으로 IFSO - EC (European chapter) Centre of Excellence Program for Metabolic & Bariatric Surgery로 명명된 비만수술 우수기관 인증프로그램을 승인하여 운영해 오고 있는데, 이에 따라 2007년 IFSO에서 비만수술에 대한 안정성, 질, 우수성을 위한 지침을 만들어 이에 따라 우수기관 프로그램을 운영하고 있다.[7]

우선, 이 지침은 다음과 같은 3가지의 목적을 가지고 있다.

첫째, 이제 비만수술을 시작하려는 새로운 기관이 합당한 수준의 안정성과 효율성을 가질 수 있도록 필요한 사항에 대하여 기관과 외과의에게 조언을 하고자 한다.

둘째, 이미 수술을 시행하는 기존의 비만수술기관의 경우, 그들의 서비스의 질을 향상시켜 높은 효율과 안정성을 제공하고자 한다.

셋째, 존재하는 비만수술기관으로 하여금 그들의 수준을 우수기관의 수준으로 끌어올려 환자 치료의 결과를 향상시키는데 그 목적을 가지고 있다.

또한, 이 지침은 기관을 일차적 비만수술기관(Primary Bariatric Institutions, PBIs), 비만수술기관(Bariatric Institutions, BIs), 우수비만수술기관(Center of Excellence Bariatric Institution, COEBI)으로 3단계 분류를 하였으며, 각 단계의 기관과 외과의에 대하여 충족하여야 할 기준을 달리 정하고 있다.

❺ 대한비만대사외과학회 인증제

앞서 언급한 바와 같이, 대한비만대사외과학회의 노력과 병적비만 환자 증가에 따른 수요의 증가로 2018년부터 비만수술의 보험 급여를 앞두게 되었다. 이에 맞추어 대한비만대사외과학회에서는 2016년 새롭게 학회 내 인증위원회를 구성하여 회원들이 보다 안전하게 수술을 시행하고 환자를 진료할 수 있도록 비만수술 인증제를 마련하였다. 인증제의 궁극적인 목표는 비만수술에 대한 기회를 제한하려는 것이 아니며, 보다 많은 외과의들이 이를 보다 안전하게 시행할 수 있도록 폭넓은 기회를 제공하는 것이다.

앞으로 소개할 인증제는 비만수술 보험급여와 함께 시행될 예정으로 향후 우리나라 비만수술 및 환자 관리의 기준으로 정착될 것이다.

1. 비만수술 인증기관 분류

비만수술 인증기관은 1차, 2차, 그리고 3차 의료기관으로 분류하여 인증에 대한 차등 요건을 적용하고 있다(표 12-1). 이러한 분류와 별개로, 우수인증기관(Center of Excellence)에 대한 고려가 있었으나, 이는 인증제 완료 후 당시 현황에 따라 그 도입 시기를 결정하는 것으로 정

하였다. 인증제는 크게 '기관 인증'과 '개인 인증'으로 나누어 제정되었다.

2. 기관 인증 요건

기관 인증은 대한비만대사외과학회에서 지정한 웹사이트를 통하여 온라인 신청 접수 후, 현장 평가를 시행함으로써 해당 기관의 인증 요건 충족 여부를 검토하도록 한다. 기관 인증 요건은 아래와 같이 총 6개의 대항목(비만수술 위원회 구성여부, 비만수술관련 인력 및 시설, 비만수술 전문 설비 및 기기, 응급환자에 대한 연락 및 이송에 관한 사항, 비만수술 환자 교육, 인증 후 자료 수집 체계)으로 분류된다.

1) 비만수술위원회(비만수술센터) 구성

모든 비만수술 인증 기관은 기관 내 비만수술위원회를 구성해야 하며 이는 비만수술 감독자, 코디네이터, 임상평가원으로 구성된 다직능 집단이어야 한다. 위원회는 비만수술의 질 관리를 수행하는 주체로서, 비만수술 감독자, 코디네이터, 임상평가원을 두어야 하고 수술의 질 향상을 위해 지속적으로 협의하고 노력해야 하며, 연간 최소 3회 이상의 모임을 가져야 하고, 최소 1회 이상의 임상 결과에 대한 검토 모임을 가져야 한다.

대한비만대사외과학회 인증위원회에서 인증 평가 시 요구하는 서류는 아래와 같다.
- 비만수술위원회 조직도 및 각 구성원의 직능(감독자, 코디네이터, 임상평가원)을 증빙할 수 있는 문서
- 위원회 조직 후 시행한 위원회 모임에 대한 회의록 또한, 비만수술위원회의 각 구성원의 세부적인 역할은 다음과 같이 정한다.

(1) 비만수술 감독자

비만수술을 활발히 시행하는 인증 외과의로서, 기관의 비만수술 위원회를 조직하고 관장하는 이를 비만수술

표 12-1 의료기관에 따른 차등 기관요건

1차의료기관(의원)	2차의료기관(병원)	3차의료기관(종합병원)
(인증받은) 비만외과의	(인증받은) 비만외과의	(인증받은) 비만외과의
간호사, 식이처방사(대체 가능)	간호사, 식이처방사(영양사)	간호사, 식이처방사(영양사), 운동치료사
비만수술코디네이터(겸임 가능)	비만수술코디네이터(겸임 가능)	비만수술 전문코디네이터
담당 내/외과의 혹은 가정의학의	담당 내과의 혹은 가정의학의	호흡기, 순환기, 신장, 내분비 내과, 정신건강의학과, 재활의학과, 이비인후과, 안과, 산부인과, 가정의학과 전문의
비만수술 마취의	비만수술 마취의	비만수술전문 마취의(프로토콜)
의무기록관리	의무기록관리	전자의무기록 시스템
입원실	입원실	입원실(비만환자 전용)
수술방, 수술대	비만 전문 수술방 (복강경 전용 수술방, 비만환자 특수 수술대)	비만 전문 수술방 (복강경 전용 수술방, 비만환자 특수 수술대)
회복실	회복실	비만환자 전용 회복실
병실 : 침대, 가운, 화장실	비만환자용 병실 : 침대, 가운, 화장실	비만환자용 병실 : 침대, 가운, 화장실
X-ray 촬영 장비(수탁 가능)	X-ray 촬영실	일반 촬영실(조영제 촬영 가능)
	Portable X-ray, Ultrasound	Portable X-ray, Ultrasound
		컴퓨터 단층 촬영실
		중재 방사선 설비(인터벤션시설)
혈액검사(수탁 가능)	혈액검사 장비	혈액검사 장비
	내시경 장비	내시경 장비 및 전문의(치료 내시경 가능)
		비만 환자용 휠체어, 보행기(walker)
		Sequential compression device
심폐소생술 장비확보(기관삽관, 인공호흡, 혈역학적 모니터 가능)	심폐소생술 장비확보(기관삽관, 인공호흡, 혈역학적 모니터 가능)	심폐소생술 장비확보(기관삽관, 인공호흡, 혈역학적 모니터 가능)
	수혈장비	수혈장비
중환자 이송가능한 상급병원 지정	중환자 이송가능한 상급병원 지정	

감독자라 하는데, 연간 최소 2회 이상 위원회 회의에 참석을 해야 하고, 위원회의 질 향상을 위한 활동을 수행하고 임상 결과를 수집하는 활동에 협조해야 하며, 기관 내의 타 구성원에 대한 교육을 활발히 시행하여 환자의 안전을 보장하고 합병증을 줄이기 위해 노력해야 하는 역할을 담당한다. 비만수술 기관 인증을 위해 각 기관당, 최소 1인 이상의 비만수술 인증 외과의를 필요로 하는데, 만약 인증의 부재가 발생하면 30일 이내에 중앙위원회에 보고해야 한다.

① 기관에서 인정하는 비만수술 시행권한 및 자격에 대한 증명이 있어야 한다.
② 위원회 모임에 참석함을 증명해야 함.
③ 비만수술 인증의 증명이 있어야 함.
④ 위원회 회의내용 : 감독자가 기관 질 및 안정성 향

상을 위해 주도해야 함.

(2) 비만수술 코디네이터

국가가 공인한 면허가 있는 의료인 혹은 영양사로서, 위원회는 등록된 전문 코디네이터를 두어야 하는데, 각 기관의 코디네이터의 역할은 비만수술 기관의 발전과 인증을 위한 활동을 수행하며, 환자교육, 임상결과 수집, 질 향상 프로그램, 스텝의 교육 등 광범위한 활동을 수행한다. 또한 이러한 코디네이터는 비만수술 임상평가원으로도 활동이 가능하며 다를 경우, 평가원과 함께 임상결과를 수집하는데 긴밀히 협조하는 책임을 갖는다.

① 위원회 내에서 역할에 대한 명시(조직도 등)가 있어야 함.

② 의료인 혹은 영양사 등의 비만수술과 관련된 자격증이 있어야 한다.

(3) 비만수술 임상평가원

위원회에 소속된 비만수술에 대한 적절한 임상학적 지식을 가지고 있는 이를 임상평가원으로 지정하게 되는데, 이는 필요한 정보를 모아 중앙위원회에 지속적으로 보고하는 역할을 담당한다. 각 기관은 평가원이 비밀유지의 의무를 보호받을 수 있는 공간에서, 임상 자료를 모으는 활동을 수행할 수 있는 공간을 마련하여야 하며, 임상평가원은 정해진 시간에 맞추어 각 인증기관의 임상결과를 보고해야 하는 책임을 갖게 된다. 또한, 임상평가원은 위원회의 각 임상스텝과 활발히 교류하며 연간 2회 이상의 위원회 모임에 참석해야 하는 의무를 갖는다.

① 위원회 내에서 역할에 대한 명시(조직도 등)가 있어야 함.

② 비만대사외과학회에서 인정하는 자격증이 있어야 한다.

③ 위원회 회의 참석 여부(년 2회 이상) 증명해야 함.

2) 비만수술관련 인력 및 시설

비만수술 인증기관에서는 위에서 정한 위원회 외에 다음과 같이, 의료 지식을 보유한 지속적인 간호 인력과, 비만수술을 받을 환자를 위한 지정된 설비 구역을 갖추어야 한다.

(1) 비만수술 종사하는 의료인력(간호사, 식이 처방사(영양사), 운동치료사 등)

① 각 직종의 인력이 비만수술 환자 치료에 종사함을 증명해야 함.

② 비만대사센터 조직도 내 역할이 명시되어야 한다.

③ 각 직종에 대한 자격 증명서류를 구비해야 함.

(2) 비만수술 마취에 대한 지원

① 비만수술 마취 관리에 대한 프로토콜이 있어야 한다.

② 비만수술 마취에 대한 자격을 증명할 수 있어야 한다.

(3) 집중치료실 및 중환자실 지원

① 중환자 치료 및 관리가 가능한 집중치료실 및 중환자실 설비가 있어야 한다.

② 집중치료실 및 중환자실에서 중환자 관리가 가능한 의료인력이 있어야 한다.

(4) 광범위한 내시경 지원

① 진단 및 치료 내시경이 가능한 의료인력이 있어야 한다.

② 내시경 시술 보조할 전문간호인력이 있어야 한다.

③ 진단 및 치료 내시경이 가능한 내시경 시설을 확보해야 한다.

(5) 광범위한 진단 및 중재 방사선 설비

① 영상의학적 진단, 경피적 배액술 및 기타 중재 시술이 가능한 전문의가 있어야 한다.

② 진단 및 중재 방사선 설비를 갖추어야 한다.

(6) 관련된 타과 진료 인력

  ① 호흡기, 순환기, 신장, 내분비 내과, 정신건강의학과, 재활의학과, 가정의학과 전문의 등이 비만수술 환자의 진료에 참여해야 한다.

  ② 상기 의료 인력에 관하여, 비만수술센터 조직도 내 역할이 명시되어야 한다.

3) 비만수술 전문 설비 및 기기

인증 기관은 비만수술 환자를 위한 적절한 기계 및 기구를 구비해야 한다. 여기서 말하는 설비에는 가구, 휠체어, 수술 침대, 화장실 설비, 영상의학적 장비, 침상, 수술 장비, 기타 병적비만 환자를 안전하게 이송 및 간호하는 데 필요한 모든 설비를 포함한다.

  비만수술은 고체중의 병적비만 환자를 대상으로 하므로 환자의 운반 및 이송 시 이를 감당할 수 있는 설비가 이루어져야 한다. 모든 설비는 제조사에서 제공한 감당 가능한 무게 중량을 표시해야 하며 이를 환자를 다루는 인력들이 숙지하고 확인할 수 있어야 한다.

  따라서, 각 인증 기관이 다음의 설비를 갖추도록 요구한다.

  (1) 비만환자전용 검사테이블

  (2) 비만환자전용 수술대

  (3) 일반 촬영실(조영제 촬영 가능)

  (4) 영상의학적 진단 설비(Portable X-ray, Ultrasound 등)

  (5) 수술기구(자동 봉합기, 견인기, 길이가 긴 복강경 수술기구)

  (6) 심폐소생술 장비확보(기관삽관, 인공호흡, 혈역학적 모니터 가능)

  (7) 심부정맥 혈전증 방지용 순차적 압축 소매(Sequential compression device sleeve)

  (8) 비만환자용 병실 : 침대, 가운, 화장실

  (9) 비만환자전용 저울, 비만 환자용 휠체어, 보행(walker)

  인증 평가시, 위 (1), (2), (9) 항목들은 가능한 무게 및 키에 대한 규격을 제시하여야 한다.

4) 응급환자에 대한 연락 및 이송에 관한 사항

1차 혹은 2차 인증 기관의 경우, 잘 구비된 중환자실이 없더라도 기도확보와 기관 삽관이 가능하며, 인공호흡기, 혈역학적 모니터링이 가능하여야 한다. 그 이상의 치료가 필요하다면, 상급병원으로 이송 가능한 장비와 이송 시스템을 확보해야 한다.

  (1) 비만수술환자의 응급 상황 발생 시 연락이 가능한 의료인력에 대한 명시

  (2) 응급 상황 발생 시 이송 가능한 병원 명단 및 협약서

  (3) 협약의 경우 1차 및 2차 의료기관은 필수사항, 3차 의료기관은 선택사항임.

5) 비만수술 환자 교육

비만수술 전후의 비만수술 환자 교육에 대한 전반적인 원내 프로토콜이 있어야 하며, 이는 인증 평가시 비만수술 치료 진료 지침으로 대체 제출이 가능하다. 세부 내용은 다음과 같다.

  (1) 비만수술의 적응증 및 금기를 환자에게 고지한다.

  (2) 다양한 비만수술방법 및 결과에 대하여 설명한다.

  (3) 수술의 목적, 위험성, 이득 및 대체치료 등이 수술 동의서에 명시되어야 한다.

  (4) 식이, 운동, 비타민 및 미네랄 섭취, 생활습관 변화 등에 대한 교육

  (5) 퇴원 후 운동, 식이, 병원방문 계획, 약물복용에 대한 설명

  (6) 빈맥, 발열, 호흡곤란, 복통, 구토 등 합병증 시 발생할 수 있는 증상 교육

6) 인증 후 자료 수집 체계

양질의 자료는 질 향상과 인증에 있어서 필수적이다. 수술 수량이 최초 인증에서는 중요한 요소이나 본 프로그

램의 궁극적 목적은 단지 수술 수량에 의한 것이 아니라 위험도에 의거한 수술의 결과를 산술적으로 도출하는 데 있다. 이를 위하여 대한비만대사외과학회 내 중앙 조직으로 비만수술 자료 수집처를 편성한다. 모든 비만수술은 비만수술 자료 수집처에 등록되어야 하며, 모든 입원과 수술의 결과가 데이터로 기록되는 것을 원칙으로 한다. 자료의 수집은 궁극적으로 각 기관 비만수술위원회 소속인 비만수술 임상평가원과 함께 비만수술 감독자의 책임인데, 기관 및 부서와 협력하여 수술의 단기 및 장기적 결과를 보고하도록 한다.

자료 등록처는 전향적인, 위험도가 보정된 임상적으로 풍부한 자료를 체계화된 정의에 근거하여 수집하는데, 자료의 변수는 온라인 작업 장소에 리스트화되어 있으며, 지속적으로 추가되고 보정되는 단계를 거치게 된다. 자료는 많은 장치에 의해서 그 유효성이 입증되며, 질 향상을 위해 지속적으로 갱신되어야 한다. 온라인 작업 장소는 부정확한 자료의 수집을 줄이고 자료가 손실되는 것을 막기 위해 계속 발전해야 한다.

또한, 임상평가원에 대한 지속적인 교육도 자료의 질 향상을 위해 중요하므로, '개인 인증 요건'에서 언급될 연수 교육을 임상평가원도 필수적으로 수료하도록 한다. 임상평가원은 각 인증 기관의 임상 관리자로서 임상 자료 관리 부서 편성 및 업무를 수행하며, 수술 후 외래 추적관찰에 대한 결과 및 합병증, 사망, 감량에 따른 병적 비만 합병증 호전에 대한 정보를 중앙 자료 등록처에 온라인으로 주기적으로 보고하도록 한다. 자료는 매년 등록하도록 되어 있으며, 자료 수집 체계는 비만수술의 질 평가와 향상을 위해 지속적으로 발전될 것이다.

3. 개인 인증 요건(비만수술 인증의)

대한비만대사외과학회에서 정한 비만수술 인증의 요건은 다음과 같이, 우선적으로 학회에서 주관하는 연수강좌를 통하여 비만수술에 필수적인 기본 지식을 습득하여야 하며, 수술을 안전하게 시행할 수 있는 기본 술기를 갖추어야 한다는 전제를 바탕을 정하였다. 이 요건은 현재 우리나라 실정에서 가능한 요건을 고려하여 결정된 것이며, 향후 우리나라의 비만수술의 건수가 증가하면 개정될 것으로 보인다.

1) 개인 인증을 위한 요건
    (1) 대한민국 의사면허 및 외과 전문의자격증을 소지한 자
    (2) 비만수술 인증의를 위한 연수강좌를 이수하고 이수증을 발부받은 자
    (3) 비만수술 10예를 포함한 복강경위장관수술(충수절제술이나 담낭절제술은 제외)에 술자 혹은 제 1 조수로 100예 이상 참여한 자
    (4) 단, 복강경위장관수술에 술자 혹은 제 1 조수로 100예 이상 참여한 자들 중 비만수술에 대한 경험이 부족한 경우에는 비만수술 관련 6개월 이상의 해외 장기연수나 대한비만대사외과학회가 인정하는 해외 Center of Exellence에 단기연수 경험으로 대체할 수 있다.

2) 인증의 자격 유지
    (1) 인증의 자격은 매 3년마다 갱신하는 것으로 정한다.
    (2) 인증의 자격은 대한비만대사외과학회에 의해 유지되며, 지속적으로 학회 회원으로 참여해야 한다.
    (3) 비만수술의 임상결과를 지속적으로 평가하고 검토하여, 각 기관의 임상평가원을 통해 대한비만대사외과학회에 매년 보고해야 하며, 이를 시행하지 않을 경우 이사회를 통하여 인증의 자격을 제한할 수 있다.

3) 인증의 자격 갱신 요건
    (1) 인증은 매 3년마다 갱신하여야 한다.
    (2) 3년간 한 번 이상의 대한비만대사외과학회 연수

강좌에 참석해야 한다.

(3) 각 개인의 임상 data를 매년 학회가 정하는 기간에 data registry에 입력해야 한다.

(4) 3년간 다음 목록에 포함된 평점을 20점 이상 획득해야 한다.

① 대한비만대사외과학회에서 진행하는 학회 또는 연수강좌나 IFSO, ASMBS 등에서 주최하는 국제 학술대회 참석(5점)

② 위 ①항의 학회 또는 연수강좌에서 강의 또는 구연 발표하였을 경우 3점을 가산한다.

③ 대한외과학회 통합학술대회에 비만대사외과학회 회원 자격으로 참석(3점)

④ 대한비만대사외과학회 유관학회 참석(2점)

예> 대한비만학회, 대한내시경복강경외위과학회, 대한암학회, 대한복강경위장관연구회, 대한위식도역류질환수술연구회, 대한외과대사영양학회.

⑤ 비만수술 관련 논문 발표(제 1저자 및 교신저자만 해당)

- 대한비만대사외과학회지(JMBS)나 SCI (E)급 국제 학술지: Case, Review (5점), Original article (10점)

- 다른 국내 학술지에 비만대사관련 논문을 투고하였을 경우: Case, review (2점), Original article (5점)

- 단 제 1저자 및 교신저자 이외의 공동저자의 경우에는 해당 점수의 20%를 인정한다.

제도 준비에 있어 신중함이 요구된다.

미국에서는 연간 십만 건 이상의 비만수술이 시행되고 있으므로,[11] 기관의 규모와 단계에 따라 수술분량에 대한 기준을 정하여 인증제도를 마련하였지만, 우리나라의 경우 이를 적용하기에는 무리가 있을 것으로 사료된다. 현재 학회나 병원 차원에서 비만수술의 질 향상 제고와 안정성 관리를 위해 아직까지 특별한 제도나 장치를 만들어 시행하고 있지 못하고 있는 실정이다. 또한, 외국의 경우, 수술을 시행하는 분량에 따라 등급을 나누어 인증 제도를 시행하고 있는데, 우리나라의 경우에도 각 기관의 규모 및 단계에 따라 이를 수용하여 적용하는 데 문제가 있어 수술 분량보다는 수술의 질 향상과 안정성 관리에 초점을 맞추어 국내 실정에 맞는 대사비만수술 인증의 및 기관 인증제도를 마련하였다.

한편, 여러 인증제 프로그램에서 비만수술의 안정성 관리를 위해 비만대사 외과분야 이외의 타 분야와의 협력 진료의 중요성을 강조하고 있어, 우리나라의 경우도 이러한 다학제 진료의 중요성을 반영하였다.

결론적으로, 현재까지 우리나라의 비만수술은 활성화되지는 않은 상태이지만, 향후 이와 같은 인증제의 시행을 통하여 정부와 국민들에게 비만수술의 필요성과 신뢰성을 얻는다면 앞으로 증가할 우리나라 병적비만 환자에게 보다 안전하고 효율적인 치료 및 관리의 기회를 제공할 수 있을 것이다.

❻ 고찰 및 결론

이와 같이 최근 미국 및 유럽 등 지에서는 비만수술 인증 제도가 시행되고 있는데, 외국에 비하여 우리나라의 경우 아직 비만수술이 활성화되지 못한 상태이므로 인증

참고문헌

1. Blackstone R, Dimick JB, Nguyen NT. Accreditation in metabolic and bariatric surgery: pro versus con. Surg Obes Relat Dis 2014;10:198-202.

2. Champion JK & Pories WJ. Centers of Excellence for Bariatric Surgery. Surg Obes Relat Dis 2005;1:148-51.

3. Flum DR, Salem L, Elrod JA, et al. Early mortality among

Medicare beneficiaries undergoing bariatric surgical procedures. JAMA 2005;294:1903-8.

4. Gebhart A, Young M, Phelan M, et al. Impact of accreditation in bariatric surgery. Surg Obes Relat Dis 2014;10:767-73.

5. Hutter MM, Schirmer BD, Jones DB, et al. First report from the American College of Surgeons Bariatric Surgery Center Network: laparoscopic sleeve gastrectomy has morbidity and effectiveness positioned between the band and the bypass. Ann Surg 2011;254:410-20; discussion 420-2.

6. Jafari MD, Jafari F, Young MT, et al. Volume and outcome relationship in bariatric surgery in the laparoscopic era. Surg Endosc 2013;27:4539-46.

7. Melissas J. IFSO guidelines for safety, quality, and excellence in bariatric surgery. Obes Surg 2008;18:497-500.

8. Morton J. The first metabolic and bariatric surgery accreditation and quality improvement program quality initiative: decreasing readmissions through opportunities provided. Surg Obes Relat Dis 2014;10:377-8.

9. Morton JM, Garg T, Nguyen N. Does hospital accreditation impact bariatric surgery safety? Ann Surg 2014;260:504-8; discussion 508-9.

10. Nguyen NT, Higa K, Wilson SE. Improving the quality of care in bariatric surgery: the volume and outcome relationship. Adv Surg 2005;39:181-91.

11. Nguyen NT, Masoomi H, Magno CP, et al. Trends in use of bariatric surgery, 2003-2008. J Am Coll Surg 2011;213:261-6.

12. Nguyen NT, Nguyen B, Nguyen VQ, et al. Outcomes of bariatric surgery performed at accredited vs nonaccredited centers. J Am Coll Surg, 2012;215:467-74.

13. Nguyen NT, Paya M, Stevens CM, et al. The relationship between hospital volume and outcome in bariatric surgery at academic medical centers. Ann Surg 2004;240:586-93; discussion 593-4.

14. Schirmer B & Jones DB. The American College of Surgeons Bariatric Surgery Center Network: establishing standards. Bull Am Coll Surg 2007;92:21-7.

PART 02 비 만 수 술 Bariatric surgery

Chapter 01 | 루와이위우회술
Roux-en-Y gastric bypass

 서론

비만수술 중 최초로 시도되었던 수술은 Kremen 등이 1954년 발표한 공장회장우회술(jejunoileal bypass)이다. 이 술식은 순수 흡수제한을 유도하는 술식으로 체중감소 면에서는 탁월한 효과가 입증되었지만 심각한 부작용이 뒤따랐다. 간부전증으로 발생한 사망례가 91건 보고되었고 그 외에도 중증 단백질결핍증, 골다공증, 지속적 설사, 신장결석증, 야맹증 등의 심각한 후유증이 확인되면서,[5] 보다 안전한 새로운 술식의 필요성이 대두되어 1966년 Mason과 Ito가 Billroth II 문합술 후 체중 감량이 일어나는 사실에 착안하여 위우회술(gastric bypass)을 개발하게 된다.[14] 초기에는 루프형식의 위우회술(loop gastric bypass)이었으나 담즙역류, 문합부 긴장 등의 문제가 제기되면서 1977년 Griffen 등이 위우회술을 'Y'식(Roux-en-Y)으로 변형하여 문제를 해결하였다.[6] 이후 여러 차례 기술적 변화를 거쳐 오늘날의 루와이위우회술(Roux-en-Y gastric bypass) 형태로 정착되었다.

1987년 프랑스의 Mouret이 최초로 복강경 담낭절제술을 시행한 이후 복강경 수술이 세계적으로 보급되면서 Wittgrove 등이 1993년 첫 복강경 루와이위우회술을 시행하게 되고 90년대 말부터 복강경 비만수술이 급속도로 확산된다.[20] 한국에서는 2003년 최초로 두 기관(연세의대 최승호와 가톨릭의대 김응국/이상권)에서 복강경 루와이위우회술이 시행되었다.[12]

② 수술 준비

루와이위우회술의 수술 준비는 다른 비만수술과 유사하지만 조절형위밴드술이나 위소매절제술과는 다르게 두 군데의 문합이 있어 수술시간이 더 소요되므로 심부정맥혈전증 및 폐색전증 예방이 중요하다. 이를 위해 다리에 간헐 순차적 공기압박(intermittent sequential pneumatic compression) 장치를 착용토록 하고 약리학 예방을 위해 저분자량헤파린을 수술 전후로 투여한다. 또한 예방적 항생제를 수술 전후 사용한다.

환자의 자세는 앙와위로 하고 술자의 선호도에 따라 양 다리를 벌리고 술자가 다리 사이에서 수술하거나 환자의 우측에 서서 수술한다. 특히 수술 중 시야 확보를 위해 환자를 극도의 역트렌델렌버그자세(steep reverse Trendelenburg)를 취할 수 있으므로 골반 부위를 밴드나 테이프로 잘 고정하고 압력궤양(pressure sore) 예방을 위해 체중이 실리는 부위에 부드러운 패드를 적절히 배치한다.

③ 루와이위우회술의 개요

루와이위우회술은 위식도 경계부 하방에서 위를 소만곡 쪽으로 15-30 cc 정도의 용적을 가진 위낭(gastric pouch)을 형성하고 나머지 위와 완전히 분리시킨 후 약 100-150 cm 길이의 공장을 'Y'식(Roux-en-Y)으로 위낭과 연결하여 섭취한 음식이 대부분의 위와 십이지장 전체,

그림 1-1 루와이위우회술 모식도

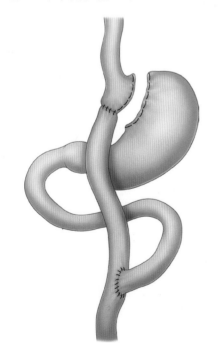

그리고 근위부 공장 일부를 우회하도록 하는 수술이다(그림 1-1). 두 가지의 문합(위공장문합과 공장공장문합)이 이루어져야 하므로 조절형위밴드술이나 위소매절제술보다 상대적으로 고난도 수술이다. 위공장문합은 복강경 원형자동문합기(circular stapler), 선형자동문합기(linear stapler), 또는 수기로 꿰매는(handsewn) 방법으로 시행할 수 있다.[1] 통상적으로 '루'각(Roux limb)의 길이는 환자의 신체질량지수(body mass index, BMI)가 50 kg/m² 미만일 경우 100 cm로, 50 kg/m² 이상일 경우 150 cm로 한다. '루'각이 더 원위부에 연결될수록 영양학적 문제가 더 심각해질 수 있어 일반적으로 소화각(alimentary limb)의 길이를 150 cm 이상으로 하지는 않는다.[2] 위공장문합시 '루'각은 결장전방(antecolic) 또는 결장후방(retrocolic)으로 올려서 시행할 수 있다.

④ 복강경 루와이위우회술의 술기

1. 기복 형성

먼저 기복 형성은 베레스침(Veress needle) 방법 또는 하손(Hasson) 방법을 사용하여 기복을 형성할 수 있다.[7] 복벽이 매우 두꺼운 병적비만 환자에서는 Visiport™ (Medtronic, Minneapolis, MN) 같은 광투관침(optical trocar)을 사용하면 직시하 투관침 삽입이 용이하므로 보다 안전하게 복강 내로 접근할 수 있다. 기복 유지는 일반 환자와는 달리 시야 확보를 목적으로 CO_2 기압을 15-18 mm Hg까지 올려야 될 수 있다.

2. 투관침 삽입 위치

투관침 삽입 위치는 술자의 선호도에 따라 조금씩 차이

그림 1-2 **복강경 루와이위우회술을 위한 투관침 삽입위치**

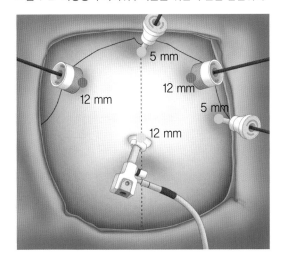

가 있으나 흔히 시행되는 방법은 다음과 같다. 카메라를 위한 포트는 정중앙 제대상부에 10/11 mm 투관침을 삽입하고, 우상복부에 12 mm 투관침 1개, 좌상복부에 12 mm 투관침 1개와 이보다 측면으로 5 mm 투관침 한 개를 삽입하고 간 견인을 위해 검상돌기 하부에 5 mm 절개 후 Nathanson 간견인기를 직접 삽입하거나 5 mm 투관침 삽입 후 snake 견인기를 사용한다(그림 1-2). 필요에

따라 추가적 투관침 삽입이 필요할 수 있다. 특히 복벽이 매우 두꺼운 비만환자에서 주의할 점은 투관침 방향이 복벽과 직각으로 들어가면 기구 조작에 어려움이 있을 수 있으므로 목표물을 향해 투관침을 약간 사선으로 삽입하면 수술 진행이 더 순조로울 수 있다.

3. 위낭 형성

루와이위우회술 시 위낭을 먼저 만들거나 '루'각을 먼저 만들 수 있는데 여기서는 위낭을 먼저 형성하는 방식[15]을 소개한다. 환자 자세를 역트렌델렌버그 체위로 하고 약 15-30 cc 용적의 위낭 형성을 위해 먼저 히스각(angle of His)을 노출시킨다. 이어서 위식도경계부 하방 두번째 혈관다발(vascular bundle) 직하방 또는 위식도경계부 하방 5 cm 위치에서 소만곡에 붙여서 위를 박리한다. 복강경 선형자동문합기가 들어갈 수 있는 공간이 만들어지면 3.5 mm 스테이플 높이의 청색 카트리지 또는 이와 유사한 카트리지를 장전한 복강경 선형자동문합기를 우측 투관침을 통해 삽입하여 위를 수평으로 찍는다(그림 1-3A). 이어서 히스각을 향해 여러 차례 복강경 선형자

그림 1-3 A) 위낭 형성을 위해 복강경 선형자동문합기를 수평으로 적용하고 있다. B) 위낭 완성을 위해 루와이위우회술을 복강경 선형자동문합기를 수직으로 적용하고 있다.

A

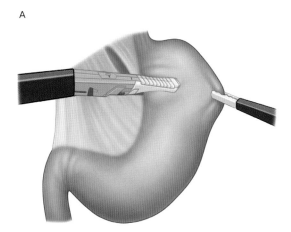

B

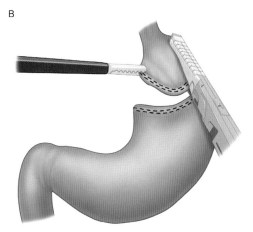

동문합기를 수직으로 찍어 위낭과 나머지 위를 완전히 분리시켜 놓는다(그림 1-3B). 이때 34-36 Fr. calibration tube를 위식도경계부 아래까지 거치시켜 놓으면 실수로 식도를 선형자동문합기로 손상시키는 실수를 예방할 수 있고 위낭 크기 조절도 용이하다.

4. 위공장문합술

'루'각을 만들기 위해서는 자세를 역트렌델렌버그 체위에서 수평 앙와위로 하고 트라이츠(Treitz) 인대로부터 하방으로 약 50-75 cm의 공장을 재고 나서 오메가(Ω)식 공장루프를 결장 전방으로 위낭 쪽으로 올린다. 대망이 매우 두꺼운 비만환자에서는 루프가 위낭까지 올라가지 않을 수 있어 횡행결장 대망을 반으로 갈라놓던지 "V" 자로 부분 절제하면 된다. 위낭과 공장루프에 선형자동문합기를 삽입할 수 있도록 각각 구멍을 만들고 cartridge fork와 anvil fork를 각각 삽입하여 문합을 한다(그림 1-4). 이때 위공장문합부 직경이 지나치게 커지지 않게 스테이플을 약 2.0-2.5 cm만 삽입하여 찍는다. 스테이플 삽입창은 #3-0 흡수성 봉합사로 연속 또는 비연속적으로 봉합한다. 위공장문합부가 좁아지지 않도록 하기 위해서는 봉합 전에 34-36 Fr. calibration tube 또는 위시내경을 위공장문합부를 통과시키고 나서 봉합을 하면 문합부 직경을 원하는 크기로 조절할 수 있다. 문합부의 적절한 직경은 약 12-15 mm 정도이다.

공장을 오메가식으로 올리지 않고 공장을 분할한 뒤 진행하는 방법도 있다. 먼저 공장을 트라이츠 인대로부터 하방으로 약 25-50 cm 지점에서 2.5 mm 스테이플 높이의 백색 카트리지를 장전한 선형자동문합기를 이용해 공장을 분할하고 장간막도 Ligasure™ (Medtronic, Minneapolis, MN) 등의 에너지장치로 분할한다(그림 1-5). 좌측에 담췌각(biliopancreatic limb)이 될 공장 말단에다가 클립이나 봉합사, 또는 염색물질로 표시해 두고 '루'각이 될 우측 공장을 결장 전방으로 위낭이 있는

그림 1-4 선형자동봉합기를 이용해 위공장문합을 하는 모습

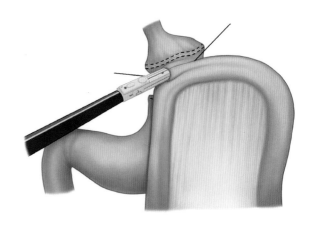

위치까지 올려서 앞서 기술한 방식으로 위공장문합술을 시행한다.

대부분의 외과의가 '루'각을 결장 전방으로 올리고 있지만[13] 결장 후방으로 올리는 방법도 있다.[18] 이 방법은 '루'각의 장간막이 두껍고 짧을 때 유용하다. 그러나 결장간막에 결손이 추가적으로 발생하게 되어 내부탈장(그림 1-6) 발생률이 더 높다는 단점이 있다. 이 방법을 이용하려면 먼저 공장을 선형자동문합기로 절단한 뒤, '루'각 말단부에 펜로즈(Penrose)관을 잘라서 연결하고 횡행결장을 거상한 뒤 결장간막에 창을 내고 복강경 장감자로 펜로즈관을 잡고 '루'각을 그 사이로 올린다. 그러면 '루'각이 결장후방, 위장후방으로 올라가서 위낭과 만나게 된다(그림 1-7).

5. 공장공장문합술

이어서 위낭에 연결된 공장루프의 좌측에서 2.5 mm 스테이플 높이의 백색 카트리지 또는 이와 유사한 카트리지를 장전한 선형자동문합기를 이용해 공장루프를 절단하여 분리시키면 우측에 '루'각이 완성되고 좌측에 담췌장장관의 맹장관(blind loop)이 형성된다(그림 1-8). 위공

그림 1-5 선형봉합기를 이용해 트라이츠인대 25-50 cm 하방에서 선형자동문합기를 이용해 공장을 분할한다.

그림 1-6 루와이위우회술 후 내부탈장이 일어날 수 있는 공간. A) 피터슨 결손(Petersen's space). B) 공장공장문합 후 생성된 장간막 결손(mesenteric defect).

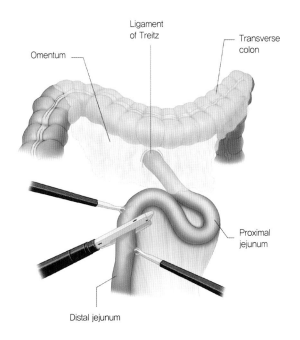

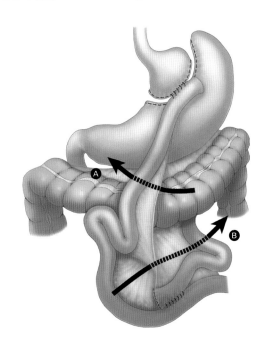

그림 1-7 '루'각을 결장후방, 위장후방으로 올려서 위낭과 위공장문합술을 시행한다.

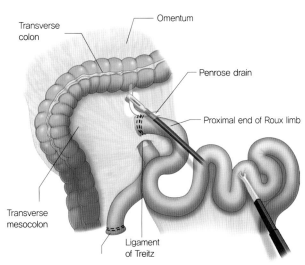

그림 1-8 위낭과 연결된 공장루프의 좌측에서 선형자동문합기로 공장루프를 분리시키면 우측에 '루'각이 완성되고 좌측에 담췌장장관의 맹장관이 형성된다.

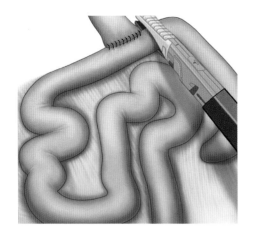

그림 1-9 선형자동문합기로 '루'각과 담췌장장관 간에 측측 공장 공장문합을 하고 있다.

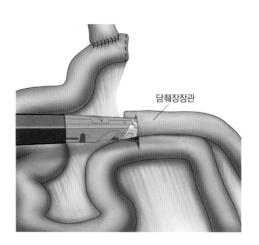

장문합부에서부터 '루'각을 따라 약 100 cm 정도 내려가서 절단한 담췌장장관과 2.5 mm 스테이플 높이의 백색 카트리지를 장전한 선형자동문합기로 측측 공장공장문합을 하고 스테이플 삽입창은 #3-0 흡수성 봉합사로 연속 봉합한다. 이때 공장공장문합부가 좁아지지 않게 60 cm 길이의 카트리지를 사용하던지 45 cm 길이의 카트리지를 2개 사용하도록 한다(그림 1-9). 마지막으로 내부탈장이 일어날 수 있는 공장의 장간막 결손부위(mesenteric defect)와 피터슨 공간(Petersen's space)을 비흡수성 봉합사로 봉합한다.

6. 위공장문합의 또 다른 방법

위공장문합을 시행할 수 있는 또 다른 방법은 원형자동문합기(circular stapler)를 사용하는 것과 수작업으로 꿰매는 방법(handsewn)이 있다. 먼저 원형자동문합기 방법은 위낭을 만들고 나서 입위관(orogastric tube) 말단 부위에 anvil을 연결해서 경구로 입위관을 삽입해 위낭까지 도달하면 스테이플선에 작은 구멍을 만들어 입위관을 복강 내로 천천히 잡아당겨 anvil이 위낭에 걸리도록 한다. 이때 기관내관(endotracheal tube) 풍선 안에 있는 공기를 전부 제거하고 머리를 굽혀야 식도 손상을 예방할 수 있다. 좌상복부에 위치해 놓은 12 mm 투관침을 제거하고 절개를 약간 더 확장한 뒤 21 mm 원형자동문합기를 '루'각 말단부의 절개창을 통해 삽입하여 anvil과 만나도록 한다. 원형자동문합기 삽입부는 선형자동문합기를 이용해 닫는다. Anvil을 삽입하는 또 하나의 방법은 경위장관(transgastric) 방법으로서 위낭 형성 과정에서 수평으로 선형자동문합기를 찍은 뒤에 수직으로 찍기 전에 anvil을 위 절개를 통해 위낭까지 도달하게 한 뒤 앞으로 만들어질 위낭 부분에 삽입해 놓고 나서 위낭을 선형자동문합기로 완성한다. 원형자동문합기를 위에서 기술한 방법과 동일하게 삽입하여 위공장문합술을 시행한다(그림 1-10). 도너츠링이 온전하게 나온 것을 확인하고 필요해 따라 흡수성 봉합사로 보강봉합을 한다.

수기로 꿰매는 방법(handsewn)은 위공장문합을 수기로 이중문합하는 것으로 먼저 후벽에 렘버트(Lembert) 장근막 봉합을 하고 이어서 흡수성 봉합사로 전층 단측 위공장문합을 하는 방법이다.[8] 마지막으로 다시 전벽을 램버트 장근막 봉합을 시행한다. 이 방법은 집도의가 능숙한 복강경 체내봉합기술을 갖춰야 하고 수술시간이

그림 1-10 원형자동문합기(circular stapler) 방법. 위낭으로 나와 있는 anvil과 투관침 부위로 삽입한 원형자동문합기 본체를 결합시키고 있다.

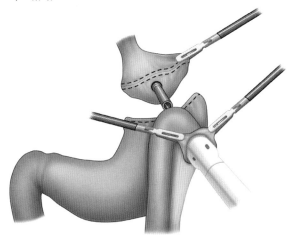

상대적으로 더 소요된다는 단점이 있으나 자동봉합기를 사용하지 않는다는 것과 위공장문합부 직경을 원하는 대로 형성할 수 있다는 장점이 있다.

7. 누출검사(leak test)

수술을 마치기 전에 위공장문합부 하방에서 '루'각을 복강경 장감자로 가볍게 물어 내강을 폐쇄하고 입위관을 통해 위낭에 인디고 카민(indigo carmine) 등의 청색 물감을 주입해 누출검사를 한다. 누출부위가 발견되는 경우 흡수성 봉합사로 보강봉합을 한다. 마지막으로 술자의 선호도에 따라 배액관을 위공장문합부 주위에 적절히 삽입하고 간견인기와 투관침을 제거한 다음 투관침 부위와 피부를 봉합한 뒤 술기를 마친다.

5 루와이위우회술의 결과

루와이위우회술 후 체중감소 효과는 약 61.6% (56.7-66.5%)의 초과체중감소율(percentage of excess weight loss, %EWL)을 보인다.[13] 이는 조절형위밴드술(평균 47.5%)보다는 우월하지만 담췌우회술(평균 70.1%)보다는 적다. 비만수술 후 장기적인 추적관찰이 잘 이루어지지 않아 장기 결과를 획득하는데 어려움이 많은 것이 사실이지만[11] 루와이위우회술 시행 후 10년 경과한 시점에서 약 57%의 초과체중감소율을 보고한 결과가 있고,[7] 14년 경과한 뒤에도 약 49.2%의 초과체중감소율을 보고한 결과도 있어 감량된 체중이 장기적으로 유지되는 것을 볼 수 있다.[17]

루와이위우회술 후 합병증 발생률은 약 5.9%로 조절형위밴드술(1.4%) 보다 높고 위소매절제술(5.6%)과 유사하며, 수술 후 30일 내 사망률은 루와이위우회술이 0.14%, 위소매절제술이 0.11%, 조절형위밴드술이 0.05%이다.[10] 루와이위우회술 후 사망률의 주 원인은 폐혈전색전증이고 조기 합병증 중에는 위공장문합부 누출, 위공장문합부 협착, 출혈, 장폐색증, 폐합병증, 창상감염 등이 있고 후기 합병증으로는 내부탈장, 절개탈장, 변연궤양, 위위누공(gastrogastric fistula), 담석증 등이 있다.[8, 19] 영양학적 합병증으로는 단백질 결핍, 빈혈, 비타민 B_{12} 결핍, 엽산 결핍, 칼슘 결핍, 속발성 부갑상선기능항진증 등이 발생할 수 있다.[16]

루와이위우회술 후 고지혈증 개선율은 93%, 고혈압 관해율은 75%, 수면무호흡증 관해율은 86%이며[4] 특히 루와이위우회술 후 제2형 당뇨병 관해율은 메타분석에 따르면 평균 80.3%로 조절형위밴드술의 평균 56.7% 보다 우수하다.[4]

참고문헌

1. Berbiglia L, Zografakis JG, Dan AG. Laparoscopic Roux-en-Y Gastric Bypass. Surgical Technique and Perioperative Care. Surg Clin N Am 2016;96:773–94

2. Brolin RE, LaMarca LB, Kenler HA, Cody RP. Malabsorptive gastric bypass in patients with superobesity. J Gastrointest Surg 2002;6:195-203.

3. Buchwald H, Avidor Y, Braunwald E, Jensen MD, Pories W, Fahrbach K, Schoelles K. Bariatric surgery: a systematic review and meta-analysis. JAMA 2004;292:1724-37.

4. Buchwald H, Estok R, Fahrbach K, et al. Weight and type 2 diabetes after bariatric surgery: systematic review and meta-analysis. Am J Med 2009;122:248-56.

5. Griffen WO Jr, Bivins BA, Bell RM. The decline and fall of the jejunoileal bypass. Surg Gynecol Obstet 1983;157:301-8.

6. Griffen WO Jr, Young VL, Stevenson CC. A prospective comparison of gastric and jejunoileal bypass procedures for morbid obesity. Ann Surg 1977;186:500-9.

7. Hasson HM. A modified instrument and method for laparoscopy. Am J Obstet Gynecol. 1971; 110:886–7

8. Higa K, Ho T, Tercero F et al. Laparoscopic Roux-en-Y gastric bypass: 10-year follow-up. SOARD 2011;7:516–25

9. Higa KD. Laparoscopic Roux-en-Y Gastric Bypass: Technique and Outcome. In: Nguyen NT, Blackstone RP, Morton JM, et al. eds. The ASMBS Textbook of Bariatric Surgery. Vol.1. Bariatric Surgery. Springer: New York; 2015:183-92.

10. Hutter MM, Schirmer BD, Jones, JB et al. Laparoscopic Sleeve Gastrectomy has Morbidity and Effectiveness Positioned between the Band and the Bypass. Ann Surg 2011;254:410–22.

11. Jones KB. Experience with the Roux-en-Y Gastric Bypass, and Commentary on Current Trends. Obes Surg 2000;10:183-5

12. Lee, SK. Current Status of Laparoscopic Metabolic/Bariatric Surgery in Korea. J Minim Invasive Surg 2015;18:59-62.

13. Madan AK, Harper JL, Tichansky DS. Techniques of laparoscopic gastric bypass: on-line survey of American Society for Bariatric Surgery practicing surgeons. Surg Obes Relat Dis 2008;4:166–73.

14. Mason EE, Ito C. Gastric bypass in obesity. Surg Clin North Am 1967;47:1345-51.

15. Olbers T, Lönroth H, Fagevik-Olsén M, et al. Laparoscopic gastric bypass: development of technique, respiratory function, and long-term outcome. Obes Surg 2003;13:364-70.

16. Podnos YD, Jimenez JC, Wilson SE, Stevens CM et al. Complications after laparoscopic gastric bypass: a review of 3464 cases. Arch Surg 2003;138:957-61.

17. Pories WJ, Swanson MS, MacDonald KG, et al. Who would have thought it? an operation proves to be the most effective therapy for adult-onset diabetes mellitus. Ann Surg 1995;222:339-52.

18. Richards WO, Schirmer BD. Morbid obesity. In: Townsend C, ed. Sabiston textbook of surgery: the biological basis of modern surgical practice. 18th ed. Philadelphia: Elsevier Saunders; 2008: p. 399-430.

19. Schauer PR, Ikramuddin S, Gourash W, et al. Outcomes after laparoscopic Roux-en-Y gastric bypass for morbid obesity. Ann Surg 2000;232:515-29.

20. Wittgrove AC, Clark GW, Tremblay LJ. Laparoscopic gastric bypass, Roux-en-Y: preliminary report of five cases. Obes Surg 1994;4:353-7.

Chapter 02 | 위소매절제술
Sleeve gastrectomy

 1 서론

위소매절제술이 도입되기 시작한 2000년대 이후 현재, 병적비만수술에서 위소매절제술은 이제 완전한 병적비만수술 방법으로 인정받게 되었다. 위소매절제술은 좀 더 복잡한 수술 방법인 루와이위우회술과 십이지장전환술에 비하여 낮은 이환율(morbidity rate)과 사망률을 보이는 큰 장점을 가지고 있고 중기 또는 장기 결과에서 위에 해부학적 문제를 보이는 위밴드수술에 비하여 장점을 가지고 있다. 위소매절제술은 다른 병적비만수술 후 발생할 수 있는 내탈장(internal hernia), 소장폐색, 소량영양소(micronutrient) 결핍, 영양실조 등을 피할 수 있다. 아직 완전한 장기 결과에 대한 찬반 논란이 있지만 현재 장기 결과에 대한 근거가 속속 발표되고 있으며 이런 결과들은 위에 언급한 사실들을 뒷받침하고 있다. 이와 같은 이유로 전 세계 많은 병적비만 수술기관이 위소매절제술을 선택하고 있으며 점점 더 그 인기를 더하고 있다.[1,15]

위소매절제술의 역사는 1990년대 Scopinaro의 전형적 biliopancreatic diversion 수술에서 변형된 Marceau의 수술에서 찾을 수 있다. 이 변형 수술은 변연궤양(marginal ulcer)의 발생률을 감소시키기 위하여 회장으로 넘어가는 위산을 낮추고자 위벽세포절제술(parietal cell gastrectomy)을 시행해 왔다.[14] 이후 60 Fr 부지(bougie)를 이용하여 위를 세로로 느슨하게 절제하는 위절제술이 시행되었다. 이 당시에는 위의 전정부를 자르지 않고 위식도경계 부위도 멀리 떨어져 절제하였다. 이후 1999년 7월 처음으로 60 Fr 부지를 이용하여 십이지장치환술과 함께 위소매절제술이 복강경 하에 시행되었다.

위소매절제술은 십이지장전환술을 시행하는 2단계 수술 중 첫번째 수술로 계획되었다. 위소매절제술이 기술적으로 간단하고 수술 시간이 짧아 이환율과 사망률을 줄일 수 있기 때문에 먼저 위소매절제술 후 체중감소가 일어난 다음 기술적으로 더 요구 사항이 많은 부분의 수술을 나중에 시행하게 되었다.[18,19] 체질량지수가 60이 넘는 초병적비만환자에서 시행한 십이지장치환술의 이환율과 사망률이 높아 이런 이환율과 사망률을 줄이기 위한 관점에서 시작되었다. 이런 2단계 수술적 접근은 수술 시간을 줄이고 수술의 복잡성을 감소시켰다.[12] 1단계로 위소매절제술을 시행한 후 수개월이 지나 십이지장치환술을 시행하였을 때 사망률을 줄일 수 있었고, 좋은 체중 감량 효과를 확인할 수 있었다.[6] 몇몇 환자에서는 위소매절제술만으로도 매우 좋은 체중감소 결과를 보였고, 물론 만족스럽지 못한 체중 감량이나 체중 증가로 인하여 2차 수술의 가능성을 열어두더라도 위소매절제술만으로 기본적인 병적비만수술이 될 수 있는 가능성을 보게 되었다. 또한 이런 가능성은 다른 병적비만수술 의사들에 의하여 확인되었고,[16] 이 시기에 대한민국에서도 위소매절제술의 초기 체중감소의 결과가 보고되었다.[10]

위소매절제술은 기술적으로 십이지장전환술, 루와이위우회술과 비교하여 수월한 수술이기 때문에 병적비만수술 외과 의사나 병적비만 환자들에게 인기가 높아지고 있다. 그러나 다른 병적비만수술과 마찬가지로 0.7-4%의 합병증 발생률을 가지고 있고 몇몇 합병증은 중요하며 치명적일 수 있다.[5,13] 그래서 위소매절제술 시 정확한 술기가 필요하며 체중감소의 실패나 장기간 합병증 발생을 피하기 위하여 적절한 추적 조사가 반드시 필요하다.

❷ 수술방법

1. 수술 전 처치

다학제팀에 의하여 병적비만수술에 대한 기준을 확실히 하고 수술 전 준비를 충실히 시행한다. 위내시경 검사가 포함되며, 헬리코박터균이 존재한다면 이에 대한 처치도 필요하다. 수술 전 병적비만환자에게 동반된 질환을 관리하고 식이요법 그리고 호흡기에 관련된 처치도 포함되어야 한다.

2. 수술 방법

환자는 일반적으로 앙와위를 하고 양 다리는 벌리는 자세(French position)를 취할 수도 있다. 수술 중에는 위식도접합부의 정확한 시야 확보를 위하여 역트렌델렌버그자세를 취하고 수술대는 오른쪽으로 약간 기울인다. 추가적으로 정맥혈전색전증을 예방하기 위하여 환자에게 항색전스타킹을 신기고 간헐적 압박장치를 설치한다.

현재 전 세계적으로 위소매절제술에는 5공 또는 6공법이 사용된다. 다음의 그림은 미국비만대사외과학회(ASMBS)의 교과서에 언급된 5공, 6공법이다(그림 2-1).[17] 저자는 현재 5공법을 주로 사용하고 있으며 2개의 12 mm 포트, 2개의 5 mm 포트를 사용하고 있다(그림 2-2). 수술

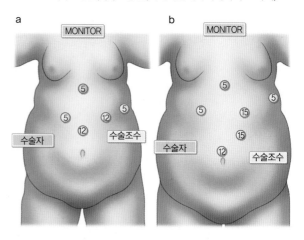

그림 2-1 (a) 5공법, (b) 6공법(미국비만대사외과학회 교과서)

그림 2-2 5공법(앙와위 또는 양다리벌림자세)

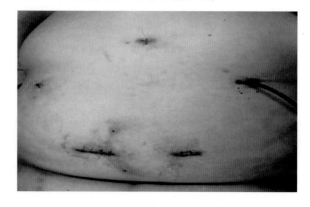

그림 2-3 간 견인기

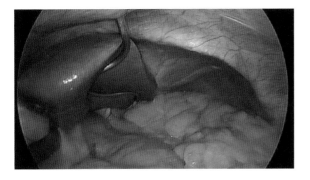

그림 2-4 우위대망동맥 결찰

그림 2-5 단위혈관 결찰

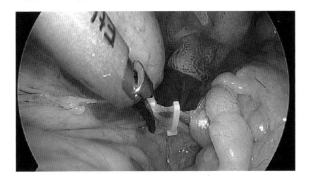

그림 2-6 좌각(left crus) 노출

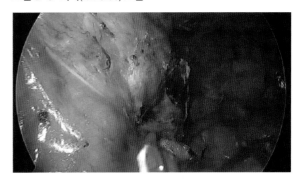

자의 선호도에 의하여 포트의 위치는 약간 달라지지만 일반적으로 12 mm 트로카를 배꼽에 위치하거나 또는 좌측 상복부에 위치하여 복강 안으로 진입한다. 일반적으로 10 mm 30° 카메라가 사용된다. 복강 진입 후 복강의 압력은 12-15 mmHg을 유지하며 우측 상복부에 12 mm 포트 하나, 5 mm 포트 하나를 위치시킨다. 좌측 상복부에는 수술 보조자를 위하여 5 mm 포트를 위치시킨다. 마지막으로 간 견인기 설치를 위하여 검상돌기 직하방에 5 mm 포트를 이용하여 간 견인기를 설치한다. 병적비만수술에서 가장 중요한 것이 위식도접합부의 수술시야 확보이기 때문에 간 견인기는 수술대와 견고하게 고정되어야 하며 수술 보조자가 일시적으로 잡고 있는 간 견인기는 피하는 것이 좋다(그림 2-3).

위소매절제술의 시작은 우위대망동맥의 작은 혈관을 절단하고 소망낭(lesser sac)으로 진입하는 것에서 시작된다(그림 2-4). 이후 위와 가깝게 대만곡을 따라 혈관

을 결찰한 후 초음파 절삭기를 이용하여 단위혈관(short gastric vessels)을 완전히 결찰한다(그림 2-5). 이 때 수술 보조자는 대망조직을 위쪽 또는 외측으로 견인하여 수술자의 수술 시야 확보를 도와준다. 그럼으로써 혈관들을 정확하게 결찰하고 수술 중 출혈을 예방할 수 있다. 유문 원위부 2 cm 부위까지 우위대망동맥의 절단 없이 위결장인대를 절단한다. 이 과정에서 위에 가깝게 혈관을 절단함으로써 위에 남게 되는 지방 조직을 최소화하여 절제된 위를 복강 내에서 수월하게 제거할 수 있다. 위를 들어 올려 뒷벽을 완전히 노출시켜 소망낭에 부착된 구조물을 자유롭게 해야 봉합을 수월하게 할 수 있고 출혈을 피할 수 있다. 위 뒷벽 노출 시 좌위동맥 가지들을 조심해야 하며 좌위동맥 가지들이 절단되면 위소매절제술 후 잔존 위의 혈액 공급에 영향을 끼칠 수 있다. 또한 췌장 상부면을 따라 주행하는 비장 동맥과 정맥을 주의 깊게 관찰하여 주위 조직과의 해부학적 연관성도 항상 염

그림 2-7 부지 위치

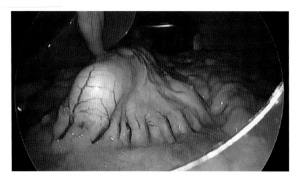

그림 2-8 위각의 보존

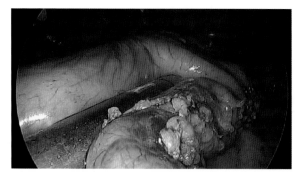

그림 2-9 위 절제 각도 유지(Dog's ear는 만들지 않는다)

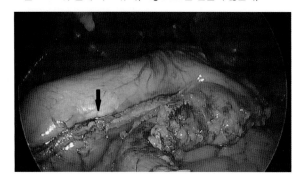

그림 2-10 마지막 스태플링(완전절제)

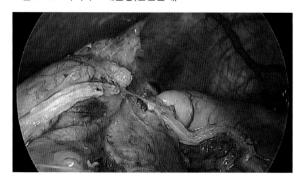

두에 두어야 한다. 고령 환자의 경우 비장 동맥은 정상적인 해부학적 경로에서 벗어난 경우가 있어 위 뒷벽 박리 시 손상에 주의해야 한다. 위횡격막인대(gastrophrenic ligarment)는 완전히 절단하고 열공 탈장 유무를 확인하기 위하여 His각(angle of His)은 완전히 노출한다. 이때 좌각(left curs)이 완전히 노출되어야 완전한 박리가 되었다고 할 수 있다(그림 2-6). 열공 탈장이 존재하는 경우에는 원위부 식도를 종격동의 구조물로부터 완전히 박리하여 원위부 식도를 복강으로 끌어내린 후 비흡수 봉합사를 이용하여 후방 접근을 통한 좌우각봉합(crural approximation)을 시행한다. 위 분할은 위전정 부위의 위 배출 기능을 보존하기 위하여 유문으로부터 약 4 cm 정도에서 시작한다. 위소매절제술을 시작하기 전 마취과 의사에게 스태플 봉합을 인도할 수 있는 34-40 Fr 부지를 환자 입을 통하여 넣어 위소매절제술 후 잔존 위의 적절한 내강(lumen)을 유지해야 한다. 부지는 스태플 봉합

전에 위치시키며 소만곡에 가깝게 위치시킨다(그림 2-7). 위각부(incisura angularis)에서는 꼬임(kinking)과 협착(stenosis)이 발생하지 않도록 위각에 너무 가까이 스태플 봉합을 하지 않는다(그림 2-8). Gagner는 처음 2개의 스태플 봉합에 흡수성 부벽물질(absorbable buttress material)을 이용한 녹색이나 검은색 카트리지를 사용하고 있으며 Zundel은 나머지 스태플 봉합에 흡수성 부벽물질을 사용하지 않고 파란색 카트리지만 사용하고 있다. 어떠한 경우에서도 위소매절제술 중에는 어느 부위에서든 꼬임이나 비틀림이 발생하지 않아야 한다. 꼬임이나 비틀림이 발생하지 않기 위해서 자동문합기를 위치시킬 때 위의 앞쪽이나 뒤쪽 즉 한쪽 면을 잡아당기지 않는다. 이렇게 된다면 잔존 위의 소만곡에서 앞쪽 위와 뒤쪽 위의 거리가 다르게 되어 꼬임이나 비틀림이 발생할 수 있다. 또한 자동문합기를 이용한 위절제 시 dog's ear를 피하기 위하여 정확한 각으로 자동문합기를 위치시켜야

하며, dog's ear 발생 시 절제 면에 허혈이 발생하여 누출의 원인이 될 수도 있다(그림 2–9). 각각의 자동문합기를 사용한 후 마취과 의사에게 부지를 전, 후진시켜 위절제 면이 너무나 치밀하지 않은지, 또는 부지가 봉합되거나 잘려지지 않았는지 확인한다. 그러므로 마취과 의사와의 수술 중 공조가 매우 중요하다.

과거 위소매절제술이 처음 소개되었을 당시에는 위식도접합부를 최소 1 cm 정도 남겨 놓고 위바닥을 자르도록 권고되었으나 최근에는 식도 손상 없이 위식도접합부에 가깝게 자르도록 권고되고 있다(그림 2–10). 그러나 아직 많은 병적비만수술 의사는 위바닥을 약 0.5 cm 정도 남기고 자르며 이 부위의 누출 위험성을 줄이고자 흡수 봉합사를 이용하여 매몰 봉합(imbrication suture)을 시행하고 있다. 이 과정에서 흡수성 부벽물질은 사용하지 않는다. 깔때기 모양(funnel-shaped)의 잔존 위는 하부 식도 괄약근의 늘어짐과 확장에 의하여 위식도역류질환을 발생시킬 가능성이 더 높기 때문에 위식도접합부에서 잔존 위는 원위부 쪽으로 위를 일직선으로 만들어주는 것이 중요하다. 또한 이 과정에서 잔존 위의 누출 발생 가능성이 높은 위식도접합부에서만 강화 봉합(reinforcement suture)을 시행하기도 한다. Zundel과 Hernadez는 부지를 잔존 위에 남겨놓은 상태로 3-0 봉합사를 이용하여 잔존 위 절제면 전체를 연속 봉합하고 있다.

부지를 제거하기 전 식염수에 메틸렌 블루(methylene blue) 혼합 용액을 약 50-100 cc 정도 주입하여 위절제면의 완전성(integrity)을 확인한다. 이후 마취과 의사는 외과 의사가 잔존 위의 모양을 정확히 확인하는 상태에서 부지를 제거하며 절제된 위는 12 mm 포트를 통하여 제거한다. 배농관은 통상적으로 사용하지 않는다.

수술 후 처치

적절한 수분 공급과 통증 조절, 그리고 구역 조절을 우선한다. 수술 후 입원 기간 동안 위소매절제술 후 발생할 수 있는 중요한 합병증인 누출과 출혈 시 보이는 빈맥, 빠른 호흡, 발열 등을 관찰한다. 위소매절제술 후 발생하는 복통과 왼쪽 견갑통증은 믿을 수 있는 징후가 아니다. 그러나 정상적인 징후라고 묵살되어서도 안 된다. 환자가 걸을 수 있다면 항색전스타킹과 간헐적 압박장치는 제거한다. 위소매절제술 후 다음 날 누출 가능성을 확인하기 위하여 상부위장관조영술을 시행한다. 결과가 음성이면 미음 식이(liquid diet)를 진행하고 조기 보행을 독려한다. 이후 호흡 치료를 시작하고 위소매절제술 전 복용했던 약물 요법을 다시 시작한다. 일반적으로 위소매절제술 1-2일 후에 수일간 복용할 수 있는 액상진통제를 가지고 퇴원하며 수술 후 6-8주 동안 양성자펌프억제제(proton pump inhibitor)를 복용한다.

④ 결과

1. 체중감소와 동반 질병

위소매절제술 후 5년 이상의 결과가 보고되기 시작함에 따라 위소매절제술의 장기 결과에 대한 자료가 수집되고 있다. 그러나 위소매절제술 수술 기법에 많은 변이(variation)를 보이고 있어 위소매절제술의 결과 확립이 매우 어려운 것이 현실이다. 이에 병적비만수술 집단은 위소매절제술의 중요한 수술 기법에 대하여 많은 의견 일치(consensus)를 확립하려는 노력을 해왔다. 위소매절제술에 대하여 지금까지 4번의 학회에서 부지의 크기, 스태플링의 시작 지점 등에 대한 전문가의 의견, 문헌의 증

거, 의견 일치 등으로 동질(homogenous)의 수술 기법이 발전, 권고되었다.[7]

2012년 위소매절제술 정상회의에서 1년 이상 위소매절제술의 경험을 가진 130명의 외과 의사에서 시행된 46,133명의 설문 조사 결과가 보고되었다.[7] 이 보고에 의하면 위소매절제술 1년 후 초과체중감소율(%EWL)은 59.3%, 2년; 59.0%, 3년; 54.7%, 4년; 52.3% 그리고 5년 후에는 50.6%이었다. 그러나 이 결과를 분석할 때 주의할 점이 있다. 외과 의사들은 추적 조사 결과 시점에 추적 조사에 실패하였을 때 환자의 초과체중감소율을 빈칸으로 처리하지 않고 0%로 기록했다는 점을 간과하지 말아야 한다. 다시 말해 정확한 위소매절제술 환자의 수를 기록하기 위하여 0%의 초과체중감소율을 기록할 수밖에 없었기 때문에 기록상 나타나는 수치의 편견을 보정하여야 하며 초과체중감소율은 이 수치보다 더 높을 것으로 생각된다. 최근 장기간 추적 조사는 2012년 위소매절제술 정상회의에서 보고된 설문조사 결과보다 더 좋은 체중감소 결과를 보이고 있다. Bohdjalian 등[3]은 위소매절제술 5년 후 54.8±6.9%의 결과를 보고하였고, 위소매절제술 1년 후부터 장기간 안정적인 체중감소 결과가 유지된다고 보고하였다. 초병적비만 환자에서 시행된 위소매절제술 3-5년 후 추적 조사 결과에서, Saif 등[21]은 1년 후 58.5%, 3년; 65.7%, 5년 후 48%의 초과체질량지수 감소율(percentage of excess body mass index loss)을 보고하였다. Zachariah 등[23]은 2007년부터 위소매절제술 후 추적 조사를 시행한 228명의 보고에서 3년 후 71.2±21, 5년 후 63±20%의 초과체중감소율을 보고하였으며 체질량지수 26-28까지 감소와 0.43%의 사망률을 보고하였다. 5년 후 당뇨병 관해율은 66%, 고혈압은 50%, 고지혈증은 100%이었다. 이 보고에 의하면 위소매절제술 후 당뇨병 관해율은 루와이위우회술의 결과와 비교하여도 뒤처지지 않는 우수한 결과이다.[20]

위소매절제술 후 초기 혈장 그렐린(ghrelin) 호르몬은 상당한 감소를 보이며 수술 후 5년까지 계속 낮은 농도를 유지한다.[2,3,22] 위소매절제술 후에는 영양소의 결핍이 적을 것이라는 믿음이 있으며 이 믿음은 많은 영양소가 정상 위장관을 통과한다는 것에 기인한다. 다시 말해 위우회술이나 십이지장전환술처럼 영양소의 정상적 통과를 배제시킬 수 있는 소장 우회가 없다는 것에서 위소매절제술의 장점을 찾을 수 있다. 그러나 이러한 가정을 묵과하거나 또는 지지할만한 보고는 매우 적다. Gehrer 등[9]의 위소매절제술 2년 후 결과에 의하면, 위우회술 전이나 위소매절제술 후에 영양소 결핍을 보고하였으며 특히 아연, 비타민 D, 엽산, 철분, 그리고 비타민 B12의 결핍이 있지만, 결핍은 위우회술 후 결핍만큼 중요하지 않으며 임상적으로 심한 증상이 나타나지 않고 결핍은 쉽게 치료된다고 보고하였다. 위소매절제술 5년 후 부갑상선호르몬, 혈색소, 헤마토크리트 등은 정상 기준에서 낮은 쪽에 속하지만 결핍은 없었다고 보고되었다.[21] 특히 영양소의 결핍 없이 영양소를 정상 수준까지 올리는 것이 건강 상태 호전을 위하여 매우 중요하다. 또한 위소매절제술 후 좋은 체중감소를 유지하기 위하여 가장 중요한 것이 바로 장기간 추적 검사임을 명심해야 한다.

❺ 합병증

드물게 발생하지만 가장 두렵고 중요한 합병증이 누출이지만 누공(fistula), 협착(stenosis), 위식도역류질환(GERD), 저장낭확장(pouch dilatation) 등도 발생할 수 있다.[5] 누출은 통상적으로 수술 후 7일 안에 발생하는 급성 합병증이며 빈맥, 빠른 호흡, 발열 등이 중요한 임상 징후이고 빠른 중재시술(intervention)을 요구하는 지표이기도 하다. 가장 흔히 발생하는 누출의 위치는 위식도 경계부위 바로 아래 위절제면이다. 누출의 경우에 많은 전략적 중재시술(intervention)들이 요구된다. 여기에는 배농을 위한 진단적 복강경 검사, 누공 관리를 위한 T 튜브의 삽관, 천공 부위 폐쇄를 위한 스텐트 삽입과 좁아진 원위부를 확장하기 위한 조작들, 내시경적 스텐트 삽입과 배농술 등이 있다. 몇몇 유럽 외과 의사들은 경관(endoluminal) 중복돼지꼬리형카테터(double pigtail catheter)를 사용하고 있다. 가장 빈번한 누공의 위치는 His 각 주위이며 마지막 스테플 절제면의 끝부분이다. 두 번째로 발생하는 위치는 위 전정부위이며 첫 번째 스테플의 시작 지점이다. 종종 누공은 만성화되어 전혀 다르고 복잡한 치료가 필요할 때도 있다.[24] 누공 발생 후 수 주 안에 복강경하 루와이누공공장문합술(fistular-jejunal anastomosis)이 시행될 수 있으며 높은 성공률을 보이기도 하고 합병증 발생률이 높은 위전절제술을 피할 수도 있다.[24]

위소매절제술 후 누출의 흔한 원인이며 또 다른 합병증이 위각 부위의 협착이다. 이로 인하여 폐쇄(obstruction)가 발생하기도 한다.[25] 협착의 주된 증상은 미음식 이후 고형식으로 진행할 때 나타나는 연하곤란이다. 특히 고형식에서 침 분비, 구토가 나타난다. 협착 치료를 위하여 내시경하 풍선확장술(balloon dilatation)이 가장 우선적으로 선호된다. Zundel은 높은 제어 압력을 보유한 이완불능풍선(achalasia balloon)을 추천한다.[25] 급성 폐쇄는 꼬임과 같은 몇몇의 경우에서 발생하며 또한 외부 압축과 위점막 부종에 의하여 발생할 수 있다.[6] Cottam 등[4]은 꼬임의 발생은 부지 크기와 연관성이 없으며 잔존 위의 직경보다는 봉합선의 추가봉합(oversewing)과 더 연관이 있다고 보고하였다. 협착은 위각부에서 위절제 시 부지와 안전거리를 유지함으로써 피할 수 있다. 또한 부지를 사용하여 위 내강의 봉합 및 위 용적이 많이 줄어드는 것도 예방할 수 있다. 추천되는 부지의 크기는 36 F 이다.[8] 거의 40%의 외과 의사가 이 크기의 부지를 사용한다.[7] 위 앞쪽과 뒤쪽의 비대칭적인 스테플링으로 인한 위 저장낭의 구조적 변화는 잔존 위의 비틀림을 유발하며 연하곤란의 원인이다. 만약 위 협착이 영구적이며 확장술 또는 스텐트 같은 내시경적 치료에 실패한다면 복강경하 세로 외측 위절개술(longitudinal lateral gastrotomy)을 시행 후 횡축 수기 봉합(transverse hand-sewn closure)을 시행한다(미쿨리츠유문성형술처럼). 전방 장

막근육절개술(seromyotomy)은 점막 천공과 누출의 위험성 때문에 잘 시행되지 않으며 루와이위우회술로의 전환술을 시행할 수도 있다.

심각한 위식도역류 질환이나 열공 탈장은 장기간 내과적 치료를 요하기도 하고 열공 탈장 교정술 및 재위소매절제술 또는 루와이위우회술로의 전환술 같은 수술적 치료를 요하는 잠재적 만성 장애이다. 비흡수성 메쉬를 이용한 열공 탈장 교정술은 위내강으로의 미란의 위험성 때문에 사용하지 않는다.

체중 회복, 체중감소의 실패, 동반질환 치료의 실패 등으로 적절한 위내시경 검사 또는 방사선 검사 후 재중 재수술(reintervention)을 할 수도 있다. 수술 방법의 선택은 1차 수술 당시의 체질량지수에 따라 결정된다. 초병적비만환자(체질량지수 50 이상)에서는 십이지장전환술이 더 좋은 결과를 보이며, 위식도역류 질환의 유무에 따라서는 루와이위우회술이 선택되고 바닥 확장(fundus dilatation)이 있는 경우에는 재위소매절제술이 시행된다.

6 결론

위소매절제술은 병적비만 치료에 있어 루와이위우회술과 다름없는 성공률을 보이는 안전하고 재생산적이며 효과적인 수술 방법이다. 위소매절제술 후 초기 또는 후기 합병증을 예방하기 위하여 수술 기법에 대한 근본적이며 충분한 이해가 필수적이다.

과거 확실하지 않았던 위소매절제술의 장점은 오늘날 사실로 확인되고 있다. 과거 5-6년 잘 정의된 수술 기법이 적용되었다면 미래에 보고될 많은 결과들은 아마도 문헌에서 발견되는 현재의 결과보다 훨씬 더 훌륭한 결과였을 것이다.

참고문헌

1. Abraham A, Ikramuddin S, Jahansouz C, et al. Trends in bariatric surgery: procedure selection, revisional surgeries, and readmissions. Obes Surg 2016;26:1371-7.

2. Anderson B, Switzer NJ, Almamar A, et al. The impact of laparoscopic sleeve gastrectomy on plasma ghrelin levels: a systemic review. Obes Surg 2013;23:1476-80.

3. Bohdjalian A, Langer FB, Shakeri-Leidenmuhler S, et al. Sleeve gastrectomy as sole and definitive bariatric procedure: 5-year results for weight loss and ghrelin. Obes Surg 2010;20:535-40.

4. Cottam D, Qureshi FG, Mattar SG, et al. Laparoscopic sleeve gastrectomy as an initial weight loss procedure for high-risk patients with morbid obesity. Surg Endosc 2006;20:859-63.

5. Frezza EE, Reddy S, Gee LL, et al. Complications after sleeve gastrectomy for morbid obesity. Obes Surg 2009;19:684-7.

6. Gagner M, Inabnet WB, Pomp A. Laparoscopic sleeve gastrectomy with second stage laparoscopic biliopancreatic diversion and duodenal switch in the superobese. In: Inabnet WB, DeMaria EJ, Ikramuddin S, editors. Laparoscopic bariatric surgery. Philadelphia: Lippincott, Williams & Wilkins; 2005.

7. Gagner M, Deitel M, Erickson AL, et al. Survey on laparoscopic sleeve gastrectomy (LSG) at the Fourth International Consensus Summit on Sleeve Gastrectomy. Obes Surg 2013;23:2013-7.

8. Gagner M. Leaks after sleeve gastrectomy are associated with smaller bougies: prevention and treatement strategies. Surg Laparosc Endosc Percutan Tech 2010;20:166-9.

9. Gehrer S, Kern B, Peters T, et al. Fewer nutrient deficiencies after laparoscopic sleeve gastrectomy (LSG) than after laparoscopic Roux-Y-gastric bypass (LRYGB) - a prospective study. Obes Surg 2010;20:447-53.

10. Han SM, Kim WW, Oh JH. Results of laparoscopic sleeve gastrectomy (LSG) at 1 year in morbidly obese Korean patients. Obes Surg 2005;15:1469-75.

11. Kakoulidis TP, Karringer A, Gloaquen T, et al. Initial results with sleeve gastrectomy for patients with class I obesity (BMI 30-35kg/m2). Surg Obes Relat Dis 2009;5:425-8.

12. Kim WW, Gagner M, Kini S, et al. Laparoscopic vs open biliopancreatic diversion with duodenal switch: a comparative study. J Gastrointest Surg 2003;7:552-7.

13. Lalor PF, Tucker ON, Szomstein S, et al. Complications after laparoscopic sleeve gastrectomy. Surg Obes Relat Dis 2008;4:33-8.

14. Marceau P, Biron S, Bourque RA, et al. Biliopancreatic diversion with a new type of gastrectomy. Obes Surg 1993;3 :29-35.

15. Melissas J, Stavroulakis K, Tzikoulis V, et al. Sleeve gastrectomy vs Roux-en-Y gastric bypass. Data from IFSO-European Chapter Center of Excellence Program. Obes Surg 2016 Oct 20. [Epub ahead of print]

16. Mognol P, Chosidow D, Marmuse JP. laparoscopic sleeve gastrectomy as an initial bariatric operation for high-risk patients: initial results in 10 patients. Obes Surg 2005;15: 1030-3.

17. Nguyen NT, Blackstone RP, Morton JM, et al. The ASMBS textbook of bariatric surgery. Springer 2015.

18. Ren CJ, Patterson E, Gagner M. Early results of laparoscopic biliopancreatic diversion with duodenal switch: a case series of 40 consecutive patients. Obes Surg 2000;10: 514-23.

19. Regan JP, Inabnet WB, Gagner M, et al. Early experience with two-stage laparoscopic Roux-en-Y gastric bypass as an alternative in the super-super obese patient. Obes Surg 2003;13:861-4.

20. Yip S, Plank LD, Murphy R. Gastric bypass and sleeve gastrectomy for type 2 diabetes: a systemic review and meta-analysis of outcomes. Obes Surg 2013;23:1994-2003.

21. Saif T, Strain GW, Dakin G, et al. Evaluation of nutrient status after laparoscopic sleeve gastrectomy 1, 3, and 5 years after surgery. Surg Obes Relat Dis 2012;8:542-7.

22. Sanchez-Santos R, Masdevall C, Baltasar A, et al. Shorand mid-term outcomes of sleeve gastrectomy for morbid obesity: the experience of the Spanish National Registry. Obes Surg 2009;19:1203-10.

23. Zachariah SK, Chang PC, Ooi AS, et al. Laparoscopic sleeve gastrectomy for morbid obesity: 5 years experience from an Asian center of excellence. Obes Surg 2013;23:939-46.

24. Zundel N, Hernadez JD. Revisional surgery after restrictive procedures for morbid obesity. Surg Laparosc Endosc Percutan Tech 2010;20:338-43.

25. Zundel N, Hernadez JD, Galvao Neto M, et al. Strictures after laparoscopic sleeve gastrectomy. Surg Laparosc Endosc Percutan Tech 2010;20:154-8.

Chapter 03 | 조절형위밴드술

Adjustable gastric banding

 서론

1. 조절형위밴드술의 발전과 역사

1990년대 초반에 소개된 조절형위밴드술(laparoscopic adjustable gastric banding, LAGB)은 효과적인 체중 감량을 유도하면서도 안전하고, 조절이 가능하며 제거 후에는 원래의 해부학적 구조로 복귀가 가능한 장점을 가진 술식이다. 현재의 조절형위밴드술은 역사적으로 크게 세 가지의 단계를 거쳐서 발전하게 되었는데, 첫 번째는 개복하에 말렉스(Marlex)[37]나 데크론(Dacron)[29] 같은 재질의 고정형 밴드(fixed band)를 삽입하는 것이었다. 하지만 이러한 재질들은 장폐쇄(stomal obstruction)나 미란(erosion) 등의 합병증이 많아서 그리 널리 사용되지 못했으며 이후 인체 내에서 조직반응이 거의 없는 의료용 실리콘으로 발전하게 되었다. 다음 단계가 조절성(adjustability)를 가지게 된 것인데, Szninicz 등[35]이 1982년에 rabbit에서 내부에 물풍선이 장착된 밴드와 그에 연결된 조절용포트(access port)를 통해 식염수를 주입해서 조절이 가능한 밴드를 이용해 체중 감량에 성공했다. 실제로 인체에 조절이 가능한 밴드가 이용된 것은 1986년 Forsell[18]과 Kuzmak[25]에 의해서이며 당시는 개복하에 진행되었다.

다음으로 의미있는 발전은 복강경의 도입이었는데 Belachew[5]가 1993년에 성공을 시작으로 본격적으로 복강경하에서 조절형위밴드수술이 시작되게 됨으로써 과거 개복수술로 인한 상처회복지연, 절개창탈장, 장유착, 폐합병증 등 많은 합병증을 피할 수 있게 되었다. 처음에 Belachew 등이 사용한 밴드의 삽입방법은 이른바 위주위접근법(perigastric technique)이었으며 밴드를 위치시키기 위한 위후벽박리(Retrogastric tunneling)도 소낭(lesser sac)을 통해서 이루어졌고, 밴드는 식도위경계부(gastro-esophageal junction)의 3 cm 하방에 위치해서 위낭(gastric pouch)의 크기도 25-30 cc 정도였다. 당시의 수술법으로 밴드미끄러짐(band slippage, prolapse)이 약 15-30%로 보고될 정도로 많이 발생하였고, 밴드에 의한 위의 미란(erosion)도 1-3%에 달했다. 이후로 최근 20여년에 걸쳐 이러한 문제점들을 극복하기 위해 여러 가지 시도와 발전을 거듭하면서 오늘에 이르게 되었는데, 가장 의미 있는 발전은 Fielding[2]에 의한 소망부접근법(pars flaccida technique)의 도입이다. 그는 위주위의 박리 없이 위간인대(gastrohepatic ligament)의 소망부(pars flaccid)를 열고 소낭 배부의 횡격막 전면을 따라서 밴드를 삽입함으로써 위의 후면부가 자연스럽게 고정되는 수술법으로 기존의 수술법에서 가장 큰 문제점으로 지적되어온 밴드미끄러짐을 획기적으로 줄이게 되었다. O'Brien[30] 등은 위주위 접근법과 pars flaccida법을 무작위전향적 비교한 연구에서 밴드미끄러짐이 위주위 접근법으로 시행한 500예에서는 125예(25%)에서 발생했지만 pars flaccida법으로 시행한 600예에서는 28예(4.8%)에서만 생겼다고 보고했으며, 두 가지의 수술방법이 체중 감량 효과는 동일하면서 밴드미끄러짐과 미란 등을 획기적으로 줄일 수 있다는 것이 확인되면서 지금은 pars flaccida법이 표준 술식이 되었다.

미국에서 공식적으로 조절형위밴드수술이 시작된 것은 2001년[11] 미국 식품의약안정청에서 당시 엘러간사(현재는 아폴로사)의 LAP-BAND를 승인하면서부터 이며, 한국에서는 2004년부터 공식적으로 시작되었다. 또한 조절형위밴드술의 효과와 안전성을 인정해서 2010년 2월에는 미국 식품의약안정청에서 체질량지수 35 kg/m^2 이하에서도 심각한 비만관련 합병증이 있는 경우 사용을 승인하는 등 그 적용이 확대되었다.

2. 조절형위밴드술만의 특징

1) 조절성(adjustablility)

조절형위밴드술의 아주 독특한 장점은 조절이 가능하다는 것이다. 식염수의 양에 따라서 밴드의 내경을 언제든 원하는 만큼 조절할 수 있으므로 수술 초기에 위우회술 등 다른 비만대사술식에서 보이는 너무 급격한 감량대신 완만한 체중 감량을 유도할 수 있고 시간이 지남에 따라서도 꾸준하고 지속적인 체중 감량을 유도할 수 있다. 병적비만환자들에게 있어서 체중 감량의 속도와 최종

목표점은 개인에 따라서 다르기 마련인데 나이, 건강상태, 생활환경에 따라서 적절한 감량의 속도조절은 물론 더 이상 체중 감량을 원하지 않는 경우에 감량한 체중에서의 유지에도 유리하다. 또한 임신이나 급만성 질환의 발병 시에 필요한 경우에는 식염수를 제거해서 식사량을 늘릴 수도 있으며 문제가 해결된 이후에는 밴드조절을 통해서 언제든 식사량의 조절과 체중 감량을 시도할 수 있다는 점이다.

2) 복원성(reversibility)

조절형위밴드수술은 다른 병적비만수술과 달리 인체의 조직을 제거하거나 다른 형태로 연결이 필요 없는 술식이며 언제든 비교적 간단하게 밴드를 제거할 수 있고 제거 후에는 원래의 해부학적 구조로의 복원이 가능하다는 것도 매력적이다. 지금까지 병적비만수술이 수많은 발전을 거듭해왔듯이 향후에도 더 좋은 수술법을 위한 발전은 계속될 것인데 향후 더 좋은 수술법이 개발되었을 때 밴드를 제거하기만 하면 어떤 술식으로의 전환도 가능하다.

3) 조절형위밴드술은 제한적술식(restrictive procedure)인가?

조절형위밴드술이 세계적으로 널리 시행되고는 있는 것에 비해 실제로 어떤 기전으로 체중 감량을 유도하는지에 대한 이해는 부족해서 아직도 단순히 섭취제한적인 술식(restrictive procedure)으로 받아들여져 온 것이 사실이다. 하지만 조절형위밴드술 후 일정기간 식욕자체가 확연히 줄어드는 것은 물론 음식에 상당한 무관심을 보이는 것을 관찰할 수 있는데,[22,27] Dixon 등은 밴드의 내경이 적절하게 조절된 상태에서는 식염수의 양이 부족해서 적절하게 조절되지 않은 상태와 비교했을 때 공복시는 물론 식후 포만감(satiety)이 의미 있게 증가한다고 보고했다.[12] 위의 연구에서 peptide YY, ghrelin, insulin, glucose, leptin 등 호르몬을 비롯한 생화학적 변화를 밝

혀내지는 못했지만 밴드에 의한 직접적인 신경자극, 식도내압의 변화[7], 음식물의 통과시간조절[9] 등이 기여할 것으로 추정되는 연구결과들이 보고되고 있다.

아직 정확한 기전이 밝혀지진 않았지만 조절형위밴드술 후 체중 감량이 단순히 기계적으로 섭취를 제한하는 데 기인하지 않고, 포만감의 유도가 장기적인 체중 감량 효과에 매우 중요하다고 본다.[6] 조절형위밴드수술이 시작된 지 불과 얼마 지나지 않은 국내에서는 일부에서 이러한 감량의 기전을 충분히 이해하지 못하고 밴드를 물리적인 장벽으로만 이용하려는 경향을 보이는데 이러한 경우에는 필연적으로 밴드 조절을 과도하게 할 수 밖에 없으며 결과적으로 식이행태(eating behavior)가 나빠지거나 밴드상부의 과도한 압력으로 인해 식도확장이나 낭확장(pouch enlargement), 심지어는 미란 등의 심각한 합병증을 초래할 수 있으므로 주의를 요한다.

3. 관련해부와 생리

흉부식도는 횡격막의 식도구멍(esophageal hiatus)을 통해서 복강 내로 들어가는데, 복강 내 식도의 길이는 약 2-3 cm 정도로 매우 짧다. 따라서 식도-위 접합부(esophagogastric junction)는 횡격막 아래 11번째 흉추의 좌측에 위치하게 된다. 복부식도와 위의 기저부가 이루는 예각을 히스각(angle of His)이라고 부른다. 대동맥공(aortic hiatus)의 살짝 좌전방 위쪽으로 타원형의 식도공이 위치하며, 식도와 미주신경, 좌하횡격막동정맥(left inferior phrenic vessels) 그리고 좌위동맥에서 분지하는 작은 식도동맥들을 포함하고 있다. 횡격막의 우각(right crus)이 횡격막 주위로 걸이(sling) 모양으로 감싸고 있으며, 이는 흡기 시에 식도를 수축시켜서 상승한 복압으로 인해 위의 내용물이 식도로 역류하는 것을 막아주는 괄약근 역할을 하게 된다(그림 3-1). 위분문의 좌측에서부터 위저부와 위체부를 거쳐 위유문의 하부까지를 대만곡(greater curvature)이라 부르고, 위분문의 우측에서부

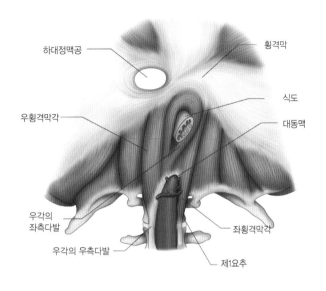

그림 3-1 식도의 해부

터 위체부의 우측을 거쳐 위유문의 상부까지를 소만곡(lesser curvature)이라 부른다. 위의 우측상부는 간위인대(hepatogastric ligament)를 통해서 간에 붙어 있으며, 좌측상부는 위횡격막인대(gastrophrenic ligament)를 통해서 좌측 횡격막에 그리고 위비인대(gastrosplenic ligament)를 통해서 비장과 붙어있다. 위의 후면에서 간과 횡격막쪽으로 연장된 독립된 복강부위를 소망낭(lesser sac)이라 한다(그림 3-2).

1) 혈액순환

복강동맥(celiac artery)의 분지인 좌위동맥(left gastric argery)은 위의 소만곡에서 상하로 분지하는데, 상행분지는 복부식도에 하행분지는 위에 동맥혈을 공급한다. 변형좌간동맥(aberrant left hepatic artery)은 좌위동맥에서 시작되는 해부학적 변이로 간위간막(gastrohepatic ligament)를 통해서 간좌엽에 혈액을 공급하기도 한다. 박리 중 변형좌간동맥을 자르는 경우에는 일시적으로 간효소수치가 상승하고, 드물지만 간허혈을 유발할 수 있으므로 이러한 변형좌간동맥이 있는 경우에는 식도열공 박리 시에 주의를 요한다.

그림 3-2 소낭해부와 올바른 위후벽 박리

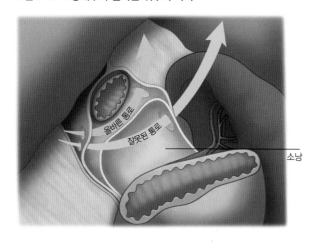

그림 3-3 하부식도수축단위(lower esophageal contractile segment, LECS):

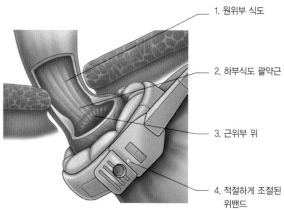

1. 원위부 식도

2. 하부식도 괄약근

3. 근위부 위

4. 적절하게 조절된 위밴드

2) 신경분포와 연하운동

미주신경의 식도분지는 두 개의 분지로 나뉘어져서 식도 공을 통해 복강 내로 들어온다. 우측 미주신경분지는 복강 내 식도의 우측, 뒤쪽으로 위치하고 좌측 미주신경분지는 식도의 좌측 앞쪽으로 위치하게 된다. 신경절내층판종단신경(intraganglionic laminar endings, IGLEs)은 근육층신경절(myenteric ganglia)의 막에 붙어있는 기계수용체(mechanoreceptor)로서 위벽의 긴장을 탐지하는 곳으로 알려져 있으며 위분문부에 가해지는 계속적인 압력을 탐지하는 역할을 한다.

식도에서의 연동운동은 미주신경을 통해 연하중추에 의해 시작된다. 식도는 100 mmHg 이상의 압력을 생성하게 되는데, 연동운동이 원위부 식도에 도달하기 전에 연하에 반응하여 하부식도는 이완된다. 이러한 이완은 수초간 지속되다가 다시 수축하게 되는데 이완 시의 하부식도 내 압력은 10에서 30 mmHg 정도이다. 하부식도수축단위(lower esophageal contractile segment, LECS)의 개념은 Burton 등[8]에 의해 기술되었는데 식도, 하부식도괄약근, 근위부 위(밴드상부의 약 1 cm 정도의 위 조직과 밴드에 감싸지는 2 cm 정도의 위 조직을 포함), 그리고 밴드 등 4가지로 구성된다(그림 3-3).

식도연동으로 인해 하부식도가 이완되면서 음식물이 밴드 쪽으로 향하게 되고 이후에 하부식도는 수축을 하면서 음식물을 밴드가 감싸고 있는 위의 최상부로 이동시키게 된다. 이러한 압력에 의해 IGLEs의 기계수용체를 통해 밴드가 감싸고 있는 위의 최상부가 반응하게 되는데, 밴드가 적절히 조절된 상태에서는 이 부분의 기저압력을 약 25-30 mmHg 정도로 유지하게 된다. 이러한 밴드의 저항을 이기고 음식물이 통과하게 되면 근육층의 압력신호(myoenteric pressure signals)를 만들게 된다.

② 조절형위밴드술의 술기

1. 환자 자세와 투관침(trocar) 삽입 위치

수술 시 환자의 자세와 투관침의 삽입 위치는 수술자의 경험과 개인적인 선호도에 따라 다양하다. 저자의 경우는 3개의 포트를 주로 이용하는데, 15 mm 포트 1개와 5 mm 포트 2개를 사용하며 간의 견인을 위해서는 직접 제작한 직경 2 mm의 I 자형 견인기를 이용한다. 대개의 경우는 15 mm 포트 1개와 5 mm 포트 2-3개, 그리고 간의 견인을 위해서 Nathanson 견인기를 사용하는 것이 보통

그림 3-4 투관침 위치

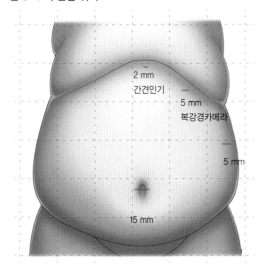

이다. 조절형위밴드수술 시에 15 mm의 포트가 필요한 이유는 상품화된 대부분의 조절형위밴드가 저항 없이 부드럽게 복강으로 들어가려면 12 mm 포트로는 부족하기 때문이다.

환자는 앙와위로 위치시키고 양팔을 편안하게 벌린 자세를 취한다. 수술자에 따라서 환자의 우측에서 수술을 진행하기도 하며 lithotomy position을 취하고 수술자가 환자의 양 다리 사이에 서기도 한다. 대부분의 환자들이 체중이 많이 나가기 때문에 환자의 모든 부위가 완충이 잘되게 해서 욕창이 발생하지 않도록 하며 환자의 팔, 허벅지와 다리를 잘 고정해서 수술 시 환자의 자세 변화에 따라 움직이지 않도록 조치하는 것이 중요하다.

조절형위밴드술은 히스각을 포함한 수술시야를 충분히 확보하기 위해서 대부분 역트렌델렌버그 자세(reverse Trendelenberg position)에서 시행되므로 환자의 발을 받혀서 역트렌델렌버그 자세에서 환자가 아래로 떨어지지 않도록 한다. 대부분 수술이 한 시간 정도만 소요되므로 특별한 이유가 없는 한 폴리카테터(foley catheter)나 비위관(nasogastric tube)은 필요하지 않으며 위를 감압하거나 식도와 위의 경계부위를 정확히 파악하기 위

해 calibration tube를 넣어두는 것이 도움이 된다. 투관침을 삽입할 때는 피부부터 복강 내에 이르는 각도를 잘 맞추어서 두꺼운 복벽으로 인한 저항을 최소화하는 것이 좋다. 저자의 경우는 먼저 배꼽을 통해서 첫번째 투관침(15 mm)을 삽입하고 그를 통해서 복강경을 삽입한 후 직접 모니터를 보면서 다음 단계의 투관침과 간견인기를 삽입한다.

복강경카메라를 위한 5 mm 포트는 좌측 쇄골중간선(midclavicular line)을 따라 늑골 하에 위치시키고, 수술자의 오른손을 위해서 또 다른 5 mm 포트를 좌측 앞겨드랑선(anterior axillary line)을 따라 늑골 하에 위치시킨다. 이때 환자의 체구가 크고 특히 복부의 크기가 큰 경우는 가능하면 5 mm 포트를 늑골 아래쪽에 가깝게 삽입하는 것이 수술에 용이한 경우가 많다. 수술자의 왼손이 이용하는 15 mm 포트는 주로 배꼽을 이용하지만 환자의 키가 크거나 복부 팽만이 심해서 배꼽까지의 거리가 먼 경우는 검상돌기(xiphoid process)와 배꼽 중간에 위치하는 것이 용이할 때도 있다(그림 3-4).

2. 히스각과 소망부(pars flaccida) 박리

밴드가 위치할 위분문(cardia) 뒤편의 터널을 만드는데 있어서 먼저 히스각을 박리하는 것이 좋은데, 대망(great-er omentum)의 일부가 히스각을 덮고 있으면 비장의 손상에 유의하면서 옆으로 위치시켜서 위식도 연결부위(gastroesophageal junction)를 노출시킨다. 히스각 박리 시에 위횡격막인대(gastrophrenic ligament) 전체를 자를 필요는 없고 밴드가 통과할 정도의 작은 구멍만으로 충분하다. 위횡격막인대를 보존하는 것이 중요한 이유는 위의 기저부를 고정시켜서 위전면부의 미끄러짐(anterior band slippage, anterior prolapse)을 방지하는 효과가 있기 때문이다. 위식도 경계부위의 지방층(fat pad)은 대부분의 경우 제거하지 않아도 되지만 밴드의 내경에 비해서 너무 두꺼운 경우는 제거하기도 하는데 위나 식도

그림 3-5 위후벽박리

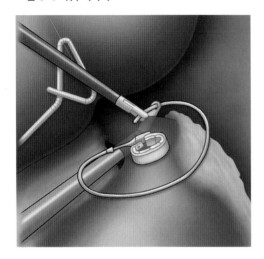 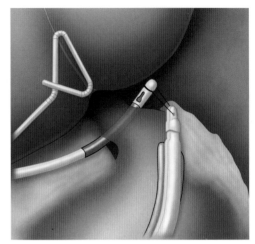

의 벽이 손상되지 않도록 유의하여야 한다. 히스각의 박리는 위후벽의 지방층(retrogastric fat)이 보일 때까지 하는 것이 이후에 위후벽박리기구를 부드럽게 통과시키기에 유리하다. 히스각의 박리가 끝나면 소망부의 박리를 시작한다. 소망부의 박리는 좌위동맥의 위쪽으로, 위식도경계부위보다는 아래쪽으로 하는데, 먼저 혈관과 신경손상에 유의하면서 소망의 얇은 부분(pars flaccida)을 열고, 소망 뒤편의 지방층을 잡고 내측으로 당기면서 우횡격막각(right diaphragm crus)을 노출시키고 우횡격막각의 내측에 전기소작기를 이용해서 복막에 작은 구멍을 낸다. 이 과정에서 하대정맥을 우횡격막각과 혼동해서는 안되며 하대정맥은 우횡격막각에 비해 훨씬 우측에 위치하고 있다. 소망부 박리 시에 좌위동맥으로부터 변형좌간동맥(aberrant left hepatic artery)이 기시하는 경우에는 변형좌간동맥을 피하여 박리한다. 적당한 각도로 구부러진 뭉툭한 박리기구(blunt dissector, tunneler)를 우횡격막다리 내측에 만든 구멍으로 넣고 부드럽게 전진시켜서 미리 박리해 놓은 히스각으로 나오도록 하는데 이 과정에서 무리한 힘을 가하는 경우에는 위의 후벽이나 식도를 손상시킬 수 있으므로 특별히 유의하여야 한다. 위밴드가 지나갈 위의 후벽을 박리하는 이

과정에서는 전혀 힘을 줄 필요 없이 아주 부드럽게 통과가 가능하며 박리기구의 진행 중에 어떤 저항이라도 느껴진다면, 소망부의 입구가 너무 위쪽이거나 박리기구가 식도나 위벽을 밀고 있다고 볼 수 있으므로 이런 경우에는 박리기구를 다시 빼서 위치를 재확인한 후에 다시 시도하는 것이 좋다. 이때 사용되는 박리기구는 수술자 개인의 선호에 따라서 위밴드 제조사에서 제공하는 기구를 쓰기도 하며 직접 만들어서 쓰기도 한다. 일단 박리기구가 위의 후벽을 통과해서 히스각으로 나오면 박리기구로 위밴드의 튜브나, 루프 등(위밴드의 종류에 따라서 다르다)을 잡고 들어갔던 길을 통해 나오면 밴드가 위를 감싸게 되는데 이 과정에서 무리한 힘을 가하게 되면 밴드와 튜브의 연결부위가 손상될 수도 있으므로 주의하여야 한다(그림 3-5).

3. 횡격막 탈장 교정

조절형위밴드수술 시에 횡격막 결함(crural defect)이나 횡격막 탈장(sliding hernia)이 동반된 경우에는 교정을 해주어야 한다. 탈장이 없이 작은 횡격막의 결함만 있는

그림 3-6 위위봉합(gastro-gastric suture)에 의한 위전벽고정

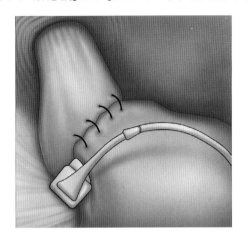

그림 3-7 S-loop에 의한 위전벽 고정

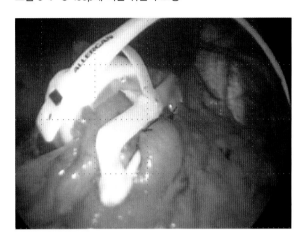

경우에는 식도의 전면부만 박리해서 횡격막의 앞쪽만 봉합해주어도 되지만, 횡격막의 결함이 크거나 탈장이 함께 있는 경우는 식도의 후면까지 모두 박리해서 전면과 후면을 동시에 봉합해 주어야 한다.

4. 위밴드 삽입

현재 식약처의 허가를 받아 국내에 시판되고 있는 조절형위밴드는 네 종류가 있는데 선택은 대부분 수술자의 선호에 따라 정해지지만, 환자의 체질량지수가 많이 높거나 밴드가 감싸는 상부 위조직과 지방이 매우 두꺼운 경우에는 큰 사이즈의 위밴드를 선택하는 것이 바람직하며, 조직에 비해서 작은 위밴드를 사용한 경우에는 밴드를 조이기 전에도 액체를 통과시키기 힘든 경우도 발생할 수 있다. 저자의 경험으로는 체질량지수 70 kg/m² 인 환자도 보통 사이즈의 위밴드(Lap-band AP small)로 충분하였다.

밴드를 환자의 복강 내에 삽입하기 전에 반드시 식염수를 이용해서 밴드와 튜브에 새는 곳이 없는지 확인하는 과정이 필요하며, 이를 게을리하면 수술 후에 밴드조절이 제대로 이루어지지 않으므로 밴드교체를 위한 재

수술이 불가피하다. 밴드가 싸고 있는 위의 후벽은 후복벽에 자연적으로 고정되어 있으므로 따로 고정이 필요 없지만 위의 전벽은 미끄러짐의 예방을 위해 고정을 해주는 것이 바람직하다. 물론 일부에서는 고정을 하지 않아도 된다고 주장하기도 하지만 이런 경우 밴드미끄러짐의 가능성이 약 5% 이상으로 보고된다.

위 전벽의 밴드 고정은 일반적으로는 밴드 하부의 위조직(위의 기저부와 분문부)을 밴드 상부의 위조직과 비흡수성 봉합사를 이용해서 봉합하는 방법(gastrogastric suture, imbrication suture)을 이용하는데 이 경우에 봉합부위의 긴장이 최소화하도록 하는 것이 중요하며 긴장이 심한 경우에는 봉합부위의 손상에 의해서 수술 직후의 누출(early postoperative leakage)의 원인이 되기도 하며 장기적으로는 밴드 상하부의 봉합이 제대로 유지되지 않아서 밴드미끄러짐을 예방하기 힘들게 된다(그림 3-6). 또한 이러한 봉합과정에서 봉합사의 바늘에 의한 출혈이 발생하는 경우에 미란의 가능성이 높아지기 때문에 주의를 요한다. 저자는 이러한 출혈의 위험을 줄이고, 좀 더 효과적으로 위전면의 밴드를 고정하기 위해서 S-루프(Safety-loop)를 이용한 하부고정법(infraband fixation method)을 사용하는데 밴드미끄러짐과 미란을 효과적으로 예방하는데 만족스러운 결과를 보이고

있다(그림 3-7). 기존의 위-위봉합을 하더라도 반드시 밴드 상부의 위조직에 결찰하여야 하며 식도와의 봉합은 절대로 피해야 한다. 만약 밴드하부의 위조직을 식도와 봉합하는 경우는 수술 초기에 식도의 손상으로 인해 조기누출(early leakage)이 발생할 가능성이 높기 때문이다.

5. 조절용 포트 위치시키기

밴드의 고정이 완료되면 밴드에 연결된 튜브를 15 mm 투관침을 통해서 복강 외로 빼낸 후에 간건인기를 비롯한 모든 투관침을 제거한다. 튜브를 조절용포트(injection port, access port)와 연결하기 전에 튜브의 길이를 조절해주는 것이 권장된다. 즉, 튜브의 길이가 너무 길면 복강 내에서 꼬이거나 복막을 자극하는 경우가 발생할 수 있으므로 긴장이 가지 않는 정도로 적절하게 길이를 조절해주는 것이 좋으며 향후에 임신의 가능성이 있는 환자의 경우는 임신 시 복강의 팽창에 충분한 길이로 여유있게 조절하는 것이 좋다.

조절용포트는 고정을 하지 않는 경우에 기울어지거나 뒤집혀서 조절이 힘든 경우가 발생하므로 복벽에 고정하는 것이 원칙인데 주로는 전복직근막(anterior rectus fascia)에 고정한다. 밴드의 고정은 비흡수성 봉합사를 이용해서 수기로 고정하거나, 밴드 제조사에서 제공되는 기구를 이용하기도 한다. 하지만 복직근막의 전면에 고정하는 경우 감량이 이루어지면서 피하지방이 얇아지면 도드라져 보이거나 만져지기도 하고 옷을 입을 때 피부에 자극을 주어서 불편감을 호소하거나 포트의 염증이 발생하기도 하므로 저자는 복직근과 복직근막사이에 포트를 위치시키는데 이러한 방법을 사용하면 따로 포트를 고정하지 않아도 복직근과 근막 사이에서 자연스럽게 반듯하게 고정되는 효과를 보게 된다. 포트를 고정하는 과정에서 튜브가 꺾이거나 꼬이지 않도록 유의하여야 하며 복막이나 근막을 봉합하는 봉합사에 의해서 장기적으로 튜브의 마모가 일어날 수도 있으므로 봉합 시에

주의를 요한다.

6. 밴드 조절

위밴드의 적절한 조절은 조절형위밴드술의 성공에 있어서 매우 중요한 과정이다. 수술 후 첫 번째 조절은 수술 부위가 어느 정도 안정되고 식도나 위 등이 밴드가 조여진 새로운 환경에 충분히 적응이 되었다고 보여지는 수술 4주 후 정도에 시작하는 것이 보통이다. 밴드 조절은 한 번에 이루어지지는 않으며 술자에 따라서 대부분 3-6회 정도의 단계적인 조절을 필요로 하는데 3-6개월에 걸쳐서 시행되는 것이 보통이다. 저자의 경우는 보통 수술 4주 후부터 밴드 조절을 시작하고, 첫 한달동안 2-3회, 그리고 이후 두달에 걸쳐 3-4회 정도의 조절을 해주는데, Lap-band AP small 기준으로 첫 조절은 3-3.5 mL 정도로 시작하고 이후에 환자의 적응 여부를 보아가며 이전 조절양의 약 절반 정도의 식염수를 추가한다. 환자의 약 80% 정도에서 5-8 mL의 식염수량으로 적절한 조절상태를 맞이한다. 어느 정도 적절하게 조절이 완료된 이후에도 일년에 두세 번 정도의 조절이 필요한데 그 이유는 오랜 시간이 경과함에 따라서 밴드의 종류에 따라서 다르기는 하지만 6개월 동안 밴드 내부의 식염수가 0.3-0.5 mL 정도 감소하게 되기 때문이다. 밴드조절의 목적은 체중 감량이 유도될 정도의 적은 양의 식사에 포만감을 느끼고 다음 식사 때까지 공복감을 심하게 느끼지 않게 하는 것이다. 따라서 식사량이 많거나, 적은 양의 식사에 포만감이 잘 유도되지 않고 공복감이 빨리 찾아올 때는 밴드를 더 조여야 하는 시기라고 보면 된다(적절한 속도의 체중 감량이 이루어지지 않는 경우도 밴드조절이 필요하지만 먼저 환자가 고열량의 음료나 아이스크림, 과자, 초콜릿 등을 먹는지 등을 확인하는 것이 중요하다). 반면, 식사가 너무 힘들거나 자주 토하고 밤에 침이나 위액이 역류하는 경우는 밴드가 과하게 조절된 상태이므로 적절한 양의 식염수를 제거하여 밴드를 느슨하게 해

주어야 한다. 가끔 빠른 감량을 위해서 일반적인 고형식 대신 액체 위주의 식사만 가능할 정도로 밴드를 과하게 조이는 경우가 있는데 이는 체중 감량과 유지가 매우 장기적인 과제임을 감안할 때 권장하기 힘들며 오히려 식습관을 나쁘게 하고 빠른 감량에 지쳐서 밴드를 느슨하게 한 후에는 폭식을 유도할 수도 있으므로 지양하여야 한다.

밴드 조절 시에 환자는 앙와위로 자세를 잡은 후에 포트가 있는 부위의 피부를 소독한 후 주입하고자 하는 만큼의 0.9% 생리식염수를 주사기에 준비한다. 조절용 포트가 전복직근막의 앞쪽, 즉 피하에 위치하는 경우에는 손으로 만져서 포트의 위치를 찾을 수 있는데, 포트와 그에 연결된 튜브를 감별하고 두 손가락 사이에 포트를 위치시킨다. 3 way check valve에 연결한 허버침(Huber needle)을 사용하여 피부, 피하지방을 통해서 포트까지 이르게 되며 포트의 후벽에 허버침이 닿는 소리와 느낌으로 제대로 천자가 되었는지를 확인할 수 있다. 일단 포트에 허버침이 제대로 천자되었다고 판단되면 식염수를 주입하고 부드럽게 역류하는지를 시험해보아 제대로 천자되었는지를 재확인할 수 있다. 환자의 비만도가 매우 높거나 조절용포트가 복근막 아래에 위치한 경우에는 손으로 만져지지 않으므로 방사선투시나 초음파 하에 조절이 필요한 경우도 있다. 허버침으로 포트를 천자할 때 포트와 연결된 튜브를 천자하지 않도록 각별한 주의가 필요하며 튜브가 손상되는 경우는 손상된 튜브의 일부를 교정하거나 포트 전체를 교체해야 하는 경우도 있다. 병적비만환자에서의 조절형위밴드수술 후 적절한 감량속도는 매주 당 0.5-1 kg으로 보고 있으며 환자의 기초대사량과 체력, 나이, 신체적인 컨디션 등을 고려하여 조절할 수 있다.

밴드조절 시에 방사선투시 하에 바륨스터디를 보조로 활용할 수 있는데 식도나 낭확장, 밴드미끄러짐, 미란 등의 합병증 발생여부를 동시에 확인할 수 있는 장점이 있다.

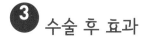

③ 수술 후 효과

1. 체중 감량 효과

O'Brien 등은 2004년의 보고에서 초과체중의 중간감량률이 3, 4, 5년에 각각 55%, 52%, 56%로 보고했고, 이는 위우회술의 69%, 58%, 59%에 비해 그리 크지 않은 차이를 보여주어서 수술 후 5년의 초과체중 감량률에서는 통계적으로 차이가 없는 것이다. 하지만 체중 감량의 패턴을 살펴보면 중요한 차이를 알 수 있는데, 위우회술 후의 체중 감량이 일반적으로 수술 후 12-18개월에 일어나고 이후로는 수술의 효과가 점차 감소하는 것을 보여주는 것에 반해, 조절형위밴드수술 후에는 첫 2-3년 동안 지속적인 체중 감량이 일어나고 이후의 3년 동안에도 꾸준히 체중 감량이 일어난다고 보고했다.[32] 이러한 수술 후 초기에 점차적으로 체중 감량이 일어나고 시간이 지남에 따라서도 지속적으로 체중 감량 효과를 보이는 것은 밴드의 특징 중의 하나인 조절성(adjustability) 때문이며, 이는 다른 비만대사수술 술식이 가지지 못하는 조절형위밴드술 만의 장점이기도 하다.

Dixon 등은 위밴드술 후의 효과를 짐작할 수 있는 예후인자를 분석한 연구[13, 24]에서 특별히 위밴드수술 후 효과를 기대하지 못할 군은 없다고 보고했다. 즉, 병적비만이건, 초병적비만이건, 단것을 즐기는 사람, 일정 부분 정신적인 문제가 있거나 이전에 다른 병적비만수술을 받았던 예 등, 거의 모든 군에서 일정한 효과가 있었다고 보고했다. 하지만 조절형위밴드술은 수술만으로 모든 것이 해결되지 않고 수술 후 상담과 환자교육, 그리고 밴드 조절(band adjustment) 등 의사와 환자 관계가 어떤 수술보다도 중요하므로 정신지체가 심하거나 Prader-Willi syndrome 과 같은 악성 과식증(malignant hyperphagia)을 보이는 경우에는 수술을 피하는 것이 좋겠다.

2. 비만관련 합병증의 개선효과

비만은 수많은 질병을 유발하는 현대사회에서 가장 위험한 근원 질병이라고 할 수 있다. 조절형위밴드술은 이러한 비만관련 합병증과 질환들을 개선하는데도 상당한 효과를 보이고 있는데 이는 단순히 체중 감량 그 자체뿐 아니라 식이생활의 변화 등 조절형위밴드술 자체의 특징이 모두 기여한 결과로 볼 수 있다. 따라서 일부의 효과는 수술 후 조기에 나타나기도 하고 일부는 체중 감량 효과가 본격적으로 나타나는 수술 2-3년 후에 나타나기도 한다.

1) 제2형 당뇨병(type 2 diabetes mellitus)

조절형위밴드술 후 체중 감량이 가져오는 건강 개선효과의 가장 대표적인 예가 제2형 당뇨병이다. 많은 연구를 통해서 조절형위밴드술을 받은 제2형 당뇨병환자 3분의 2에서 완치 또는 근치를 보고하고 있고,[1, 34] Dixon 등은 위밴드수술을 받은 제2형 당뇨병환자 50명을 1년간 추적한 결과 32명(64%)에서 완전 치유가 되었고, 13명(26%)에서 호전을 그리고 5명(10%)에서는 약간의 변화가 있었다고 보고하고 있다.[31] 제2형 당뇨병에 있어 조절형위밴드수술의 효과는 특히 당뇨발병 후 조절형위밴드술을 받기까지의 기간이 중요한 예후인자이므로 당뇨 진단을 받은 비만환자의 조기치료가 권장된다. 또한 조절형위밴드수술 후 첫 1년에 인슐린 감수성이 37.5%에서 62%로 증가하였고, 췌장의 베타세포 기능 또한 의미 있게 상승했다고 보고가 있는데 이는 제2형 당뇨병의 발현과 발전의 기본적인 병태생리기전이 중단되는 효과를 기대할 수 있다는 것을 의미한다.

2) 고혈압(hypertension)

많은 연구들[1, 4]에서 수술 전 내과적 치료에도 불구하고 조절되지 않았던 고혈압에서 조절형위밴드수술 후 체중 감량에 성공한 경우 수축기 및 이완기 혈압의 호전이 확인되고 있으며 혈압의 조절 뿐 아니라 항고혈압제를 중단

할 수 있었다고 하며 이는 성인에만 국한되는 것이 아니라 소아, 청소년에서도 같은 효과가 있었다고 한다.[21]

3) 수면장애 및 폐쇄성 수면무호흡증(sleep disturbance and obstructive sleep apnea)

비만환자에서 수면장애는 매우 흔히 볼 수 있으며 심각한 병적비만은 수면무호흡증의 가장 큰 위험인자로 정상체중에서 보다 10배 이상의 유병률을 보인다.[26] 목둘레(neck circumference)가 굵을수록 혈중 인슐린수치가 높을수록 수면무호흡증이 발생할 가능성이 높으므로 수술 전 수면다원검사를 시행하는 것을 권장하고 있다.[16]

Dixon 등은 313명의 환자에서 위밴드술 전에 수면무호흡증과 수면 장애에 대한 연구를 시행하였는데, 123명의 환자에서 수술 후 1년에 재검사를 시행한 결과를 보고했다.[17] 수술 전에 남자에서는 59%, 여성에서 45%에서 수면장애가 발견되었으며, 수술 후 수면무호흡은 33%에서 2%로, 코골이는 82%에서 14%로 줄었으며, 낮시간에 졸리는 현상은 39%에서 4%로 줄었다고 보고했으며, 수면무호흡증과 수면장애는 조절형위밴드술 후 적은 양의 체중 감량에도 상당히 빨리 호전되는 양상을 보인다.

4) 역류성 식도염(gastroesophageal reflux disease, GERD)

병적비만 환자에서 역류성식도염의 유병률은 일반인의 두 배 이상이다.[15] Dixon 등은 87명의 역류성식도염 환자를 추적한 결과 수술 후 1년 이상에서, 73명(89%)이 완전히 해결되어서 투약을 중단하고 1개월 이상이 지나도 증상이 없었다고 보고하고 있으며 그 외 다른 연구에서도 조절형위밴드술 후 역류성식도염이 호전되었다고 보고했다.[3] 일부에서는 조절형위밴드술 후에 역류성식도염이 발생하거나 악화된다는 보고를 하고 있기도 하지만[28], O'Brien 등은 8년 이상 추적한 1,250명의 환자에서 임상적 증상, 바륨스터디, 내시경소견, 24시간 pH 검사, 식도 manometry 등으로 검사한 결과 식도기능의 이상을 발견할 수 없었다고 보고했다.[31] 물론 이러한 결과는 위밴

드의 조절을 과도하게 하지 않고 적절한 수준으로 조절한 결과라는 것을 반드시 상기할 필요가 있겠다. 아무래도 밴드를 과도하게 조절하거나 식이원칙을 잘 지키지 않는 경우는 밴드 상부의 식도에 과도한 압력이 가해지고 식도의 기능에도 이상을 초래할 소지가 충분하기 때문이다.

5) 천식(asthma)

천식이 비만과 관계 있다는 사실 또한 잘 알려져 있으며[38], 비만이 폐기능에 영향을 주어서 천식을 악화시키는 것으로도 인식되어 있다. 조절형위밴드술 후 천식이 호전되는 데는 호흡기계 자체의 기능호전[20]과 함께 위식도 역류의 호전 또한 기여하는 것으로 보인다.

6) 우울증(depression)

병적비만환자에게 있어서 우울증은 흔히 접할 수 있는 문제이다. 특히 비만도가 심할수록, 나이가 어릴수록, 여성에서 두드러지게 나타나는데,[19] 병적비만으로 인해 우울증이 생기게 되는지 우울증 때문에 병적비만으로 발전하는 지의 인과관계는 명확하게 밝혀져 있지 않지만 Dixon 등[14]의 보고에 의하면 수술 전에 우울증을 가졌던 환자, 수술 후 체중 감량을 보인 대다수에서 우울증이 호전된 결과를 보이는데 이는 우울증이 병적비만을 야기한다기 보다는 대부분의 경우 병적비만의 결과로 우울증이 온다는 뜻으로 해석할 수 있으며, 체중 감량을 통해서 치유가 가능하다는 것을 시사한다 하겠다. 또한 수술 전 우울증이 조절형위밴드술 후 체중 감량 효과에 영향을 미치지 않는 것으로 보고되고 있으므로 수술을 피할 이유는 없겠다.[10, 13]

3. 삶의 질(Quality of life)

과체중 자체는 물론 비만에 의한 육체적 정신사회적인 문제가 비만인들에게 더욱 힘든 문제가 되고 있으며 따라서 삶의 질의 개선이야말로 비만대사수술의 효과적 측면에서 가장 중요한 것 중 하나일 것이다. 조절형위밴드술 후 삶의 질이 의미있게 개선되었다는 많은 보고가 있는데,[23, 36] 비만인들의 삶의 질 평가에 유용한 SF-36 (Medical Outcomes Trust Short Form-36)을 이용해서 Dixon 등[31]은 459명의 병적비만 환자들을 대상으로 수술 전, 삶의 질을 조사한 결과 삶의 질을 평가하는 8개의 항목에서 모두 일반인들의 평균보다 매우 낮은 점수를 보였고, 이는 특히 육체적 건강(physical health)에 관한 항목에서 더욱 심했다. 조절형위밴드술 후 모든 항목에서 극적이고 지속적인 개선을 보였고, 수술 전에 삶의 질이 안 좋은 군에서 더욱 큰 개선을 보였다. 하지만 체중 감량의 양은 삶의 질의 개선과 관계가 없었고, 수술 1년 후에는 평균 점수가 일반인들의 수준까지 회복되었으며, 이후로 연구가 진행되는 4년간 유지되었다고 보고했다. 또한 추적기간 중에 재수술을 필요로 했던 환자들에서도 같은 개선이 보였고, 다른 비만대사수술을 받은 후 조절형위밴드술을 받은 환자군에서도 비슷한 결과를 보였다.[33]

4 결론

위밴드가 통과할 위의 후벽통로는 위주위 박리보다는 pars flaccida 방식이 후면 밴드미끄러짐과 미란 발생을 줄일 수 있다. 전면 밴드미끄러짐을 예방하기 위해서는 위전면부의 밴드를 고정하는 것이 필요하며, 전통적인 위-위 봉합(gastro-gastric suture) 이외에 밴드하부위조직고정법(infra-band fixation method, S-loop)도 좋은 결과를 보이고 있다. 밴드의 조절을 위한 포트는 천자가 용이하도록 반듯하게 고정하는 것이 좋다(복직근막 내에 포트를 위치시키는 경우에는 고정을 위한 봉합이 필요없다). 조절형위밴드술의 성공을 위해서 밴드의 조절은 매우 중요하고 필수적인 과정이며, 수술 후 한달이 경과한 후부터의 적극적인 조절과 정기적인 유지조절이 좋은 결과를 위해 필요하다. 외과의에게는 익숙지 않은 수술 후 조절과정과 환자를 잘 이끌어가야 한다는 단점이 있기는 하지만 안전성, 조절성, 복원성과 함께 납득할만한 감량 성과를 보이는 조절형위밴드술은 비만대사수술 중 훌륭한 하나의 술식이라고 할 수 있겠다. 비록 수술과정이 매우 간단한 술식이지만, 위밴드라는 인공이식물을 복강 내와 복벽에 위치시키는 술식이므로 충분한 지식과 경험과 함께 세심한 술기가 필요하다고 생각되며 수술 후 성공적인 감량성과를 위해서는 의료진이 환자를 잘 이끌어가야 하는 것이 매우 중요한 부분이다.

참고문헌

1. Abu-Abeid S, Keidar A, Szold A. Resolution of chronic medical conditions after laparoscopic adjustable silicone gastric banding for the treatment of morbid obesity in the elderly. Surg Endosc 2001;15: 132–4

2. Allen JW, Coleman MG, Fielding GA. Lessons learned from laparoscopic gastric banding for morbid obesity. Am J Surg. 2001 Jul;182:10-4

3. Angrisani L, Iovino P, Lorenzo M, et al. Treatment of morbid obesity and gastroesophageal reflux with hiatal hernia by Lap-Band. Obes Surg 1999;9:396–8.

4. Bacci V, Basso MS, Greco F, et al. Modifications of metabolic and cardiovascular risk factors after weight loss induced by laparoscopic gastric banding. Obes Surg 2002; 12:77–82

5. Belachew M, Legrand MJ, Defechereux TH, Burtheret MP,Jacquet N. Laparoscopic adjustable silicone gastric banding in the treatment of morbid obesity. A preliminary report. Surg Endosc 1994;8:1354–56

6. Burton PR, Brown WA. The mechanism of weight loss with laparoscopic adjustable gastric banding: induction of satiety not restriction. International Journal of Obesity 2011; 35, S26–S30

7. Burton PR, Brown WA, O'Brien PE. et AL. Effects of gastric band adjustments on intraluminal pressure. Obes Surg 2009; 19:1508–14

8. Burton PR, Brown WA, O'Brien PE et al. Criteria for assessing esophageal motility in laparoscopic adjustable gastric band patients: the importance of the lower esophageal contractile segment. Obes Surg. 2010;20:316-25

9. Burton PR, Yap K, O'Brien PE. et al. Effects of adjustable gastric bands on gastric emptying. Supra- and infraband transit and satiety: A randomized double-blind crossover trial using a new technique of band visualization. Obes Surg 2010; 20:1690–7

10. Busetto L, Segato G, De Marchi F, et al. Outcome predictors in morbidly obese recipients of an adjustable gastric band. Obes Surg 2002;12:83–92

11. Cadiere GB, Himpens J, Vertruyen M, et al. Laparoscopic gastroplasty (adjustable silicone gastric banding). Semin Laparosc Surg 2000;7(1):55–65

12. Dixon AF, Dixon JB, O'Brien PE. Laparoscopic adjustable gastric banding induces prolonged satiety: a randomized blind crossover study. J Clin Endocrinol Metab 2005; 90: 813–9

13. Dixon JB, Dixon ME, O'Brien PE. Pre-operative predictors of weight loss at 1-year after Lap-Band surgery. Obes Surg 2001;11:200–7

14. Dixon JB, Dixon ME, O'Brien PE. Depression in association with severe obesity: Changes with weight loss. Int J Obesity 2003;27:S149

15. Dixon JB, O'Brien PE. Gastroesophageal reflux in obesity: The effect of Lap-Band placement. Obes Surg 1999;9:527–31

16. Dixon JB, Schachter LM, O'Brien PE. Predicting sleep apnea and excessive day sleepiness in the severely obese: Indications for polysommography. Chest 2003;123:1134–41

17. Dixon JB, Schachter LM, O'Brien PE. Sleep disturbance and obesity: Changes following surgically induced weight loss. Arch Intern Med 2001;161:102–6

18. Forsell P, Hallberg D, Hellers G. A Gastric Band with Adjustable Inner Diameter for Obesity Surgery: Preliminary Studies.Obes Surg. 1993 Aug;3(3):303-6

19. Friedman KE, Reichmann SK, Costanzo PR, et al. Body image partially mediates the relationship between obesity and psychological distress. Obes Res 2002;10:33–41

20. Hakala K, Stenius-Aarniala B, Sovijarvi A. Effects of weight

loss on peak flow variability, airways obstruction, and lung volumes in obese patients with asthma. Chest 2000; 118:1315–21

21. Holterman AX, Browne A, Tussing L, et al. Prospective trial for laparoscopic adjustable gastric banding in morbidly obese adolescents: an interim report of weight loss, metabolic and quality of life outcomes. J Pediatr Surg. 2010 Jan;45(1):74-8; discussion 78-9

22. Horchner R, Tuinebreijer W, Kelder H. Eating patterns in morbidly obese patients before and after a gastric restrictive operation. Obes Surg 2002; 12: 108–12

23. Horchner R, Tuinebreijer MW, Kelder PH. Quality-of-life assessment of morbidly obese patients who have undergone a Lap-Band operation: 2-year follow-up study. Is the MOT SF-36 a useful instrument to measure quality of life in morbidly obese patients? Obes Surg 2001;11:212–8; discussion 219

24. Hudson SM, Dixon JB, O'Brien PE. Sweet eating is not a predictor of outcome after Lap-Band placement. Can we finally bury the myth? Obes Surg 2002;12:789–94

25. Kuzmak LI, Yap IS, McGuire L, et al. Surgery for morbid obesity using an inflatable gastric band.AORN J 1990;51: 1307–24

26. Kyzer S, Charuzi I. Obstructive sleep apnea in the obese. World J Surg 1998;22:998–1001

27. Lang T, Hauser R, Buddeberg C, et al. Impact of gastric banding on eating behavior and weight. Obes Surg 2002; 12: 100–7

28. Milone L, Daud A, Durak E, et al. Esophageal dilation after laparoscopic adjustable gastric banding. Surg Endosc 2008 Jun;22(6):1482-6

29. Molina M, Oria HE. Gastric segmentation: a new, safe, effective, simple, readily revised and fully reversible surgical procedure for the correction of morbid obesity. [abstract 15]. In: 6th Bariatric Surgery Colloquium. Iowa City (IA), June 2–3, 1983

30. O'Brien PE, Dixon JB. Weight loss and early and late complications―the international experience. Am J Surg 2002; 184:42S– 5S

31. O'Brien PE, Dixon, JB. Lap-Band®: Outcomes and results. J Laparoendosc Adv Surg Tech A. 2003 Aug;13(4):265-70

32. O'Brien PE, Dixon JB, Brown W, et al. The laparoscopic adjustable gastric band (Lap-Band): A prospective study of medium-term effects on weight, health and quality of life. Obes Surg 2002;12:652–60

33. O'Brien P, Brown W, Dixon J. Revisional surgery for morbid obesity―Conversion to the Lap-Band system. Obes Surg 2000;10:557–63

34. Pinkney JH, Sjostrom CD, Gale EA. Should surgeons treat diabetes in severely obese people? Lancet 2001;357:1357–9

35. Szinicz G, Mueller L, Erhard W, et al. "Reversible gastric banding" in surgical treatment of morbid obesity – results of animal experiments. Res Exp Med(Berl) 1989;189:55–60

36. Weiner R, Datz M, Wagner D, et al. Quality-oflife outcome after laparoscopic adjustable gastric banding for morbid obesity. Obes Surg 1999;9:539–45

37. Wilkinson LH, Peloso OA. Gastric (reservoir) reduction for morbid obesity. Arch Surg 1981;116:602–5

38. Young SY, Gunzenhauser JD, Malone KE, et al. Body mass index and asthma in the military population of the northwestern United States. Arch Intern Med 2001;161:1605–11

Chapter 04 | 절제위우회술
Resectional gastric bypass

 서론

역사적으로 단장(short bowel) 및 위절제 후 나타나는 체중감소는 체중 감량 수술(weight loss surgery)의 아이디어를 제공하였다. 다시 말하면, 제거된 내장 일부로 인하여 체중감소가 발생할 수 있으며 이는 비가역적이라는 것을 알게 되었다. 이러한 이유로 첫 번째 개발된 소장우회술(jejunal bypass)을 시행할 때도 단장으로 인한 극심한 체중 감량에 대비하여 소장 절제는 하지 않았다. 실제로 소장우회술은 전해질 이상, 영양 결핍, 삶의 질 저하 등 많은 문제를 보여 주었고, 일부 환자는 복원수술을 받았다.

루와이위우회술(Roux-en-Y gastric bypass)을 고안한 1960년대에는 상기와 같은 이유로 체중 감량 수술에서 장기의 절제를 금기시 하는 경향이 있었다. 이로 인하여 식도와 이어진 위상부에 조그만 위낭(gastric pouch)을 만들고 위 상부와 공장을 문합하며, 원위부의 위는 그대로 두어, 위를 우회하는 술식을 고안하게 되었다. 혹시 원상 복귀가 필요한 경우를 위하여 원위부 위를 보관하는 것이었다. 또 위절제술을 하면서 소모되는 불필요한

수술 시간, 절제로 인한 합병증 등을 고려하면 원위부 위를 그대로 두는 것은 일리가 있었다고 할 수 있다. 그러나 장기적으로 원위부 위에서 여러 가지 심각한 문제들이 발생하게 된다면 원위부 위를 절제하는 것도 생각해야 할 것이다. 루와이위우회술 이후 남아있는 원위부 위에서 발생할 수 있는 문제들은 위궤양 혹은 십이지장 궤양에 의한 출혈, 위-위 누공(gastro-gastric fistula formation), 원위부 위에서 분비되는 가스트린 효과에 의한 변연궤양(marginal ulcer) 발생 증가, 박테리아 증식, 그리고 위점막의 변화, 특히 위암의 발생 등이 있다. 이러한 문제들 중 특히 원위부 위에 발생할 수 있는 위암의 경우에는 우리나라와 같이 위암의 발생률이 세계적으로 가장 높은 지역에서는 외과의들 뿐만 아니라 환자들에게도 관심이 높은 문제가 아닐 수 없다.

표 4-1 루와이위우회술 후 원위 부위에 발생한 위암 증례

저자 (년도)	나이/성별	국적	비만수술 후 년도	증상	진단방법	진행정도	치료
Raijman (1991)	38/F	USA	5	Epigastric pain, fever	CT	Advanced	Remnant gastrectomy
Lord (1997)	71/F	Australia	13	Anemia	Retrograde endoscopy	Early	Remnant gastrectomy
Khitin (2003)	57/F	USA	22	Epigastric pain, distension	CT	Advanced	Remnant gastrectomy
Escalona (2005)	51/F	Chile	8	Epigastric pain, nausea	CT	Advanced	Total gastrectomy
Corsini (2006)	57/M	Brazil	4	Abdominal pain, weight loss	CT	Direct invasion to liver, pancreas	Gastro- enterostomy
Harper (2007)	45/F	USA	1	Abdominal pain, bloating	CT	Carcinomatosis peritonei	Tube gastrostomy

❷ 원위부 위에서의 위암 발생 위험도

아직까지 루와이위우회술에서 원위부 위에 위암의 발생 위험도에 대해서는 잘 알려져 있지 않다. 원위부 위의 경우 섭취한 음식물의 이동 경로에서 완전히 배제되기 때문에 외부에서 들어오는 발암물질과의 접촉이 줄어들 수 있으므로 위암 발생률은 정상인들에 비해 더 떨어질 수 있다. 그러나 원위부 위에는 역류된 십이지장액이 오랜 시간 동안 정체되어 있을 수 있고, 동물실험에서 증명되었듯이,[21] 이에 의해 발암과정이 촉진될 수 있다는 양면성을 가졌다.[9] 현재까지 문헌에 보고된 원위부 위에서의 위암 발생 증례는 총 6예이다(표 4-1).[6,10,14,15,17,19] 이들 중 조기위암으로 발견된 예는 1예 밖에 없었고[17] 나머지 5예는 모두 진행성 위암으로 발견되었으며 그 중 2예에서는 간과 췌장에 직접 침윤[6] 및 복막파종[14]을 동반하여서 치료 불가능한 상태에서 발견되었다. 보고된 증례들의 경우 해당 지역에서 시행된 루와이위우회술의 수술 건수와 그 지역의 위암 발생률을 감안할 때 상당히 낮은 빈도로 관찰되기는 하나 대부분의 예에서 진단이 지연되면

서 암이 진행되거나 심지어는 수술이 불가능한 상태에서 발견되기 때문에 주의를 요한다. 이렇게 진단이 지연되는 주된 이유는 원위부 위에 대한 진단적 접근이 기술적으로 어렵고[9] 위우회술 후 발생하는 여러 가지 상부 위장관 증상이 위암으로 인한 증상과 분간하기 힘들기 때문이다.[27] Flickinger 등[11]은 원위부 위에 대한 역행성 위내시경을 통해 53%에서 잔위의 담즙 정체가 관찰되었고 만성위염 21%, 그리고 장형화생이 9%에서 관찰됨을 보고하였다. 위의 평균 pH는 3이어서 담즙역류와 함께 약산성 환경이 관찰되었으며, 위염이 어떤 경우에는 반복적으로 위내시경을 시행해도 사라지지 않아서 수술 후 매 5년에 한 번씩은 내시경을 해야 한다고 주장하였다. Sohn 등[24]은 427명의 절제위우회술을 시행 받은 환자들의 절제된 잔위에서 급만성 위염 66예, 위저부 용종 7예, 장형화생 3예, 위궤양 2예, 게실 1예, 낭종 1예, 그리고 평활근종이 1예 관찰되었음을 보고하였다. 이렇듯 원위부 위에는 빈도는 높지 않지만 수술 당시부터 비정상적인 병변이 존재하기 때문에 수술 전에 반드시 위내시경을 시행하여 이상 병변이나 위암의 전구병변이 관찰되지 않는지 확인하여야 하며 특히 위암의 전구병변이 될 수 있

는 만성위염이나 장형화생 등은 Flickinger 등[11] 의 보고에서 알 수 있듯이 수술 후 시간이 지남에 따라 빈도가 높아진다. Sundbom 등[25] 은 22명의 루와이위우회술을 시행 받은 환자를 대상으로 한 담즙스캔(cholescintigraphy)에서 36%의 환자들에서 십이지장 위 역류를 관찰하였으며 이러한 역류는 오랜 시간에 걸쳐 위에 남아 있어서 위우회술을 받은 환자의 1/3 이상이 담즙의 위점막에 대한 발암 작용에 노출되게 된다고 주장하였다.

원위부 위에 대한 진단적 접근방법

원위부 위에 대한 진단적 접근 방법으로는 크게 비침습적인 방법과 침습적인 방법으로 나눌 수 있다. 비침습적인 방법으로는 일반적인 내시경이나 소아용 대장내시경을 이용하는 역행성 내시경[11]과 이중 풍선 장내시경(double balloon enteroscopy)을 이용하는 역행성 내시경,[16,27] 그리고 3차원 CT 영상을 재구성하는 virtual gastroscopy 방법[1,22]이 있다. 침습적인 방법으로는 여러 가지 방법을 동원하여 경피적 위루(percutaneous gastrostomy)를 형성한 후 이를 통하여 내시경을 시행하는 방법[2,12,13,20,26]이 있다. 후자의 경우 단순 진단을 목적으로 한 내시경은 드물고 대개는 담석증이나 위장관 출혈 등에 대한 중재 시술이 목적이 되는 경우가 많다. 일반 내시경이나 대장내시경을 이용한 역행성 내시경의 경우 루각(Roux limb)이 짧은 경우가 아니면 실패율이 높아서[11,23,27] 현재와 같이 대부분 1-2 m의 긴 루 각을 이용하는 위우회술의 경우 이중 풍선 장내시경을 이용하는 것이 진단의 성공률을 높일 수 있다.[27] 그러나 이 경우에도 일반적인 검진 목적으로 이용하기에는 지나치게 침습적이고 비용이 너무 많이 든다는 문제가 있다. Virtual gastroscopy의 경우 원위부 위가 잘 확장되어야만 좋은 영상을 얻을 수 있는데[23] 이 방법 역시 복잡하여 검진 목적으로 이용하기에는 적합하지 않다고 생각된다.

절제위우회술의 배경

절제위우회술은 1998년 Curry 등[8]에 의해 처음으로 주장되었다. 당시 이들은 실패한 비만대사수술들에 대한 구제 수술법(revisional surgery)으로 이 수술을 시작하게 되었는데 경험이 쌓이면서 구제 수술법으로서 뿐만 아니라 일차적 비만대사수술(primary bariatric surgery)에도 확대 적용하게 되었다. Csendes 등[7]은 2005년에 개복 절제위우회술 400예의 경험을 보고하였는데 절제된 원위부 위의 병리조직검사에서 정상 소견을 보인 예는 10예(8.9%) 밖에 없었으며 나머지의 환자들에서는 위염, 장형화생, 용종, 위장관기질성종양 등의 소견을 보였다. 이들 중 4명(3.5%)의 환자에서는 이형성이 관찰되었으며 5명의 환자에서는 수술 전에 헬리코박터 파일로리 제균 치료를 하였음에도 불구하고 헬리코박터 파일로리 균에 감염된 것이 확인되었다. 이는 Sohn 등의 잔위에서 병리조직소견[24]과 비교하였을 때 훨씬 높은 빈도의 비정상적인 병리조직 소견이 관찰될 뿐만 아니라 Sohn 등의 예에서는 보이지 않던 이형성과 같은 치명적인 위암의 전구병변도 관찰되기 때문에 칠레와 같이 위암의 유병률이 높은 지역에서 루와이위우회술을 시행하려 한다면 원위부 위의 절제를 심각하게 고려해 보아야 할 것이라고 주장했다. 2012년에 같은 그룹에서 절제위우회술을 시행한 환자들에서 기존의 위우회술을 시행한 환자들에 비해 수술 후 1년째 혈중 ghrelin 농도가 유의하게 낮게 나타남을 보고하였다.[4] 그러나 낮은 혈중 ghrelin의 농도가 음식물 섭취의 감소나 체중감소로 이어지지는 않았다. Chronaiou 등[5]은 기존의 위우회술에 원위부 위의 위저부를 추가로 절제하여 위저부를 절제하지 않은 위우회술에 비해 1년 추적검사에서 혈중 ghrelin의 농도가 더

그림 4-1 위낭 형성. 20-30 mL 크기의 위낭을 근위부 위의 소만곡 쪽에 형성한다.

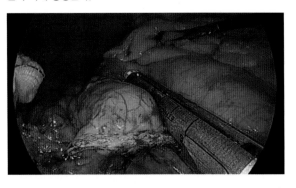

그림 4-2 원위부 위절제. 원위부 위의 절제는 위저부의 꼭지점부터 아래 방향으로 진행한다.

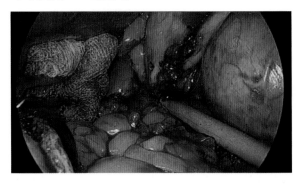

그림 4-3 원위부 위절제. 원위부 위의 상부가 비장으로부터 완전히 분리되었다.

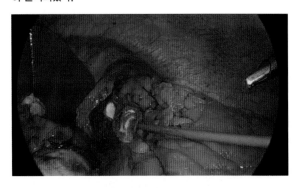

그림 4-4 공장-공장문합술. 복강경 선형문합기를 이용하여 측측 공장-공장문합술을 시행한다.

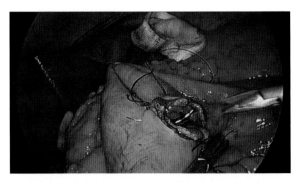

그림 4-5 위-공장문합술. 위-공장문합의 크기는 2 cm 이하로 되게 한다.

그림 4-6 위-공장문합술. 두 층의 수기문합으로 위-공장문합술을 시행한다.

낮고 식후 PYY, GLP-1 그리고 인슐린 반응이 더욱 더 증강됨을 보고하였다. 위 연구들에서 기존의 위우회술에 비해 혈중 ghrelin 농도가 낮게 나오는 기전으로는 ghrelin의 주 생산 장소인 위저부가 절제되기 때문인 것으로 생각되고 있다.[5] 그러나 이런 연구들에서 낮은 혈중 ghre-

lin 농도가 실제 좀 더 효과적으로 환자의 식욕을 감소시키고 더 효과적인 체중감소를 유도할 수 있는지의 여부는 밝혀지지 않았다. 이와 관련해서는 좀 더 많은 연구가 필요할 것이나 이론적으로 원위부 위를 절제함으로 인해 수술 후 낮은 혈중 ghrelin 농도를 추가로 얻을 수 있을 것으로 생각된다.

5 절제위우회술의 술기

원칙적으로 비만대사수술은 복강경이나 로봇을 이용한 최소침습수술을 하는 것이다.

위우회술과 동일하게 간 좌엽을 거상하여 식도위접합부(esophagogastric junction) 및 히스각(angle of His)을 충분히 노출시키는 것이 중요하다. 일반적인 위우회술과 마찬가지로 20-30 mL의 위낭을 형성한 후 문합을 시행하기 전에 원위부 위절제를 위쪽에서 시작하여 아래쪽으로 내려오면서 진행한다. 이 때 림프절 절제술이 필요가 없기 때문에 절제는 위에 바짝 붙여서 시행하면 기술적으로 큰 어려움이 없고 비장 등 다른 장기에 손상을 줄 위험성도 없다(그림 4-1, 2, 3, 4, 5, 6).

일반적으로 절제위우회술이 시행되는 경우는 당뇨 등의 동반질환이 있는 경우가 많아서 루 각의 길이는 70–100 cm 혹은 그 이상의 길이로 시행할 수 있고, 담췌각(biliopancreatic limb) 역시 50–100 cm 사이를 선택할 수 있을 것이다. 위절제 후 대장 앞으로 위소장 문합은 대부분의 경우에 가능하나, 어려울 경우 대장 뒤로 시행하거나, 대망을 절개한 후 시행할 수 있다.

6 치료 결과

Curry 등은 5.5%의 중요한 합병증(major postoperative complication) 발생률과 0%의 수술 사망률을 보고하였으며 초기 체중감소도 기존의 루와이위우회술과 유사함을 보고하였다.[8] 이후 2004년 같은 그룹에서 구제 수술법으로 시행한 절제위우회술 27예와 일차적 비만대사수술로 시행한 절제위우회술 54예를 비교하여 보고하였는데, 구제 수술법으로 시행한 군에서 일차적 비만대사수술로 시행한 군에 비해 수술시간이 길고, 출혈량이 많고, 재원 기간이 길었으나 양 군 모두에서 사망 예는 없었고 문합부 누출도 없었으며 수술 후 1년 째 초과체중 감소율(excess weight loss)에서도 별다른 차이가 없어서 비슷한 수술 결과를 보였음을 보고하였다.[18] Csendes 그룹에서의 수술 사망률 및 합병증 발생률은 각각 0.5%와 4.75%이었고, 추적 기간이 1년 이상이었던 184명의 환자들의 24개월, 36개월 추적에서 초과체중감소율은 70%로 기존의 루와이위우회술과 유사한 결과를 보고하였다. 이들은 북미지역의 비만외과의들은 위절제술의 경험이 없어서 배제된 잔위를 절제하는 것이 기술적으로 상당히 힘들지 모르나, 칠레의 비만외과의들의 경우 위암 환자들에 대한 위절제술의 경험이 풍부하기 때문에 별다른 기술적인 어려움 없이 2시간 이내에 수술 합병증 발생률이나 수술 사망률에 영향을 미치지 않으면서 안전하게 절제위우회술을 시행할 수 있다고 주장하였다.[7] 이들은 2011년에 복강경 절제위우회술 112예의 경험을 보고하였는데[3] 수술 시간은 평균 134분이었고 10.7%의 수술 후 합병증 발생률을 보였으며 수술 사망 예는 없었고 90%의 환자들이 수술 후 4일째 퇴원하였다. 이들은 위암 발생이 높은 칠레, 일본, 한국 등에서 본 술식이 유용할 것이라고 주장하였다. 또 그의 경험으로 보아 학습기간(learning curve)을 거치면 수술 시간이 통상적인 위우회술에 비하여 15-20분 정도 늘어났다고 하였다.

상술했듯이 대체로 절제위우회술은 루와이위우회술에 비하여 특이하게 합병증이 증가하지 않는다고 보고되고 있다.[3,7] 아울러 위우회술에서 절제되지 않은 원위부에서 발생할 수 있는 원위부 위 스테플 붕괴(staple line disruption), 원위부 위 팽창, 변연궤양, 위위 누공 및 위암 발생 등의 합병증을 예방할 수 있다고 하였다. 위절제위우회술은 원상복귀가 불가능하다. 위우회술 후 변연궤양이 심한 경우, 덤핑으로 정상적인 생활이 어려운 경우, 과도한 체중감소 및 영양 결핍이 발생한 경우는 원상 복귀가 필요하다고 주장하기도 한다. 그러나 우리나라에서 시행된 위절제술의 경험에 비추어 볼 때, 상기의 경우는 루 각의 길이 교정으로 어느 정도 회복될 수 있을 것으로 생각된다.

❼ 결론

가장 최선의 비만대사수술에 대한 결론을 내기는 어려울 것이다. 그러나 여러 이유로 위우회술을 선택한다면 남아있는 원위부 위에 대한 생각을 하지 않을 수 없다. 수술 전 내시경 검사에서 헬리코박터 감염, 만성 위축성 위염, 위 이형성 등 전암 병변이 있는 경우는 절제위우회술을 선택할 수 있을 것이다. 특히 당뇨가 동반된 예, 역류가 심한 예, 보다 많은 체중의 감소가 필요한 예에서 위우회술이 선호될 수 있는데, 이 경우에 위암 가족력이나 위역류를 비롯한 위에 이상 소견이 있으면 절제위우회술을 선택할 수 있다.

참고문헌

1. Alva S, Eisenberg D, Duy A, et al. A new modality to evaluate the gastric remnant after Roux-en-Y gastric bypass. Surg Obes Relat Dis 2008;4:46-9.

2. Attam R, Leslie D, Freeman M, et al. EUS-assisted, fluoroscopically guided gastrostomy tube placement in patients with Roux-en-Y gastric bypass: a novel technique for access to the gastric remnant. Gastrointest Endosc 2011;74:677-82.

3. Braghetto I, Csendes A, Korn O, et al. Laparoscopic resectional gastric bypass in patients with morbid obesity: experience on 112 consecutive patients. J Gastrointest Surg 2011;15:71-80.

4. Carrasco F, Rojas P, Csendes A, et al. Changes in ghrelin concentrations one year after resective and non-resective gastric bypass: associations with weight loss and energy and macronutrient intakes. Nutrition 2012 ;28:757-61.

5. Chronaiou A, Tsoli M, Kehagias I, et al. Lower ghrelin levels and exaggerated postprandial peptide-YY, glucagon-like peptide-1, and insulin responses, after gastric fundus resection, in patients undergoing Roux-en-Y gastric bypass: a randomized clinical trial. Obes Surg 2012;22:1761-70.

6. Corsini DA, Simoneti CA, Moreira G, et al. Cancer in the excluded stomach 4 years after gastric bypass. Obes Surg 2006;16:932-4.

7. Csendes A, Burdiles P, Papapietro K, et al. Results of gastric bypass plus resection of the distal excluded gastric segment in patients with morbid obesity. J Gastrointest Surg 2005;9:121-31.

8. Curry TK, Carter PL, Porter CA, et al. Resectional gastric bypass is a new alternative in morbid obesity. Am J Surg 1998;175:367-70.

9. De Roover A, Detry O, Desaive C, et al. Risk of upper gastrointestinal cancer after bariatric operations. Obes Surg 2006;16:1656-61.

10. Escalona A, Guzmán S, Ibáñez L, et al. Gastric cancer after Roux-en-Y gastric bypass. Obes Surg 2005;15:423-7.

11. Flickinger EG, Sinar DR, Pories WJ, et al. The bypassed stomach. Am J Surg 1985;149:151-6.

12. Fobi MA, Chicola K, Lee H. Access to the bypassed stomach after gastric bypass. Obes Surg 1998;8:289-95.

13. Gill KR, McKinney JM, Stark ME, et al. Investigation of the excluded stomach after Roux-en-Y gastric bypass: the role of percutaneous endoscopy. World J Gastroenterol 2008;14:1946-8.

14. Harper JL, Beech D, Tichansky DS, et al. Cancer in the bypassed stomach presenting early after gastric bypass. Obes Surg 2007;17:1268-71.

15. Khitin L, Roses RE, Birkett DH. Cancer in the gastric remnant after gastric bypass: a case report. Curr Surg 2003;60:521-3.

16. Kuga R, Safatle-Ribeiro AV, Faintuch J, et al. Endoscopic findings in the excluded stomach after Roux-en-Y gastric bypass surgery. Arch Surg 2007;142:942-6.

17. Lord RV, Edwards PD, Coleman MJ. Gastric cancer in the bypassed segment after operation for morbid obesity. Aust N Z J Surg 1997;67:580-2.

18. Martin MJ, Mullenix PS, Steele SR, et al. A case-match analysis of failed prior bariatric procedures converted to resectional gastric bypass. Am J Surg 2004;187:666-70.

19. Raijman I, Strother SV, et al. Gastric cancer after gastric bypass for obesity. Case report. J Clin Gastroenterol 1991;13:191-4.

20. Richardson JF, Lee JG, Smith BR, et al. Laparoscopic transgastric endoscopy after Roux-en-Y gastric bypass: case series and review of the literature. Am Surg 2012;78:1182-6.

21. Safatle-Ribeiro AV, Ribeiro U Jr, et al. Gastric stump cancer: what is the risk? Dig Dis 1998;16:159-68.

22. Silecchia G, Catalano C, Gentileschi P, et al. Virtual gastroduodenoscopy: a new look at the bypassed stomach and duodenum after laparoscopic Roux-en-Y gastric bypass for morbid obesity. Obes Surg 2002;12:39-48.

23. Silecchia G, Gentileschi P. Virtual endoscopy of excluded stomach and duodenum after laparoscopic Roux-en-Y gastric bypass. Surg Obes Relat Dis 2008;4:777.

24. Sohn VY, Arthurs ZM, Martin MJ, Sebesta JA, Branch JB, Champeaux AL. Incidental pathologic findings in open resectional gastric bypass specimens with routine cholecystectomy and appendectomy. Surg Obes Relat Dis 2008;4:608-11.

25. Sundbom M, Hedenström H, Gustavsson S. Duodenogastric bile reflux after gastric bypass: a cholescintigraphic study. Dig Dis Sci 2002;47:1891-6.

26. Sundbom M, Nyman R, Hedenström H, et al. Investigation of the excluded stomach after Roux-en-Y gastric bypass. Obes Surg 2001;11:25-7.

27. Tagaya N, Kasama K, Inamine S, et al. Evaluation of the excluded stomach by double-balloon endoscopy after laparoscopic Roux-en-Y gastric bypass. Obes Surg 2007;17:1165-70.

Chapter 05 | 위주름형성술

Gastric plication

 서론

비만수술 후 체중 감량의 원리는 크게 흡수억제(hypoab-sorption)와 식이제한(intake restriction)으로 나뉘어진다. 위밴드수술은 식이제한 술식에 포함되며, 위소매절제술도 주로 식이제한에 의하여 체중 감량 효과를 나타낸다. 위밴드수술은 1990년대부터 시작되어 시행횟수가 점차로 증가하여 최근 10년동안 비약적인 발전을 하였으나, 위밴드 미란증, 감염, 밴드 상부의 위낭형성, 식도확장 등의 중장기적인 합병증 및 기능적 문제로 인하여 다소 고난이도의 재수술이 필요한 경우가 있고, 환자의 정기적인 추적 관찰의 어려움, 그로 인한 불충분한 체중 감량으로 인하여 현재 시행 횟수가 급감하였다. 위소매절제술은 시술 및 환자 관리가 용이하고 중장기적으로 안정된 식생활 및 우수한 체중 감량 효과로 인하여 최근에 시행 횟수가 비약적으로 증가하여 현재 가장 많이 시행되는 수술방법 중 하나가 되었다. 그러나 약 1% 내외의 빈도로 누출, 협착, 출혈 등의 위중한 합병증이 발생할 수 있으며, 합병증의 일부는 치료하기가 쉽지 않으며 많은

시간이 소요되는 경우가 있다. 또한 비만수술 중 유일하게 적출물이 나오는 수술로서 비가역적인 수술방법이라 할 수 있다. 위주름형성술은 기존의 식이제한 술식 – 위밴드수술과 위소매절제술 – 의 장단점을 보완한 수술방법이다. 위주름형성술은 실리콘이물 삽입과정 없이, 또한 위장을 절제나 분할하지 않고 단순한 봉합과정에 의하여 체중 감량 효과를 나타냄을 그 일차적인 목표로 하고 있다. 따라서 이를 SSGS (stomach sparing gastric sleeve) 수술이라고도 명명한다. 위주름형성술은 미국비만대사외과학회(ASMBS)에 의해 현재 더 많은 증례와 합병증의 보고, 더 장기적인 관찰을 요하는 '실험적인 술식'으로 분류되어 있지만,[2] 현재까지 보고된 단기적인 임상적 관찰 결과(**표 5-1**)[1] 평균 초과체중감소율이 50% 이상을 나타나고 있기 때문에 효과적인 술식이라 할 수 있으며, 향후 적절한 시점에서 확립된 비만수술로서 자리매김할 것으로 예상된다.

표 5-1 현재까지 문헌에 보고된 위주름형성술 주요 논문[1]

저자	년도	환자수 (여자환자수)	나이	수술시간(분)	입원기간(일)	추적관찰 (개월)	N	%EWL
Talebpour and Amodi	2007	100 (76)	32	98 (70–150)	1.3 (1–4)	6	72	54
Ramos et al.	2010	42 (30)	33.5 (23–48)	50 (40–100)	1.5 (1–4)	6	20	48
Brethauer et al.	2011	9	42 (26–58)	89 (68–147)	1.5	6 12	6 5	28.4 23.3
		6	42 (26–58)		1.5	6 12	6 6	49.9 53.4
Pujol Gebelli et al.	2011	13 (7)	(31–59)	N/A	5 (4–7)	N/A		
Skrekas and Antiochos	2011	135 (104)	36	58 (45–80)	1.9 (1–6)	6 12 24	– 	51.7 67.1 65.2
Talebpour et al.	2012	800 (648)	27.5 (12–65)	72 (49–152)	3 (1–45)	1 6 12 24 60 120	779 615 491 356 134 35	20 60 67 70 55 42
Taha et al.	2012	55 (44)	38.5 (22–55)	55 (40–80)	1.8 (1.5–5)	12	–	35
Huang et al.	2012	26 (16)	30 (18–52)	87.3±22.6	1.1±1.2	1 3 6 9 12	26 24 18 10 5	21.9 31.9 41.3 55.2 59.5
Shen et al.	2013	19 (14)	33.9±5.7	95±17.4	4.2±1.9	12	11	58.8
Niazi et al.	2013	53 (53)	36.3	95 (82–120)	3 (1–5)	1 3 6 12 18 24	53 48 41 30 19 10	25.6 40.7 54.2 70.2 71.7 74.4
El-Geidie et al.	2013	63 (54)	34.2 (20–48)	N/A	N/A	3 6 12	63 63 63	41 52 60
Atlas et al.	2013	44 (40)	40 (18–72)	106 (60–180)	0.75 (0.5–7)	1 6 12	40 24 13	30.6 57.0 50.7

❷ 위주름형성술의 효과

최근 들어 위주름형성술과 위소매절제술의 효과에 대한 전향적/후향적 비교분석 연구 결과가 많이 발표되고 있다.[4,19] 두 가지 수술법이 비교대상이 되는 이유는, 두 방법 모두 비만수술 전체 역사 상 최신의 수술법이며, 수술 후 외관상 위 모양이 비슷하고, 식생활, 체중 감량 패턴 등 생리적으로 유사한 점이 많기 때문이다. 그러나 두 가

지 수술은 효과를 볼 수 있는 대상자의 체질량지수(body mass index, BMI)가 다소 다르고 위주름형성술은 아직 술기의 통일이 이루어지지 않았기 때문에 현 시점에서의 직접적인 비교 연구는 다소 시기상조인 면이 있다. 위주름형성술의 최신 경향은 안정되고 반복적으로 동일한 결과를 낳을 수 있도록 수술 술기를 발전시켜 나가는데 있다. 또한 위주름형성술은 봉합사의 제거를 통하여 원상회복이 가능하다는 점과 위밴드술과 위소매절제술, 재위주름형성술, 심지어는 위우회술로도 전환이 가능한

'일차적인' 술식이 될 수 있는 특이한 장점이 있다. 위주름형성술의 역사는 약 50년 전으로 거슬러 올라간다. Kirk는 1969년 실험동물(쥐)을 대상으로 위주름형성술을 최초로 시행하였으며,[13] 1976년 Tretbar는 최초로 사람을 대상으로 위주름형성술을 시행하여 치료효과를 보고하였다.[18] 이후 위주름형성술은 산발적으로 시행되다가 2007년 Talebpour 등에 의하여 치료효과가 체계적으로 보고되었다.[16] 그의 연구는 총 100명을 대상으로 진행되었으며, 대상자의 수술 전 평균 BMI는 47 kg/m² (36-58), 수술 후 평균 관찰기간은 18개월이었다. 수술 후 1, 6, 12, 24, 36개월 초과체중감소율은 각각 21.4%, 54%, 61%, 60%, 57%이었다. 2011년 Brethauer 등은 전방주름형성술(anterior plication, AP)과 위대만곡부 주름형성술(greater curvature plication, GCP)을 비교 연구하였는데,[3] 1년 후 초과체중감소율은 각각 23.3%, 53.4%였다. Strekas 등은 2011년 135명을 대상으로 시행한 위주름형성술의 치료효과를 발표하였다.[15] 수술 후 추적관찰기간은 8-31개월 (평균 22.59개월), 평균 초과체중감소율은 65.29%였으며 특히 수술 전 BMI가 45 kg/m² 이하인 군에서 45 이상인 군에 비하여 초과체중감소율이 유의하게 높게 나타났다 (69.86 vs. 55.49). 전체적인 합병증 발생률은 8.8% (12/135)로 보고하였는데, 대부분 보존적 치료로 해결하였으며, 합병증 중에 간문 – 장간막혈관 혈전증(portomesenteric thrombosis) 1례에 대하여 소장 절제를 시행하였다고 보고하였다. 위주름형성술의 랜드마크 논문은 2012년 Talebpour에 의하여 발표된 위주름형성술 12년 경험 (Twelve year experience of laparoscopic gastric plication in morbid obesity: development of the technique and patient outcomes)이다.[17] 총 800명에 대하여 시행한 위주름형성술을 후향적 분석기법을 통하여 보고하였는데, 수술 전 BMI는 42.1 kg/m² (35-59)이었다. 평균 초과체중감소율은 24개월에 70% (40~100%), 60개월째 55% (28~100%)였다. 12년 후에 약 31%의 환자에서 체중이 의미 있게 재증가하였다고 보고하였다. 800명 중 1%에서 합병증(미세위천공, 위폐쇄, 유착성 장폐쇄 등)이 발생하

여 재수술을 시행하였다. 일반적으로 비만수술 후 체중감량 정도를 예측하는 것은 어렵다. 또한 다른 술식에 비하여 위주름형성술은 술기에 따라 수술 후 체중 감량 정도의 편차가 다소 존재한다. 위주름형성술 후 체중 감량 정도를 예측하는 인자에 대하여 다양한 연구가 시행되었는데 대상환자의 BMI가 가장 중요하다는 사실에는 이견이 없는 듯하다. 예를 들어 상기한 바와 같이 BMI 45 기준으로 45 이하의 경우, 45 이상보다 초과 체중감소율이 우수하였다. 위주름형성술 제외 대상으로는 내분비계 이상에 의한 병적비만, 조절되지 않는 불안정한 정신과 질환, 약물남용, 간경화, 투석중인 만성신질환, 장기이식자, 4 cm 이상의 열공탈장, 염증성 장질환 등이 있으며, 상대적인 금기 대상자로는 sweet eater, 협조적이지 않은 사람, BMI가 상대적으로 높은 사람(예를 들어 45 이상), 헬리코박터 위염, 위십이지장 궤양이나 활동성 위염, 음주, 매운 음식을 좋아하는 사람, 매우 큰 위장을 가진 사람(hypotonic/atonic stomach). 결체조직질환, 스테로이드 장기복용자 등이다. 헬리코박터 위염은 수술 후 봉합사 주변으로 초점성 출혈을 일으킬 수 있으므로, 진단되면 수술 전 1-2주 기간의 제균 치료를 하는 것이 권장된다.

그림 5-1 (A) 2점 봉합법 및 두줄 봉합법. (B) 3점 봉합법 및 두줄 봉합법 (C) 4점 봉합법 및 두줄 봉합법. 검은색 점: 첫 번째 봉합점. 흰색 점: 두 번째 봉합점

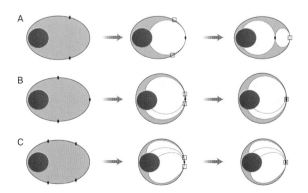

그림 5-2 위장의 최상단에서 좌측 열공근막의 완전한 노출을 위해 위횡격막인대 주변의 지방층(phrenogastric fat)을 주의 깊게 박리하여 위식도 경계부와 짧은 위동맥의 첫 번째 분지(first branch of short gastric artery) (화살표)의 시야를 확보하여야 하는 동시에 하부식도괄약근의 압력을 낮출 정도의 광범위한 열공부 박리는 시행하지 않아야 한다.

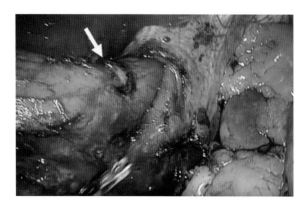

③ 위주름성형술의 술기

기술적인 관점에서 위주름형성술의 가장 큰 문제점은 현재까지도 술기가 표준화되어 있지 않다는 사실이다. 몇 가지 측면에서 위주름형성술 술기를 분류해 보면 다음과 같다. 분류한 세부술기 항목은 올바른 위주름형성술을 시행하기 위하여 충분히 숙지하여야 한다(그림 5-1).

　　1) 한줄봉합법(One row plication)과 두줄봉합법(Two rows plication)

　　2) 단속봉합법(Interrupted suture plication)과 연속봉합법(Continuous suture plication)

　　3) 전방 주름형성술(Anterior plication), 위대만곡부 주름형성술(Greater curvature plication)

　　4) 3점 봉합법(three points suture technique)과 4점 봉합법(four points suture technique).

봉합을 시행하는 위장의 부위에 따라 몇 가지 중요한 기술적인 포인트로는 첫째, 위장의 최상단에서 좌측 열공근막의 완전한 노출이다. 이를 위하여 위횡격막 인대 주변의 지방층(phrenogastric fat)을 주의 깊게 박리하여 위식도경계부와 짧은 위동맥의 첫 번째 분지(the first

branch of short gastric artery)의 시야를 확보하여야 하며 그와 동시에 하부식도 괄약근의 압력을 낮출 정도로 광범위하게 박리하지 않아야 한다(그림 5-2).

　　좌측 열공근막을 노출시키는 이유는 이 부위 기저부에 상당한 양이 숨어있을 수 있으며(hidden fundus) 이는 수술 후 위강 내압의 증가와 함께 점차로 확장되어 새로운 기저부 위낭(neofundus)을 형성하여 역류성 식도염, 불충분한 체중 감량을 유발할 수 있기 때문이다. Verdi 등은 위 주름형성술 후 만성적인 기저부 위낭형성으로 인하여 재수술하는 경우가 45명 중에 15명(33.3%)라고 보고한 바 있다.[19] 둘째, 우위대망동맥(right gastroepi-ploic artery)의 보존여부이다. 위 주름형성술 후 변형된 위장의 혈액공급은 좌위동맥 및 그 분지로 충분하지만, 조금이라도 혈류를 보존하는 것이 바람직하다는 관점에서 우위대망동맥을 보존하는 것이 설득력을 얻고 있다. 셋째, 위소매절제술과 달리 대만곡부로부터 3-5 mm 정도 거리를 두고 열기구를 사용하여야 위벽손상 및 그로 인한 수술 후 허혈성 누출현상을 방지할 수 있다. 넷째 위장의 육안적 소견상 위주름형성술이 불가능한 경우를 감별할 수 있어야 한다. 위벽이 매우 얇고 신축성이 있는 경우는 그렇지 않은 경우보다 수술의 난이도가 높아진다. 위비장인대(gastrosplenic ligament)가 매우 짧거나 없는 경우 대만곡부 상단의 박리 도중에 비장의 피막손상 및 그로 인한 대량출혈 혹은 기저부 위벽손상에 의한 허혈성 누공발생 가능성 때문에 대만곡부의 완전한 박리가 불가능하여 정확한 수술이 되지 못하는 경우가 있다. 이 외에 초병적비만의 경우 bulky 한 내장지방으로 인하여 더 이상 수술을 진행하기가 힘든 경우도 있다. 이러한 경우 수술의 중단 혹은 위소매절제술로 전환하는 것이 바람직하며 이러한 수술 중 전환의 가능성에 대하여 위주름형성술 시행 전에 미리 환자가 잘 이해하도록 설명하여야 한다. 다섯째, 부지와 배액관의 사용이다. 부지가 꼭 필요한지 혹은 최적의 부지 사이즈가 얼마인지에 대하여 논란이 있으나 부지 사용은 위폐쇄를 방지할 수 있다고 인정되고 있으며, 36~38 Fr 크기의 부지가 선호된다.

그림 5-3 A, B, C: 1형 위주름형성술. A. 첫 번째 봉합열은 연속봉합법으로 시행 B. 두 번째 봉합열도 연속봉합법으로 시행 C. 부지 축. 형성된 위주름은 부지 축을 왜곡시키지 않아야 한다. D, E, F: 2형 위주름형성술. D. 첫 번째 봉합열은 단속봉합법으로 시행 E. 두 번째 봉합열은 연속봉합법으로 시행

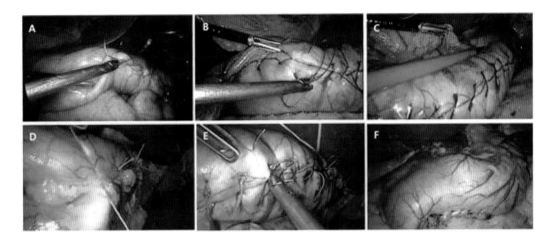

재수술의 경우(예를 들어 과거에 위밴드를 제거한 환자의 경우) 위폐쇄의 가능성이 상대적으로 높아지므로 40 Fr 이상의 부지 사용이 바람직하다. 부지는 소만곡부에 바짝 붙여서 위치시키며, 마취 직후, 환자의 위치를 변경하기 전에 미리 하부 식도에 걸쳐놓는 것이 추후 과정에서 부지를 위강 내로 이동시키기에 편리하다. 배액관은 수술소견에 따라 삽입하는 경우와 그렇지 않은 경우가 있다. 필자의 경우 출혈이나 누공이 조금이라도 염려되면 배액관을 넣어두는 것을 원칙으로 하고 있다. 배액관으로 나오는 삼출물의 양, 색깔, 성상에 추가하여 삼출물의 amylase 수치와 변화 경향을 확인하는 것은 수술 직후 발열, 빈맥, 복통의 증상에 대하여 혹시 누출이 원인이 되는지 감별에 도움을 줄 수 있다. 상기한 위주름형성술의 세부적인 술기항목 및 고려할 몇 가지 중요한 점들을 종합하여, 현재 임상에서 널리 사용되는 위주름형성술의 술기는 크게 다음과 같이 분류된다. 두 가지 방법 모두 1,000례 이상의 위주름형성술 경험이 있는 외과의에 의해 고안된 술기이다.

1) Type I Laparoscopic Greater Curvature Plication, LGCP (Loose plication by Dr. Ariel Ortiz Lagardere) (그림 5-3)

기본적으로 두줄봉합법이며, 첫 번째, 두 번째 열 봉합 모두 2-0 Prolene을 사용하여 연속봉합으로 시행하였다. 첫 번째 열 봉합은 위식도경계선으로부터 약 5 cm 원위부에서 시작하였고, 두 번째 열 봉합은 위식도경계로부터 약 2 cm 원위부에서 시작하였다. 봉합의 전 과정은 부지가 삽입된 축이 왜곡되지 않도록 비교적 느슨하게 시행하여 위폐쇄가 일어나지 않도록 하는데 특별히 주의를 기울였다. 수술동영상은 다음의 사이트에서 확인이 가능하다[7]. 이 방법의 장점은 수술이 빠르게 진행되므로 (1시간 이내) 수술 직후 회복이 빠르고 따라서 입원기간을 단축시킬 수 있다. 또한 위폐쇄가 일어나지 않도록 하는데 주력한 수술법으로서 수술 후 환자가 구역, 구토, 침흘림 현상을 보이지 않거나 최소화 할 수 있다는 장점이 있다. 단점으로는 중장기적으로 위강의 확장으로 인하여 체중의 재증가 가능성이 상대적으로 높다는 것이다. 따라서 1형 위주름형성술은 좀더 협조적이고 동기부

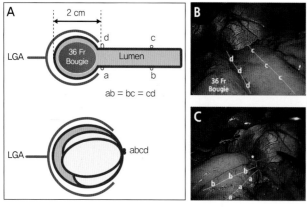

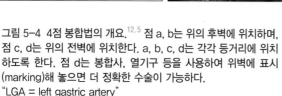

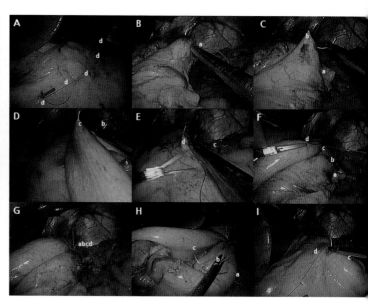

그림 5-4 4점 봉합법의 개요.[12,5] 점 a, b는 위의 후벽에 위치하며, 점 c, d는 위의 전벽에 위치한다. a, b, c, d는 각각 등거리에 위치하도록 한다. 점 d는 봉합사, 열기구 등을 사용하여 위벽에 표시(marking)해 놓으면 더 정확한 수술이 가능하다.
"LGA = left gastric artery"

여가 잘 되는 환자에게 시행하는 것이 바람직하다고 생각된다.

2) Type II Laparoscopic Greater Curvature Plication, LGCP (Tight plication, by Dr. Youssef Andraos) (그림 5-4)

기본적으로 두줄봉합법이며, 첫 번째 봉합은 단속봉합법 및 4점 봉합법을 채택하였다. 첫 번째 열 봉합은 2-0 Ethibond를 사용하였으며, 위식도경계부 하방 약 2 cm에서 시작하여 1.5-2 cm 간격으로 10-15회의 단속봉합을 시행하였다. 두 번째 열 봉합은 2-0 Prolene을 사용하여 연속봉합으로 시행하였다. 두 번째 열 봉합은 위의 양쪽 말단에서 각각 시작하여 위체부에서 서로 만나게 되어 매듭처리하였다. 수술 동영상은 다음의 사이트에서 확인이 가능하다.[6] 이 방법의 장점은 위강 내 세 개의 작은 폴드가 대칭적으로 형성되어 위주름 내부의 장액형성 최소화로 수술 직후 위폐쇄의 확률이 낮아지며 위강의 확장에 대한 내구성이 있어서 중장기적으로 체중 감량효과가 다른 방법보다 안정적이고 우수하다. 반면에 첫 번째 열 봉합에 단속봉밥법을 채택하여 대체로 수술시간이 1시간 반 이상 소요되며, 환자에 따라서 수술 후 구역, 구토, 침흘림 현상이 심하고 지속될 가능성이 있다.

❹ 위주름형성술 후 관리 및 합병증

수술 직후 병실에서는 Fowler 자세를 취하며, 충분한 수액 공급과 함께, 항생제, 진통제 등을 투여하며, 위장관 운동 촉진약물과 항구역제를 투여한다. 위부종을 완화시키려는 목적으로 스테로이드를 사용하는 것에 관하여는 논란이 있다. 수술 직후 다양한 정도의 구역감, 혈성 구토, 침고임 증상이 나타날 수 있으며, 대체로 수일 내에 정상화된다. 침고임은 육안적으로 blood clot이 섞여나올 수 있으나 점차로 정상화되며 횟수도 점점 줄어서 퇴원할 무렵이 되면 침고임 증상이 사라지고 수분섭취가 가능하다. 수술 직후 가장 중요한 요소 중의 하나는 식이

그림 5-5 위주름형성술 후 위모양의 변화

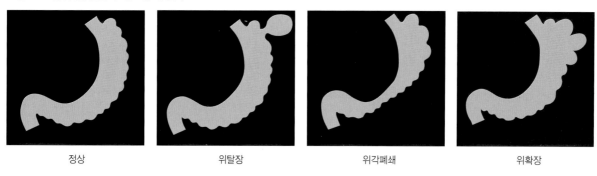

| 정상 | 위탈장 | 위각폐쇄 | 위확장 |

교육인데, 필자는 다음과 같은 식이계획을 채택하고 있다: 수술 직후 ~ 1주차까지는 하루 총 1리터 맑은 유동식 섭취를 권장한다(우유(100 cc), 이온음료(200 cc), 과일쥬스(300 cc), 물(400 cc)) - 15분 간격으로 한번에 25 cc (한 모금) 섭취 - 한 시간에 100 cc 섭취. 수술 2주 차는 하루 2리터 맑은 유동식 섭취를 권장한다. 15분 간격으로 한번에 50 cc까지 섭취가 가능한데 위부종이 가라앉기 때문에 증량이 가능하다. 수술 3~4주차부터는 묽은 죽(400 cc/일), 탄수화물, 단당류 섭취 최소화, 단백질, 과일slice, 비타민 섭취, 충분한 물 섭취(800 cc/일)를 권장한다. 수술 5-6주차부터는 일반 죽(400 cc/일), 잘 조리된 육류/야채, 충분한 물 섭취(800 cc/일), 한끼 식사 시 50 cc씩 나눠서 섭취(종이컵 반컵 분량) 및 과일 섭취를 권장한다. 수술 2개월차부터 일반식 - 하루 1,000 칼로리 이하로 섭취 칼로리 체크/하루 한 시간 걷기 등을 권장한다. 개인별로 차이가 있지만, 가능한 일반식은 늦게 하는 것이 권장되는데, 너무 이른 일반식 섭취는 잦은 구토를 유발하여 수술 후 합병증을 유발할 수 있으며, 완전한 유착(serosal apposition)이 형성되기 이전에 위에 부하되는 압력으로 인하여 위용적이 증가하여 중장기적으로 체중 감량 효과가 덜할 수 있다. 위주름형성술 후 수술적 교정을 요하는 주요합병증은 위주름의 탈장(gastric fold hernia)과 위천공, 위각폐쇄가 있다(그림 5-5).

위주름의 탈장은 주로 위장의 기저부 최상단에서 발생하는데, 수술 후 위강 내 높은 압력 및 잦은 구토, 봉합사의 파열, 위식도 경계부의 불충분한 봉합처리가 그 원인으로 지목된다. 상기한 바와 같이 수술 직후 너무 때이른 일반식 섭취에 의하여 완전한 위장막 유착(serosal apposition)이 형성되기 이전에 주름 위의 과부하로 인하여 위탈장이 생기는 경우도 있다. 위탈장은 무증상으로 진단되지 않고 지나갈 수도 있으나, 탈장이 진행되면서 크기가 증가할 경우 상복부 불쾌감, 통증, 역류성 식도염을 일으킬 수 있으며 드물게 국소허혈로 인하여 천공 및 복막염을 일으킬 수 있다. 또한 장력이 가해지면서 원위부의 봉합사를 당기는 효과로 인하여 심한 위폐쇄를 일으킬 수 있다. 이러한 위주름의 부분탈장은 위장에 국한되는 경우도 있으나, 드물게 하부식도로 탈장이 되는 역행성 위탈장 및 십이지장 제2부로 탈장이 되어 담즙분비를 저하시켜 황달 및 담도염을 일으키는 경우도 보고되어 있다. 위주름형성술 후 위천공은 함입된 위벽의 허혈(compartment syndrome)에 의한 경우도 보고되어 있으나, 대부분 수술 도중 의인성 손상에 의한 누공이 그 원인이다. 의인성 손상은 크게 봉합사에 의한 천공 및 열기구에 의한 손상이 있다. 봉합사에 의한 천공을 cheese wire phenomenon이라고도 하는데 부종이 있는 위벽을 대상으로 너무 타이트 한 봉합이 이루어지는 경우 봉합사에 의하여 위벽이 손상되어 이곳으로 누공이 발생하는 경우이다. 이는 수술 중 육안적으로 확인할 수 있지만 봉합부 주변 위벽의 단순혈종과 감별이 어려운 경우가 있으므로 수술 중 세심한 판단력이 요구된다. 또한 위소매절제술과 달리 대망을 절단할 때 위대만곡부에서 반드시 3-5 mm 이상의 거리를 두고 절단하여 위벽의 열손상을 방지하여야 한다. 위천공 발생 시 재복강경을 통하여 봉합사를 모두 제거한 후 재수술 소견에 따라 천공부 위장의 쐐기절제 혹은 위소매절제술로 전환하는 술식이 바람직한 방법이라 생각한다. 위폐쇄는 위주름형성술 후 위부종 때문에 발생한다[20]. 정상적인 부종은 수술 후 3-4일에 걸쳐 서서히 정상화되지만 소수에서는 일주일 이상 지속되는 경우가 있는데 이를 위폐쇄로 보아야 한다. 어느 기간까지를 기준으로 위폐쇄를 진단하는가는 논란이 있다. 대체로 시간이 경과하면서 위폐쇄가 발생하지 않고 부종이 가라앉으면서 경구섭취가 가능하기 때문이다. 따라서 위폐쇄의 경우에도 가능하면 재수술보다는 입원하여 보존적 요법(금식, 총정맥영양법, 스테로이드 정주, PPI 제산제)을 일차적으로 시도하는 것이 바람직하다. 위소매절제술과 마찬가지로 위주름형성술의 위폐쇄현상도 위장의 최상단 및 위각부위에서 주로 발생하므로 이 부위를 봉합할 때 폐쇄가 되지 않도록 세심한 술기가 요구된다. 또한 유문부는 식이제한/체중 감량보다는 위장 내용물의 흐름에 더 중요하므로 유문부에서는 위주름을 너무 크게 형성하지 않도록 하는 것이 바람직하다. 보존적 치료에 반응하지 않는 위폐쇄의 경우 내시경을 이용하여 위주름의 위치를 물리적으로 이동시키는 방법, 부종이 가라앉을 때까지 일시적으로 경식도 스텐트를 삽입하는 방법 등이 있을 수 있으며 상기한 모든 방법에 효과가 없을 경우 봉합사를 제거하여야 한다. 봉합사 제거 시 위소매절제술을 시행하는 경우가 있으며 이는 재수술 전 환자와 상의하여야 할 것이다.

기타

위주름형성술 술기는 재수술에 다양하게 적용될 수 있다. 위밴드수술 후 합병증으로 위밴드를 제거할 때 제거 후 체중의 재증가를 방지하기 위한 동시에 위주름형성술을 시행하는 경우가 있다. 위밴드형성술(adjustable gastric banded plication, AGBP)은 위밴드수술을 위주름형성술과 동시에 시행하는 경우인데 위밴드수술과 달리 수술초기부터 체중 감량이 진행되며, 위밴드 필링의 횟수를 줄일 수 있다.[9] 2년 관찰 결과 위소매절제술과 체중 감량 및 동반질환 치유 정도에서 동일한 결과를 나타내었다[8]. 위밴드가 작동을 하지 않을 때 위주름형성술을 추가하는 경우도 있는데, 아직 중장기적인 효과는 기다려보아야 할 것이다[11]. 위소매절제술 후 절단면에 지혈목적 및 위용적의 축소목적으로 위주름형성술을 시행할 수 있다. 또한 위소매절제술 하단의 처리에서 부분적으로 위주름형성술을 시행하여 위용적을 줄이며 동시에 이 부위에 과도한 절제로 인한 위배출 지연을 방지할 수 있다.[10] 이외에 위우회술 후 위공장문합부의 stoma 확장이 아닌 위낭확장에 의한 체중의 재증가에 대하여 시행한 위주름형성술이 보고되어 있다.[14]

참고문헌

1. Almino Ramos , Patrícia de Paula, Josemberg Campos, et al. Laparoscopic Gastric Plication. Obesity, Bariatric and Metabolic Surgery. Section IX. Springer International. 2016

2. ASMBS policy statement on gastric plication. Surg Obes Relat Dis 2011;7:262.

3. Brethauer SA, Harris JL, Kroh M, et al. Laparoscopic gastric plication for treatment of severe obesity. Surg Obes Relat Dis 2011;7:15-22.

4. Chouillard E, Schoucair N, Alsabah S, et al. Laparoscopic Gastric Plication (LGP) as an Alternative to Laparoscopic

Sleeve Gastrectomy (LSG) in Patients with Morbid Obesity: A Preliminary, Short-Term, Case-Control Study Obes Surg 2016;26:1167-72.

5. El-Geidie A, Gad-el-Hak N. Laparoscopic gastric plication: technical report Surg Obes Relat Dis 2014;10:151-4.

6. https://youtu.be/h3nLKpsxHfo?list=LLponHilQU9tb-EHaudUk40g

7. https://youtu.be/UJMV2u0bakU?list=LLponHilQU9tb-EHaudUk40g

8. Huang CK, Chhabra N, Goel R, et al. Laparoscopic adjustable gastric banded plication: a case-matched comparative study with laparoscopic sleeve gastrectomy Obes Surg 2013;23:1319-23.

9. Huang CK, Lo CH, Shabbir A, et al. Novel bariatric technology: laparoscopic adjustable gastric banded plication: technique and preliminary results Surg Obes Relat Dis 2012;8:41-5.

10. Ji Y, Ye H, Wang Y, et al. Laparoscopic Plicated Sleeve Gastrectomy: a Technical Report Obes Surg 2016;26:234-7.

11. Kim SB, Kim SM. Can the Long-Term Complications of Adjustable Gastric Banding Be Overcome? Preliminary Results of Adding Gastric Plication in Patients with Impending Gastric Band Failure.J Laparoendosc Adv Surg Tech A. 2015;25:702-6.

12. Kim SB, Kim KK, Chung JW, et al. Initial Experiences of Laparoscopic Gastric Greater Curvature Plication in Korea-

A Review of 64 Cases J Laparoendosc Adv Surg Tech A 2015;25:793-9.

13. Kirk RM. An experimental trial of gastric plication as a means of weight reduction in the rat. Br J Surg 1969;56:930-3.

14. Leon F, Maiz C, Daroch D, et al. Laparoscopic hand-sewn revisional gastrojejunal plication for weight loss failure after Roux-en-Y gastric bypass Obes Surg 2015;25:744-9.

15. Strekas G, Antiochos K, Stafyla VK. Laparoscopic gastric greater curvature plication: results and complications in a series of 135 patients Obes Surg 2011;21:1657-63.

16. Talebpour M, Amoli BS. Laparoscopic total gastric vertical plication in morbid obesity J Laparoendosc Adv Surg Tech A 2007;17:793-8.

17. Talebpour M, Motamedi SM, Talebpour A, et al. Twelve year experience of laparoscopic gastric plication in morbid obesity: development of the technique and patient outcomes Ann Surg Innov Res 2012;6:7.

18. Tretbar LL, Taylor TL, Sifers EC. Weight reduction. Gastric plication for morbid obesity. J Kans Med Soc 1976;77:488-90.

19. Verdi D, Prevedello L, Albanese, et al. Laparoscopic Gastric Plication (LGCP) Vs Sleeve Gastrectomy (LSG): A Single Institution Experience Obes Surg 2015;25:1653-7.

20. Watkins BM. Gastric compartment syndrome: an unusual complication of gastric plication surgery Surg Obes Relat Dis 2012;8:e80-1.

Chapter **06** | 담췌우회술 및 십이지장전환술과
축소위우회술 Biliopancreatic diversion with duodenal switch,
Mini-gastric bypass

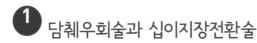

1 담췌우회술과 십이지장전환술

....

1. 개요 및 역사

담췌우회술(biliopancreatic diversion, BPD)은 1979년
Nicola Scopinaro 등이 18명의 환자에서 개복 수술을 시
행한 후 처음 기술되었다.[18] 이 수술에서는 원위부 위절
제술, 위-소장문합, 소장-소장문합이 시행되며 음식과 소
화효소가 만나서 회맹관까지 이어지는 공통관(common
channel)을 회맹관으로부터 근위부 50 cm 부위에 만들
어 단백질, 지방흡수에 필요한 소화효소를 포함한 췌담
즙이 음식과 만나 소화 및 흡수가 이루어지는 길이를 최
소화시켰다. 위에서 회맹관까지 음식이 지나가는 길인
소화각(alimentary limb)을 250 cm로 만들었다.

　　BPD는 체중감소에 있어 대단히 좋은 효과를 보였으
나 원위부 위절제술 및 위소장문합으로 인해 덤핑증후
군(dumping syndrome)과 변연부궤양(marginal ulcer)
발생 빈도가 높아 문제가 되었다. 이에 유문을 보존하는
위소매절제술을 시행하고 십이지장전환술(duodenal

switch)이 시행되었다. 십이지장전환술은 1993년 Marceau
에 의해 처음 기술되었고 당시 위-회장 문합 대신 십이지
장-회장 문합을 시행하였고, 공통관을 100 cm로 늘여
설사, 구토, 골통증 등에 있어 BPD보다 우월한 결과를 보
여주었다. 1998년 Hess 및 Marceau 등에 의해 현재의
BPD/DS 형태로 만들어졌고 BPD와 비교해 체중감소 효
과는 비슷하면서 위절제 후 합병증들의 호전을 보여주
었다.[6,13] Gagner 등은 최초로 복강경 BPD/DS를 시행하
였고 이때 60 Fr의 부지를 기준으로 위절제술을 시행하
고 소화각은 250 cm, 공통관은 50-100 cm으로 유지하게
되었다. 현재 순수한 형태의 BPD는 거의 시행되지 않으
며 십이지장전환술과 결합된 BPD/DS는 미국 내 조사에
서 전체 비만대사수술 중 2008년 4.9%, 2011년 2.1%, 2013
년 1.5%로 점차 그 시행 비율이 감소되고 있다. 이러한
BPD/DS의 시행이 더딘 것은 영양부족과 어려운 술기 때
문이다. 그러나 BPD/DS를 많이 시행하는 그룹에서는 이
러한 영양부족의 심각성에 대한 인식이 공장-회장 우회
술(jejuno-ileal bypass, JIB)의 심각한 영양부족에 대한
인식이 영향을 주었다는 주장도 한다. 그러나 BPD/DS
는 JIB와 비교해 우회하는 장의 길이가 길지 않고 blind

loop이 없는 점들을 들어 이 술식의 가능성에 대해 이야기하고 있다.[4, 20]

2. 수술 전 평가

1) 적응증

2005년에 보고된 미국대사비만외과 consensus conference에서 BPD/DS는 공인된 비만수술로 인정을 받았다.[4] 서구기준으로는 체질량지수 35 k/m² 이상이면서 비만관련 주요 합병증이 동반된 경우 수술의 적응증이 될 것으로 보고 있으나 일반적으로 루와이위우회술이나 조절형위밴드수술 등으로 예후가 좋지 않은 체질량지수가 50 kg/m²을 초과하는 환자들에게 적용하는 것을 권하고 있다. 이는 이 환자 군에서 BPD/DS가 가지고 있는 일반적인 수술위험 및 영양학적인 단점들을 고려하더라도 얻어지는 이득이 많기 때문이다. 또한 초병적비만은 아니지만 당뇨가 심각하여 관해를 유도하고자 하는 경우에 적용을 할 수 있다고 권하고 있다.

2) 절대 금기증

BPD/DS의 금기증은 일반적으로 루와이위우회술과 비슷하다.

    (1) 전신마취를 견디지 못할 환자
    (2) 교정 불가능한 혈액응고장애
    (3) 매우 큰 복벽탈장
    (4) 흡수 장애를 겪고 있는 환자(염증성 장질환, 암)

3) 상대 금기증

    (1) 위식도 역류질환
    (2) 영양상태 변화에 대한 설명을 이해하지 못하는 환자
    (3) 사회적으로 육체적으로 돌봐 줄 수 있는 사람이 없는 경우
    (4) 술, 마약 중독

    (5) 의지가 없는 환자
    (6) 경제적으로 비타민 보충 등을 감당하지 못하는 환자

4) 수술 전 평가

BPD/DS 수술은 초병적비만 환자들을 대상으로 하기 때문에 수술 전 평가에 좀 더 신중을 기울여야 하며 다음과 같은 사항들을 반드시 평가해야 한다.

    (1) 식이습관
    (2) 비수술적인 체중 감량 시도
    (3) 영양상담과 정신과적 면담
    (4) 비타민, 미네랄 부족평가 및 보충
       (비타민 D, 철분 등)
    (5) 비만과 관련된 동반 질환에 대한 평가
     - 당뇨, 고지혈증, 수면 무호흡증, 심부정맥 혈전증 경력
    (6) 수술 전 체중조절
       수술 전 체중 감량은 복강내 지방 감소나 간비대를 해소하기 위한 유용한 방법이며 최소한 수술 전 체중증가가 되지 않도록 평가해야 한다.

3. 수술방법 및 합병증

1) 수술과정

최근에 시행되는 BPD/DS에서는 공통관을 100 cm, 전체 소화각의 길이를 250 cm로 만든다. 그러나 이러한 공통관이나 소화각의 길이는 환자의 상태에 따라 조절할 수 있는 부분이다. 전통적인 BPD수술에서와 같이 원위부 위 절제술을 하는 대신 위소매절제술을 시행하며 십이지장 1구역과 2구역 사이에서 십이지장을 분리하여 회맹관에서 250 cm 거리의 분리된 소장 중 원위부 소장을 십이지장 1구역과 문합을 시행한다(그림 6-1).

(1) 위분리

대망을 대만부 위벽에 붙여서 초음파 절삭기를 이용하

그림 6-1 biliopancreatic diversion

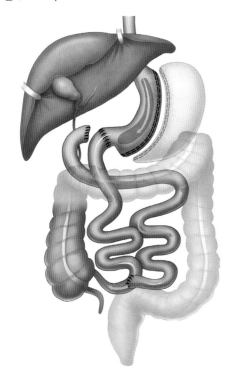

여 위전정부 유문에서 4-6 cm 거리의 부위를 분리한다. 대망박리는 히스각 부위까지 시행하여 위 저부가 완전히 자유롭게 만든다.

(2) 십이지장 절제

십이지장 박리는 십이지장치환술에 가장 핵심적인 부분이라고 할 수 있으며 주위에 췌장 머리, 총담관, 위십이지장동맥 등의 중요 구조가 있기 때문에 많은 주의를 필요로 한다.

위전정부를 좌상부로 당기면 십이지장을 잘 당길 수 있다. 총담도는 십이지장의 위쪽 경계에서 보이게 되며 십이지장 박리의 주요 지표가 된다. 유문에서 3-4 cm 아래의 십이지장 하방 조직을 박리하여 공간을 만든 뒤 무딘박리를 시행하여 십이지장 벽과 췌장 사이를 분리하여 공간을 만들고 그 공간을 통해 Penrose drain을 넣고 위로 견인하며 선형 자동문합기의 anvil이 들어갈 수 있는 정도의 공간을 만들어 자동문합기를 삽입한 뒤 십이지장을 분리한다.

(3) 위소매절제술

위 절제는 유문에서 근위부 5-7 cm 부위까지 시작한다. 소만 부위와 평행하게 선형 자동문합기를 이용하여 위를 길이 방향으로 절제한다. 이때 34 Fr에서 60 Fr까지 다양한 크기의 부지를 이용하여 위 절제용량 및 방향을 가이드 해 준다.

(4) 소장분리

이후 환자를 우상 트렌델렌버그 자세로 만들고 환자의 좌측에서 회맹관을 찾아 근위부 100 cm 부위에 표시를 해 둔다. 이후 150 cm를 근위부로 더 이동한 후 선형자동문합기를 이용하여 소장을 분리한다. 이때 소화관이 환자의 오른쪽에 위치하도록 하고 장간막은 2-3 cm만 박리한다.

(5) 십이지장–회장문합

분리된 회장의 원위부를 대장 위쪽으로 분리된 십이지장 1구역쪽으로 당긴 뒤 문합을 시행한다. 이 부위의 문합은 처음 복강경 BPD/DS를 시행한 Gagner 등이 21 mm 원형자동문합기를 이용하였으나 십이지장 부위에 원형자동문합기의 anvil을 삽입하는 과정 및 원형자동문합기가 복강 내로 진입할 수 있도록 창상을 확장해야 하는 문제 때문에 지양하고 있다. 이 외에는 선형 문합이나 전 복강경하 수기문합을 시행하고 있다. 위의 세 가지 방법을 비교한 임상 연구에서는 원형자동문합기를 이용한 문합이 창상감염율이나 문합부누출 등이 다른 두 가지 방법에 비해 좋지 않은 결과를 보여 주었다.[22]

(6) 회장–회장 문합

회장-회장 문합은 회맹관에서 100 cm 길이에 하게 된다. 주로 60 mm 선형자동문합기를 이용하여 문합을 시행하고 소장절개창은 수기봉합을 이용하여 봉합한다.

2) 합병증

초기 개복 수술을 이용한 BPD/DS의 사망률은 대략 1% 정도로(범위: 0.57-1.9%) 보고되었다.[6,7,12,13] Gagner 등이 시행한 40명의 복강경하 BPD/DS의 첫 보고에서는 30일 사망률이 2.5%로 높은 수치를 보였고 특히 체질량지수가 60 이상인 환자들을 대상으로 한 연구에서 7.6%의 사망률까지도 보여주었다.[8,15] 이러한 결과들은 고위험군 환자에게서 BPD/DS의 단계적 시행에 대한 근거가 되었다. 그러나 초기 경험에 대한 연구 이후 점차 경험이 쌓여 오면서 사망률의 개선을 보여주고 있다. Buchwald 등은 190명의 환자를 대상으로 한 BPD/DS 수술에서 0% 사망률과 1%의 문합부 누출, 9.5%의 주요합병증, 19.5%의 전체 합병증발생을 보고하여 단계적 수술이 아니더라도 안전하게 시행될 수 있음을 보고하였다.[3,4] BPD/DS를 많이 시행하는 기관에서는 루와이위우회술과 비교해 비슷한 합병증과 사망률을 보이고 있다.[14]

(1) 문합부 누출

문합부 누출은 약 0.7-3.8%에서 발생하며 수술 후 생긴 자동문합기 절단면과 문합부는 누출이 발생할 수 있다.[7,8,15] BPD/DS 이후 십이지장-회장 문합부보다는 위소매 절제술을 시행한 자동문합기 절단면에서 누출이 많이 이루어지며 그 중에서도 히스각 부위 누출이 제일 많이 발생한다. 누출의 징후로는 빈맥, 발열, 소변량 감소, 백혈구 증가 등이 있다. 의심이 가는 경우에는 컴퓨터단층촬영이나 위장관조영술을 통해 확인하며 환자가 안정적이지 않으면서 누출이 의심되는 경우에는 진단적 복강경 수술을 시행할 수도 있다. 소량의 체액저류에 대해서는 배액술을 시행하여 누출이 없어질 때까지 유지하거나 최근에는 Covered stent를 이용해 누출 부위를 막아줌으로써 지속적으로 복강 내 누출되는 것을 막아 주면서 경구 식이가 가능하도록 한다.

(2) 출혈

문합부 누출과 마찬가지로 긴 절단면과 문합부위에서의 출혈 발생을 고려해야 한다. 자동문합기 절단 부위에서의 출혈은 절단 부위를 봉합하여 지혈을 시행하거나 내시경시술을 통해 출혈부위 지혈을 시행할 수 있다.

(3) 호흡기 합병증

BPD/DS를 시행 받는 환자들에게는 호흡기 합병증이 빈번히 나타날 수 있다. 이에 대한 대처를 위해서는 적극적으로 예방하는 방법 밖에는 없다. 수술 후 조기 보행, 심부정맥 혈전증 및 폐동맥 색전증 예방, 그리고 수면 무호흡에 대한 치료가 시행되어야 한다.

(4) 내탈장(Internal herniation)

BPD/DS를 시행 받은 환자는 갑작스런 복통이 발생하였을 때 신중히 생각하고 여러가지 평가를 시행해야 한다. 특히 문합이 형성되면서 만들어지는 장간막결손 및 Petersen's space로 인한 내탈장(internal herniation)은 심각한 문제를 야기할 수 있다. 의심이 되는 경우에는 진단적 복강경 수술을 시행하여 회맹부로부터 근위부로 트라이츠 인대 또는 십이지장 회장 문합부까지 확인해야 한다. 주로 폐색을 일으키는 부위는 담췌각으로 이때는 간 효소와 아밀라아제 수치 상승을 확인할 수 있고 Levin 관으로 증상 호전이 없다.

(5) 영양학적 합병증

우회하게 되는 소장의 길이가 길어 흡수제한을 많이 유발하게 되어 단백질, 비타민, 미네랄 등의 흡수 제한이 문제가 되어 왔으며 이로 인해 BPD/DS가 널리 시행되지 못한 점이 있다.

① 단백질 흡수제한

Marceau 등의 15년 추적결과에서 영양부족에 대한 언급을 하고 있으며 충분히 관리가 가능한 것으로 이야기하고 있다.[12] 혈청 알부민 수치가 3.6 g/dL 미만을 기준으로 한 단백질 부족은 수술 후 첫 6개월 내에는 약 25%의 환자에서 발생하고 2년이 지난 시점에서는 약 5% 정도된다. 단백질의 부족은 섭취 제한과 생리적인 단백질 소모가 주원인이지 흡수제한 자체가 원인으로 보이진 않는다. Scopinaro 등은 섭취한 단백질의 70%가 50 cm의 공통관을 통해서 흡수될 수 있다고 언급하였다. 일반적으로 경한 단백질 부족은 식이공급, 교육, 추적관찰을 통해 해결이 가능하다. 심한 영양부족의 경우 경정맥 영양 공급을 시행하거나 아주 회복이 어려운 경우에는 공통관의 길이를 늘이는 수술을 시행하여 해결해야 한다.

② 미량 영양소

미량 영양소의 부족은 상대적으로 높게 나타난다. 이는 수술 전부터 병적비만 환자들에게 있는 부족이 반영되는 문제일 수도 있다. 따라서 수술 전에 이러한 미량 영양소에 대한 부족이 있는지 확인해 보고 보충을 해줘야 할 필요가 있다. 관심을 가져야 하는 영양소에는 folate, vitamin B12, iron, vitamin A, calcium, vitamin D, thiamine 등이 있다. BPD/DS의 영양학적인 단점을 제시한 Scandinavian RCT에서는 루와이수술에 비해 BPD/DS에서 vitamin A, vitamin D, thiamine의 유의한 감소와 빈혈이 있는 환자가 유의하게 많음을 보고하고 있다.[1] BPD/DS의 영양학적인 문제가 짧은 공통관에 있고 공통관의 길이를 늘이면 영양소 부족을 해소할 수 있다는 보고들이 많이 있다. 공통관을 50 cm 보다는 100 cm로 만드는 것이 영양적인 측면을 해소하는데 도움이 될 것이다.[5]

BPD/DS가 영양적인 측면에서 단점이 있다는 부분은 수술 전에 꼭 인지하도록 이야기하고 평생에 걸쳐 비타민 섭취 및 추적 관찰이 필요함을 꼭 강조해야 한다.

4. 결과

BPD/DS의 체중감소 효과는 다른 비만대사수술과 비교해 우월하다. Buchwald의 메타분석에서는 BPD/DS의 초과 체중감소율을 70.1%로 보고하고 있으며 루와이의 61.2%, 조절형위밴드 45%와 비교해 높은 수치를 보여주고 있다.[2] 이러한 경향은 체질량지수가 50 kg/m²을 초과하는 환자들에서 좀 더 두드러지게 나타난다고 보고하고 있다. Prachand 등은 체질량지수 50 kg/m² 이상의 환자들을 대상으로 BPD/DS를 시행받은 198명과 루와이

위우회술을 시행받은 152명을 비교한 연구에서 초과체중감소율이 12개월째 64.1% 대 55.9%, 18개월째 71.9% 대 62.8%, 24개월째 71.6% 대 60.1%, 35개월째 68.9% 대 54.9%로 BPD/DS에서 유의한 차이의 체중감소 효과를 보여주었다.[14] 20년 이상의 추적관찰을 시행한 Marceu 등의 보고에서는 5년까지는 77%, 5-10년 사이는 69.4%, 10년 이상 관찰한 군에서는 68.9%의 초과체중감소율을 보여 장기적인 체중감소 효과도 확인할 수 있었다.[12]

BPD/DS는 동반질환의 조절에 있어서도 좋은 효과를 보여주고 있다. Buchwald의 메타연구에서 BPD/DS를 시행 받은 당뇨 환자 중 98.9%에서 당뇨 관해를 나타내 루와이위우회술 83.7%, 위밴드 47.9% 보다 높은 것을 확인 할 수 있다. 그 외 99%에서 이상지질혈증의 호전, 95%의 수면무호흡 개선, 81%의 고혈압 호전을 보여주고 있다.[2] Scopinaro 등은 2008년 443명의 제2형 당뇨병을 동반한 환자 군에서 BPD수술 후 1-2개월, 1년, 10년, 20년 관찰 결과를 발표하여, 1개월 74%, 1-10년 97%, 20년 이상에서 91%의 제2형 당뇨병의 관해를 보여 주었다.[19]

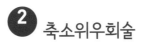

❷ 축소위우회술

1. 개요

축소위우회술(mini-gastric bypass)은 Rutledge 등이 2001년에 1,274개의 증례를 모아 2년 관찰 결과를 발표하면서 처음 알려졌다.[17] 첫 논문에서 저자는 기존의 비만대사수술들이 일정한 제한점들을 가지고 있고 좀 더 효과적이고 시행하기 편하면서 안전한 방법을 찾고자 하여 축소위우회술을 만들었다고 언급하고 있다. 초기 경험에서 제시한 1,274명에 대한 경과는 수술 후 2년째 초과체중감소율이 77%로 만족할 만한 결과를 보여 주었다고 생각되며 수술과 관련된 합병증도 다른 수술방식과 비

교하여 적게 발생한 것으로 나타났다.

2. 수술과정

1) 수술적응증
축소위우회술은 수술 대상의 선정에 있어 기존의 다른 수술과 큰 차이는 없다.

2) 수술방법
축소위우회술의 가장 큰 특징은 단일 문합을 시행한다는 것이다. 복강경으로 접근하여 위 소만쪽 체부와 전정부 사이를 횡으로 분리하고 수직으로 히스각까지 자동문합기로 분리하여 원통형의 Gastric pouch를 만든다. 이때 Gastric tube 형성 시에는 28-36 Fr 크기의 부지를 사용한다. 문헌에 따라서는 식도의 너비 정도로 만든다는 보고도 있고 2 cm 정도로 만든다는 보고도 있으나 실제적으로는 비슷한 직경이다. 위-공장 문합은 트라이츠 인대에서 200 cm 떨어진 공장을 gastric pouch의 끝부분과 자동문합기를 이용하여 문합을 시행한다.[10]

축소위우회술은 여러 연구를 바탕으로 루와이위우회술과 비교해 체중감소 및 동반질환 해소에 있어 더 뛰어난 결과를 보이진 않으나 비교적 단순화시키고 문합부 긴장을 줄여 수술시간 및 술기습득시간을 줄이고 주요 합병증 발생도 적음을 보여주었다(그림 6-2).

3. 수술결과

축소위우회술을 처음 보고한 Rutledge는 2001년 보고에서 1,274명의 연속적인 환자에 대한 보고를 통해 전체 합병증 5.2%, 문합부 누출 1.6%, 사망률 0.08%로 안전성을 보여주면서 동시에 초과체중감소율이 1개월째 20%, 6개월째 51%, 12개월째 68%, 24개월째 77%로 체중감소 효과도 뛰어남을 보여주었다.[17] 아울러 동반질환에 대한 관

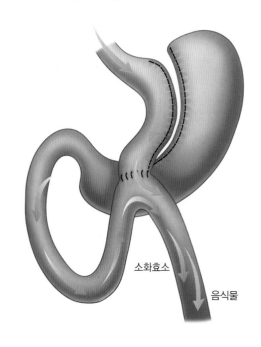

그림 6-2 minigastric bypass 그림수정

소화효소

음식물

해율과 관련해 고혈압이 90%, 당뇨가 92%의 관해율을 보였다고 보고를 하였다. 이어 2005년에 2004년까지 수술을 시행한 2,410명의 환자들에 대한 임상 결과를 발표하면서 1년째 80%의 초과 체중감소를 보이고 이후 5년까지의 추적 관찰에서 95%의 환자에서 10 kg 미만의 체중 증가만 있었음을 보여주었다.[16] 이후 여러 연구자들이 축소위절제술의 효과를 보고하였고 2005년 Lee 등이 무작위배정을 통한 루와이위우회술과의 비교를 시행한 임상시험을 발표하였다. 이 연구 결과에서 축소위우회술이 수술시간 및 재원기간이 짧고 수술 후 조기 합병증이 적은 결과를 보여주었고 체중 감량에 있어서도 1년째 초과 체중감소율은 축소위우회술이 64.9%로 루와이위우회술의 58.7%와 비교해 우월한 결과를 보여주었다. 2년째에는 통계적인 유의성은 없었으나 여전히 축소위우회술이 64.4%로 루와이위우회술 59.2%에 비교하여 높은 결과를 보여주고 있다.[10] 단기적인 결과 외에도 5년 이상의 추적관찰을 보고하고 있는 Lee 등의 10년 추적관찰 결과에서는 1,163명의 축소위우회술 환자와 494명의 루와이

위우회술 환자를 비교하였고 앞서 기술된 무작위배정 연구에서와 마찬가지로 조기 수술지표에 대해 우월한 결과를 보여주었고 5년째 평가된 체중감소 정도에 있어 축소위우회술에서 72.9%로 루와이위우회술 60.1%에 비교해 통계적으로 유의한 결과를 보여주고 있다.[9] Mahawar 등이[11] 2013년에 발표한 체계적 고찰에서는 7개의 기관에서 1997년부터 2011년까지 시행된 총 5,095개의 축소위우회술을 정리하여 보고하였다. 전체 환자들의 평균 연령은 36.4세이고 평균 체질량지수는 44.6 kg/m²이었다. 수술시간이 평균 73.5분 소요되었고 793명(15.5%)에서는 소 절개창을 이용한 문합을 시행하였고, 복강경으로 수술을 시행한 환자 중 7명(0.16%)에서 개복전환을 하였다. 조기 합병증은 전체적으로 6% (0-10%)였고 51명(1%)의 환자에서 누출이 발생하였다. 변연부 궤양은 2.8%, 빈혈 4.2%, 역류는 2%에서 보고가 되었다. 전체 대상 환자 중 7명의 조기 사망을 보여 0.14%의 사망률을 나타냈다. 대부분의 사망은 수술과 직접적인 연관이 없는 내과적인 문제들이 대부분이었다. 여러가지 보고된 자료에 따르면 축소위절제술은 대단히 만족할 만한 결과들을 보여주고 있으나 몇몇 기관에 국한되어 시행되고 있어 전 세계적인 시행 비중에는 크게 미치지 못하는 현실이다.

4. 축소위우회술 관련 문제

축소위절제술의 의미 있는 결과에도 불구하고 몇몇 국한된 기관에서만 이 술기를 시행하고 있고 주류의 비만대사수술에 포함되지 못하고 있다. 일반적인 비만대사수술의 합병증에도 포함되지만 축소위우회술에서 거론되고 있는 문제들은 다음과 같은 것들이 있다.

1) 식도/위암 발생
위암과 관련된 문제는 기본적으로 축소위절제술의 문합형태와 관계가 있다. 현재 통상적으로 위 절제술 후 답즙역류가 잔위에 위암을 발생시키는 위험인자로 알려져 있기 때문에 이와 관련된 우려가 축소위절제술에 대한 확장을 제한하는 것으로 판단된다. 현재까지 담즙역류에 의한 위암 발생과 관련된 근거는 아직 확정적인 것은 없다는 것이 축소위절제술을 주로 시행하는 쪽의 의견이다. 이 부분에 대해서는 추후 관련된 연구를 더 지켜 봐야 하겠다.

2) 답즙역류, 위식도 역류
위식도 역류는 비만과 관련된 동반 질환 중 하나이며 비만 수술은 비만을 동반한 위식도 역류환자에 대한 치료 중 하나로 자리하고 있다. 그러나 일부 환자에서는 비만 수술 후 새로 역류가 발생하는 경우가 있다. 위소매 절제술이 제일 문제이나 축소위절제술에서도 역류가 새로 발생할 수 있고 심한 증상으로 인해 교정을 위한 수술이 필요했던 보고들도 있다. 대부분의 문헌에서는 위식도 역류는 0.5% 미만에서 새로 발생하고 이는 보통 위소매절제술보다는 적고 루와이위우회술보다는 높은 수치라고 보고하고 있다.

3) 변연부 궤양
변연부 궤양은 0.5%에서 5.0%까지로 보고되고 있고, 이는 루와이위우회술 이후 발생과 큰 차이가 없다.

 맺음말

BPD/DS와 축소위우회술 모두 주요 수술에 포함되지는 않으나 각각의 수술의 결과들로 비추어 볼 때 의미가 있는 수술 방법이라고 생각할 수 있다. 각 수술 방법에 적당한 환자를 선택하고 적절한 추적관찰을 시행한다면 의미 있는 비만대사수술의 방법으로 자리매김할 수 있을 것으로 기대한다.

참고문헌

1. Aasheim ET, Bjorkman S, Sovik TT, et al. Vitamin status after bariatric surgery: A randomized study of gastric bypass and duodenal switch. Am J Clin Nutr 2009;90:15-22.

2. Buchwald H, Avidor Y, Braunwald E, et al. Bariatric surgery: A systematic review and meta-analysis. JAMA 2004;292: 1724-37.

3. Buchwald H, Kellogg TA, Leslie DB, et al. Duodenal switch operative mortality and morbidity are not impacted by body mass index. Ann Surg 2008;248:541-8.

4. Buchwald H. Consensus conference statement bariatric surgery for morbid obesity: Health implications for patients, health professionals, and third-party payers. Surg Obes Relat Dis 2005;1:371-81.

5. Gracia JA, Martinez M, Elia M, et al. Obesity surgery results depending on technique performed: Long-term outcome. Obes Surg 2009;19:432-8.

6. Hess DS, Hess DW. Biliopancreatic diversion with a duodenal switch. Obes Surg 1998;8:267-82.

7. Hess DS. Biliopancreatic diversion with duodenal switch. Surg Obes Relat Dis 2005;1:329-33.

8. Kim WW, Gagner M, Kini S, et al. Laparoscopic vs. Open biliopancreatic diversion with duodenal switch: A comparative study. J Gastrointest Surg 2003;7:552-7.

9. Lee WJ, Ser KH, Lee YC, et al. Laparoscopic roux-en-y vs. Mini-gastric bypass for the treatment of morbid obesity: A 10-year experience. Obes Surg 2012;22:1827-34.

10. Lee WJ, Yu PJ, Wang W, et al. Laparoscopic roux-en-y versus mini-gastric bypass for the treatment of morbid obesity: A prospective randomized controlled clinical trial. Ann Surg 2005;242:20-8.

11. Mahawar KK, Jennings N, Brown J, et al. "Mini" gastric bypass: Systematic review of a controversial procedure. Obes Surg 2013;23:1890-8.

12. Marceau P, Biron S, Hould FS, et al. Duodenal switch: Long-term results. Obes Surg 2007;17:1421-30.

13. Marceau P, Hould FS, Simard S, et al. Biliopancreatic diversion with duodenal switch. World J Surg 1998;22:947-54.

14. Prachand VN, Davee RT, Alverdy JC. Duodenal switch provides superior weight loss in the super-obese (bmi > or =50 kg/m2) compared with gastric bypass. Ann Surg 2006;244:611-9.

15. Ren CJ, Patterson E, Gagner M. Early results of laparoscopic biliopancreatic diversion with duodenal switch: A case series of 40 consecutive patients. Obes Surg 2000;10: 514-23;discussion 24.

16. Rutledge R, Walsh TR. Continued excellent results with the mini-gastric bypass: Six-year study in 2,410 patients. Obes Surg 2005;15:1304-8.

17. Rutledge R. The mini-gastric bypass: Experience with the first 1,274 cases. Obes Surg 2001;11:276-80.

18. Scopinaro N, Gianetta E, Civalleri D, et al. Bilio-pancreatic bypass for obesity: Ii. Initial experience in man. Br J Surg 1979;66:618-20.

19. Scopinaro N, Papadia F, Camerini G, et al. A comparison of a personal series of biliopancreatic diversion and literature data on gastric bypass help to explain the mechanisms of resolution of type 2 diabetes by the two operations. Obes Surg 2008;18:1035-8.

20. Sudan R, Jacobs DO. Biliopancreatic diversion with duodenal switch. Surg Clin North Am 2011;91:1281-93, ix.

21. Topart P, Becouarn G, Ritz P. Biliopancreatic diversion with duodenal switch or gastric bypass for failed gastric banding: Retrospective study from two institutions with preliminary results. Surg Obes Relat Dis 2007;3:521-5.

22. Weiner RA, Blanco-Engert R, Weiner S, et al. Laparoscopic biliopancreatic diversion with duodenal switch: Three different duodeno-ileal anastomotic techniques and initial experience. Obes Surg 2004;14:334-40.

Chapter 07 | 비만수술의 합병증 관리

Management of complications after bariatric surgery

① 비만수술 후 합병증 및 치료 방법

비만수술의 합병증은 수술 술기의 발달과 수술 기구의 발전으로 발생 빈도가 점차 줄어들고 있다. 그러나 병적 비만 환자의 경우 일반적인 소화기 외과 수술 환자에 비해 복강 내 공간이 넓고 지방이 많아 조기 진단이 어려워 합병증의 강도는 줄고 있지 않아 이에 대한 적절한 치료가 매우 중요하다.

수술 후 합병증의 위험 인자를 분석하여 합병증 발생 가능성을 예측하는 것은 합병증을 줄이기 위해 매우 중요하다. 최근 미국에서 44,000명의 환자를 대상으로 한 연구에서 45세 이상, 남자, 체질량지수(BMI) 50 이상, 개복수술, 당뇨, 관상동맥 시술 기왕력, 수술 전 호흡곤란 증세, 출혈 이상, 수술 전 6개월 동안 의도하지 않은 10% 이상의 체중감소가 수술 후 합병증의 증가에 관련 있는 인자라고 보고하였다.[12, 20]

합병증을 줄이기 위해서는 무엇보다 먼저 기관 내에 적절한 비만 치료 프로그램을 수립하는 것이 중요하다. 뿐만 아니라 비만 관리를 전담할 의사, 안전한 비만수술

이 가능한 외과의사, 최소 침습 비만수술에 익숙한 수술실 간호사와 수술 스텝, 영양사 포함된 다학제 팀의 구성과 역할이 매우 중요하다.

이 외에도 비만수술 후 발생하는 수술 후 합병증의 적절한 치료를 위해서는 무엇보다 조기 진단과 이를 파악하기 위한 의료진의 면밀한 주시가 필요하다.

1. 비만수술 후 합병증의 발생빈도

다양한 비만수술이 있지만, 가장 많이 시행되고 있는 복강경하 루와이위우회술과, 복강경하 위소매절제술 두 수술의 합병증의 빈도는 다음과 같이 보고되었다(표 7-1, 그림 7-1).

2. 합병증의 종류

1) 출혈

비만수술 후 출혈은 흔하지 않은 합병증이다. 수술 후 출

그림 7-1 1차 비만수술 후 발생하는 합병증. A.위소매절제술 후 발생하는 합병증의 빈도. B. 루와이위우회술 후 발생하는 문합부 누출의 발생 장소 비율.

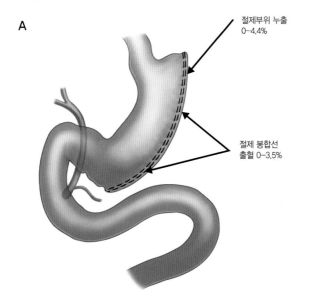

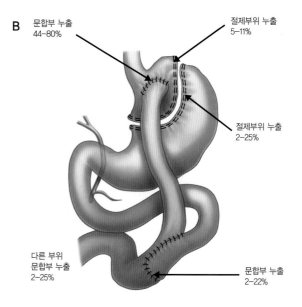

표 7-1 비만 수술에 따른 합병증 및 발생 빈도

수술 술기	합병증	발생빈도(%)	참고문헌
복강경하 루와이위우회술	문합부 누출	1–5	[11,17,22,23,30]
	출혈	1.9–4.4	[22,25,27,31,34]
	문합부 협착	3–11	[1,24]
	내회전 탈장	1–9	[3,18,38,39]
	변연부 궤양	1–16	[8,36]
	위-위루	1.5–6	[10,42]
복강경하 위소매절제술	문합부 누출 : 일차수술	1–3	[16]
	: 재 수술	〉10	[14,19,21]
	출혈	1–6	[15,26]
	협착	3.5	[29]

표 7-2 발생 시기에 따른 합병증의 분류

급성	초기	후기	만성
1-7일	1-6주	6-12주	12주 이상

혈의 발생률은 수술 방법에 따라 다르지만 약 0-4.4% 환자에서 발생하는 것으로 알려져 있다. 비만수술 후 출혈은 발생 시기에 따라 급성, 초기, 후기와 만성 출혈로 분류하며(표 7-2) 출혈 위치에 따라 복강 내 출혈과 장관 내 출혈로 분류한다[5, 25]

(1) 급성 및 초기 출혈(그림 7-2)

수술 후 초기 출혈은 보통 수술 후 48시간 안에 가장 흔하게 나타난다. 비만 환자의 경우 넓은 복강 내 공간으로 인해 초기 진단과 치료 방향의 결정이 어렵다.

복강 내 출혈은 위공장 문합부위, 잔위의 자동 문합기 봉합선, 공장-공장 문합선에서 발생하는 것이 대부분이이며 드물게 간, 비장 및 복강경 투관침 삽입부에서 발생한다. 간, 비장 손상에 의해 발생한 복강 내 출혈은 대부분 혈액응고제의 사용이나 수혈 등의 보존적 치료로 조절이 가능하지만 드물게 비장 절제술이 필요할 수도 있다.

복강 내 출혈은 보통 수술 후 급성기에 나타나며 혈색소 수치가 점차적으로 떨어지고 빈맥 및 저혈압이 발생한다. 장관 내 출혈은 토혈로 진단되는 경우가 대부분이며 소장-소장 문합부위의 출혈의 경우에는 흑색변으로 진단되는 경우가 많다. 수술 후 출혈이 의심되면 정맥 내로의 수액 공급, 농축 적혈구 수혈 등의 초기 소생법이 중요하며 정확한 소변량 측정을 위해 폴리카테터를 삽입한다. 초기 소생술 이후에 혈역학적으로 안정된 경우

그림 7-2 급성, 초기 출혈의 진단 치료 알고리즘

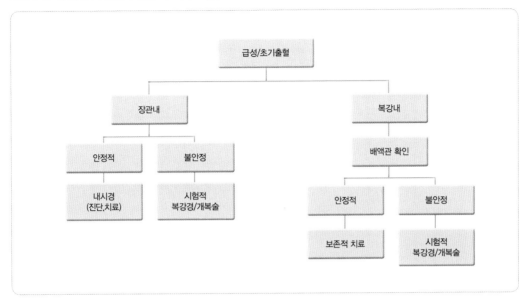

진단과 치료 목적으로 내시경을 시행할 수 있다. 내시경 클립, 전기 소작술로 지혈이 이루어지면 수술을 피할 수 있으나 내시경 시술로 출혈 부위 확인이 어렵거나, 지혈이 불가능한 경우, 초기 처치 후에도 120회 이상의 빈맥이 지속되고 혈색소 수치의 하강이 계속된다면 응급 수술이 필요하다. 응급 수술 시에는 정확한 출혈 부위 확인을 위해 복강내 혈종을 제거한 후 명백한 출혈 부위를 찾아 결찰하거나 문합선에 보강 봉합을 하는 것이 필요하나 명백한 출혈 부위를 찾지 못하는 경우가 많아 혈종 제거 및 배액관 삽입을 하는 경우가 많다.[11,31-32] 약 80%의 출혈 환자는 보존적 치료만으로 호전되며 복강 내 출혈의 경우 보존적 치료에 성공하는 경우가 더 높다. 특히, 수술 중에 자동 문합기봉합선 부위를 강화 봉합을 하는 경우 수술 후 출혈을 유의미하게 감소시킨다.[13]

(2) 후기 및 만성 출혈(그림 7-3)

수술 및 시술 후 42일 이후 발생하는 후기 및 만성 출혈은 장관 내 출혈이 대부분이다. 후기 및 만성 출혈은 다른 수술법에 비해 루와이위우회술에서 가장 많이 발생

한다. 변연부 궤양이 가장 흔한 원인으로 대부분 PPI를 비롯한 궤양의 약물 치료로 증상이 호전된다. 그러나 약물 치료가 효과가 없거나 출혈이 지속되면 내시경적 시

그림 7-3 만성, 후기 출혈의 진단 치료 알고리즘

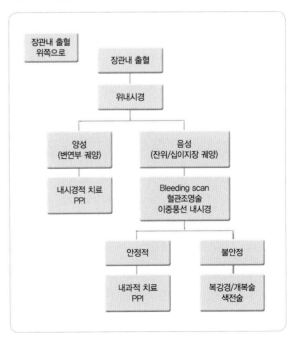

술을 고려해야 한다. 내시경 검사로 잔위나 위공장 접합 부위의 궤양이 확인되지 않을 경우 이중 풍선 소장 내시경을 통해 담췌각의 궤양을 확인할 수도 있다. 치료되지 않는 반복적인 궤양성 출혈이 있을 경우 수술적 치료를 시행하며 새로운 위 공장 문합이 필요하다. 혈관 촬영을 통한 혈관 색전술을 고려해 볼 수 있으나 이 경우 잔위의 허혈이 발생할 수 있으므로 신중하게 결정해야 한다.[34,35]

2) 문합부 누출

(1) 정의 및 빈도

문합부 누출이란 소화기 수술 후 소화관 문합부가 아물지 않아 장 내용물이 장외로 누출되는 것을 말한다. 비만수술은 위, 소장 절제와 문합이 필수적인 수술로 수술 후 합병증으로 봉합 부전으로 인한 누출이 발생할 수 있다. 문합부 누출은 수술 술기의 향상, 문합 기계의 발달로 발생 빈도가 감소하고 있으나 위 소매절제술의 경우 0-4.4%, 루와이위우회술의 경우 1-5%로 보고되고 있다.

문합부 누출은 조영 검사를 기준으로 두 개의 타입으로 나눌 수 있다. Type 1은 준임상적인 누출로 대부분의 경우 적절한 배액만으로 치료되는 반면 Type 2는 조영제를 사용한 검사에서 조영제가 복부나 체강 내로 새는 것이 관찰되는 임상적 상태 말한다. 진단 시기를 기준으로 수술 후 3일 내에 발생하는 초기 문합부 누출과 수술 후 8일 이내에 발생하는 후기 문합부 누출로 분류하기도 한다.[7,9]

문합부 누출은 일단 발생하면 다량의 균이 함유된 장액이 유출되거나 저류되어 복강 내 농양, 봉합부의 완전 파손, 창상 감염 및 파열, 장피부 누공 등이 일어나거나, 폐렴, 패혈증과 같은 전신적 급성 감염으로 진행하여 사망을 초래할 수 있는 치명적인 초기 합병증이다. 때문에 조기 진단과 적절한 치료가 가장 중요하나 초병적비만 환자의 경우 증상 발현이 늦고 신체 진찰이 용이하지 않아 초기 진단이 어려워 조기진단에 특히 주의를 기울여야 한다.

(2) 원인

문합부 누출은 여러 가지 원인에 의해 발생한다. 원인은 크게 기술적 인자와 환자 인자로 분류할 수 있다. 환자 인자로는 당뇨병, 영양 불량, 대사 장애, 호흡기 장애, 수면 무호흡증, 순환기 장애 등이 있다. 기술적인 인자로는 문합 부위의 과도한 긴장, 경색, 문합 부위의 과한 봉합 등이 있다.

(3) 임상증상 및 진단(그림 7-4)

증상 발현 시기는 대개 수술 후 2~7일째이며 대부분 4일째에 증상이 갑자기 악화된다. 일반적으로 병적비만 환자에서는 복막염이 발생하여도 복부 강직이 나타나지 않는 것이 특징적이며 이로 인해 문합부 누출의 조기 진단이 어렵다. 수술 후 3일 내에 발생하는 120회 이상의 빈맥의 경우 특히 중요한 문합부 누출의 예측인자가 될 수 있다.[5] 증상은 소화관 밖으로 유출된 장 내용물에 의한 국소 염증과 농양 형성으로 인한 복통, 복막자극 증상, 발열 등이며, 백혈구 증가, CRP 증가 등의 염증소견이 나타나고 배액관으로 혼탁액이나 소화관 내용물이 배출된다. 봉합 부전이 의심되는데도 배액관 내용물이 달라지지 않는 경우는 효과적으로 배액되지 않는 것이므로 방치하면 오히려 위험하다고 판단해야 한다. 때로는 문합부 누출이 창상 파열이나 장피부누공 형성, 또는 광범위한 피부발적 등으로 나타날 수 있다. 문합부 누출이 의심되면 면밀한 복부 촉진을 비롯한 신체 검사, 백혈구 수치 검사를 포함한 혈액검사 및 복부 CT를 실시한다. CT 영상에서 다량의 용액이나 기체가 복강 내에 고여 있거나, 농양 내에 공기액체증이 보이면 진단할 수 있다. 복부 CT 외에 수용성 조영제를 이용한 소화관 조영술 및 누공 조영술, 복부 초음파로도 확진할 수 있다. 2009년 미국비만대사외과학회에서 위 우회술 후 문합부 누출의 진단을 위한 영상검사와 진단적 수술의 역할에 대해 발표하였다. 위장관 조영술의 민감도는 22-75%로 보고되고 있으며 CT와 함께 시행하였을 경우에도 약 1/3의 환자의 문합부 누출을 진단할 수 없었다. 때문에 임상적으

그림 7-4 문합부 누출 의심시 진단 과정

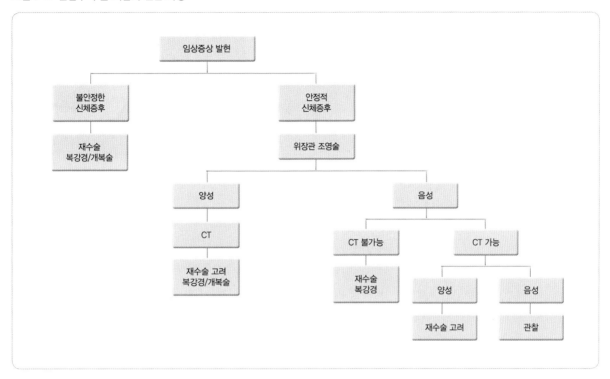

로 문합부 누출이 의심될 경우 진단적 수술을 위해 정확한 진단을 하는 것이 진단이 지연되어 처치가 늦어지는 것을 막을 수 있다.[17, 22, 30]

(4) 치료

비만수술 후 문합부 누출은 누공의 크기, 복강 내 오염의 정도, 누공의 위치 및 발생 시기에 따라 매우 다양하게 나타난다. 문합부 누출 역시 시기에 따라 **표 7-2**와 같이 급성, 초기, 후기, 만성으로 분류한다.

① 급성 및 초기 문합부 누출(그림 7-5)

누공의 크기가 작고 잘 조절된다면 우선 보존적 치료를 실시한다. 국소적 처치로서 배액을 통한 감압이 가장 중요하다. 배액관이 들어 있고 배액이 효과적이면 문제가 없으나, 요즘은 비만수술 후 배액관을 넣지 않는 경우가 많으므로 이때는 경피배액술을 초음파나 CT 유도하에 시행해야 한다. 배액이 적절히 이루어지면 금식, TPN 및

항생제 투여를 시행한다. 대부분 보존적 치료 시에는 장피부 누공을 형성하며 치유된다. 그러나 문합부 누출의 크기가 크거나 배액이 효과적이지 않다면 수술해야 한다. 수술 시 복강은 심한 염증으로 인해 박리가 어려움으로 주의 깊게 박리하여 수술 부위로 접근해야 한다. 주위 조직이 비교적 안정적이며 누출 부위가 잘 확인된 경우 일차 봉합이 가능할 수도 있다. 그러나 환자가 이미 패혈증의 전조 증상을 나타내는 경우가 많고 문합부 누출 부위의 염증이나 부종이 심해 다시 재발할 가능성이 높으므로 여러 개의 배액관을 잘 설치하여 수술 후 잘 조절되는 장피부 누공의 형성을 유도하여 누공이 치유되도록 해야 한다. 최근에는 누공의 위치가 명확한 경우에는 방사선 유도하에 경피적으로 유도철사를 누공 내로 삽입하고 이를 통해 폴리카테터를 넣은 후 풍선으로 막아 안전한 장피누공을 형성하는 방법을 사용하기도 한다. 이 시술의 장점은 배뇨관 풍선을 이용하여 문합부 누출부위를 막으면 폐쇄 배액이 되기 때문이 배액량이 많더라

그림 7-5 급성 및 초기 문합부 누출의 보존적 치료

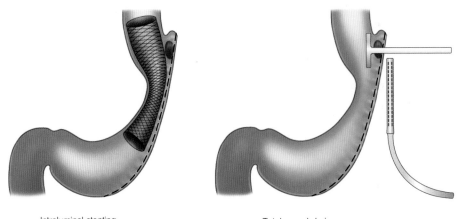

Intraluminal stenting   T-tube and drainage

그림 7-6 후기 및 만성 문합부 누출의 치료

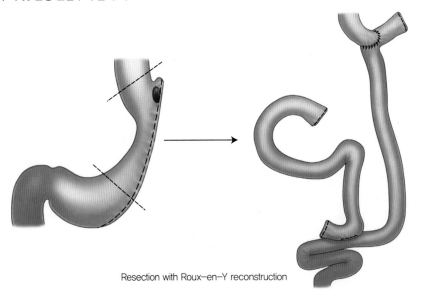

Resection with Roux-en-Y reconstruction

도 환자는 비위관 없이 경구로 음식을 섭취할 수 있고 비교적 활동이 자유롭다는 것이다. 또 상처부위 동통이 적어 입원기간을 단축하며, 특히 재수술을 피할 수 있다.[11,17,22,23,30]

② 후기 및 만성 문합부 누출(그림 7-6)
후기 및 만성 봉합부전은 주위 조직의 염증으로 인해 치료가 매우 어렵다. 만성 누공의 경우에 누공관의 상피화로 인해 보존적 치료만으로는 성공하기 어렵다. 비수술적 치료로는 내시경 시술을 통한 스텐트 삽입이나, 누공이 형성된 남은 잔위의 절제 및 식도 공장 문합술의 시행이 필요하다.[35]

(5) 예방

수술 전에 영양상태가 불량하거나 빈혈이 있으면 교정하고, 당뇨병 등의 동반질환에 대한 처치를 해야 한다. 특히 수술 중에는 다음과 같은 기술적인 점을 고려하여 시행하면 문합부 누출을 예방할 수 있다. 1. 문합부 장기의 적절한 혈액순환이 유지되어야 한다. 특히 문합부 끝의 혈액순환 상태가 좋아야 한다. 2. 문합부 장기에 긴장 없이 문합해야 한다. 3. 위 절단면에 강화 봉합을 시행한다. 4. 수술 중 염색이나 공기 주입을 통해 문합부위의 누공 여부를 확인하고 보강한다. 5. 봉합 장기의 두께를 고려하여 적합한 문합 방법과 자동봉합기 사용 여부를 선택한다.[30]

3) 위마비, 문합부 통과 장애, 폐쇄

위장폐쇄는 비만수술 후 발생하는 흔합 합병증 중 하나이다. 비만수술의 종류에 따라 중증도는 다양하게 나타나며, 대부분 보존적 치료로 해결되지만 응급수술이 시행되기도 한다. 위장폐쇄의 적절한 치료를 위해서는 폐쇄의 원인이 협착인지 부분 폐쇄인지 완전 폐쇄인지의 원인에 대한 정확한 검사가 필요하다.

(1) 위공장 문합부 협착

2006년 플로리다 클리브랜드 클리닉에서 1,291명의 루와이위우회술 환자를 대상으로 시행한 연구에 따르면 치료가 필요한 문합부 협착이 약 7.3%에서 발생하였다.[4] 초기 발생하는 위 배출 장애의 주요 원인은 일시적인 부종이다. 부종은 수술 후 3-4일에 심하고 14일째 정도 되면 소실되지만, 4주 이상 지속되는 경우도 있다. 이에 비해 문합부 협착은 수술 후 약 4-6주 후에 발생하며 유동성 음식에 비해 고형 음식을 섭취하였을 때 증상이 더 심해지는 것으로 의심할 수 있으며 내시경을 통해 진단할 수 있다. 위내시경을 통해 내시경이 통과하지 않는 것으로 문합부 협착이 진단되면 문합부를 12-15 mm로 넓히는 풍선 확장술을 시행한다. 대부분의 환자의 경우 한번의 풍선 확장술로 증상이 호전되지만 13% 환자에서는 4-5번의 풍선 확장술이 필요할 수도 있다(그림 7-7).[32, 43]

위공장 문합부 협착이 원인은 뚜렷이 알려져 있지 않지만 봉합 부위의 허혈이 하나의 원인으로 알려져 있어 수술 시 적절한 장력으로 경색을 피해 문합하는 것이 가장 중요하다.

(2) 내탈장(그림 7-8)

2007년 클리브랜드 클리닉에서 보고한 바에 따르면 장폐색이 진단된 루와이위우회술 환자의 경우 약 41%가 내탈장으로 인한 장폐색이었다.[33] 내탈장은 발생 부위에 따라 두가지로 분류한다.

① 원위부 문합 장간막 탈장(Distal anastomosis mes-enteric hernia)
담췌각과 루각의 원위부 문합 부위의 공간에 발생

그림 7-7 문합부 협착의 풍선 확장술

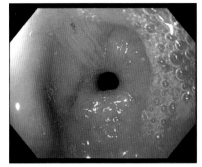 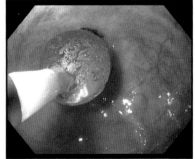 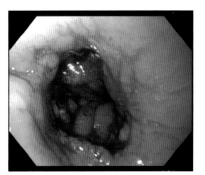

A B C

그림 7-8 수술 후 내탈장

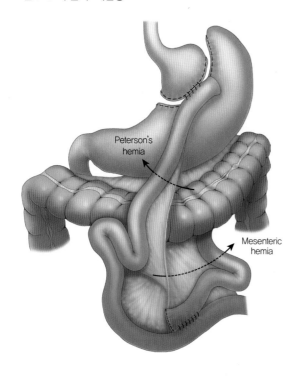

(3) 위소매절제술 후 폐색

위소매절제술 후 폐색은 절제부위 부종, 잔위 협착, 뒤틀림, 꼬임으로 인해 발생한다.

수술 후 초기 시기인 1-3일째에 구역, 구토의 증상이 나타나면 상부위장관 조영술을 통해 진단할 수 있다. 명백한 기계적 폐색이 보이지 않는 경우 약물 치료를 시행한다. Ondansetron과 hyoscyamine, anticholinergic 약물을 사용하며 항 우울 약물의 사용이 도움이 되기도 한다. 상부 위장관 조영술을 통해 기계적 폐색이 진단되면 내시경적 시술이나 수술이 필요할 수도 있다. 대부분의 협착은 15-18 mm 내시경적 풍선확장술을 시행하며 대부분 한번, 혹은 두 번의 시술로 호전된다. 잔위의 뒤틀림이나 꼬임이 발생하였을 경우에는 복강경하 유착박리술로 성공적인 치료가 가능하지만, 이것이 지속될 경우 루와이위우회술로의 전환이 필요하다.[29,37]

② 피터슨 탈장(Petersen hernia)

루와이각과 대장, 결장간막 사이의 공간에 발생

예방을 위해서는 탈장이 발생할 수 있는 공간을 녹지 않는 실로 봉합하는 것이 가장 중요하다. 내탈장의 경우 장간막 폐색이 일어날 경우 광범위한 장 손상과 이로 인해 장절제가 필요하기 때문에 조기 진단이 특히 필요하다. 장간막 폐색은 소장의 완전 괴사가 발생하기 전까지는 복부 촉진 시 복부 강직 없는 심한 복통이 발생하므로 조기 진단을 위해 의심이 되는 초기에 복부 조영 CT를 시행하는 것이 필요하다. 내탈장이 진단되면 즉각적인 수술적 치료가 필요하다. 회장 말단부부터 근위부로 소장을 추적하여 해부학적 구조를 확인하는 것이 중요하며 탈장된 장을 정복하고 탈장 발생 부위를 비흡수성 봉합사로 봉합한다. 장 괴사가 진행된 경우에는 장절제를 시행하여야 하며 장의 회복이 가능하다고 생각될 경우에는 수술 후 24-48시간 내에 2차 개복술을 시행한다.[6,33]

참고문헌

1. Alasfar F, Sabnis AA, Liu RC, et al. Stricture rate after laparoscopic Roux-en-Y gastric bypass with a 21-mm circular Stapler: The Cleve-land Clinic Experience. Med Princ Pract 2009;18:364–7.

2. Bary SC, Nguyen NT, Wolfe BM, Late gastrointestinal hemorrhage after gastric bypass. Obes Surg 2002;12:404-7

3. Carmody B, DeMaria EJ, Jamal M, et al. Internal hernia after laparoscopic Roux-en-Y gastric bypass. Surg Obes Relat Dis 2005;1:543–8.

4. Carrodequas L, Szomstein S, Zundel N, et al. Gastrojejunal strictures following laparoscopic Roux-en-Y gastric bypass surgery : analysis of 1291 patients. Surg Obes Relat Dis 2006;2:92-7.

5. Chousleb E, Szomstein S, Podkmeni D, et al. Routine abdominal drains after laparoscopic Roux-en-Y gastric bypass: a retrospective review of 593 patinets. Obes Surg 2004;14: 1203-7.

6. Comeau E, GagnerM, Inabnet WB, et al. Symptomatic internal hernias after laparoscopic bariatric surgery. Surg Endosc 2004;18:1631-5.

7. Csendes A, Burdiles P, Burgos AM, et al. Conservative management of anastomotic leaks after 557 open gastric bypasses. Obes Surg 2005;15:1252–6.

8. Csendes A, Burgos AM, Altuve J, et al. Incidence of marginal ulcer 1 month and 1 to 2 years after gastric bypass: a prospective consecutive endoscopic evaluation of 442 patients with morbid obesity. Obes Surg 2009;19:135–8.

9. Csendes A, Diaz JC, Burdiles P, et al. Classification and treatment of anastomotic leakage after extended total gastrectomy in gastric carcinoma. Hepatogastroenterology 1990;37:174–7.

10. Cucchi SG, Pories WJ, MacDonald KG, et al. Gastrogastric fistulas. A complication of divided gastric bypass surgery. Ann Surg 1995;221:387–91.

11. Fernandez AZ, DeMaria EJ, Tichansky DS, et al. Experience with over 3,000 open and laparoscopic bariatric procedures: multivariate analysis of factors related to leak and resultant mortality. Surg Endosc 2004;18:193–7.

12. Fernández-Esparrach G, Córdova H, Bordas JM, et al. Endoscopic management of the complications of bariatric surgery. Experience of more than 400 interventions. Gastroenterol Hepatol 2011,34:131-6.

13. Ferreira LE, Song LM, Baron TH. Mangement of acute postoperative hemorrhage in the bariatric patient. Gastrointest Endosc Clin N Am 2011;21:287-94.

14. Foletto M, Prevedello L, Bernante P, et al. Sleeve gastrectomy as revisional procedure for failed gastric banding or gastroplasty. Surg Obes Relat Dis 2010;6:146–51.

15. Frezza EE. Laparoscopic vertical sleeve gastrectomy for morbid obesity. The future procedure of choice? Surg Today 2007;37:275–81.

16. Fuks D, Verhaeghe P, Brehant O, et al. laparoscopic sleeve gastrectomy: a prospective study in 135 patients with morbid obesity. Surgery 2009;145:106–13.

17. Fullum TM, Aluka KJ, Turner PL. Decreasing anastomotic and staple line leaks after laparoscopic Roux-en-Y gastric bypass. Surg Endosc 2009; 23:1403–8.

18. Higa KD, Ho T, Boone KB. Internal hernias after laparoscopic Roux-en-Y gastric bypass: incidence, treatment and prevention. Obes Surg 2003;13:350–4.

19. Iannelli A, Schneck AS, Ragot E, et al. Laparoscopic sleeve gastrectomy as revisional procedure for failed gastric banding and vertical banded gastroplasty. Obes Surg2009;19:1216–20.

20. Khan MA, Grinberg R, Johnson S, et al. Perioperative risk factors for 30-day mortality after bariatric surgery: is functional status important? Surg Endosc 2013,27:1772-7.

21. Lacy A, Ibarzabal A, Pando E, et al. Revisional surgery after sleeve gastrectomy. Surg Laparosc Endosc Percutan Tech 2010;20:351–6.

22. Madan AK, Martinez JM, Menzo EL, et al. Omental reinforcement for intraoperative leak repairs during laparoscopic Roux-en-Y gastric bypass. Am Surg 2009;75: 839–42.

23. Marshall JS, Srivastava A, Gupta SK, et al. Roux-en-Y gastric bypass leak complications. Arch Surg 2003; 138:520–3.

24. Mathew A, Veliuona MA, DePalma FJ, et al. Gastrojejunal stricture after gastric bypass and efficacy of endoscopic intervention. Dig Dis Sci 2009;54:1971–8.

25. Mehran A, Szometein S, Rosental R. Management of acute bleeding after laparoscopic Rou-en-Y gastric bypass. Obes Surg 2003;13:842-7.

26. Melissas J, Koukouraki S, Askoxylakis J, et al. Sleeve gastrectomy: A restrictive procedure? Obes Surg 2007;17:57–62.

27. Nguyen NT, Rivers R, Wolfe BM. Early gastrointestinal hemorrhage after laparoscopic gastric bypass. Obes Surg 2003;13:62–5.

28. Nguyen NT, Wilson SE (2004) Gastrointestinal hemorrhage after laparoscopic gastric bypass.Obes Surg 14:1308-12.

29. Parikh A, Alley JB, Peterson RM, et al. Management options for symptomatic stenosis after laparoscopic vertical sleeve gastrectomy in the morbidly obese. Surg Endosc 2012;26:738–46.

30. Philippe M. Pascal A., Nathalie Z., et al. Diagnosis and management of the postoperative surgical and medical complication of bariatric surgery. Anaesth Crit Care Pain Med 2015;34:45-52.

31. Podnos YD, Jimenez JC, Wilson SE, et al. Complications after laparoscopic gastric bypass: a review of 3464 cases. Arch Surg 2003;138:957–61.

32. Potack J. Management of post bariatric surgery anastomotic strictures. Tech Gastrointest Endosc 2010;12:136-40.

33. Rogula T, Yenumula PR, Schauer PR. A complication of Roux-en-Y gastric bypass:intestinal obstruction. Surg Endosc 2007;21:1914-8.

34. Rosenthal RJ, Szomstein S, Kennedy CI, et al. Laparoscopic surgery for morbid obesity: 1,001 consecutive bariatric operations performed at the Bariatric Institute, Cleveland Clinic Florida. Obes Surg 2006;16:119–24.

35. Sakran N, Goitein D, Raziel A, et al. Gastrobronchial fistula as a complication of bariatric surgery : a series of 6cases. Obes Facts 2012;5(4):538-45.

36. Sapala JA, Wood MH, Sapala MA, et al. Marginal ulcer after gastric bypass: a prospective 3-year study of 173 patients. Obes Surg 1998;8:505–16.

37. Scheffel O, Weiner RA. Therapy of stenosis after sleeve gastrectomy: stent and surgery as alternatives-case report. Obes Facts 2011;4Suppl 1:47-9.

38. Schnieder C, Cobb W, Scott J, et al. Rapid excess weight loss following laparoscopic gastric bypass leads to increased risk of internal hernia. Surg Endosc 2011;25:1594–8.

39. Steele KE, Prokopowicz GP, Magnuson T, et al. Laparoscopic antecolic Roux-en-Y gastric bypass with closure of internal defects leads to fewer internal hernias than the retrocolic approach. Surg Endosc 2008;22:2056–61.

40. Steffen R (2003) Early gastrointestinal hemorrhage after laparoscopic gastric bypass . Obes Surg 13:466.

41. Strodel WE, Knol JA, Eckhauser FE. Endoscopy of the partitioned stomach. Ann Surg 1984;200:582-6.

42. Tucker ON, Szomstein S, Rosenthal RJ. Surgical management of gastro–gastric fistula after divided laparoscopic Roux-en-Y gastric bypass for morbid obesity. J Gastrointest Surg 2007;11:1673–9.

43. Ukleja A, Afonso BB, Pimental R, et al. Outcome of endoscopic ballon dilatation of strictures after laparoscopic gastric bypass. Surg Endosc 2008;22:1746-50.

44. Valli PV, Gulbler G. Review article including treatment algorithm: endoscopic treatment of luminal complications after bariatric surgery. Clinical obesity 2017;7:115-122.

Chapter 08 | 비만수술 후 추적관찰

Follow-up after bariatric surgery

비만수술은 병적비만 환자에서 체중 감량을 유지시켜 비만관련 질환을 완화 또는 예방함으로써 환자의 평생 의료비용을 줄여 주고, 생존률을 증가시키며, 건강관련 삶의 질을 높이는 것으로 알려져 있다.[6] 비만수술을 받은 환자에서의 사망률 감소는 당뇨병 및 심장질환의 완화 및 암 발생 예방에 기인하는 것으로 제시되고 있다.[15] 그러나 삶의 질 향상과 수명연장 효과는 수술만으로 이루어지는 것은 아니다. 환자들은 비만수술 후 정기적으로 비만수술센터에 방문하여 비만수술팀(bariatric team)에 의해 평생건강관리를 받을 것이 권유되는데, 이는 수술의 장기적인 성공에 매우 중요한 요소로 평가된다.[1] 즉, 수술은 병적비만을 관리하기 위한 도구이지, 그 자체로 완치가 아님을 비만수술팀과 환자 모두 기억해야 한다.

비만수술 후 추적관찰에서 중요한 이슈는 크게 적절한 체중 감량, 수술합병증 관리, 만성질환 관리, 마지막으로 건강관련 삶의 질 문제로 나누어 생각할 수 있다. 이 중 수술관련 합병증은 7장 비만수술의 합병증 관리에서 다룰 것이며, 비만수술 후 장기 합병증의 대부분은 영양결핍 관련 문제로, 9장 비만수술 후 영양관리에서 다루게 될 것이다. 그러므로 8장에서는 성공적인 체중 감량 및 유지, 만성질환 관리, 그리고 건강관련 삶의 질 향상이라는 세 영역에서 정리해 보고자 한다.

① 성공적인 체중 감량 및 유지

이 책에서 다루어진 수술방법 중 최근 전 세계적으로 가장 흔하게 시술되는 조절형위밴드술, 위소매절제술, 루와이위우회술의 평균 체중 감량 효과를 보면, 수술 1년째에 각각 수술 전 체중의 15-20%, 25%, 30% 정도가 감소된다.[3-9,15] 루와이위우회술을 받은 환자의 반 이상에서, 수술 1년 만에 수술 전 체중의 25% 이상을 감량할 수 있다. 그러나 10년 추적관찰 결과를 보면, 수술 후 평균적으로 최대감량무게의 5-10%의 체중 재증가(weight re-gain)를 보인다. 특히, 조절형위밴드술의 경우, 다른 수술법보다 수술 전의 몸무게로 되돌아갈 확률이 높게 나타나, 최근 수술의 빈도가 낮아지는 한 원인이 되고 있다.

1. 생활습관관리

건강한 생활습관을 장기적으로 유지할 수 있는 능력은 비만수술 후 성공적인 체중 감량에 중요한 요소이다. 건강한 생활습관을 유지하는 환자만이 수술의 효과로 감량된 체중을 평생 유지할 수 있다.[11] 건강한 생활습관은 수술 전에 교육되어야 하며, 수술 전에도 어느 정도 체중 감량을 이룰 수 있을 정도로 완전히 생활화되어야 한다. 다시 말해, 수술 전 건강한 생활습관을 통해 체중을 감량하는 것이, 중요한 수술 준비사항 중 하나로 받아들여진다. 수술을 준비하면서 체득한 건강한 생활습관은 평생 유지되어야 하며, 정기적인 추적관찰을 통해 확인되고, 재강화되어야 한다.

건강한 생활습관이란 개념은 언제, 얼마나, 그리고 어떻게 먹고, 자고, 움직일 것인지를 결정하는 모든 것을 포함한다. 건강한 식생활(규칙적인 식사, 적절한 식품의 선택 및 섭취량 조절), 규칙적이고 적절한 수면습관, 한 회 30분 이상의 중저강도(숨이 약간 차고, 땀이 날 정도) 운동내용을 포함한 주 5회 이상의 운동, 약물 및 중독성 물질 오남용의 중단(금연, 금주) 등에서 시작하여, 충동조절장애 및 기분장애 관리 등 정신건강 관리를 포함하는 광범위한 개념의 생활습관관리가 필요하다. 환자의 식욕 및 체중에 영향을 끼칠 수 있는 모든 상황이 생활습관관리의 대상이 된다.

2. 체중 감량기 관리

수술의 식욕저하 및 체중감소효과가 평생 유지되는 것은 아니다. 수술법마다, 환자마다 차이가 있지만, 거의 모든 환자가 수술 후 6-24개월간 식욕저하 및 빠른 체중감소를 경험한다. 식욕이 감소되어 있고, 이른 포만감을 느끼면서 빠른 체중감소를 경험하는 시기를 체중 감량기로 정의할 수 있는데, 체중 감량기가 길수록 목표체중에 도달할 가능성이 높아진다. 수술적 요인, 유전적 요인, 생활습관 요인이 모두 체중 감량기의 단축 및 연장에 영향을 끼치는 것으로 알려져 있다. 루와이위우회술을 받은 환자의 80%가 수술 후 12-18개월 사이에 초과체중(EBW, excess body weight)의 70% 이상을 감량하며, 위소매절제술도 루와이위우회술의 80% 이상 정도의 체중 감량 효과를 보인다고 알려져 있다. 조절형위밴드술을 받은 환자의 70%가 2년간 50% 이상의 초과체중 감량을 이룬다는 보고가 있다.[14] 이 체중 감량기가 지나고 나면, 환자의 생활습관이 체중의 증감을 좌우하게 되며, 체중 감량 속도도 매우 느려져 1~2년 후에는 수술하지 않은 환자와 식욕 및 체중변화 정도가 비슷해진다.

체중 감량기에는 비만수술팀 모두가 더 세심하게 환자를 추적 관찰하여, 환자가 성공적인 체중 감량을 이룰 수 있도록 교육하고 지지해야 한다. 비만수술센터에 내원할 때마다, 다양한 전문가들(비만수술 집도의, 비만관리 의사(Bariatric physician), 영양사, 정신건강 관리자, 운동처방사 등)과 만나도록 하여, 육체적, 정신적으로 큰 변화를 겪고 있는 환자를 교육하고, 지지해주며, 동기를 고취시킬 수 있어야 한다. 이 시기에 체중 감량을 충분히 이루지 못하면, 만족스러운 체중 감량 목표에 도달하기 어렵다. 이는 비만관련 질병의 관리 및 완치를 어렵게 하고, 환자의 건강관련 삶의 질 향상에도 방해가 된다.

특히, 루와이위우회술의 경우, 수술 후 3-6개월 사이 최대체중 감량(maximum weight loss)의 50%에 달하는 감량이 기대되는데, 이 시기 체중 감량 실패는 최대체중 감량의 저하 및 체중 재증가와 연관되어 있어, 환자의 주관적 수술 만족도 및 객관적인 수술성공 가능성을 낮추는 요인이 된다. 그러므로, 이 시기의 체중 감량속도를 면밀히 관찰 및 기록해야 하며, 속도가 느려지는 것이 확인되는 즉시, 원인을 찾아 수정하려는 노력이 필요하다. 체중감소를 방해하는 요인으로는, 액체상태의 고열량 및 고단순당 음식의 섭취, 과도한 허기와 쇠약감으로 인한 고지방 식품섭취 등이 흔히 알려진 원인이지만, 우울감 및 섭식장애 등 정신건강문제도 흔하며, 원인을 밝히기 힘든 경우도 많다.

체중 감량 속도가 느려지는 것이 의심되면, 면밀한 관찰과 상담을 통해 원인을 찾아 교정하는 것이 필요하며, 원인이 불분명한 경우에는 저탄수화물/고단백식이, 단백질 파우더 등 대체식품을 이용해 영양균형을 맞춘 초저열량식이 등을 시도해 볼 수 있다. 건강한 생활습관에도 불구하고 체중감소가 너무 느린 경우, 식욕저하 및 대사항진 효과를 갖는 비만치료제를 저용량으로 병용해 볼 수도 있다.

3. 체중 유지기 관리

수술 후 6개월에서 2년 정도의 체중 감량기 이후, 평생에 걸쳐 체중유지를 목표로 하는 시기를 체중유지기로 볼 수 있다. 수술 후 10년 추적관찰 자료들은 평균 5-10%의 체중 재증가를 보여주고 있으며, 이는 수술법 및 환자의 나이, 성별 및 생활습관에 따라 편차가 크다. 루와이위우회술을 받은 한국인을 추적 관찰한 경험에 비추어 보면, 수술 후 2년 후까지 꾸준한 체중감소를 보이며, 초과체중의 100%를 넘어서는 체중 감량을 보이는 경우도 있지만, 수술 6개월 후부터 체중이 줄지 않으면서, 수술 후 2년 내에 감소된 체중의 50%가 재증가하는 경우도 있었다.

체중 감량기가 지나고 나면, 식욕이 회복되고 식이의 어려움이 개선되면서, 다량의 음식을 한꺼번에 삼키는 식사습관, 폭식, 음주 등 수술 전의 나쁜 생활습관으로 돌아가려는 유혹에 빠지기 쉽다. 수술 전 확인되었던 생활습관 위험요인들을 점검하고 재교육하면서, 환자가 스스로 통제할 수 있도록 하는 긍정적인 동기화 면담이 필요하다. 검사를 통해 확인할 수 있는 영양 불균형 및 만성질환의 지표의 악화는 생활습관변화에서부터 기인했을 가능성이 크므로, 특히 집중적인 면담이 필요하며, 위험요인을 감별해 내어 수정하는 것이 중요하다.

2 만성질환 관리

체중 감량의 성공은 비만관련 만성질환의 호전 및 완치에 직접적인 영향을 미친다. 당뇨병 등 대사질환뿐만 아니라 관절염, 심비대 및 심부전, 절박성 요실금 등 다양한 건강문제가 체중감소와 함께 사라지거나, 호전된다.

1. 대사 질환 관리

표 8-1 한국 병적비만환자에서 비만치료법에 따른 만성질환 완치율(추적관찰기간 2년)[7]

	비만수술군	약물치료군	p-value
당뇨병			
유병률	102/261 (39.1)	29/224 (12.9)	<0.001
완치율	48/84 (57.1)	2/21 (9.5)	<0.001
고혈압			
유병률	149/261 (57.1)	119/224 (53.1)	0.382
완치율	40/85 (47.1)	17/86 (19.8)	<0.001
이상지질혈증			
유병률	99/261 (37.9)	93,224 (41.5)	0.312
완치율	52/62 (83.9)	23/60 (23.6)	<0.001

1) 당뇨병

당뇨병의 완치 및 관리는 그 자체로 비만수술의 목표 및 적응증이 될 만큼 중요한 질병이며, 그만큼 수술 후 관리에서 가장 유의해야 하는 질병이다. 비만수술을 준비하는 과정에서 안정적인 당뇨 관리는 수술 후 합병증 예방에 중요하며, 수술 후의 혈당 반응을 예측하는데 도움을 준다. 비만수술 전 준비로 1-2주간의 초저열량식이 및 수술 후 2-3일간의 금식은 지방간을 줄이는 동시에, 인슐린 감수성을 호전시켜, 그 이전과는 확연히 다른 혈당 반응을 보인다. 이 시기의 인슐린 요구량은 평소의 1/2-1/10 정도로 감소되는 것이 보통이다. 췌장 베타세포의 인슐린 분비능력이 좋은 상태에서 루와이위우회술을 받은 환자의 경우, 수술 후 1일째부터 혈당강하를 위한 인슐린 등 당뇨병 치료약이 불필요해지는 경우가 대부분이며, 장기적인 연구에 따라 40-80% 정도의 당뇨병 완치율을 보였다. 조절형위밴드술의 경우 체중감소와 함께 인슐린 감수성이 서서히 증가하면서 당뇨관리 효과가 나타나게 되는데, 장기적인 약 30-50%에서 당뇨병의 완치가 보고되고 있다.[15,3] 우리나라 연구에서도 **표 8-1**과 같이 비만수술을 받은 후 2년 추적관찰에서 당뇨환자의 약 57%가 당뇨병의 완치를 보였다.[7] 또한 당뇨병 관리에 있어서는, 루와이위우회술에서 65%, 조절형위밴드술에서 33%의 환자들이 당뇨병 치료제 요구량의 감소가 나타남이 보고되었다. 그러나 장기 추적관찰연구에 따르면, 72.3%에 달하던 수술 후 2년째의 당뇨병 완치율은 수술 후 15년에 30.4%로 감소되어, 상당수의 환자들이 당뇨의 재발을 경험하는 것으로 보고되었고, 이는 체중 재증가와 관련이 있다. 또한 미세혈관(microvascular) 및 대혈관(macrovascular) 당뇨합병증 발생에 있어서, 수술을 받지 않은 그룹보다 각각 56% (hazard ratio, 0.44), 32% (hazard ratio, 0.68) 정도 낮은 합병증 발생률을 보이지만, 여전히 당뇨합병증의 예방 및 관리는 중요한 건강문제로 남아있다.[16]

2) 고혈압

표 8-1과 같이 고혈압은 우리나라 비만수술 환자의 60%에서 나타날 정도로, 수술적응증이 되는 병적비만환자에서 가장 흔히 나타나는 합병증이다. 고혈압은 체중 및 수면무호흡증과 관련이 높아, 수술 후 체중이 감소하고 수면무호흡증이 호전되는 시기인 1년 동안은 대체로 혈압이 내려가서, 고혈압 약물의 용량감소 및 중단이 필요한 경우가 흔하다. 특히, 수술 후 3개월은 빠른 체중감소로 인해, 혈압저하로 인한 어지러움, 쇠약감이 나타날 만큼 혈압강하가 흔히 나타날 수 있다. 그러나, 우리나라 연구에서 나타난 비만수술 후 고혈압 완치율은 약 50% 정도로, 나머지 50% 정도의 환자들은 여전히 고혈압 관리를 위한 약물복용이 필요했으며, 이는 외국의 연구에서

도 비슷한 결과를 보이고 있다. 체중 감량 실패, 체중 재증가 및 연령증가에 따른 혈압의 상승도 언제든지 나타날 수 있으므로, 주기적인 혈압 측정 및 추적관찰이 권장된다.

3) 이상지질혈증

고지혈증 약물을 복용하거나 높은 저밀도 콜레스테롤을 보이던 환자에서, 비만수술 후 80%가 약물치료 없이 중성지방 및 저밀도 콜레스테롤(LDL, low-density lipoprotein)의 조절이 보고될 만큼, 이상지질혈증은 가장 흔하게 수술의 효과가 나타나는 대사질환이다(**표 8-1**). 그러나, 수술 후 고밀도 콜레스테롤(HDL, high-density lipoprotein)의 저하는 흔하게 관찰되며, 이는 영양불균형 및 낮은 신체활동 등과 관련된다. 그러므로 고밀도 콜레스테롤을 꾸준하게 체크하면서, 식이와 운동에 대한 생활습관교정의 지표로 사용할 수 있다. 체중 재증가와 함께 중성지방, 저밀도콜레스테롤의 상승도 가능하며, 이는 고지혈증 약물 재복용의 가능성을 높인다.

2. 대사질환 이외의 질환

1) 폐쇄성 수면무호흡증

우리나라 한 비만센터에서 루와이위우회술을 받은 환자의 70%가 수술 전에 중등도 이상의 폐쇄성 수면무호흡증이 진단될 만큼,[2] 병적비만환자에서 수면무호흡은 흔한 증상이며, 수술 후 급성기 호흡기 회복에 중요한 요소가 될 수 있다. 체중 감량에 성공한 대부분의 환자들이 수면무호흡증의 호전을 보이는 것이 사실이지만, 체중 감량에 성공했다고 판단된 환자에서도, 폐쇄성 수면무호흡증이 완치는 50% 정도에서만 나타났으며, 수술 전 수면다원검사에서, 최저산소포화도(minimum SaO_2 level)가 낮고, AHI (apnea-hypopnea index)가 높을 수록 수면무호흡 증상이 지속될 가능성은 높았다. 즉, 수술 후 체중 감량 이후에도 코골이 여부, 낮 시간의 졸림 증상

여부를 확인하여, 수면무호흡증이 의심되는 환자에서는 정확한 폐쇄성 수면 무호흡증의 평가 및 수면중 양압기 착용이 권장된다.

2) 심장 질환

병적비만으로 인한 좌심실의 비대와 기능 이상은 심부전 및 심장합병증의 주요인이다. 비만수술 후 좌심실 크기의 감소와 심근 비대의 완화를 동반한 좌심실의 이완기 기능 호전 및 좌심방 직경의 감소가 메타분석을 통해 확인되었다.[4] 우리나라 환자를 대상으로 한 연구에서는, 이런 심장기능의 호전에 체질량지수 및 내장지방의 감소가 독립적인 요인으로 작용하며, 특히 체질량지수의 감소가 심장 구조의 호전에 더 다양한 영향을 끼치는 것으로 보고되었다.[13] 즉, 성공적인 체중 감량(체질량지수 감소)이 심장의 구조와 기능 호전에 긍정적인 영향을 주어, 심부전을 포함한 심장합병증의 예방 및 이로 인한 사망률 감소에 직접적인 영향을 줄 수 있음을 의미한다. 그러나, 수술 전에 이미 심부전증이 있었거나, 관상동맥질환이 있었던 경우, 수술 및 수술 이후의 빠른 체중 감량기는 환자의 심장기능을 악화시킬 수 있으므로 면밀히 관찰되어야 하며, 적절한 예방조치가 필요하다. 관상동맥질환 등 동맥경화 관련 질환이 확인된 경우, 혈액순환개선제, 고지혈증 치료제 등 수술 전부터 적절한 약물복용 및 안정적인 관리가 필요하며, 대부분의 경우 약물치료는 평생 유지되어야 한다.

3) 역류성식도 질환[5]

비만은 그 자체로 위식도역류 질환의 발생 및 악화에 기여한다. 체중이 증가할수록 위식도괄약근 등의 기능장애가 증가하며, 이로 인한 증상은 체중 감량과 생활습관 개선으로 호전됨이 알려져 있다. 비만수술 후에는 체중 감량으로 역류성식도 질환의 위험요인이 감소할 것으로 예상되지만, 수술마다 그 효과가 다르다고 알려져 있다. 일시적인 역류성식도염 증상은 PPI (proton pump inhibitor)의 사용으로 호전될 수 있지만, 위산의 결핍은 미

네랄을 포함한 영양소 흡수장애 및 호흡기 질환의 위험요인이 될 수 있어 장기적인 사용은 권장되지 않는다.

루와이위우회술은 그 자체로 위식도역류 질환의 증상을 개선하는 효과가 있으며, 다른 수술법에 비해 증상의 호전이 빠르고 흔하다. 그러나 열공탈장(hiatal hernia)이 있는 경우, 하부식도괄약근의 기능은 저하되어 위식도역류 질환이 지속될 수 있다.

반대로, 위소매절제술은 역류성식도 질환의 발생을 증가시키거나 증상을 악화시킬 수 있으며, 이는 하부식도괄약근을 약화시키고, 위 내부의 압력을 증가시킬 수 있는 수술적 특징에 기인한 것으로 보인다. 그러나, 위소매절제술을 받은 환자에서도 장기적으로 체중감소에 따른 복압의 감소, 위식도괄약근의 회복으로 역류성식도 질환의 회복을 기대해 볼 수 있다.

조절형위밴드술 후에는 위의 낮은 내부압력과 위식도괄약근의 교감신경계 회로 강화로 인해, 대부분 역류 증상의 호전을 경험한다. 그러나, 수술 후 긴 시간이 흐른 뒤, 전에 없던 심각한 위식도역류 증상을 경험하는 경우도 있는데, 이들의 증상이 단순한 위식도역류 증상인지, 밴드와 관련된 하부식도괄약근의 긴장도 증가 및 식도의 비정상적 팽창으로 인한 거대식도(mega-esophagus)의 결과인지 감별이 필요하다. 거대식도는 밴드를 제거해야 하는 중대한 사안이며, 심각한 위식도역류증상은 비만수술을 받은 환자에서 루와이위우회술을 다시 받는 재수술의 원인이 되기도 한다.

4) 약물복용 문제

수술 후 초기에는 큰 알약이나 캡슐은 수술접합부위 등에 걸릴 수 있기 때문에 권유되지 않는다. 가능하면 씹어먹거나 녹여먹는 제형이 권고되며, 약을 부수어 먹거나 음식물과 함께 복용하는 것도 가능하지만, 서방형이나 장흡수용 코팅(enteric coated) 약은 교체가 필요하기도 하다.

루와이위우회술 후에는 수술접합부위 궤양(marginal ulcer)을 일으킬 수 있는 비스테로이드성 진통소염

제(NSAIDs, non-steroidal anti-inflammatory drugs)의 사용을 금지해야 한다. 위소매절제술이나 조절형위밴드술 후에도 비스테로이드성 진통소염제의 사용은 권고되지 않는다. 스테로이드 역시, 궤양 및 상처회복 지연과 관련되어 있어, 특별한 상황이 없는 한, 사용이 금지된다.

위소매절제술이나 조절형위밴드술은 약물의 흡수에 거의 영향을 미치지 않지만, 루와이위우회술 및 십이지장의 위치 변경이 있는 수술인 경우 약물의 흡수는 매우 달라질 수 있다. 이런 수술을 받은 후에는, 장 흡수를 위해 코팅된 약물의 제형을 교체하거나 용량의 증가가 필요할 수 있다. 항우울제를 복용하던 환자의 경우, 수술 후에 같은 효과를 위해 약물의 용량증가가 필요할 수 있다.

모든 비만수술 환자를 평가할 때, 수술 후 체중감소에 영향을 끼칠 수 있는 약물에 대한 검토 및 평가가 필요하며, 체중증가의 원인이 될 수 있는 약물의 득과 실을 따져보고, 약물 교체를 검토해야 한다.

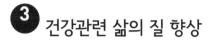

③ 건강관련 삶의 질 향상

1. 수술의 목적 및 목표체중의 설정

통계적으로 루와이위우회술을 받은 환자의 85%가 50% 이상의 초과체중(EBW)을 감량하며, 위소매절제술, 조절형위밴드술의 경우 체중 감량 효과가 이보다는 떨어진다. 이 통계의 의미를 다시 생각해 보면, 환자의 대부분은 체질량지수 25 이상에서 체중 감량이 멈추게 되며, 일부 환자들은 최대체중 감량 후에도 체질량지수 30 이상의 병적비만을 벗어나지 못하기도 한다. 의학적 기준으로는 체중 감량에 성공한 환자가, 수술 후 체중에 만족하지 못하여 수술을 실패했다고 느끼는 경우가 있는 반면, 충분한 체중 감량이 이루어지지 않았음에도 다양한 질병의 호

전 및 삶의 질 개선으로 수술의 결과에 만족하는 환자가 있다. 즉, 수술을 받은 목적, 최대 체중 감량 정도에 따라 수술 만족도는 달라질 수 있으며 이는 환자가 느끼는 삶의 질과 상호적으로 작용한다. 그러므로 수술 전에 적절한 체중 감량 목표 및 수술 목적을 의료진과 환자가 공유하고, 수술의 효과를 극대화할 수 있도록 환자의 동기를 긍정적으로 고취시키는 의료진의 노력이 중요하다.

2. 정신사회적 위험요인 관리

비만수술 후 일어나는 체중과 생활의 복합적인 변화는 환자의 자기인식과 인간관계에 적응하기 힘든 큰 스트레스가 될 수 있다. 이때의 환자들은 비난에 예민하고, 부정적인 사고에 집착하는 오류에 빠지기 쉽다. 일부의 환자들은 변화를 긍정적으로 받아들이며 높은 자존감으로 전보다 활동적이고 유연한 인간관계를 맺으며 잘 적응하지만, 일부에서는 오히려 기존의 인간관계가 단절되거나 변화에 대한 부적응으로 더 많은 갈등을 겪으며 적응장애를 일으킬 수도 있다.

또한 정신건강 문제는 식사습관과 밀접한 관련이 있다. 과도한 스트레스, 불안정한 감정상태는 식욕 증가 및 폭식, 의식하지 못하는 열량섭취, 섭식장애 등을 일으킬 수 있다. 그러므로 수술 후에는 정신건강을 평가하고 지지해 줄 수 있는 경험 있는 전문가의 개입이 필요하다.

3. 비만수술 후의 임신

비만수술 후의 임신과 출산은 임신성 고혈압과 당뇨의 가능성을 낮추며, 수술 전보다 높은 안전성과 성공률을 보인다.[8] 가임기 여성에서 병적비만은 임신을 어렵게 하는 주요 원인이 되며, 비만수술 후 초기의 빠른 체중 감량은 임신 가능성을 향상시킨다. 그러나 체중 감량기의 임신은 체중과 영양상태의 불안정성으로 산모와 태아의

건강에 치명적일 수 있으므로 수술 즉시 피임이 권장된다. 피임기간은 수술 후 보통 12~18개월로 이는 최대체중 감량에 도달 후 체중이 안정적으로 유지되는 시기까지이다. 체중 감량기에는 경구피임제의 효과가 떨어질 수 있으므로, 자궁내장치(IUD), 콘돔, 살정제(spermicide) 등 다른 피임법이 권유된다. 임신 후에는 비만수술팀과 산과 의사가 함께 협업하여, 환자의 영양상태, 특히 비타민 결핍 등을 상세히 추적관찰하고 교정할 수 있어야 한다.

참고문헌

1. Adams TD, Gress RE, Smith SC, et al. Long-term mortality after gastric bypass surgery. N Engl J Med. 2007;357(8): 753–61.

2. Bae EK, Lee YJ, Yun CH, et al. Effects of surgical weight loss for treating obstructive sleep apnea. Sleep Breath 2014;18(4):901-5.

3. Courcoulas AP, Belle SH, Neiberg RH, et al. Three-year outcomes of bariatric surgery vs lifestyle intervention for type 2 diabetes mellitus treatment: a randomized clinical trial. JAMA Surg 2015; 150: 931-40.

4. Cuspidi C, Rescaldani M, Tadic M, et al. Effects of bariatric surgery on cardiac structure and function: a systematic review and meta-analysis. Am J Hypertens 2014;27(2): 146-56.

5. El-Hadi M, Birch DM, Gill RS, et al. The effect of bariatric surgery on gastroesophageal reflux disease. Can J Surg 2014;57:139-44.

6. Farrell TM, Haggerty SP, Overby DW, Kohn GP, Richardson WS, Fanelli RD. Clinical application of laparoscopic bariatric surgery: an evidence-based review. Surg Endosc. 2009;23:930–49; Epub 2009 Jan 6.

7. Heo Y, Park J, Kim Y, et al. Bariatric surgery versus conventional therapy in obese Korea patients: a multicenter retrospective cohort study. J Korean Surg Soc 2012; 83: 335-42.

8. Hezelgrave NL, Oteng-Ntim E. Pregnancy after Bariatric Surgery: A Review. J Obes 2011; doi:10.1155/2011/501939

9. Ikramuddin S, Korner J, Lee WJ, et al. Roux-en-Y gastric bypass vs intensive medical management for the control of type 2 diabetes, hypertension, and hyperlipidemia: the Diabetes Surgery Study randomized clinical trial. JAMA 2013; 309: 2240-9.

10. O'Brien P. Surgical treatment of obesity. In: De Groot LJ, Chrousos G, Dungan K, et al., eds. Endotext. South Dartmouth, MA: MDText.com, January 19, 2016.

11. Richardson WS, Plaisance AM, Periou L, et al. Long-term Management of Patietns After Weight Loss Surgery. Ochsner Jr 2009;9:154-9

12. Schauer PR, Mingrone G, Ikramuddin S, et al. Clinical outcomes of metabolic surgery: efficacy of glycemic control, weight loss, and remission of diabetes. Diabetes Care 2016; 39: 902-11.

13. Shin SH, Lee YJ, Heo YS et al. Beneficial effects of Bariatric Surgery on Cardiac structure and Function in Obesity. Obes Surg 2017;27(3):620-5.

14. Sjööstroöm L, Lindros AK, Peltonen M, et al. Lifestyle, diabetes, and cardiovascular risk factors 10 years after bariatric surgery. N Engl J Med. 2004;351:2683–2693.

15. Sjööstroöm L, Narbro K, Sjööstroöm CD, et al. Swedish Obese Subjects Study. Effects of bariatric surgery on mortality in Swedish obese subjects. N Engl J Med. 2007;357: 741–752.

16. Sjööstroöm L, Peltoen M, Jacobson P, et al. Association of bariatric surgery with long-term remission of type 2 diabetes and with microvascular and macrovascular complications. JAMA 2014;311:2297-304.

Chapter 09 | 비만수술 후 영양관리

Nutritional management after bariatric surgery

① 서론

비만수술은 음식물의 섭취, 소화 및 흡수를 변화시킨다. 따라서 수술적으로 변화된 위장관은 영양성 합병증(nutritional complications)을 야기시킬 수 있다. 이는 위 용량의 제한, 호르몬 변화로 인한 식욕억제 및 장관의 우회로 인한 흡수장애의 결과이다. 가장 흔히 접하는 수술 후 문제점으로는 구토, 식욕부진, 배변습관의 변화, 덤핑증후군 및 비순응적인 식사습관 등이 있다. 단백 영양실조, 안과적 질환 및 신경계 질환도 드물지만 문제가 될 수 있다. 병적비만 환자들은 정의 상 영양실조 상태이며, 많은 환자에서 수술 전에 이미 비타민과 무기질(비타민 A, B6, B12, C, D, E, 티아민, 엽산, 철, 아연 및 셀레늄 등)의 영양결핍이 있다는 것을 잘 알고 있어야 한다.[1]

② 비만수술 후 영양관리

비만수술 후 영양관리는 합병증 예방과 체중감소의 유지를 위해 필수적이다. 수술 후 단백질 보충, 비타민/무기질 보충, 충분한 수분공급 및 적절한 식사계획 등이 포함된다.

1. 대량영양소(macronutrients)

1) 단백질

단백 영양실조는 수술 후 식사섭취 감소 및 소화흡수 장애로 인해 발생할 수 있다. 지속적인 칼로리 섭취의 감소는 내장단백의 유지를 위한 아미노산 공급을 위해 지방과 근육의 분해를 야기한다. 충분한 공급이 없다면 결국 단백결핍이 발생하고 알부민 등의 간단백 감소, 근육위축, 무력증, 탈모 및 빈혈 등이 유발될 수 있다. 미국비만대사외과학회(American Society for Metabolic and Bariatric Surgery, ASMBS) 지침서에 따르면 하루 60-80 g 또는 이상체중(ideal body weight) 1 kg 당 1.5 g의 단백 섭

취가 권고되고 있다.[6]

2) 탄수화물

비만수술 환자에서 탄수화물 섭취에 대한 명확한 권고량은 없다. 그러므로 중추신경계, 적혈구, 백혈구 및 신수질의 연료로 사용될 수 있는 충분한 양(하루 130 g)의 탄수화물이 공급되어야 한다.[6]

3) 지방

수술 후 환자들은 저지방, 저칼로리 식사를 하게 된다. 지방 섭취에 관한 명확한 권고량은 없으나, 심혈관 질환의 위험성을 감소시키기 위해 필요한 양 그리고 필수지방산의 요구량에 맞춰 불포화지방과 필수지방산의 섭취가 필요하다.

2. 비타민 및 무기질

비타민 및 무기질은 인체의 다양한 생물학적 과정에 필수적인 인자이다. 식욕, 영양소 흡수, 대사율, 지방 및 탄수화물 대사, 에너지 저장, 포도당 항상성 및 신경계 활동 등에 관여한다. 따라서 이들 소량영양소의 충만은 건강 뿐 아니라 수술 후 체중 감량의 성공과 유지에도 중요하다. 비만수술 후 식사량 감소 및 영양소의 흡수장애로 인해 수술 후 소량영양소 결핍의 위험이 매우 증가하므로, 비만수술 환자들은 평생 비타민과 무기질의 보충이 필요하다. ASMBS 지침서에 의하면 술 후부터 매일 하루 섭취용량의 100%를 함유하는 고역가 종합비타민-무기질제제의 섭취와 함께 추가적으로 비타민 B12, 칼슘 및 철분제제의 섭취를 권고하고 있다.[1]

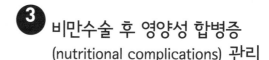

❸ 비만수술 후 영양성 합병증 (nutritional complications) 관리

1. 위장관불내성(gastrointestinal intolerance)의 관리

1) 구토

임상적으로 문제가 되는 구토는 비만수술 환자의 약 30%에서 발생한다.[11] 이는 위 용량을 줄이는 어떤 수술에서도 나타날 수 있다. 구토의 이유로는 티아민결핍증(베르니케뇌병증), 탈수, 덤핑증후군, 음식 혐오증(food aversion), 식도이완불능, 열공탈장, 음식을 제대로 씹지 않거나 너무 빨리 먹음, 위낭(gastric pouch)의 확장, 음식불내성(food intolerance), 위출구 폐색, 위식도역류 질환 및 유증상 담석 등이 있다.[4] 특별한 원인 없이 환자의 행동상의 문제라면 소량씩 먹기, 씹는 횟수 세기, 작은 그릇을 사용하기 및 음식과 물을 따로 마시기 등의 행동교정이 필요하다. 특정 음식이 수술 후 초기에는 먹기 힘들 수 있으나, 시간이 지나면서 호전된다. 다만 이러한 교정에도 구토가 지속되거나, 음식을 편안하게 섭취할 수 없다면 원인을 파악하기 위해서 혈액검사와 상부위장관조영검사 등의 진단적인 정밀검사가 필요하다.

2) 식욕부진(loss of appetite)

식욕감소는 대부분의 비만수술에서 나타나는 긍정적인 결과이며, 체중감소를 촉진시킨다. 이는 일시적으로 나타나는 결과로 수술 후 수주에서 수개월 동안 지속되며, 펩타이드 YY (peptide YY), 글루카곤양 펩타이드-1 (GLP-1) 및 그렐린(ghrelin) 등의 장 호르몬의 변화가 부분적으로 관여한다고 보고되고 있다.[4] 그러나 식욕부진이 장기간 지속되고 식이섭취의 감소가 매우 심해지면 탈수, 전해질 불균형 및 근육의 분해대사가 나타날 수 있다. 이러한 환자들에겐 양질의 단백질을 액상의 형태로 공급해야 하며 항구토제, 위장관 운동촉진제 및 식욕촉진제 등의 약물 치료도 고려할 수 있다.

3) 탈수 및 전해질 불균형

음식섭취에 심한 불내성을 보이는 환자에서는 탈수가 일차적 관심사가 된다. 섭취장애와 더불어 구토 및 설사로 인해 탈수가 악화될 수 있다. 비만수술 환자에게 탈수를 치료할 때에는 급격한 티아민 결핍과 급식재개증후군 (refeeding syndrome)의 발생을 염두에 두어야 한다. 포도당용액의 주입 시 체내에서 포도당 대사가 증가하여 티아민 및 여러 전해질의 결핍이 발생할 수 있다. 따라서 티아민 등의 비타민 공급과 칼륨, 마그네슘, 인 등의 전해질 검사 및 보충이 필요하다.[10] 또한 수술 후 탈수로 인해 심부정맥혈전증도 발생할 수 있다.

2. 신경계 합병증(neurological complications)의 관리

비만수술 후 신경계 합병증은 잘 알려져 있으며, 1) 체중 감소의 정도, 2) 구토 및 설사 등의 위장관 증상, 3) 수술 후 비만클리닉에 불참, 4) 비타민 및 무기질의 보충 부족, 5) 혈청 알부민 및 트랜스페린의 감소, 6) 술 후 합병증 발생 등의 위험인자가 있다.[3] 'APGARS 신경병증(acute post-gastric reduction surgery neuropathy)'이란 용어가 2002년에 도입되었으며 장기간 지속되는 술 후 구토, 반사저하(hyporeflexia) 및 근력약화로 특징지어지는 다발신경병증으로 정의된다. 신경병증과 관련되는 영양소는 매우 광범위하며 칼슘, 구리, 엽산, 호모시스테인, 마그네슘, 인, 티아민 및 비타민 B12, B6, D, E 등이 포함된다.[4]

1) 티아민(thiamin)

가장 심각한 영양소 결핍 중 하나가 티아민(비타민 B1) 결핍이다. 불충분한 식이섭취, 구토 및 설사 등으로 티아민 결핍이 발생할 수 있다. 티아민 결핍 시 신경근육장애,

영구적인 학습 및 기억 장애, 혼수 및 사망까지를 포함한 비가역적인 건강 문제가 나타날 수 있어 티아민 보충이 강조되고 있다.[1] 또한 티아민 결핍은 안근마비(ophthalmoplegia), 운동실조(ataxia), 정신착란(apathetic mental confusion, Korsakoff's psychosis)으로 특징지어지는 베르니케신경병증을 유발시킬 수 있다. 베르니케신경병증은 모든 종류의 비만수술 후에 보고되고 있다.[7] 티아민은 9-18일의 짧은 반감기로 인해 빨리 결핍될 수 있다. 대부분의 종합비타민제는 1.2 mg의 티아민을 함유하고 있으며, 결핍에 대한 치료는 다음과 같다.[4] 또한, 비만수술 후 구역, 구토 및 설사를 호소하는 환자에서는 예방적으로 티아민 공급을 고려해야 한다.

① 7~14일 동안 100 mg 정맥주사 후 하루 10 mg 경구투여
② 결핍이 의심되거나 혈중 농도가 낮은 경우 하루 100~250 mg 정맥투여; 결핍으로 신경계 증상이 있는 경우 첫 2~3일 간 하루 3번 500 mg 정맥투여 후 호전될 때까지 하루 250 mg 정맥투여, 그 후 위장관 증상이 소실될 때까지 하루 3번 50~100 mg 경구투여

2) 비타민 B12

비타민 B12는 상당량이 간에 저장되어 있어 5년까지 괜찮다는 보고가 있지만, 적절한 보충이 없다면 수개월에서 수년 후에 결핍이 발생할 수 있다. 비타민 B12 결핍의 징후는 대적혈구빈혈, 백혈구감소증, 설염, 혈소판감소증, 감각이상(paresthesia) 및 비가역적인 신경병증을 포함한다. 비타민 B12의 결핍은 혈장농도로 측정할 수 있으며, 정상 범위는 150-660 pmol/mL (200-900 pg/mL)이고 혈장농도가 150-200 pmol/mL 이하이면 결핍을 의심해야 한다.[2,4] 비타민 B12와 엽산은 둘 다 적혈구 성숙에 관여하여 부족 시 대적혈구빈혈을 유발할 수 있다. 또한 호모시스테인 대사에도 관여하기 때문에 비타민 B12 결핍에 대한 검사는 호모시스테인보다 메틸말론산(methylmalonic acid)이 더 특이적인 검사로 사용된다. 호모시스테인과 메틸말론산의 혈중 농도를 같이 측정하는 것

이 비타민 B12 결핍을 더 정확히 진단할 수 있고, 엽산결핍으로의 오진을 피할 수 있다.

(1) 비타민 B12 결핍의 진단

① 비타민 B12 혈중농도 < 100 pg/mL 일 때 결핍으로 진단

② 비타민 B12 혈중농도 100-300 pg/mL; 메틸말론산과 호모시스테인 농도를 측정
   - 둘 다 증가되어 있거나 메틸말론산만 증가되어 있으면 결핍으로 진단

(2) 비타민 B12 결핍 시 치료[8]

① 하루 350 μg 이상의 비타민 B12를 경구투여하거나 주당 500 μg을 비강 내 투여. 경구투여나 비강투여에도 호전되지 않으면 매달 1,000 μg 또는 6-12개월마다 1,000-3,000 μg 비경구투여(정맥주사 또는 근육주사)

② 하루 두 번 250 μg 경구투여하거나 매달 1,000 μg 주사. 비타민 B12 농도가 정상화된 후에는 하루 250-500 μg 경구투여 지속

3) 구리(copper)

구리는 신경계의 기능을 유지하는데 필수적인 영양소이며, 적혈구 생산에도 관여한다. 비록 비만수술 후 구리결핍은 드물지만 척수병증(myelopathy)의 증상이 있는 환자에서는 의심해 봐야 한다. 구리결핍에 대한 치료는 다음과 같다.[4]

① 1주일 동안 하루 6 mg 경구투여 후 다음 1주일 동안 하루 4 mg, 그후 하루 2 mg을 경구투여

② 경구투여에도 혈중 농도가 증가되지 않으면 5일 동안 하루 2 mg 씩 정맥투여

3. 영양성 빈혈(nutritional anemia)의 관리

빈혈과 관련이 있는 가장 흔한 영양소는 철, 비타민 B12 및 엽산이다. 하지만 구리, 비타민 A 및 셀레늄 결핍도 비만수술 후 빈혈과 관련이 있으며, 흔한 원인에 대한 검사 결과가 정상일 때 이들 영양소에 대한 검사가 시행되어야 한다.[8]

1) 철(iron)

철 결핍은 철저장량의 감소이며 이는 페리틴(ferritin)의 혈중농도 감소로 쉽게 진단할 수 있다. 페리틴은 급성기 반응물질로 만성 염증을 가진 환자에서 증가될 수 있기 때문에, 총철결합능(TIBC)과 혈청 철 농도가 진단에 도움을 줄 수 있다. 철결핍빈혈은 소적혈구, 소색소 빈혈이며 비만수술 후 철결핍빈혈의 발생에는 많은 원인들이 있다. 그 원인들에는 1) 위에서 염산의 생성 감소(염산에 의해 제2철(ferric iron)이 흡수성의 제1철(ferrous iron)로 변환됨), 2) 음식불내성이나 섭취제한 술식으로 고기 및 채소 등과 같은 철이 풍부한 음식의 섭취 감소, 3) 철 흡수장소인 십이지장이나 근위공장의 우회, 4) 생리가 있는 가임기 여성 등이 있다.[1] 철 결핍 초기에는 대부분 피로를 호소하지만, 철 결핍에서 빈혈로 진행되면 다음과 같은 다양한 증상이 나타날 수 있다.[4]

> **■ 철 결핍빈혈의 증상**
>
> 우울증, 실신(fainting), 탈모, 스푼형 손톱(koilonychia, nail spooning), 다리경련(leg cramping), 어지러움(light-headedness), 식욕부진, 근피로(muscle fatigue), 창백한 피부, 손발이 차가워짐, 이식증(pica), 하지불안(restless legs), 힘이 없음(weakness)

흡수제한술식을 받은 환자에서, 특히 생리가 있는 여성에서 철 결핍을 예방하기 위해, 하루 두 번 320 mg의 철(iron sulfate, fumarate 또는 gluconate)을 투여할 수 있다. 비타민 C는 철흡수와 페리틴 혈중농도를 증가시킬 수 있어 지속적인 철 결핍을 보이는 환자에서 도움이 될 수 있다.[2] 경구투여에도 철 결핍이 호전되지 않는다면 정맥주사(iron dextran, ferric gluconate 또는 ferric sucrose)를 통한 공급이 필요하다.

2) 비타민 B12와 엽산(folic acid, 비타민 B9)

비타민 B12와 엽산의 결핍은 호모시스테인(homocyste-ine)이 메티오닌(methionine)으로 변환되는 것을 막음으로써 DNA 합성에 장애를 일으켜, 대적혈구빈혈을 유발시킨다. 엽산결핍에 따른 특징적인 임상양상은 없으며, 대부분의 증상은 비타민 B12 결핍과 중복되어 나타난다. 엽산을 400-800 µg을 함유하는 종합비타민제로 결핍을 예방할 수 있으며, 결핍 시에는 하루 1 mg의 엽산으로 치료할 수 있다.[4]

3) 구리, 비타민 A 및 셀레늄

구리는 철의 흡수와 체내이용에 필요하다. 구리결핍과 관련된 빈혈은 소혈구성 또는 대혈구성 빈혈로 나타날 수 있으나, 백혈구감소증을 동반하는 것이 특징적이다. 비타민 A 결핍과 연관된 빈혈은 철 결핍빈혈과 비슷하다. 철 공급으로 빈혈이 교정되지 않는다면 비타민 A 결핍을 고려하여야 한다. 셀레늄결핍은 주로 크론병과 관련해서 보고되고 있으나, 비만수술 환자에서도 가끔 보고되고 있다. 원인 불명의 빈혈이나 피로를 호소하는 비만수술 환자에서는 셀레늄 농도를 측정하여, 결핍 시 하루 200 µg씩 경구투여가 필요하다.

4. 배변습관 변화의 관리

1) 설사

설사는 음식불내성, 덤핑증후군, 젖당불내성, 흡수장애, 세균과다증식 및 감염 등으로 발생할 수 있다. 또한 졸링거-엘리슨증후군이나 소장 또는 대장의 종양에 의해서도 발생할 수 있다. 장기간 지속되는 설사는 탈수 및 전해질 불균형을 유발할 수 있으며, 심각한 합병증을 예방하기 위해 비타민과 무기질의 보충을 필요로 한다. 설사의 치료는 식사력을 확인하는 것으로 시작하여 탄수화물 섭취를 줄이고, 불내성을 일으키는 음식을 피하며, 세균과다증식이 의심된다면 항생제나 프로바이오틱스

(probiotics)의 사용을 포함한다.[11] 항콜린제(anticholin-ergics)와 코데인(codein phosphate)과 같은 약물로 대증치료도 고려하여야 하며, 섬유질 섭취를 증가시키기 위한 영양상담도 필요하다.[5]

2) 변비

비만수술 후 발생하는 변비는 대부분 경구 철분제제와 식단조성의 문제로 발생한다. 심한 변비로 인해 철분제 복용을 힘들어하는 환자에서는 정맥주사로 공급하는 방법도 고려해 볼 수 있다. 대부분의 비만수술 환자는 위 용량의 감소와 단백질 섭취의 강조로 인해 수술 후 첫 수 개월 동안 충분한 섬유질 섭취가 어렵다. 따라서 변비를 호소하는 환자들에서도 섬유질 섭취를 증가시키기 위한 영양상담이 필요하며, 대변연화제와 설사제의 복용도 도움이 될 수 있다.

5. 단백영양실조(protein malnutrition)의 관리

1) 제지방체중의 감소(loss of lean body mass)

수술 후 치유를 향상시키고 내장단백량을 유지시키며 제지방체중의 감소를 줄이기 위해 충분한 단백섭취를 권장한다. 또한 충분한 에너지 섭취도 양성질소평형을 위해 요구된다. 그러나 비만수술 후 대부분 환자에서 권장량 이하의 단백섭취가 이루어지는데, 이는 단백의 섭취와 흡수가 위용량의 축소와 장관의 우회로 인해 제한되기 때문이다. 제지방체중의 감소는 체중감소과정의 불가피한 부분이지만, 양질의 단백섭취로 내인단백소실을 보상할 수 있다. 수술 후 충분한 섭취가 이루어질 때까지 첫 수 주 동안 액상 형태의 단백공급이 필요하다. 단백질 공급 권장량은 하루 현재 체중 1 kg당 1.2 g이며(이상체중 1 kg 당 2.0-2.1 g), 칼로리 권장량은 하루 현재 체중 1 kg 당 14-21 kcal이다.[4] 경구단백보충에도 심한 단백영양실조를 보이는 환자에게는 정맥영양이나 경관급식을 고

려하여야 한다.

2) 탈모(hair loss)

비만수술 후 탈모는 흔하게 나타난다. 탈모는 영양성 및 비영양성 원인에 의해 발생한다. 비영양성 원인에는 감염, 임신, 스트레스, 수술 및 급격한 체중감소 등이 있다. 수술 4개월 이후에 시작되는 탈모는 영양성 원인을 고려하여야 한다. 탈모의 잘 알려진 원인 중 하나가 단백결핍이고, 필수아미노산 중 L-라이신(L-lysine)은 철과 아연의 흡수에 관여하며 이 두 영양소 모두 탈모와 연관이 있다. 하지만 비만수술 후 탈모와 영양 중재에 관한 연구는 많지 않아 향후 잘 설계된 연구가 필요하다.

6. 덤핑증후군의 관리

조기덤핑증후군 및 후기덤핑증후군 모두가 비만수술과 관련이 있으며, 특히 위우회술 후에 주로 발생한다.

1) 조기덤핑증후군

조기덤핑증후군은 식사 후 10-30분에 나타나며, 환자들은 복통, 복부팽대(bloating), 구역, 구토, 설사, 홍조, 두통, 피로 및 저혈압을 호소한다. 이는 장관 내 고장성의 물질에 의한 장관내액의 증가로 발생하며, 최근에는 장관 펩타이드(gut peptide)의 분비와도 연관이 있다고 보고되고 있다. 조기덤핑증후군은 음식의 선택과 식사 행동의 변화로 치료할 수 있다. 단순당을 피하고, 섬유질 및 단백 섭취를 증가시키며, 적은 양의 식사를 천천히 먹는 것으로 증상은 호전된다. 또한 음식과 물은 따로 섭취하게 하는 것이 바람직하다. 이러한 처치에도 덤핑이 지속된다면 식사 30분 전 옥트레오티드(octreotide, 50 mg 경구투여 또는 25-50 µg 피하주사)의 사용을 고려할 수 있다.[4, 9] 덤핑증후군은 수술 12-18개월 후에는 점차 호전된다.

2) 후기덤핑증후군

후기덤핑증후군은 주로 식사 후 1-3시간에 발생하며, 반응성 저혈당(reactive hypoglycemia)이 그 원인이 된다. 증상으로는 발한(perspiration), 힘이 없음(weakness), 착란(confusion), 불안정(shakiness) 및 배고픔(hunger) 등이 있다.[9] 처치로는 조기덤핑증후군에서와 같이 당지수(glycemic index)가 높은 음식을 피하는 등의 영양 중재가 필요하다. 아카보즈(acarbose)나 옥트레오티드(octreotide)와 같은 약물 치료도 고려할 수 있다.

7. 대사성골질환(metabolic bone disease)의 관리

비만 환자들은 종종 비타민 D 결핍 상태인데, 이는 햇빛에 노출되는 경우가 감소하고, 활동량이 적은 생활방식 및 지방조직에 의해 비타민 D의 흡수와 제거가 증가되어 생체이용률이 감소하기 때문이다. 또한, 비만수술 환자에서는 변화된 위장관으로 인해 칼슘과 비타민 D의 흡수장애가 발생한다. 하지만 비만수술이 칼슘과 비타민 D 대사에 미치는 장기적인 효과는 불분명하다. 칼슘은 모든 비만수술 환자에서 골흡수(bone resorption)를 예방하기 위해 보충하는 것이 권유된다. 공급량은 수술방법에 따라 다른데, 조절형위밴드술 후에는 하루 1,500 mg, 위우회술 후에는 1,500-2,000 mg, 담췌우회술 후에는 1,800-2,400 mg의 보충이 권유되고 있다.[4] 또한, 최대 흡수를 위해 500-600 mg으로 분할하여 투여해야 한다.[10] 비타민 D는 비타민 D 함유 종합비타민제의 복용으로 하루 2,000 IU의 비타민 D3가 공급될 수 있으며, 심한 비타민 D 결핍은 하루 50,000-150,000 IU의 에르고칼시페롤(ergocalciferol) 또는 콜레칼시페롤(cholecalciferol)의 경구투여로 치료할 수 있다.

대사성골질환의 관리는 이중 에너지 방사선 흡수계측(dual-energy X-ray absorptiometry)를 이용하여 골밀도를 검사하여야 하며, 매 2년마다 검사하여 골다공증의

표 9-1 영양성 합병증 및 처치

합병증	관련 영양소	처치
대사성골질환	비타민 D 칼슘	경구투여(예방): 칼슘 1,500-2,400 mg/day 경구투여(치료): 비타민 D3 2,000 IU/day 또는 비타민 D2 50,000-150,000 IU/day
신경계 합병증	티아민 비타민 B12 구리	경구(치료): 티아민 10-100 mg x 3/day 정맥주사(치료): 티아민 100-500 mg x 3/day 경구(치료): 비타민 B12 250-350 μg x2/day 또는 1,000 μg/month 비강(치료): 비타민 B12 500 μg/week 근육주사(치료): 비타민 B12 1,000 μg/month 또는 1,000-3,000 μg/6-12 months
영양성 빈혈	철 비타민 B12 엽산	경구(치료): 320 mg x 2/day 경구(치료): 비타민 B12 250-350 μg x2/day 또는 1,000 μg/month 비강(치료): 비타민 B12 500 μg/week 근육주사(치료): 비타민 B12 1,000 μg/month 또는 1,000-3,000 μg/6-12 months 경구(예방): 엽산 400-800 μg/day
안과적 합병증	비타민 A	경구투여(치료): 혈청농도가 정상화될 때까지 하루 5,000-10,000 IU 경구투여 후 2-3개월 동안 65,000 IU 까지 투여 주사(치료): 비타민 A 25,000 IU/day

발생 유무를 파악해야 한다.[8] 대사성골질환의 위험을 감소시키기 위해 체중부하운동, 일광 노출, 금연, 칼슘과 비타민 D가 풍부한 음식 섭취, 알코올 및 카페인의 섭취 감소 등의 생활방식의 변화도 필요하다.

8. 안과적 합병증(ocular complications)의 관리

비만수술 후 환자에서 혈청 레티놀(retinol)과 베타카로틴(beta carotine)의 혈중 농도가 낮다는 것이 알려지고 있으나, 눈의 증상 호소는 드물다. 비타민 A 결핍 시 나타나는 가장 중요한 징후인 안구건조증(xerophthalmia)이 담췌우회술 후 비타민 보충을 하지 않는 환자에서 보고되고 있으며, 이는 야맹증, 각막 질환 및 실명으로 진행될 수 있다.[7] 담췌우회술 환자에서 비타민 A 결핍의 치료는 비타민 A(혈청농도가 정상화될 때까지 하루 5,000-10,000 IU 경구투여 후 2-3개월 동안 65,000 IU까지 투여)의 경구투여가 제안되고 있다.[4]

 결론

비만수술 환자에서 기본적인 혈액검사를 포함한 주기적인 관리는 소량영양소의 보충 및 합병증 예방과 치료를 위해 필요하다. 영양성 합병증의 예방 및 처치에 관해서 앞에서 기술한 것을 표 9-1에 요약하였다. 그런데, 환자들은 건강한 체중이 되거나, 식사를 잘 할 수 있거나, 다시 체중이 증가하거나, 또는 수술 후 수 년이 지나면 소량영양소의 보충이 필요하지 않다고 생각한다. 또한 많은 환자에서 소량영양소의 보충이 중요하다는 것을 알고 있지만, 약물 복용을 지속하기가 어렵고, 약을 삼키는데 어려움이 있으며, 경제적인 이유로 보충제의 복용을 중단한다. 이러한 환자들을 관리하고 환자의 순응도를 높이기 위해 전화나 편지를 통한 연락이나 후원자 미팅 등의 방법을 강구해야 한다.

참고문헌

1. Aills L, Blankenship J, Buffington C, et al. ASMBS Allied Health Nutritional Guidelines for the Surgical Weight Loss Patient. Surg Obes Relat Dis 2008;4:S73-S108.

2. Apovian CM, Cummings S, Anderson W, et al. Best practice updates for multidisciplinary care in weight loss surgery. Obesity 2009;17:871-9.

3. Ba F, Siddiqi ZA. Neurologic complications of bariatric surgery. Rev Neurol Dis 2010;7:119-24.

4. Goldenberg L, Pomp A. Management of nutritional complications. In: Nguyen NT. The ASMBS Textbook of Bariatric Surgery: Volume 1: Bariatric Surgery. New York. Springer. 2015;257-66.

5. Hamdan K, Somers S, Chand M. Management of late postoperative complications of bariatric surgery. Br J Surg 2011;98:1345-55.

6. Isom KA, Andromalos L, Ariagno M, et al. Nutrition and metabolic support recommendations for the bariatric patient. Nutr Clin Pract 2014;29:718-39.

7. Malone M. Recommended nutritional supplements for bariatric surgery patients. Ann Pharmacother 2008;42:1851-8.

8. Mechanick JI, Youdim A, Jones DB, et al. Clinical Practice Guidelines for the Perioperative Nutritional, Metabolic, and Nonsurgical Support of the Bariatric Surgery Patient-2013 Update: Cosponsored by American Association of Clinical Endocrinologists, The Obesity Society, and American Society for Metabolic & Bariatric Surgery. Surg Obes Relat Dis 2013;9:159-91.

9. Orlik GH, Holecki M, Orlik B, et al. Nutrition management of the post-bariatric surgery patient. Nutr Clin Pract 2015;30:383-92.

10. Shankar P, Boylan M, Sriram K. Micronutrient deficiencies after bariatric surgery. Nutrition 2010;26:1031-7.

11. Tucker ON, Szomstein S, Rosenthal RJ. Nutritional consequences of weight-loss surgery. Med Clin North Am 2007;91:499-514.

Chapter 10 | 비만수술 후 식사요법

Diet after bariatric surgery

1 서론

비만수술은 음식물 섭취를 제한하거나 영양소의 흡수를 억제하는 수술방법을 통해 병적비만 환자의 체중을 감소시키는 효과적인 치료법이다.[9] 비만수술 후에는 소화관구조의 변화와 식사섭취량의 제한으로 인해 여러 영양 관련 부작용들이 발생할 수 있기 때문에 수술과 관련한 불편감을 최소화하고, 영양소 결핍을 예방할 수 있도록 전문영양사에 의한 단계적 식사계획과 식사 진행에 대한 교육이 필요하다. 또한 수술 후 효과적인 체중 감량과 감소된 체중의 장기간 유지를 위해 환자의 생활습관 변화가 반드시 수반되어야 하는 만큼 주기적이고 체계적인 영양상담이 권장된다.[1,2,9] 이번 장에서는 비만수술 후 식사요법과 영양교육의 실제에 대해 소개하고자 한다.

2 비만수술 후 식사관리 시 고려사항

1. 비만수술 후 식사의 단계적 진행

비만수술 후 영양관리의 목적은 수술 후 상처 회복과 급격한 체중감소 동안 제지방체중(lean body mass)의 보존을 위해 적절한 열량과 영양소를 공급하고, 수술 후 발생할 수 있는 역류, 조기포만감, 덤핑증후군 등의 합병증을 최소화하는 것이다. 이를 위해서는 계획된 프로토콜에 따라 단계적으로 식사가 진행되어야 한다.[1,9] 수술 후 식사 진행에 대한 프로토콜은 기관에 따라 차이가 있으나[1,2,4,6-8], 일반적으로 맑은 유동식(clear liquid diet), 전유동식(full liquid diet), 반고형식(semi-solid/pureed diet), 부드러운 고형식(soft solid diet), 일반식(regular diet)으로 진행한다.[4,5,8,11] 수술 후 1-2일 동안 맑은 유동식을 섭취하고 수술 후 첫 주 동안은 소량씩 정해진 섭취량을 지키면서 전유동식으로 진행한다. 이 단계에서는 탈수 예방을 위해 수분을 소량씩 자주 섭취하고, 단백질 보충제를 섭취하도록 한다. 2-4주에는 야채나 과일, 곡류를 삶아서 으깬 형태의 부드러운 음식을 추가하고, 4-6주에는 부드러운 고형식, 즉 갈거나 다진 육류, 통조림 과일, 부드러운 생과일, 부드러운 채소, 계란과 곡류 등을 섭취할 수 있다. 이후에는 단백질 공급을 중심으로 채소, 과일, 전곡류 등이 포함된 균형잡힌 일반식으로 진행하는데, 다양한 식품과 새로운 질감의 음식을 천천히 시도해야 한다.[4,5,8,11] 각 단계의 기간(duration)은 수술방법과 환자의 순응도를 고려하여 개별적인 조정을 해나가야 한다 (표 10-1).

대부분의 국내 의료기관의 경우 수술 직후 수분을 매우 소량 적시는 수준의 초기 단계를 제외한 유동식, 연식, 상식 등의 3단계의 식사로 진행되고 있다. 수술 후 처음 시작하는 유동식의 경우 쌀미음과 조미음, 탈지우유, 저지방 우유, 무가당 주스 및 무카페인 음료와 단백질 보충제 등을 제공한다. 다음 단계인 연식의 경우 흰죽과 저지방의 담백한 영양죽, 연두부찜, 부드러운 생선살, 계란찜, 다진 살코기, 익힌 채소, 무가당 주스, 저지방 우유 및 저열량의 차(tea), 그리고 단백질 보충제 등을 권장한다. 마지막 단계인 상식의 경우 수분이 촉촉한 흰쌀밥을 주식으로 연식에서 제공되었던 식품 이외에 부드러운 생과일, 질기지 않은 채소 및 살코기와 단백질 보충제 등을 섭취할 수 있으며, 이 단계에서도 카페인 함유 음료와 탄산음료, 술 및 단당류를 포함한 아이스크림, 꿀, 설탕 등은 제한하도록 한다.[3]

표 10-1 비만수술 후 식사 진행[2]

수술 후 경과시간	식사지침
1~2일	맑은유동식(clear liquids) – 무가당, 무카페인, 무탄산, 무알코올 소량씩 천천히 마시기 1일 1,500 mL 미만, 200 mL 이상/hr 초과하지 않도록 공기가 들어갈 수 있으므로 빨대로 마시지 않기
3~7일	맑은 유동식과 전유동식(full liquids)을 1:1 비율로 – 저지방 우유, 두유, 플레인 요거트, 스프류 수분 섭취 1일 1,500~1,900 mL 전유동식에 대두단백질가루 첨가(1회 단백질 20 g 미만) 복합비타민/무기질 보충제(씹어먹을 수 있는 형태)
2~3주	부드럽고 촉촉한 형태의 저지방/고단백 식품(계란, 코티지 치즈, 생선, 가금류, 살코기, 익힌 콩) 1일 4~6회 식사(1회 분량 1/4컵 미만) 단백질 우선 섭취(적어도 1일 60 g 이상) 수분 섭취 1일 1,500~1,900 mL
4~6주	푹 익힌 채소, 부드럽고 껍질 벗긴 과일 또는 통조림 과일 새로운 고형식품을 한 가지씩 추가하여 시도 1일 4~6회 식사(1회 분량 1/2컵 미만) 단백질 우선 섭취(1일 60~80 g) 수분 섭취 1일 1,500~1,900 mL 식전 30분, 식후 30분-1시간 이내 음료 섭취하지 않도록 삼키기 전에 꼭꼭 씹어먹기
7주 이상	1일 섭취량은 키, 체중, 나이에 맞게 균형식(살코기, 생선, 과일, 채소, 전곡류) 섬유소가 많은 생과일, 생채소는 주의(샐러리, 옥수수, 파일애플, 오렌지 등) 1일 3회 식사와 2회 간식(1회 분량 1컵 미만) 수분 섭취 1일 1,500~1,900 mL 식전 30분, 식후 30분-1시간 이내 음료 섭취하지 않도록 삼키기 전에 꼭꼭 씹어먹기

2. 비만수술 후 부작용과 관련된 식사관리

비만수술은 체중감소 기전에 따라 제한술식(restrictive procedure)과 흡수억제술식(malaborptive procedure), 두 가지 방법이 혼합된 혼합술식(mixed procedure)으로 분류된다. 제한술식에 해당되는 조절형위밴드술(adjustable gastric banding, AGB)과 위소매절제술(sleeve gastrectomy, SG)은 위용량을 제한함으로써 섭취량을 줄이는 기전이며, 소화관의 기능변화는 없기 때문에 대사적 합병증의 위험은 적은 편이다. 담췌우회술(biliopancreatic diversion, BPD)과 같은 흡수억제술은 위용량이 줄어들며 소화관의 구조변화로 흡수불량 상태가 된다. 루와이위우회술(Roux-en-Y gastric bypass, RYGB)은 혼합술식 수술방법으로 위용량 감소와 영양소 흡수불량의 문제가 있다.[2] 조절형위밴드술 후에는 위-식도 연결 부위가 좁아지기 때문에 고형식의 부피에 영향을 받고 조기포만감이 발생할 수 있다.[11] 또한 빨리 먹거나 충분히 잘 씹지 않을 때, 또는 과식 후 구토가 자주 발생한다. 지속적인 구토, 메스꺼움, 복부통증, 설사, 변비 등이 지속될 경우에는 박테리아 과성장, 궤양, 누공, 장막힘 등의 문제가 없는지 확인이 필요하다.[2]

위소매절제술 또는 루와이위우회술 후 첫 8주 동안 수술부위 협착으로 인해 구토가 자주 발생할 수 있고, 장기적으로도 위용량보다 많은 음식을 먹을 때 구토가 발생할 수 있다. 권장된 1회 섭취분량을 초과하지 않도록 하고, 꼭꼭 씹어서 천천히 섭취하는 것이 중요하다. 루와이위우회술 후 첫 몇 달 동안 덤핑증후군이 흔하게 발생하며, 조기덤핑증후군은 식후 10-30분에 발생하며 단 것을 줄이고, 소량씩 섭취하고, 식후 30분 이내에 수분 섭취를 피하면 예방 가능하다.[11] 덤핑증후군 예방을 위해 단백질, 섬유소, 복합탄수화물의 섭취를 증가시키면 도움이 된다.[2]

이와 같이 비만수술 후에는 소화관구조의 변화와 식사섭취량의 제한으로 인해 여러 영양 관련 부작용들이

발생할 수 있다. 환자는 잘못된 식품선택과 식행동이 역류, 구토, 설사, 복부통증, 덤핑증후군과 같은 소화기계 증상을 초래할 수 있음을 인지하고 이러한 문제를 예방하기 위해 식행동을 변화시키는 것이 중요하다(표 10-2). 또한 수술 후 발생할 수 있는 소화기계 증상을 완화하기 위한 식사 전략에 대해서도 알고 있어야 한다(표 10-3).

3. 비타민/무기질 보충제 복용

수술 후 식사량 감소 및 영양소 흡수장애로 인해 식사만으로는 영양소 필요량을 충족시키기 어렵기 때문에 영양보충제의 복용에 대한 교육이 반드시 이루어져야 한다. 비만수술 후에는 매일 하루 섭취 용량의 100%를 함유하는 종합비타민/무기질제제 2정(조절형위밴드술의 경우는 1정)을 복용하도록 권장하며, 수술 후 초기에는 씹어먹을 수 있는 형태의 종합영양제를, 이후 연식 형태의 식사가 가능해지면 알약 형태를 복용하도록 한다. 비타민과 미량영양소 결핍 증상은 비특이적이며 결핍이 심

표 10-2 수술 방법에 따른 수술 후 식행동 지침[11]
AGB, adjustable gastric banding ; RYGB, Roux-en-Y gastric bypass; SG, sleeve gastrectomy

식행동	설명
식사를 거르지 않고 규칙적으로 식사한다.	식사 간격이 길어지면 메스꺼움과 배고픔이 유발되어 다음 끼니 때 더 빨리 또는 더 많이 먹게 되어 부작용이 발생할 수 있다(AGB, SG, RYGB).
소량씩 섭취한다.	적은 양으로도 포만감이 느껴지지만 과잉섭취를 피하기 위해서는 부피가 적은 그릇이나 유아용 숟가락 등을 이용할 수 있다(AGB, SG, RYGB).
음식을 잘게 잘라서 섭취한다.	잘게 잘라 섭취하면 저작이 용이하고(AGB) 더 많이 먹는다는 인식을 하게 한다(AGB, SG, RYGB).
잘 씹는다.	충분히 씹지 않으면 기문이 막힐 위험이 있고(AGB) 빨리 먹을 위험이 있다(AGB, SG, RYGB).
천천히 섭취한다.	빨리 먹으면 과식의 위험이 있고(AGB, SG, RYGB) 통증과 역류의 위험이 있다(AGB).
먹을 때 산만하지 않도록 한다.	TV를 보거나 컴퓨터를 하면서 식사를 할 경우 과식의 위험이 있고 음식을 음미하지 못한다(AGB, SG, RYGB).
식사 때 음료를 마시지 않는다.	식사 때 함께 물이나 음료를 섭취하면 잘 저작되지 않은 음식이 씻겨 내려가 통증, 역류, 막힘의 원인이 된다(AGB). 위용량이 적기 때문에 수분을 함께 섭취하면 고형 식사량이 줄어들 수 있고, 덤핑증상을 일으킬 수 있다(SG, RYGB).

표 10-3 비만수술 후 흔히 발생하는 증상과 식사관리

증상	식사관리
메스꺼움, 구토	새로운 음식을 먹은 후 메스꺼움이나 구토가 있을 경우 며칠 중단했다가 다시 시도 너무 빨리 먹거나 많이 먹거나, 잘 씹지 않고 먹는 경우 메스꺼움과 구토가 나타날 수 있음
덤핑증후군	단순당 또는 지방이 많이 함유된 식품 섭취 시 메스꺼움, 구토, 어지러움, 식은 땀, 설사 등의 증상이 유발됨
어깨 및 가슴 상부의 통증	먹는 동안 통증이 있을 경우 일단 식사를 멈추고 통증이 가라 앉은 후 식사
탈수	수분섭취 부족으로 탈수가 초래될 수 있는데, 특히 지속적인 메스꺼움, 구토, 설사가 있을 경우 주의가 요구됨 1일 6컵 이상의 수분 섭취 권장
변비	수술 후 초기에는 일시적으로 변비가 나타날 수 있으나 음식 섭취량이 증가되면서 점차 해결됨 변비 재발 예방을 위해 과일 및 과일 주스 사용이 권장
설사	고섬유소식, 기름진 음식, 우유 및 유제품, 너무 뜨겁거나 찬 음식은 제한 소량씩 자주 먹고, 수분을 충분히 공급

표 10-4 비만수술 전후 영양소 모니터링[2,4]

BPD, biliopancreatic diversion; DS, duodenal switch; LABG, laparoscopic adjustable gastric banding; RYGB, Roux-en-Y gastric bypass

영양소	결핍증상	혈액검사 모니터링 일정			
		수술 전	수술 후 3개월	수술 후 6-9개월	매년
비타민 B1	정신혼란, 혼미, 다발성신경염, 메스꺼움, 구토, 변비	√	√	√	√
비타민 B12	빈혈, 신경병증, 인지장애	√	√	√	√
비타민 D	골다공증	√	√	√	√
칼슘	저칼슘혈증, 경직, 위경련	√	√	√	√
엽산	거대적아구성 빈혈 신경증상	√	√	√	√
철	피로감, 허약감, 불안감, 과민함, 피카(pica), 스푼형 손톱, 머리카락 갈라짐	√	√	√	√
비타민 A	야맹증, 안구건조증, 면역기능 감소				(BPD/DS, RYGB)
비타민 K	출혈, 응고지연				(BPD/DS)
아연	면역기능저하, 상처회복 지연, 식욕부진, 미각/후각 감퇴				(BPD/DS, RYGB)
구리	빈혈, 백혈구 감소				(BPD/DS, RYGB)

할 때 증상으로 나타나기 때문에 혈액 검사를 통해 비타민/무기질의 영양상태를 주기적으로 모니터링 해야 한다 (표 10-4). 보충제 복용에 대한 순응도를 확인하면서 지속적인 섭취가 이루어질 수 있도록 교육하는 것이 필요하며 식사에서도 여러 가지 영양소를 골고루 섭취할 수 있도록 다양한 식품의 섭취가 권장되어야 한다.

❸ 비만수술 후 장기간의 식사관리

수술 후 효과적인 체중 감량과 감소된 체중을 장기간 유지하기 위해 환자의 생활습관 변화가 반드시 수반되어야 함을 이해하고 실천할 수 있도록 돕는 것이 필요하다. 장기적인 체중감소 및 유지를 위한 가이드라인은 다음과 같다.[10,11]

① 영양밀도 높은 식품과 균형 잡힌 식사를 하도록 한다.
   - 살코기, 전곡류, 저지방 유제품, 채소, 과일, 적당량의 불포화기름과 견과류를 골고루 적당량 섭취한다.
② 끼니를 거르지 않고 규칙적인 식사를 한다.
   - 수시로 충동적으로 먹는 것을 최소화 하기 위해 3회 식사와 계획된 간식을 규칙적으로 섭취한다.
③ 열량밀도는 높으면서 영양소함량은 낮은 식품은 피한다.
   - 예. 과자, 패스트리, 초콜릿, 사탕, 튀긴 음식, 가공육 등
④ 칼로리 함유 음료수는 피한다.
   - 예. 과일주스, 술, 에너지 드링크, 스포츠음료, 청량음료, 과량의 우유 등
⑤ 배고프지 않을 때 먹지 않도록 한다.
⑥ 비타민/무기질 보충제를 복용한다.
⑦ 식사기록(food journals)을 작성한다.
   섭취한 식품과 음료에 대한 기록을 통해 환자 스스로 잘못된 식품선택과 문제되는 식행동을 확인하여 개선하는데 도움이 된다.
⑧ 운동하고 활동적인 생활을 한다.
   - 30분 이상의 중등도의 신체활동을 가급적 매일 한다.
⑨ 체중을 정기적으로 모니터링 한다(적어도 주 1회 체중 측정 권장).
⑩ 수술의, 영양사, 심리학자를 주기적으로 만난다.

❹ 비만수술 후 영양교육의 실제

다음은 비만수술 환자의 영양교육프로그램의 실례를 소개하고자 한다(그림 10-1).

비만수술을 고려하는 단계에서 영양상담이 의뢰된다. 초기 영양상담에서는 평소 식습관과 식생활에 영향을 미칠 수 있는 행동적, 정신적, 문화적, 경제적 문제와 생화학적 검사결과, 비만도, 영양상태 등에 대한 영양문제를 진단하고, 평가결과를 토대로 개별화된 영양중재를 통해 적절한 식사계획을 수립한다. 또한 비만수술에 대한 올바른 이해를 도모하고, 수술 후 생활습관 변화가 반드시 동반되어야 함을 인식시킨다. 수술 전 식습관의 교정과 적절한 운동을 통한 체중 감량은 비만수술 합병증의 위험을 줄일 뿐만 아니라 장기적인 체중 감량에도 효과가 있다. 수술을 위해 입원을 하게 되면 영양과에 타과 의뢰되어 수술 후 경구 섭취 진행 방법 및 식사 오더

그림 10-1 비만수술 환자의 영양교육 프로그램 예시

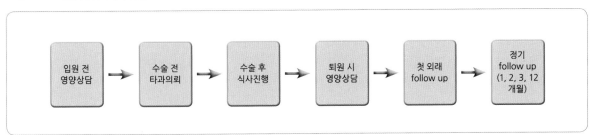

표 10-5 비만수술 환자의 영양교육 예시

교육시점	교육목표	교육내용

입원 전	수술 후 생활 습관 변화 필요성 인식 및 동기 부여	1. 수술 전 식습관 평가 및 교정
		  ① 식사요법의 중요성과 수술과의 관계
		  ② 올바른 식사 원칙(규칙적으로, 골고루, 알맞게)
		  ③ 식습관 개선을 위한 식사 지침(술, 염분, 지방, 섬유소, 외식, 간식)
		  ④ 열량 처방에 따른 식사 및 간식 계획
		  ⑤ 활동량 증가를 위한 운동 요법
		2. 식습관 개선을 위한 과제 부여(예. 음료수, 과자 제한)

수술 전	수술 후 경구 섭취 진행 방법 안내	1. 수술 후 식사 진행 계획 및 섭취 기록표 작성방법 교육
		2. 수술 직후 식사 진행 시 주의 사항 및 섭취 방법
		  (물 → 경구유동식)
		  [그림 10-2. 경구유동식 진행 계획] 참고

수술직후	성공적인 경구 섭취 진행을 통한 적절한 수분 및 영양공급	1. 수술 후 1회량(volume)의 제한이 중요하므로 물 섭취를 포함한 경구 섭취 진행단계를 철저히 따를 수 있도록 교육
		 – 식사 진행
		  ① 물 소량씩 섭취: 30 mL → 60 mL → 90 mL → 120 mL
		    1시간 간격으로 정해진 양 만큼, 3시간 간격으로 진행
		  ② 경구 유동식의 예: 1일 800 kcal, 단백질 60 g
		    (수술방법, 환자상태에 맞게 개별 조정, 단백질 60~80 g)
		    1일 6회에 나누어 제공, 1회량 주의(120 mL 미만)

퇴원 전	성공적인 경구 섭취 진행을 통한 적절한 수분 및 영양공급	1. 퇴원 후 [경구 유동식 → 죽식] 진행 일정 및 식사 준비 요령 교육
		  ① 식사 진행 요령 [경구 유동식(2주) → 죽식(2주 이상)]
		  ② 퇴원 후 경구 유동식 준비 방법
		    (영양보충음료 구입처 안내 포함)
		  ③ 죽식 준비 방법 및 식사 요령
		  ④ 종합영양제 복용의 필요성 및 섭취 방법 안내
		  ⑤ 충분한 수분 섭취 격려
		  ⑥ 죽식 섭취량 기록표 작성 방법
		    [그림 10-2. 죽식 진행 계획] 참고
		2. 식사 조절 및 생활 습관 변화 필요성 인식 및 지속적 실천을 위한 동기 부여
		  : 규칙적이며 균형 잡힌 식사, 단순당질 및 기름진 음식 제한, 충분한 수분 섭취, 종합영양제 복용, 운동

퇴원 후 첫 외래	• 섭취량 및 식사 관련 불편 증상 모니터링 • 적절한 식사 이행 • 균형잡힌 식사와 신체 활동 증가	1. 식사 이행 정도 및 섭취량/식사관련 문제 평가 2. 수분섭취량, 종합영양제 복용, 체중변화, 검사결과 확인 3. [죽식 → 상식] 이행 요령 교육 4. 식사 조절 및 생활 습관 변화 실천 격려 : 규칙적이며 균형 잡힌 식사, 단순당질 및 기름진 음식 제한, 충분한 수분 섭취, 종합영양제 복용, 운동
장기관리	• 섭취량 및 식사 관련 불편 증상, 보충제 복용, 활동량 모니터링 • 지속적인 식사/운동 관리를 위한 정보 제공 및 심리적 지지	1. 섭취량(열량, 단백질), 수분섭취량, 종합영양제 복용 여부, 소화 관련 불편 증상, 활동 정도에 대한 평가 2. 식사 진행 요령(죽식 → 상식) 3. 불편감 해소를 위한 식사 요령 4. 활동량 증가를 위한 운동 요법 5. 지속적인 식사 관리 격려

표 10-6 비만수술 후 식사 진행 계획표 예시

_____님 경구유동식 진행 계획

시간	식사내용		1일	2일	3일	4일	5일	6일	7일
식전 배고픔 정도		심함/보통/적음 구분							
오전 8시	고단백영양음료	120 mL							
식전 배고픔 정도		심함/보통/적음 구분							
오전 10시	무(저)지방 우유	120 mL							
	단백질 가루	10 g(1봉지)							
오전 수시로	물(1회 120 mL 미만)	500 mL							
	종합비타민제	1정							
식전 배고픔 정도		심함/보통/적음 구분							
오후 12시	고단백영양음료	120 mL							
식전 배고픔 정도									
오후 3시	영양음료	120 mL							
	+단백질 가루	10 g(1봉지)							
오후 수시로	물(1회 120 mL 미만)	500 mL							
식전 배고픔 정도		심함/보통/적음 구분							
저녁 5시	고단백영양음료	120 mL							
식전 배고픔 정도		심함/보통/적음 구분							
저녁 8시	영양음료	120 mL							
	+단백질가루	10 g(1봉지)							
저녁 수시로	물(1회 120 mL 미만)	500 mL							
	종합비타민제	1정							

_____님 죽식 진행 계획

시간	식사내용		1일	2일	3일	4일	5일	6일	7일
식욕상태		심함/보통/적음 구분							
오전 7시	흰죽	200 g 이하							
	육류(소/돼지/닭고기) 다져서	80 g							
	채소찬(부드러운 나물)	2가지							
	국 제외/ 김치 제외								
오전 10시	고단백영양음료	100 mL							
	+단백질 가루	10 g(1봉지)							
오전 수시로	물(1회 120 mL 미만)	500 mL							
	종합비타민제	1정							
식욕상태		심함/보통/적음 구분							
오후 12시	흰죽	120 g 이하							
	생선류(구이/찜)	100 g							
	채소찬(부드러운 나물)	2가지							
	국 제외/ 김치 제외								
오후 2시	플레인 요거트	110 g							
오후 4시	영양음료	100 mL							
	+단백질 가루	10 g(1봉지)							
오후 수시로	물(1회 120 mL 미만)	500 mL							
식욕상태		심함/보통/적음 구분							
저녁 6시	흰죽	200 g 이하							
	두부(구이/찜) 또는 계란찜	80 g / 100 g							
	채소찬(부드러운 나물)	2가지							
	국 제외/ 김치 제외								
저녁 8시	고단백영양음료	100 mL							
저녁 수시로	물(1회 120 mL 미만)	500 mL							
	종합비타민제	1정							

에 대한 계획을 수립하고, 환자에게는 수술 후 식사 진행 계획 및 섭취 기록표 작성방법을 교육하게 된다. 수술 후 경구 미음 섭취가 시작되면, 식사 순응도와 식사관련 불편감을 모니터링하고, 퇴원 후 식사방법에 대한 교육을 실시한다. 수술 후 첫 외래 진료(퇴원 후 2주 후) 시 영양 상담을 통해 식사섭취량, 식사 관련 불편 증상, 보충제 복용 여부, 수분 섭취량, 활동량을 평가하고 식사 이행여부를 결정한다. 또한 지속적으로 균형 잡힌 식사와 신체 활동 증가를 위해 영양 정보 및 심리적 지지를 제공한다. 이후에는 1개월, 3개월, 6개월, 1년 후 진료 시마다 영양교육이 함께 이루어지고 있다. 각 단계에서의 영양교육의 목표와 교육내용은 표 10-5와 표 10-6와 같다.

❺ 결론

비만수술 후 발생할 수 있는 영양문제는 적절한 식사요법을 통해 조절 가능하며 장기적인 체중 감량에 성공하기 위해서는 지속적인 식습관과 생활습관의 변화가 유지되어야 한다. 환자의 수술과 관련한 불편감을 최소화하고, 영양소 결핍을 예방할 수 있도록 수술 전 단계에서부터 수술 직 후, 퇴원 후에 이르기까지 단계적인 식사진행에 대한 교육과 모니터링이 이루어져야 하며, 장기적인 체중감소를 최대화 하기 위해서는 장기적인 통원 치료 기간 동안 지속적인 영양교육과 상담이 권장된다.

참고문헌

1. Allied Health Sciences Section Ad Hoc Nutrition Committee: Aills L, Blankenship J, Buffington C, et al. ASMBS Allied Health Nutritional Guidelines for the Surgical Weight Loss Patient. Surg Obes Relat Dis 2008;4:S73-108.

2. Handzlik-Orlik G, Holecki M, Orlik B, et al. Nutrition management of the post-bariatric surgery patient. Nutr Clin Pract 2015;30:383-92.

3. HJ B. Perioperative nutritional management of morbid obesity. J Metab Bariatr Surg 2016;5:4-10.

4. Isom KA, Andromalos L, Ariagno M, et al. Nutrition and metabolic support recommendations for the bariatric patient. Nutr Clin Pract 2014;29:718-39.

5. Kulick D, Hark L, Deen D. The bariatric surgery patient: a growing role for registered dietitians. J Am Diet Assoc 2010; 110:593-99.

6. Leahy CR, Luning A. Review of nutritional guidelines for patients undergoing bariatric surgery. AORN J 2015;102:153-60.

7. McMahon MM, Sarr MG, Clark MM, et al. Clinical management after bariatric surgery: value of a multidisciplinary approach. Mayo Clin Proc 2006;81:S34-45.

8. Mechanick JI, Kushner RF, Sugerman HJ, et al. American Association of Clinical Endocrinologists, The Obesity Society, and American Society for metabolic & bariatric surgery medical guidelines for clinical practice for the perioperative nutritional, metabolic, and nonsurgical support of the bariatric surgery patient. Surg Obes Relat Dis 2008;4:S109-84.

9. Mechanick JI, Youdim A, Jones DB, et al. Clinical practice guidelines for the perioperative nutritional, metabolic, and nonsurgical support of the bariatric surgery patient--2013 update: cosponsored by American Association of Clinical Endocrinologists, The Obesity Society, and American Society for metabolic & bariatric surgery. Obesity 2013;21: Suppl1:S1-27.

10. Sarwer DB, Dilks RJ, West-Smith L. Dietary intake and eating behavior after bariatric surgery: threats to weight loss maintenance and strategies for success. Surg Obes Relat Dis 2011;7:644-51.

11. Shannon C, Gervasoni A, Williams T. The bariatric surgery patient--nutrition considerations. Aust Fam Physician 2013;42:547-52.

Chapter 11 | 비만수술의 장기적 효과

Long-term outcomes after bariatric surgery

 서론

비만수술의 장기적 효과는 체중 감량, 대사질환에 대한 효과 등 여러 가지가 있을 수 있다. 본 장에서는 체중 감량 효과에 초점을 맞추어 비만수술의 장기적 효과에 대해 정리하였다. 참고로 2015년 발표된 미국비만대사외과학회(American Society for Metabolic and Bariatric Surgery, ASMBS)의 비만수술 결과 보고 표준화 안에 따르면 3년 미만의 결과를 단기 추적 관찰로, 3년에서 5년을 중기 추적 관찰로, 5년 이상을 장기 추적 관찰로 구분하고 있다.[15]

1. 비만수술의 체중 감량 효과에 대한 보고의 표준화

비만수술의 효과를 정확히 비교하기 위해, 보고 방법의 표준화에 대한 필요성에 공감하여 미국비만대사수술학회에서는 비만수술 보고 표준화 안을 최근 발표한 바 있다. 체중 감량 효과의 표준화된 보고 방법을 살펴보자.[15]

비만수술의 체중 감량 효과를 보고하기 위해서는 다음의 변수들을 포함하여야 하는데, 최초 체중과 최초 체질량지수(Body Mass Index (kg/m^2), BMI)는 수술 전 기간 중에 수술 시점과 가장 가까운 시점의 체중과 BMI이다.

1) 대상 집단 최초 BMI의 평균
2) BMI 변화량(ΔBMI) = 수술 후 BMI – 최초 BMI
3) 총 체중감소율(Percent of total weight loss, %TWL) = [[(최초 체중)-(수술 후 체중)]/(최초 체중)] × 100
4) 초과 BMI 감소율(Percent excess BMI loss, %EBMIL)= [(BMI 변화량)/(최초 BMI-25)] × 100 또는, 초과체중 감소율(Percent excess weight loss, %EWL) = [[(최초 체중) – (수술 후 체중)]/[(최초 체중) – (이상 체중)]] × 100

여기서, 이상 체중은 BMI 25에 해당하는 체중을 의미한다.

➋ 비만수술과 비수술적 치료의 장기적 효과 비교

SAGES (Society of American Gastrointestinal and Endoscopic Surgeons) 진료지침이나 NICE (National Institute for Health and Clinical Excellence (UK)) 진료지침에 따르면, 생활습관 개선, 식이제한, 약물요법 및 수술적 방법 등을 포함한 다면적 개입이 비만의 최선의 치료법이다. 그러나 비수술적 방법의 효과는 만족스럽지 않으며, 특히 BMI 40 이상으로 병적비만 환자에서는 수술적 방법이 표준 치료법으로 인정받고 있다.[22, 26]

비만수술과 비수술적 치료를 비교한 초창기 무작위배정 임상연구는 수직위성형술과 비수술적 치료를 비교한 연구로 6개월째는 두 군에 체중감소의 차이가 없었으나, 2년째는 체중변화량에서 큰 차이로 수술적 치료가 좋은 결과를 보였다(수술 군 30.5 kg, 비수술 군 8.0 kg).[5,6] 다른 연구는 공장회장우회술을 비수술적 치료와 비교

한 무작위배정 임상연구로, 2년째 추적에서 평균 체중 감량 차이가 37 kg으로 수술적 치료가 좋은 결과를 보고하였다.[66] 하지만 30년 가까이 지난 오래된 연구이며, 현재는 잘 시행되지 않는 수술방법을 사용한 연구였다. 비만치료에서 가장 유명한 연구 중에 하나인 SOS (Swedish Obese Subjects study)는 비수술적 치료와 비만수술의 효과에 대해서 20년 가까운 장기적 추적 결과를 보고한 바 있으며, 포함된 환자 수에 있어서도 4,000명이 넘어가는 대규모 연구이다.[73] SOS연구 결과에 따르면 비수술적 치료에 비해, 비만수술의 체중감소 효과가 뚜렷하며, 장기간 유지되는 것을 알 수 있다.

현재 사용되는 비만수술법에 대한 비수술적 치료와의 비교 연구들은 1997년부터 발표되어 왔으며, 대상수는 한 군에 100명 미만의 소규모 연구들이 대부분이었다. 이러한 연구들의 메타분석이 시행되었는데, 2013년에 시행된 메타분석은 추적기간이 2년 미만인 연구들이 대부분이어서 장기간 효과로 보기 어려운 면이 있으나, 모든 수술 방법에서 비수술적 방법보다 좋은 체중 감량

그림 11-1 Swedish Obese Subjects study에서 20년 평균 체중변화율 *From Sjostrom L et al., JAMA 2012*[73]

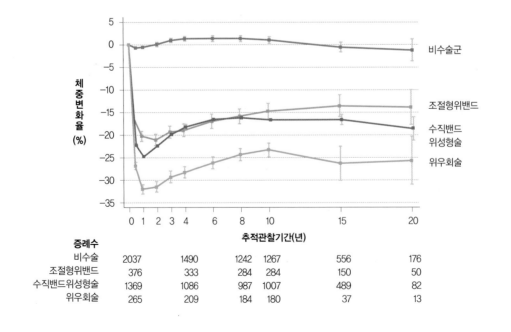

효과를 보이는 것으로 분석되었다.[30] Cheng 등에 의해 시행된 메타분석에서는 3년 이상 장기 결과에서도 비만 수술이 비수술적 치료에 비해 우수한 체중 감량 효과를 보였고, BMI 30에서 35의 중등도 비만 환자에서도 비만 수술이 비수술적 치료에 비해 유의하게 우수한 체중 감량 효과를 보이는 것으로 분석되었다.[20]

수술 방법이 다양하게 적용되고 있다는 약점이 있고, 대상자 수가 비교적 적은 연구들이 많이 있기는 하지만 병적비만 치료에 있어서 비수술적 치료에 비해 비만수술의 장기적 체중 감량 효과가 우월하다는 것은 일관되게 보고되고 있다.

그림 11-1에서 보는 바와 같이 각 수술 방법에 따라 비만수술의 장기적 효과에도 차이가 있기 때문에 이후로는 각 수술 방법 별로 장기적 효과를 살펴 보겠다.

❸ 복강경 조절형위밴드술
(Laparoscopic adjustable gastric banding)

조절형위밴드술 후 체중감소는 다른 비만수술과 마찬가

지로 1년째까지 급속히 진행되고, 2-3년까지 점진적으로 이뤄지다가, 이후 안정화된다. 5년째를 보면 보통 초과체중의 50-55%, 총 체중의 20-25% 정도 감소한다.[24, 73] 조절형위밴드술의 경우 다른 비만수술에 비해 체중감소가 느리고, 점진적이며, 잦은 추적 관찰을 통해 밴드를 자주 조절해 줄 필요가 있다.

조절형위밴드술에 대한 미국 FDA (Food and Drug Administration) 관련 다기관 임상시험이 두 건이 있었다. Lap-Band를 이용한 임상시험과 Swedish Band를 이용한 임상시험이 각각 있었다. Lap-Band 임상시험의 경우 총 292명 환자 중 259명이 복강경으로 밴드를 삽입했으며, 위주변 박리 방법(perigastric dissection)이 이용되었다. 6개월째에 26.5%, 1년째에 34.5%, 2년째에 37.8%, 3년째에 53.6%의 초과체중감소율을 보고하였다.[68] Swedish Band 임상시험에는 276명의 환자가 참여하였고, 모든 환자에서 복강경 pars flaccida 방법으로 밴드를 삽입하였다. 평균 초과체중감소율은 3년째에 41.1%였다.[64]

Naef 등의 전향적 임상시험에는 BMI 40을 초과하는 환자들을 포함하였으며, 총 128명의 환자가 참여하였다. 복강경을 이용하여 pars flaccida 방법으로 Swedish Band를 삽입하였다. 평균 초과체중감소율은 1, 2, 5년째 각각 33.3, 45.5, 57.4%를 보고하였다.[56]

그림 11-2 조절형위밴드술의 평균 초과체중감소율, 5년 이상 추적 결과를 보고한 25개 관찰 연구 포함 *From Dixon J et al., Circulation 2012*[24]

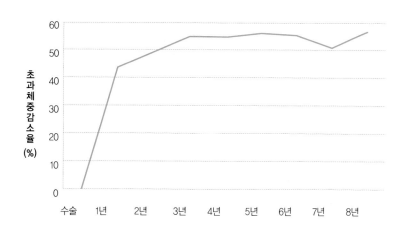

표 11-1 조절형위밴드술의 장기성적(10년 이상)

저자	발표연도	환자수	평균연령	평균 BMI (m/kg²)	최장추적기간(년)	추적률(%)	재수술 (%)	초과체중감소율(%)				
								10년	11년	12년	13년	15년
Miller[51]	2007	554	35	46.7	12	92	8.5	62				
Favretti[27]	2007	1,791	38.7	46.2	12	91	19	38.5				
Lanthaler[44]	2010	276	38.6	44	10	80	53	64				
Naef[55]	2010	167	40.1	44.2	11	94	15.6	48.8				
Himpens[35]	2011	154	50	41.6	15	54.3	59.8			42.8		
Stroh[77]	2011	200	41.5	47.9	12	83.5	30.5	30.8		33.3		
O'Brien[57]	2013	3,227	47.1	43.8	17	81	43	47.2		47.5		
Aarts[1]	2014	201	37	45.6	15	99	67	41				
Toolabi[79]	2016	80	32	44.5	13	82.5	78.5		49.7		47.1	
Arapis[9]	2017	897	39.5	45.6	18	90.4	54.8	41.9				42.1
Carandina[18]	2017	301	39.9	45.2	16	80.6	41.9	38.7				35.1

Angrisani 등의 무작위배정 임상시험에 의하면, 5년째 초과체중감소율은 평균 47.5%로 보고된 바 있다. 이는 루와이위우회술(%EWL: 66.6%)에 비해 유의하게 낮은 결과였다.[8] Juodeikis 등의 무작위배정 임상시험에서도 5년째 초과체중감소율은 평균 47.3%였다(그림 11-2).[39]

5년이 초과한 장기 효과를 비교한 전향적 무작위 배정 연구는 없으며, 5년 이상의 장기적인 효과에 대해서는 코호트연구나 증례 일련 연구가 대부분이다.

장기 효과가 포함된 메타분석으로 O'Brien의 연구가 대표적인데, 5년째 54%, 8년째 59%의 초과체중감소율을 보이는 것으로 분석되었다.[58] 또한 Dixon의 연구에서도 5년째와 8년째 약 55% 정도의 초과체중감소율을 보이는 것으로 보고하였다.[24]

10년 이상의 장기간 효과를 보고한 연구들을 표로 정리하였다(표 11-1). 연구에 따라서 조금씩 다른 결과들을 보여 주고 있으나, 앞서 언급했던 3년에서 5년 정도의 중기 성적들과 비교하여 비슷하거나 약간 낮은 성적을 보여주고 있다.

Golzarand 등은 조절형위밴드술의 장기성적을 발표한 논문들을 모아서 메타분석을 하였고, 5년 이상의 장기 성적과, 10년 이상의 초장기 성적을 분석하여 발표하였다. 체중감소에 대한 장기 효과는 초과체중감소 47.94%였고, 초장기 효과도 47.43% 정도로 분석되어, 5년 이상이 넘어가면서 체중감소 효과는 크게 변하지 않는 것을 알 수 있었다.[31]

조절형위밴드술의 체중감소 효과는 장기적으로도 어느 정도 유지되는 것을 알 수 있으나, 장기적인 면에서 볼 때, 표 11-1에서 눈 여겨 볼 부분은 재수술 시행률이다. 연구마다 다양하게 보고되고 있으나, 중간값 43%, 가장 높은 경우 78.5%까지 재수술 시행률을 보고하고 있다. 사소한 합병증에 의한 재수술까지도 포함되어 있지만, 시간이 경과함에 따른 밴드 관련 합병증이 발생률이 꾸준히 증가하면서 재수술 시행률도 증가한다. 조절형위밴드술이 보급되고 시간이 경과하면서, 장기간 추적관찰에서 보여지고 있는 합병증이나 재수술 시행에 관해 더욱 관심이 커지고 있는 상황이다.

Shen 등의 메타분석에 의하면, 10년 이상 추적 관찰한 환자들에서 밴드 위치교정술 5.4%, 밴드 교환술 6.2%, 밴드 제거술 10.0%, 다른 비만수술로의 전환 10.2%, 포트 관련 재수술 13.9%가 시행되었다. 밴드 삽입 후 10년 이상 추적 관찰한 환자들에서 발생한 장기적 합병증으로는 밴드 미끄러짐/위낭 확장이 가장 빈발하여 15.3%를 차지하였고, 포트관련 합병증이 11.1%, 밴드 누출 6.5%, 역류성 식도염 5.0%, 밴드 미란 3.9%, 식도 확장 3.6%, 정신적 문제 2.7%, 밴드 감염 1.2%가 발생한 것으로 분석되었다.[70] Lazzati 등의 대규모 데이터베이스 연구에 의하면, 위밴드 삽입 후 시간 경과에 따라 밴드제거율이 점차 증가하여 7년째에는 40%의 밴드가 제거되는 것으로 조사되었고, 이 중 약 2/3에서 교정수술(revisional surgery)이 필요하였다.[46] 따라서 조절형위밴드술을 고려할 때는 환자에게 충분하게 정보를 제공하고 서로 논의를 하는 것이 필요하겠다.

④ 위소매절제술

비만수술의 수술 후 합병증 발생률 및 사망률이 높은 초고도비만 환자를 위한 단계적 비만수술의 한 단계로서 개발된 위소매절제술은 그 자체로 비만수술 효과가 있는 것으로 밝혀지면서, 비만수술의 한 종류로 자리잡게 되었다. 따라서 비교적 최근에 시행되기 시작하였으나, 술기가 비교적 간단하고, 효과도 받아들일만 하기 때문에, 빠르게 확대되고 있는 추세이다. 본 장에서 살펴보고 있는 장기적 효과에 대해서는 5년 정도의 효과에 대해서는 많은 논문이 발표되고 있으나, 10년 이상 추적 관찰된 논문은 거의 없는 실정이다(그림 11-3).

3년 이상의 장기적 체중감소 효과에 대해 보고한 논문들 중 일부의 결과를 표로 정리하였다(표 11-2).

몇몇 보고를 제외하고는 수술 후 5년째에 50%를 상회하는 평균 초과체중감소율을 보이는 것을 알 수 있는데, Juodeikis 등의 메타분석에 따르면 5년째 초과체중감소율은 평균 58.4%였다.[40] Golzarand 등의 메타분석에서

그림 11-3 일차 비만수술 양상의 변화

American College of Surgeons National Surgical Quality Improvement Program database From Khorgami et al. Surgery for Obesity and Related Disease 2017 [42]

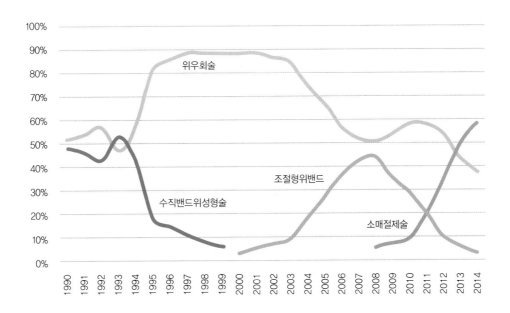

표 11-2 위소매절제술의 장기 성적

저자	발표 연도	환자수	평균 BMI (m/kg²)	추적기간 (년)	5년 이상 추적률(%)	초과체중감소율(%)				
						5년	6년	7년	8년	11년
Gadiot[29]	2017	277	44.8	8	55	59	58.7	58.7	53.9	
Arman[10]	2016	110	38.5	>11	57.2			75.9		62.5
Alexandrou[4]	2015	30	55.5	5	83.3	56.4				
Musella[54]	2014	175	4709	5	58.1	68.1				
Lemanu[48]	2015	96	50.7	5	57.2	40				
Zhang[81]	2014	32	38.5	5	84.3	63.2				
Abd Ellatif[2]	2014	1,395	46	8	62	61	59	57		
Prevot[65]	2013	84	47.7	5	61.9	43				
Sieber[72]	2013	41	43	5	91	57.4				
Catheline[19]	2013	65	49.1	5	82	50.7				
Brethauer[14]	2013	23	50.7	5	79	49.5				
Eid[25]	2012	74	66	8	93	51	52	43	46	
Rawlins[67]	2012	55	65	5	89	85.8				
Sarela[69]	2011	20	45.9	>8	65				69	
Himpens[36]	2010	53	39	6	78		53.3			
Bohdjalian[12]	2010	26	48.2	5	80.7	55				

는 5년 경과 후 초과체중감소율은 평균 53.23%로 분석되었다.[31] 표 11-2에서 5년 이후까지 추적한 연구의 결과들을 보면 시간 경과에 따라 초과체중감소율이 약간 감소하는 듯하지만, 해당 환자수가 작아진다는 것을 감안하면, 단정할 수는 없겠다. 높은 추적률을 갖춘 장기간 추적 결과를 기다려 봐야 하겠다.

가장 많이 시행되어 왔고, 비만수술의 표준 술식으로 여겨지는 루와이위우회술과 소매절제술을 비교하여 장기적 효과를 평가한 연구들이 보고되고 있다. 3년 이상 추적 기간을 갖는 무작위배정 임상연구 결과를 표로 정리하였다(표 11-3).

위소매절제술과 루와이위우회술의 중기 체중감소 효과에 대해서는 루와이위우회술이 더 좋은 것으로 알려져 있으나, 가장 최근 보고된 Peterli 등의 연구에서는 통계적으로 유의미한 차이를 보이지는 않았다(표 11-3). 보다 장기간의 추적관찰이 필요할 것으로 생각되지만, 적어도 중기 체중감소 효과 면에서는 위소매절제술이 루와이위우회술과 비등한 체중감소 효과를 가지는 것으로 생각할 수 있겠다.

위소매절제술과 루와이위우회술에 대한 메타분석이 이뤄지고 있는데, 최근 보고된 Shoar 등의 연구에 의하면, 포함된 연구들에 이질성이 높다는 점이 문제점이

표 11-3 소매절제술과 루와이위우회술을 비교한 무작위배정 임상연구(추적기간 3년 이상)

저자	발표 연도	환자수(추적률 %)		추적기간 (년)	일차 평가변수	초과체중 또는 BMI 감소율(%)		
		LSG	RYGB			LSG	RYGB	P-value
Kehagias[41]	2011	30 (93)	30 (96)	3	체중감소	68.5	62.1	0.13
Zhang[81]	2014	32 (81.2)	32 (87.3)	5	체중감소	63.2	76.2	0.02
Yang[80]	2015	30 (100)	30 (100)	3	당조절	81.9	92.3	0.003
Peterli[63]	2017	107 (98.1)	110 (96.4)	3	체중감소	70.9	73.8	0.296

LSG 복강경 위소매절제술; RYGB 루와이위우회술

긴 하지만, 중기(3-5년)의 체중감소에 대해서는 두 수술 간에 차이가 없는 것으로 분석되었으나, 장기(5년 이상) 의 체중감소에서는 루와이위우회술에 유의하게 우수한 결과를 보였다.[71] Osland 등이 시행한 무작위배정 임상연구를 대상으로 한 메타분석에서는 단기(1년) 효과에는 차이가 없었으나, 장기(3년 이상)에서는 루와이위우회술의 체중감소 효과가 더 우수한 것으로 분석되었다.[61]

위소매절제술 후 장기 추적 관찰 중에 재수술을 하는 경우가 있는데, 크게 두 가지 경우가 흔하게 거론되고 있다. 체중감소 실패 혹은 체중 증가와 위식도역류 질환이다. 체중감소 실패나 체중 증가는 술식에 상관없이 발생할 수 있는 문제이며, 발생할 경우 비만 관련 대사 질환이 다시 악화될 수 있다. 위소매절제술이 널리 사용되면서, 위소매절제술 후 체중 재증가가 보고되고 있다.[36, 48, 69] 아직 정확한 원인이나 현상에 대해 정확히 알려진 바는 없는데, Lauti 등의 체계적 문헌고찰 연구에 의하면 체중 재증가는 위소매절제술 후 흔하게 나타나고 있어, 이에 대한 체계적인 연구가 필요하다고 지적하고 있으며, 부지의 크기나 남은 위 전정부의 크기, 위 기저부가 남는 경우, 위소매(sleeve)의 확장, 상승된 그렐린 수치, 나쁜 생활 습관 등이 체중 재증가와 연관이 있을 것으로 생각된다고 하였다.[45]

또한 위식도역류 질환은 비만과 연관이 있기 때문에 수술 전부터 위식도역류 질환이 동반된 환자가 있을 수 있다. 그렇지만 수술 전에는 없던 위식도역류 질환이 수술 후에 새롭게 발생할 수도 있다. 위소매절제술의 경우, 위의 부피가 줄어들고, 위 기저부가 제거되기 때문에 위 내부 압력이 올라간다. 또한 위하부식도괄약근의 압력이 낮아질 수 있고, 위소매의 어느 부위가 좁은 경우, 위소매가 꼬이는 경우, 위저부가 남는 경우 등에서 위식도역류 질환이 잘 발생하는 것으로 생각된다. 위소매절제술 후 새롭게 발생하는 위식도역류 질환은 2.1에서 21%까지 보고되고 있다.[75]

5 루와이위우회술

루와이위우회술은 비만수술의 표준술식으로 여겨지고 있다. 널리 시행된 지도 상당한 시간이 흘렀다. 그렇지만 복강경을 이용한 루와이위우회술이 보급되어 사용되고, 복강경 루와이위우회술의 5년 이상의 장기 성적에 대한 연구가 처음 보고된 것은 2007년도이다.[38] 비수술적 치료에 비해서는 물론이고, 주요 비만수술, 즉 조절형 위밴드술이나 위소매절제술과 비교해서도 체중감소 효과가 좋고, 그 효과가 장기간 유지되는 것으로 여겨지고 있다[50] (그림 11-4).

루와이위우회술 후 5년 이상의 장기적인 체중감소

그림 11-4 비만 술식에 따른 예측 체중의 변화율의 차이 *From Maciejewski et al., JAMA Surg 2016*[50]

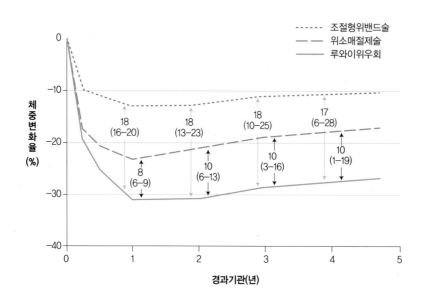

그림 11-5 루와이위우회술 후 초과체중감소율의 변화 *From Monaco-Ferreira et al., OBES SURG 2017* [52]

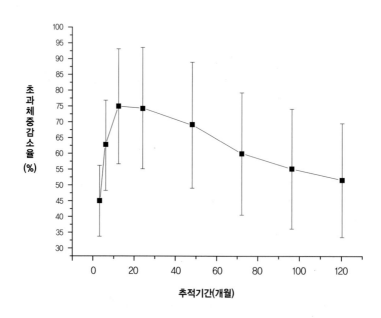

효과를 보고한 연구를 표로 정리하였다(표 11-4).

표 11-4를 보면 5년째에 대부분 연구에서 60% 이상의 초과체중감소율을 보이는 것을 알 수 있다. 10년째까지도 50% 이상 유지된다. 그런데 10년째에서는 약간 떨어지는 양상을 보이는데, 장기간으로 가면 추적률이 낮아지기 때문에 부정확한 면이 있는 것을 감안해야 한다. 정확한 파악을 위해서는 높은 추적률을 갖는 장기간의 추적 결과가 필요하다.

표 11-4 루와이위우회술 후 장기적 성적(5년 이상 추적)

저자	발표 연도	환자수	평균 BMI (m/kg²)	최장추적 기간(년)	추적률(%)	재수술(%)	초과체중감소율(%)		
							4년	5년	10년
Jan[38]	2007	492	49	5	38	9		58.6	
Christou[21]	2009	886	50.9	7	55	3		75.2	
Boza[13]	2010	91	39.6	5	73.6	9.9		92.9	
Hauser[33]	2010	70	50	5	NR	12.9		59	
Higa[34]	2011	242	NR	10	27	32		68.6	57.1
Suter[78]	2011	379	46.3	7	89.9	12.1		62.7	
Himpens[37]	2012	77	40.3	10	68	NR			62.9
Spivak[74]	2012	105	48.2	10	NR	17.1	81.1	58.5~75.6	
Lee[47]	2012	494	40.5	9	56	3.6		60.1	
Angrisani[7]	2013	24	43.8	10	87.5	28.6			69
Atfab[3]	2014	203	46	5	91	NR		59	
Caiazzo[16]	2014	681	49.8	5	60.9	NR		51.6	
Leyba[49]	2014	75	42.1	5	63.2	NR		69.8	
Gullick[32]	2015	663	49.4	5	17.8	NR		60.7	
Kothari[43]	2017	1402	47.5	12	>70%	NR			56
Monaco-Ferreira[52]	2017	166	NR	10	26.5	NR			51.6
Olbers[60]	2017	81	45.5	5	100	26		64.4*	
Perrone[62]	2017	142	46.8	5	99.3	NR		72.3	

*초과 BMI 감소율(%)
NR, not reported

Golzarand 등의 메타분석에 의하면, 5년 이상의 장기 효과로는 초과체중감소율이 62.8%로는 분석되었으며, 10년 이상의 초장기 기간에서는 초과체중감소율이 63.52로 분석되었다.[31]

루와이위우회술에서도 장기간 경과하면서 체중이 다시 늘어나는 경우가 있을 수 있다. 비만수술 관련한 대부분의 그래프처럼, 그림 11-5에서도 마찬가지 모양을 볼 수 있다. 체중 재증가는 아직 합의된 기준이나 분류가 없는 상태이다. 장기 추적 중에 부딪히는 중요한 문제 중에 하나가 체중 재증가이기 때문에, 이에 대한 보다 구체적인 연구를 위해서는 명확한 기준과 분류를 마련하는 것이 우선이 될 것이다. 수술 후에 가장 낮았던 체중의 15% 이상 찌는 경우를 체중 재증가로 보는 입장이 있다.[59] Monaco-Ferreira 등의 연구에 의하면, 6년째 17%, 8년째 36.5%, 10년째 41%의 환자에서 체중 재증가가 발생하는 것으로 보고하였고, 다른 연구에서도 비슷한 결과를 보였다.[52] 브라질 비만대사외과학회(SBCBM)에서는 2015년에 Recidivism이라는 개념을 제안한 바 있다. 체중이 다시 증가하는 것을 정의하고 분류하고자 하는 노력으로 이에 대해 함께 논의할 필요가 있을 것이다.[11] Still 등은 체중 재증가와 임상변수와의 상관 관계를 분석하여, 철분부족과 초과 BMI 감소율과의 상관관계를 보고한 바 있고[76], Cambi 등은 다학제 팀 추적 진료에 참석하지 않는 경우에 체중 재증가가 잘 발생하고, 철분, 비타민 B12 등 영양소 부족도 관련이 있는 것으로 보고하였다.[17] 가장 최근 발표된 연구에서는 영양소와의 연관성은 찾지 못했고, 젊은 환자에서 체중 재증가가 더 잘 발생한다고 보고하였다.[52] 장기간 경과하면서 체중 재증가가 있을 수 있으며, 아직 명확한 원인을 밝혀지지 않았으나, 꾸준한 진료, 상담을 통한 관리는 필요하다.

장기적으로 루와이위우회술 후에 주로 발생하는 합병증은 내부탈장과 담석증, 변연궤양이다. Aftab 등은 161명의 루와이위우회술 후 5년 동안 내부탈장으로 4례, 변연 궤양으로 3례, 담낭절제술 10례를 시행했다고 보고하였고,[3] Higa 등은 10년 추적관찰 중에 242명 중에 39명의 내부탈장, 11명의 변연궤양, 17례의 담낭절제술 등을 보고하였다. 내부탈장은 주로 Peterson's hernia이며, 개복 수술에서는 흔치 않던 합병증이, 복강경 수술 도입으로 빈발하게 되어 장간막을 철저하게 폐쇄하는 방법으로 수술방법을 변화하고서는 발생빈도가 줄었다고 언급하고 있다.[34] 복강경 수술의 경우 유착이 덜 생기면서 장기가 자유롭게 이동할 수 있기 때문에, 내부 탈장이 잘 발생하는 것으로 생각되며, 따라서 수술 시에 장간막 결손 부위나 Peterson 공간은 반드시 폐쇄해 주어야 한다.

담석증 관련하여서는, 십이지장이 폐쇄되어 십이지장으로 음식물이 지나가지 않는 것이 원인일 수 있다는 의견이 있어 왔다. Coupaye 등은 위소매절제술과 루와이위우회술에서 담석증 발생률을 비교하는 연구를 시행하였고, 두 군에서 담석 발생률에 차이가 없음을 보고하였고, 담석 발생률과 관련있는 인자는 6개월째 체중감소 정도와 연관이 있는 것으로 보고하였다.[23] 아직 명확한

원인규명은 안됐지만, 비만수술 후 담석증 발생 가능성이 있기 때문에, 술식에 관계 없이 담석증 예방을 위한 처방이 필요할 수도 있겠다.

위공장 문합부에서 위산에 공장이 노출되기 때문에 변연궤양이 발생할 수 있다. 흔하지는 않지만 궤양 천공이 발생하면 생명을 위협하는 심각한 상황이 초래되기 때문에 유의해야 한다. 원인에 대해서는 논란이 있는 상태이다. 환자의 당뇨, 고혈압, 비스테로이드 항염제의 사용이나 흡연과 관련이 있다는 연구자가 있는가 하면, 당뇨, 관상동맥질환, 소화성 궤양, 비스테로이드성 항염제의 사용이나 흡연은 연관이 없다고 보고하는 연구자도 있다. 변연궤양의 발병율은 1에서 16%까지 연구자에 따라 다양하게 보고하고 있다.[53] Felix 등에 의하면 변연궤양 천공 발생률은 약 1%로 보고하였다. 천공이 발생하면 일차봉합 및 그물막봉착술을 시행하거나 천공이 큰 경우는 문합부 절제 및 재건을 시행한다.[28,53]

참고문헌

1. Aarts EO, Dogan K, Koehestanie P, et al. Long-Term Results after Laparoscopic Adjustable Gastric Banding: A Mean Fourteen Year Follow-up Study. Surg Obes Relat Dis 2014;10:633-40.

2. Abd Ellatif ME, Abdallah E, Askar W, et al. Long Term Predictors of Success after Laparoscopic Sleeve Gastrectomy. Int J Surg 2014;12:504-8.

3. Aftab H, Risstad H, Sovik TT, et al. Five-Year Outcome after Gastric Bypass for Morbid Obesity in a Norwegian Cohort. Surg Obes Relat Dis 2014;10:71-8.

4. Alexandrou A, Athanasiou A, Michalinos A, et al. Laparoscopic Sleeve Gastrectomy for Morbid Obesity: 5-Year Results. Am J Surg 2015;209:230-4.

5. Andersen T, Backer OG, Stokholm KH, et al. Randomized Trial of Diet and Gastroplasty Compared with Diet Alone in Morbid Obesity. N Engl J Med 1984;310:352-6.

6. Andersen T, Stokholm KH, Backer OG, et al. Long-Term

(5-Year) Results after Either Horizontal Gastroplasty or Very-Low-Calorie Diet for Morbid Obesity. Int J Obes 1988;12:277-84.

7. Angrisani L, Cutolo PP, Formisano G, et al. Laparoscopic Adjustable Gastric Banding Versus Roux-En-Y Gastric Bypass: 10-Year Results of a Prospective, Randomized Trial. Surg Obes Relat Dis 2013;9:405-13.

8. Angrisani L, Lorenzo MBorrelli V. Laparoscopic Adjustable Gastric Banding Versus Roux-En-Y Gastric Bypass: 5-Year Results of a Prospective Randomized Trial. Surg Obes Relat Dis 2007;3:127-32; discussion 32-3.

9. Arapis K, Tammaro P, Parenti LR, et al. Long-Term Results after Laparoscopic Adjustable Gastric Banding for Morbid Obesity: 18-Year Follow-up in a Single University Unit. Obes Surg 2017;27:630-40.

10. Arman GA, Himpens J, Dhaenens J, et al. Long-Term (11+Years) Outcomes in Weight, Patient Satisfaction, Comorbidities, and Gastroesophageal Reflux Treatment after Laparoscopic Sleeve Gastrectomy. Surg Obes Relat Dis 2016;12:1778-86.

11. Berti LV, Campos J, Ramos A, et al. Position of the Sbcbm - Nomenclature and Definition of Outcomes of Bariatric and Metabolic Surgery. Arq Bras Cir Dig 2015;28 Suppl 1:2.

12. Bohdjalian A, Langer FB, Shakeri-Leidenmuhler S, et al. Sleeve Gastrectomy as Sole and Definitive Bariatric Procedure: 5-Year Results for Weight Loss and Ghrelin. Obes Surg 2010;20:535-40.

13. Boza C, Gamboa C, Awruch D, et al. Laparoscopic Roux-En-Y Gastric Bypass Versus Laparoscopic Adjustable Gastric Banding: Five Years of Follow-Up. Surg Obes Relat Dis 2010;6:470-5.

14. Brethauer SA, Aminian A, Romero-Talamas H, et al. Can Diabetes Be Surgically Cured? Long-Term Metabolic Effects of Bariatric Surgery in Obese Patients with Type 2 Diabetes Mellitus. Ann Surg 2013;258:628-36; discussion 36-7.

15. Brethauer SA, Kim J, El Chaar M, et al. Standardized Outcomes Reporting in Metabolic and Bariatric Surgery. Obes Surg 2015;25:587-606.

16. Caiazzo R, Lassailly G, Leteurtre E, et al. Roux-En-Y Gastric Bypass Versus Adjustable Gastric Banding to Reduce Nonalcoholic Fatty Liver Disease: A 5-Year Controlled Longitudinal Study. Ann Surg 2014;260:893-8; discussion 98-9.

17. Cambi MP, Marchesini SDBaretta GA. Post-Bariatric Surgery Weight Regain: Evaluation of Nutritional Profile of Candidate Patients for Endoscopic Argon Plasma Coagulation. Arq Bras Cir Dig 2015;28:40-3.

18. Carandina S, Tabbara M, Galiay L, et al. Long-Term Outcomes of the Laparoscopic Adjustable Gastric Banding: Weight Loss and Removal Rate. A Single Center Experience on 301 Patients with a Minimum Follow-up of 10 Years. Obes Surg 2017;27:889-95.

19. Catheline JM, Fysekidis M, Bachner I, et al. Five-Year Results of Sleeve Gastrectomy. J Visc Surg 2013;150:307-12.

20. Cheng J, Gao J, Shuai X, et al. The Comprehensive Summary of Surgical Versus Non-Surgical Treatment for Obesity: A Systematic Review and Meta-Analysis of Randomized Controlled Trials. Oncotarget 2016;7:39216-30.

21. Christou NEfthimiou E. Five-Year Outcomes of Laparoscopic Adjustable Gastric Banding and Laparoscopic Roux-En-Y Gastric Bypass in a Comprehensive Bariatric Surgery Program in Canada. Can J Surg 2009;52:E249-58.

22. Committee SG. Sages Guideline for Clinical Application of Laparoscopic Bariatric Surgery. Surg Obes Relat Dis 2009;5:387-405.

23. Coupaye M, Castel B, Sami O, et al. Comparison of the Incidence of Cholelithiasis after Sleeve Gastrectomy and Roux-En-Y Gastric Bypass in Obese Patients: A Prospective Study. Surg Obes Relat Dis 2015;11:779-84.

24. Dixon JB, Straznicky NE, Lambert EA, et al. Laparoscopic Adjustable Gastric Banding and Other Devices for the Management of Obesity. Circulation 2012;126:774-85.

25. Eid GM, Brethauer S, Mattar SG, et al. Laparoscopic Sleeve Gastrectomy for Super Obese Patients: Forty-Eight Percent Excess Weight Loss after 6 to 8 Years with 93% Follow-Up. Ann Surg 2012;256:262-5.

26. Excellence NIfHaC, 'National Institute for Health and Clinical Excellence: Guidance', in Obesity: The Prevention, Identification, Assessment and Management of Overweight and Obesity in Adults and Children, ed. by National Institute for Health and Clinical Excellence (London: 2006).

27. Favretti F, Segato G, Ashton D, et al. Laparoscopic Adjustable Gastric Banding in 1,791 Consecutive Obese Patients: 12-Year Results. Obes Surg 2007;17:168-75.

28. Felix EL, Kettelle J, Mobley E, et al. Perforated Marginal Ulcers after Laparoscopic Gastric Bypass. Surg Endosc 2008;22:2128-32.

29. Gadiot RP, Biter LU, van Mil S, et al. Long-Term Results of Laparoscopic Sleeve Gastrectomy for Morbid Obesity: 5 to 8-Year Results. Obes Surg 2017;27:59-63.

30. Gloy VL, Briel M, Bhatt DL, et al. Bariatric Surgery Versus Non-Surgical Treatment for Obesity: A Systematic Review and Meta-Analysis of Randomised Controlled Trials. BMJ 2013;347:f5934.

31. Golzarand M, Toolabi KFarid R. The Bariatric Surgery and Weight Losing: A Meta-Analysis in the Long- and Very Long-Term Effects of Laparoscopic Adjustable Gastric Banding, Laparoscopic Roux-En-Y Gastric Bypass and Laparoscopic Sleeve Gastrectomy on Weight Loss in Adults Surg Endosc. 2017.

32. Gullick AA, Graham LA, Richman J, et al. Association of Race and Socioeconomic Status with Outcomes Following Laparoscopic Roux-En-Y Gastric Bypass. Obes Surg 2015;25:705-11.

33. Hauser DL, Titchner RL, Wilson MA, et al. Long-Term Outcomes of Laparoscopic Roux-En-Y Gastric Bypass in Us Veterans. Obes Surg 2010;20:283-9.

34. Higa K, Ho T, Tercero F, et al. Laparoscopic Roux-En-Y Gastric Bypass: 10-Year Follow-Up. Surg Obes Relat Dis. 2011;7:516-25.

35. Himpens J, Cadiere GB, Bazi M, et al. Long-Term Outcomes of Laparoscopic Adjustable Gastric Banding. Arch Surg 2011;146:802-7.

36. Himpens J, Dobbeleir JPeeters G. Long-Term Results of Laparoscopic Sleeve Gastrectomy for Obesity. Ann Surg 2010;252:319-24.

37. Himpens J, Verbrugghe A, Cadiere GB, et al. Long-Term Results of Laparoscopic Roux-En-Y Gastric Bypass: Evaluation after 9 Years. Obes Surg 2012;22:1586-93.

38. Jan JC, Hong D, Bardaro SJ, et al. Comparative Study between Laparoscopic Adjustable Gastric Banding and Laparoscopic Gastric Bypass: Single-Institution, 5-Year Experience in Bariatric Surgery. Surg Obes Relat Dis 2007;3:42-50; discussion 50-1.

39. Juodeikis Z, Abaliksta T, Brimiene V, et al. Laparoscopic Adjustable Gastric Banding: A Prospective Randomized Clinical Trial Comparing 5-Year Results of Two Different Bands in 103 Patients. Obes Surg 2017;27:1024-30.

40. Juodeikis ZBrimas G. Long-Term Results after Sleeve Gastrectomy: A Systematic Review. Surg Obes Relat Dis 2017;13:693-99.

41. Kehagias I, Karamanakos SN, Argentou M, et al. Randomized Clinical Trial of Laparoscopic Roux-En-Y Gastric Bypass Versus Laparoscopic Sleeve Gastrectomy for the Management of Patients with Bmi < 50 Kg/M2. Obes Surg 2011;21:1650-6.

42. Khorgami Z, Shoar S, Andalib A, et al. Trends in Utilization of Bariatric Surgery, 2010-2014: Sleeve Gastrectomy Dominates Surg Obes Relat Dis. 2017.

43. Kothari SN, Borgert AJ, Kallies KJ, et al. Long-Term (>10-Year) Outcomes after Laparoscopic Roux-En-Y Gastric Bypass Surg Obes Relat Dis. 2016.

44. Lanthaler M, Aigner F, Kinzl J, et al. Long-Term Results and Complications Following Adjustable Gastric Banding. Obes Surg 2010;20:1078-85.

45. Lauti M, Kularatna M, Hill AG, et al. Weight Regain Following Sleeve Gastrectomy-a Systematic Review. Obes Surg 2016;26:1326-34.

46. Lazzati A, De Antonio M, Paolino L, et al. Natural History of Adjustable Gastric Banding: Lifespan and Revisional Rate: A Nationwide Study on Administrative Data on 53,000 Patients. Ann Surg 2017;265:439-45.

47. Lee WJ, Ser KH, Lee YC, et al. Laparoscopic Roux-En-Y Vs. Mini-Gastric Bypass for the Treatment of Morbid Obesity: A 10-Year Experience. Obes Surg 2012;22:1827-34.

48. Lemanu DP, Singh PP, Rahman H, et al. Five-Year Results after Laparoscopic Sleeve Gastrectomy: A Prospective Study. Surg Obes Relat Dis 2015;11:518-24.

49. Leyba JL, Llopis SNAulestia SN. Laparoscopic Roux-En-Y Gastric Bypass Versus Laparoscopic Sleeve Gastrectomy for the Treatment of Morbid Obesity. A Prospective Study with 5 Years of Follow-Up. Obes Surg 2014;24:2094-8.

50. Maciejewski ML, Arterburn DE, Van Scoyoc L, et al. Bariatric Surgery and Long-Term Durability of Weight Loss. JAMA Surg 2016;151:1046-55.

51. Miller K, Pump AHell E. Vertical Banded Gastroplasty Versus Adjustable Gastric Banding: Prospective Long-Term Follow-up Study. Surg Obes Relat Dis 2007;3:84-90.

52. Monaco-Ferreira DV, Leandro-Merhi VA. Weight Regain 10 Years after Roux-En-Y Gastric Bypass. Obes Surg 2017;27:1137-44.

53. Moon RC, Teixeira AF, Goldbach M, et al. Management and Treatment Outcomes of Marginal Ulcers after Roux-En-Y Gastric Bypass at a Single High Volume Bariatric Center. Surg Obes Relat Dis 2014;10:229-34.

54. Musella M, Milone M, Gaudioso D, et al. A Decade of Bariatric Surgery. What Have We Learned? Outcome in 520 Patients from a Single Institution. Int J Surg 2014;12 Suppl 1:S183-8.

55. Naef M, Mouton WG, Naef U, et al. Graft Survival and Complications after Laparoscopic Gastric Banding for Morbid Obesity--Lessons Learned from a 12-Year Experience. Obes Surg 2010;20:1206-14.

56. Naef M, Naef U, Mouton WG, et al. Outcome and Complications after Laparoscopic Swedish Adjustable Gastric Banding: 5-Year Results of a Prospective Clinical Trial. Obes Surg 2007;17:195-201.

57. O'Brien PE, MacDonald L, Anderson M, et al. Long-Term Outcomes after Bariatric Surgery: Fifteen-Year Follow-up of Adjustable Gastric Banding and a Systematic Review of the Bariatric Surgical Literature. Ann Surg 2013;257:87-94.

58. O'Brien PE, McPhail T, Chaston TB, et al. Systematic Review of Medium-Term Weight Loss after Bariatric Operations. Obes Surg 2006;16:1032-40.

59. Odom J, Zalesin KC, Washington TL, et al. Behavioral Predictors of Weight Regain after Bariatric Surgery. Obes Surg 2010;20:349-56.

60. Olbers T, Beamish AJ, Gronowitz E, et al. Laparoscopic Roux-En-Y Gastric Bypass in Adolescents with Severe Obesity (Amos): A Prospective, 5-Year, Swedish Nationwide Study. Lancet Diabetes Endocrinol 2017;5:174-83.

61. Osland E, Yunus RM, Khan S, et al. Weight Loss Outcomes in Laparoscopic Vertical Sleeve Gastrectomy (Lvsg) Versus Laparoscopic Roux-En-Y Gastric Bypass (Lrygb) Procedures: A Meta-Analysis and Systematic Review of Randomized Controlled Trials. Surg Laparosc Endosc Percutan Tech 2017;27:8-18.

62. Perrone F, Bianciardi E, Ippoliti S, et al. Long-Term Effects of Laparoscopic Sleeve Gastrectomy Versus Roux-En-Y Gastric Bypass for the Treatment of Morbid Obesity: A Monocentric Prospective Study with Minimum Follow-up of 5 Years. Updates Surg 2017;69:101-07.

63. Peterli R, Wolnerhanssen BK, Vetter D, et al. Laparoscopic Sleeve Gastrectomy Versus Roux-Y-Gastric Bypass for Morbid Obesity-3-Year Outcomes of the Prospective Randomized Swiss Multicenter Bypass or Sleeve Study (Sm-Boss). Ann Surg 2017;265:466-73.

64. Phillips E, Ponce J, Cunneen SA, et al. Safety and Effectiveness of Realize Adjustable Gastric Band: 3-Year Prospective Study in the United States. Surg Obes Relat Dis 2009;5:588-97.

65 Prevot F, Verhaeghe P, Pequignot A, et al. Two Lessons from a 5-Year Follow-up Study of Laparoscopic Sleeve Gastrectomy: Persistent, Relevant Weight Loss and a Short Surgical Learning Curve. Surgery 2014;155:292-9.

66. Randomised Trial of Jejunoileal Bypass Versus Medical Treatment in Morbid Obesity. The Danish Obesity Project. Lancet 1979;2:1255-8.

67. Rawlins L, Rawlins MP, Brown CC, et al. Sleeve Gastrectomy: 5-Year Outcomes of a Single Institution. Surg Obes Relat Dis 2013;9:21-5.

68. Ren CJ, Horgan SPonce J. Us Experience with the Lap-Band System. Am J Surg 2002;184:46S-50S.

69. Sarela AI, Dexter SP, O'Kane M, et al. Long-Term Follow-up after Laparoscopic Sleeve Gastrectomy: 8-9-Year Results. Surg Obes Relat Dis 2012;8:679-84.

70. Shen X, Zhang X, Bi J, et al. Long-Term Complications Requiring Reoperations after Laparoscopic Adjustable Gastric Banding: A Systematic Review. Surg Obes Relat Dis 2015;11:956-64.

71. Shoar SSaber AA. Long-Term and Midterm Outcomes of Laparoscopic Sleeve Gastrectomy Versus Roux-En-Y Gastric Bypass: A Systematic Review and Meta-Analysis of Comparative Studies. Surg Obes Relat Dis 2017;13:170-80.

72. Sieber P, Gass M, Kern B, et al. Five-Year Results of Laparoscopic Sleeve Gastrectomy. Surg Obes Relat Dis 2014; 10:243-9.

73. Sjostrom L, Peltonen M, Jacobson P, et al. Bariatric Surgery and Long-Term Cardiovascular Events. JAMA 2012;307:56-65.

74. Spivak H, Abdelmelek MF, Beltran OR, et al. Long-Term Outcomes of Laparoscopic Adjustable Gastric Banding

and Laparoscopic Roux-En-Y Gastric Bypass in the United States. Surg Endosc 2012;26:1909-19.

75. Stenard FIannelli A. Laparoscopic Sleeve Gastrectomy and Gastroesophageal Reflux. World J Gastroenterol 2015;21: 10348-57.

76. Still CD, Wood GC, Chu X, et al. Clinical Factors Associated with Weight Loss Outcomes after Roux-En-Y Gastric Bypass Surgery. Obesity (Silver Spring) 2014;22:888-94.

77. Stroh C, Hohmann U, Schramm H, et al. Fourteen-Year Long-Term Results after Gastric Banding. J Obes 2011;2011: 128451.

78. Suter M, Donadini A, Romy S, et al. Laparoscopic Roux-En-Y Gastric Bypass: Significant Long-Term Weight Loss, Improvement of Obesity-Related Comorbidities and Quality of Life. Ann Surg 2011;254:267-73.

79. Toolabi K, Golzarand MFarid R. Laparoscopic Adjustable Gastric Banding: Efficacy and Consequences over a 13-Year Period. Am J Surg 2016;212:62-8.

80. Yang J, Wang C, Cao G, et al. Long-Term Effects of Laparoscopic Sleeve Gastrectomy Versus Roux-En-Y Gastric Bypass for the Treatment of Chinese Type 2 Diabetes Mellitus Patients with Body Mass Index 28-35 Kg/M(2). BMC Surg 2015;15:88.

81. Zhang Y, Zhao H, Cao Z, et al. A Randomized Clinical Trial of Laparoscopic Roux-En-Y Gastric Bypass and Sleeve Gastrectomy for the Treatment of Morbid Obesity in China: A 5-Year Outcome. Obes Surg 2014;24:1617-24.

Chapter 12 | 위밴드술 후 조절

Adjunstment after gastric banding

 서론

위밴드수술 후 성공 요건은 정확한 수술, 수술 후 환자의
식이 및 생활 습관 변화, 그리고 의료진에 의한 꾸준한 관
리 및 적절한 조절 과정 등이다.[1,5,11] 이 중 어느 한 가지라
도 성공적으로 수행되지 못하면 병적 비만 환자는 체중
감량에 실패할 가능성이 높다.

아직까지 정확한 위밴드의 작동원리가 밝혀진 것은
아니지만, 현재 조기 포만감을 유도하는 유력한 기전은
음식물의 통과 시간 지연과 밴드에 의한 신경의 압박이
다.[7,8,13] 그런데 수술 후 일정기간이 지나면 밴드 내압(In-
traband pressure)이 떨어지게 되어, 환자는 포만감이 줄
어들고 밴드가 느슨해졌다는 느낌을 받게 된다. 이때 밴
드의 내경을 줄여 위 분문(cardia) 주위의 미주신경을 압
박함과 동시에 식도와 위 상부의 기초 강 내압(basal in-
traluminal pressure)을 적당히 높여 주어야 음식물의 통
과시간을 지연시키고, 조기 포만감을 재차 유도할 수 있
는 것이다.[9,13] Dixon 등은 또 다른 밴드 효과 감소의 원인
을 제시하였는데, 밴드의 실리콘막이 미세투과성이 있

어서, 시간이 지나면 조절되어 있던 생리식염수가 소량
줄어들 수 있고 이것 때문에 정기적인 생리식염수량 확
인과 함께 추가조절을 해주어야 적당한 포만감 유지가
가능하다고 하였다.[4]

따라서 수술 후 밴드의 적절한 조절은 수술 후 체중
감량의 성공에 아주 중요한 과정이다. Wendy Brown 등
은 이런 관점에서 위밴드수술이 기타의 비만수술과 다
른 특징으로 시술(procedure) 자체의 의미보다는 체중
감량 과정(process)의 일부라는 주장을 하였다.[1]

2 조절의 과정

밴드 조절 과정은 복벽에 설치된 포트에 생리 식염수를
주사하여 밴드의 내경을 줄여주는 시술이다. 조절과정
과 관련된 용어는 표 12-1에 정리하였다.

표 12-1 용어의 정의

용어	정의
조절(adjustment, filling)	밴드 내로 생리식염수를 주입하여 밴드의 내경을 줄여주는 과정
재조절(re-adjustment, loosening, band deflation)	밴드가 과하게 조절된 경우 밴드 내의 생리식염수를 제거하여 밴드를 느슨하게 하는 과정
추가조절(additive adjustment)	밴드의 포만감 효과가 떨어져 추가로 생리식염수를 주입하는 과정

1. 밴드 조절 시술자의 요건

국내에서는 위밴드수술을 담당한 외과의나 밴드 센터에 근무하는 의사가 주로 담당하고 있으나, 미국의 경우 미국비만대사외과학회(ASMBS)의 가이드라인에 따라 일정한 교육을 받고 실습을 마친 간호사 및 P.A. (physician assistance)에게도 시술 자격을 부여하고 있다.[12] 앞서 기술한 바와 같이 밴드의 작동 원리에 충실한 조절이 되려면 적당량의 고형 식사를 삼키는 데는 문제가 없이, 소량의 음식에 포만감의 효과를 발휘할 정도의 적절한 조절을 해야 하는데, 이 과정이 쉬운 일은 아니어서 자세한 면담을 통한 환자의 식습관 파악, 밴드 합병증에 대한 면밀한 관찰, 조절할 식염수 양의 정확한 계획, 조절 후 발생할 수 있는 합병증에 대한 이해 등, 시술자가 갖추어야 할 조건도 다양하다.

2. 밴드 조절의 시기와 목적

밴드 조절의 목적은 병적비만 환자가 이상적인 체중 감량(주당 0.5-1 kg 정도)이 이루어질 정도의 식사량에 적당한 포만감을 느끼고, 이 포만감이 다음 식사 때까지 지속될 수 있도록 하는 것이다.[1] 수술 직후에는 밴드 자체의 신경 압박 효과로 물이나 유동식 정도의 식사에도 심한 포만감을 느끼는 경우가 흔하지만 수술 후 2-4주가 지나면 이러한 포만감 효과가 없어지고 심한 공복감을 느

표 12-2 조절 및 추가조절의 적응증

1. 식사량이 늘었다.
2. 적은 양의 식사에 포만감이 느껴지지 않고 공복감이 심해진다.
3. 적절한 체중 감량이 이루어지지 않는다.

끼게 되며, 음식을 삼키는 데도 아무 지장이 없어진다. 이는 환자의 식도와 위장이 밴드가 조여진 상태에 잘 적응되었다는 것을 의미하며, 사실 이 때가 진정한 의미의 식이습관 교정과 조절이 필요한 시점이라 할 수 있다.

밴드 조절의 적응증은 1) 식사량이 많아지거나, 2) 적은 양의 식사에 포만감이 느껴지지 않으며, 3) 적절한 체중 감량이 이루어지지 않는 경우 등이다(표 12-2). 이 때 주의해야 할 점은 환자가 식습관 교정을 제대로 하지 않고 있는 경우 밴드 조절은 아무런 의미가 없다는 것이다. 따라서 자세한 면담을 통해 환자가 규칙적인 식사를 하고 있는지, 천천히 꼭꼭 씹어 먹고 있는지, 고형식이 아닌 고열량의 부드러운 식사를 하고 있지는 않은지 등을 확인하는 것이 매우 중요하다. 이렇게 환자의 올바른 식습관 유도와 함께, 적당한 조절과정을 시행하게 되면 환자도 큰 어려움 없이 체중 감량을 이룰 수 있으나, 식습관은 교정되지 않으면서 조절만 반복한다면 체중 감량에 실패할 가능성이 높을 뿐 아니라 합병증의 발생위험도 높아지게 된다.

밴드 재조절의 적응증은 1) 고형식사 하기가 힘들고, 2) 구토가 자주 발생하며, 3) 밤에 위-식도 역류 증상이나

표 12-3 재조절의 적응증

1. 고형식사를 삼키기가 힘들다.
2. 구토와 역류 증상이 자주 일어난다.
3. 밤에 기침 때문에 자주 깬다.

기침 등으로 자주 깨는 경우 등인데, 이런 경우 밴드가 과하게 조절된 경우이므로 밴드 내의 식염수를 적당량 제거하여 느슨하게 해주어야 한다(표 12-3). 병적비만 환자들이 밴드가 과하게 조절되어 음식을 제대로 못 먹게 되어도, 그렇게 해서 살이 빠지는 것이라고 오해하고, 불편한 증상이 있어도 체중이 줄어드는 것에 위안을 삼으며 병원에 내원하지 않는 경우가 많다.[6,10] 따라서 밴드 수술 후 관리 과정에서 항상 환자에게 주지시켜야 할 사항은 조절의 목적이 음식을 삼키기 힘들게 하는데 있지 않으며, 조절 후 구토나 막힘 등의 증상이 있게 되면 반드시 재조절이 필요하다는 것이다. 또한 구토나 역류 증상이 있으면 밴드의 과도한 조절 가능성 뿐 아니라 밴드 미끄러짐, 밴드 상부의 위낭 확장이나 식도 확장 등의 합병증 가능성도 있기 때문에 반드시 상부 위장관 조영 촬영 등의 검사가 필요하다.[1,11]

폭식증, 야식증 등의 식이장애를 가진 환자의 경우 적당한 조절로 포만감 유도가 되었다 하더라도 식사에 대한 욕구가 없어지기 힘들기 때문에 의사에게 과도한 조절을 요구하는 경우가 많다. 이런 경우 무리한 조절을 하여 환자를 위험하게 하기보다는 상담이나 정신건강의학과 협진을 통해 심리적 안정을 찾게 해주거나, 적절한 식욕억제제의 도움을 받는 것도 대안이 될 수 있다.[10]

3. 밴드 조절 시술 장소와 방법

일반적으로 밴드 조절은 외래에서 시행하는데[3] 필자의 경우 특별한 금기가 아니라면 방사선 투시(C-arm fluoroscopy) 하에서 조절을 한다. 이 방법은 조절 시에 밴드의 상태나 위치를 볼 수 있으며, 필요시 조영제 검사를 동시에 시행할 수 있고, 포트의 위치를 정확히 확인하여 합병증(튜브의 손상에 의한 누출)을 예방할 수 있는 장점이 있다.[14] 하지만 환자나 시술자가 방사선에 노출되며, 기계 및 차폐시설이 필요하다는 단점도 가지고 있다. 초음파의 도움을 받아 조절하는 것도 하나의 방법이 될 수 있다.

외래에서 조절할 경우 포트의 위치 확인이 매우 중요한데, 환자를 앙와위로 한 후 양손을 머리 뒤로 놓고 윗몸일으키기 자세를 취하면 복근에 힘이 주어져 포트를 촉지하기 쉽다. 단, 포트를 복직근막 아래에 위치시킨 경우 촉지가 힘들어서 방사선 또는 초음파 투시 하에 조절하여야 한다. 포트의 위치가 확인되면, 피부 소독 후 왼손 검지와 중지 사이에 포트를 위치시키고 Huber needle을 포트의 바닥까지 천자하여 티타늄 성분의 바닥이 딱딱하게 느껴지면 생리 식염수를 주입한다. 이때 바늘이 포트와 연결된 튜브를 천자하지 않도록 주의해야 하며, 튜브가 손상된 경우 식염수가 누출되어 조절의 효과를 볼 수 없으므로, 이런 경우 국소마취 하에 포트를 교체해야 한다.[3]

적당량의 생리 식염수를 주입한 후 드레싱을 해주고, 환자에게 소량의 물을 마시게 해본다.

환자에 따라서 소량의 물이 밴드를 통해 넘어가는 것이 느껴지는 경우도 있고 그렇지 않은 경우도 있다. 필자의 경험으로는 식습관 교정이 잘 이루어지고 있는 환자의 경우 물을 마셔보라고 하면 조금씩 삼키는 것을 볼 수 있으며, 식습관 교정이 잘되지 않은 환자의 경우 물을 벌컥벌컥 마시는 경향이 있다. 따라서 조절 후에 환자의 물 마시는 상황까지도 잘 관찰하고 밴드 수술 후에는 물도 마시는 것이 아니라 삼키는 거라고 설명해 주는 것이 필요하다. 마신 물이 역류되지 않는다면 환자는 귀가 시켜도 좋다. 만약 마신 물이 역류되는 상황이라면 재조절이 필요하다. 조절 후 환자에게 설명해야 할 식사 원칙은 소량의 물부터 잘 넘어가는지 확인한 다음, 수술 직후처럼 미음, 죽, 밥의 순서로 식사의 단계를 올려야 하며, 조절 시행 당일에는 장거리 여행을 삼가하고, 조절 전보다 더 천천히 식사할 것 등이다.

추가조절의 적응증은 1) 고형식사에 구토나 막힘이 없으면서, 2) 이상적인 체중 감량을 이루기에는 식사량이 너무 많은 경우, 3) 음식을 자꾸 찾게 되는 경우 4) 체중이 오히려 증가하는 경우 등이다. 이 때 주의해야 할 점은 환자가 규칙적인 고형 식사를 하고 있는지 자세히 물어보아야 하며, 만약 식사습관을 올바르게 교정하지 않으면서 단지 체중 조절이 되지 않는다는 이유로, 또한 구토 등의 이상 증상을 숨기고 더 많은 체중 감량을 위해 추가 조절을 원한다면, 이런 상태로 추가조절을 할 경우에 생길 수 있는 합병증에 대해 잘 설명하고, 추가조절보다는 식습관 교정을 위해 더 노력하도록 설득해야 한다.

재조절의 경우도 같은 방법으로 포트를 확인 후 천자하여 시행하게 되는데 밴드에 주입된 생리 식염수를 전부 빼내어 그 양을 확인한 후 필요한 만큼만 빼고 주입하는 방식이다. 특히 재조절 시에는 상부 위장관 조영 촬영을 통해 밴드가 과도한 조절 상태인지 아니면 밴드 미끄러짐, 낭 확장 등의 합병증은 아닌지를 구별해야 한다. 과도한 조절 상태인 경우 조영제 통과의 정도를 확인하면서 생리 식염수의 양를 재조절하면 되지만, 미끄러짐, 낭 확장 등의 경우에는 생리식염수를 모두 제거해 주거나, 다른 내과적 치료가 필요할 수 있다. 이러한 상부 위장관 조영술은 재조절 시 뿐 아니라 아무런 증상이 없다 하더라도 1년에 한두 번씩은 추가 조절 시에 동반 시행하는 것이 합병증 확인에도 도움이 된다.

③ 조절의 실제(Lap-Band APS™의 조절)

필자의 경우 수술에 사용하는 밴드는 주로 Lap-band APS™이며 수술 당시에 2-3 cc의 생리식염수가 자연스럽게 채워진다.[15] 수술 후 4-6주가 지나면 정상적인 환자의 경우 고형식사에 구토나 막힘이 없으며, 수술 직후 감소되

그림 12-1 조절 전후 밴드의 모양. Lap-band APS™의 경우 최대 10 cc까지 조절이 가능하다.

었던 체중이 다시 증가하고, 공복감이 심해지는 것을 경험한다. 이때, 병원을 방문하여 상담을 하고 방사선 투시 하에 밴드와 포트의 위치를 확인하고 생리 식염수 1-2 cc를 주입하여 총 4 cc의 용량이 되도록 한다. 경우에 따라서는 음식 통과 시간이나 구토 여부 등을 감안하여 총 3 cc 의 용량으로 조절하기도 한다. 조절 후 환자는 수술 직후처럼 물부터 소량씩 마셔보고, 이상이 없으면 유동식부터 시작하여 서서히 고형식으로 바꿔나간다.

1차 조절 후 2-4주가 지나면 환자는 다시 포만감이 사라지면서, 식사량이 늘게 되고, 체중이 그대로이거나 오히려 증가한다. 이 시기를 놓치면 체중은 수술 전 상태로 돌아가고, 식사도 수술 이전처럼 하게 되어 수술 후 관리가 어려워지므로, 공복감이 심해진다고 느끼거나 식사량이 늘게 되면 다음 방문 시점까지 기다릴 것이 아니라 즉시 병원을 찾아 추가조절을 받도록 교육한다.

2차 추가조절은 생리식염수 1 cc로 총 보유량은 5 cc 가 된다. 추가조절 후 역시 식사교육을 자세히 하고, 4주 후에 환자 스스로 식사량이나 포만감에 대한 평가를 하게 하여, 추가조절이 필요하다고 판단되면 내원할 수 있도록 한다.

3차 추가조절부터는 밴드의 내경이 급격히 좁아지게 되어 주의를 요하는데, 식사의 정도나 구토 증상 여부에 따라 0.5-1 cc의 생리식염수를 주입하거나, 상부 위장관 조영 검사를 통해 조영제의 밴드통과 속도를 보면서 조절양을 결정하기도 한다.

그 이후에는 환자의 상태에 따라서 0.2-0.3 cc 정도의

그림 12-2 조절의 목표 – 어느 정도의 조절단계에 이르면 더 이상 추가조절의 필요성을 느끼지 못하고 만족스러운 체중 감량이 일어나는 조절양에 도달한다. 이를 Greenzone이라 한다.

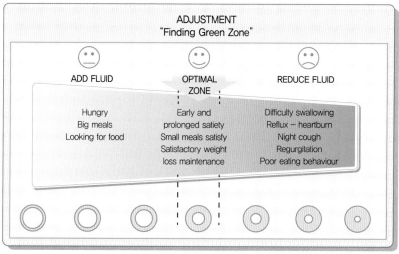

추가조절을 하거나, 재조절을 통해 생리식염수를 제거해 주는 시술을 반복하여 환자가 천천히 먹는 고형식사에 불편이 없으면서 소량의 식사에 포만감을 지속적으로 느끼고, 적당한 체중감소가 일어나는 소위 Greenzone에 도달할 수 있도록 한다(그림 12-2).[1] 환자에 따라서, 또는 밴드의 종류에 따라서 Greenzone에 도달하는 조절양은 상이하며, 비록 Greenzone에 도달하였다고 하더라도 환자의 신체적, 정신적 상태에 따라서 구토나 막힘 등의 증상이 일어날 수도 있음을 명심해야 한다.

Swenson 등은 그의 연구에서 barium study상 조절 후 밴드 내경이 6 mm 이하이면 밴드폐색의 증상으로 재조절하게 될 가능성이 높다고 주장하였다.[15]

위밴드수술 후 기대할 수 있는 최상의 효과는 수술 시점으로부터 3차 추가조절을 하게 되는 2-3개월의 기간 동안 5-10 kg 정도의 감량을 하고, 이후 두세 번의 추가조절로서 Greenzone에 도달하여 꾸준히 6개월 동안 20 kg 정도의 체중이 줄어드는 것이다. 이 시점에서 중요한 점은 환자의 영양 상태와 체지방량을 검사하여 올바른 체중 감량이 이루어지고 있는지 평가하고, 운동량과 단백질 섭취량을 늘리도록 교육하는 것이다.[5]

이 시점에서의 운동과 단백질 섭취가 더욱 중요한 이유는 유산소 운동과 근력운동을 병행하여 기초대사율을 높여 요요 현상을 줄일 수 있다는 점과, 단백질, 비타민, 무기질의 균형잡힌 보충이 탈모, 살 처짐 등의 이상 증상을 예방할 수 있다는 점이다.

 결론

위밴드수술 후 식습관 교정과 함께 섬세한 조절과정이 위밴드수술의 성패를 좌우한다. 따라서, 조절과정 전후의 환자 상태에 대한 정보와 조절 이후 기대되는 효과 및 합병증 등을 숙지하고 있어야 정확한 조절을 수행할 수 있다. 또한 식습관 교정이 되지 않거나, 유동식만 섭취하는 환자에게는 조절과정이 아무런 도움이 되지 않는다. 위밴드수술 후 조절이라는 수단으로 의사주도의 체중 감량이 되기보다는, 환자 스스로 올바른 식습관을 가지도록 교육하면서 조절과정이 병행되어야 위밴드수술 성공률을 높이고 합병증을 줄일 수 있다.

구토, 막힘 등으로 불편을 겪으면서도 체중감소를 위해 추가조절을 원하는 환자가 있다.[6] 이런 경우 필히 합병증과 다른 여러 가지 재앙이 발생할 수 있으므로 환자를 잘 설득하여 과도한 조절이 되지 않도록 유도하여야 한다. 결국 밴드 조절의 역할은 수술 후 환자 자신이 식습관 및 생활습관 개선을 이루는 과정에서 의사가 도와줄 수 있는 최소한의 식이제한 수단이라고 할 수 있다.

위밴드수술 후 조절 과정에서 특이소견이 없더라도 주기적인 위장관 조영 촬영은 위밴드수술의 합병증 또는 과도한 조절의 합병증을 발견하는데 도움이 된다.

참고문헌

1. Brown W, Korin A, Burton P, et al. Laparoscopic adjustable gastric banding. Aust Fam Physician 2009;38:972-6.

2. Busetto L, Pisent C, Segato G, et al. The influence of a new timing strategy of band adjustment on the vomiting frequency and the food consumption of obese women operated with laparoscopic adjustable silicone gastric banding (LAP-BAND). Obes Surg 1997;7:505-12.

3. Cherian PT, Tentzeris V, Sigurdsson A ariation of outcome in weight loss with band volume adjustments under clinical and radiological control following laparoscopic adjustable gastric banding. Obes Surg 2010;20:13-8.

4. Dixon JB, O'Brien PE. Permeability of the silicone membrane in laparoscopic adjustable gastric bands has important clinical implications. Obes Surg 2005;15:624-9.

5. Favretti F, O'Brien PE, Dixon JB. Patient management after LAP-BAND placement. Am J Surg 2002;184: 38S-41S.

6. Flint RS, Coulter G, Roberts R. The Pattern of Adjustments after Laparoscopic Adjustable Gastric Band. Obes Surg 2015;25:2061-5.

7. Fried M. The current science of gastric banding: an overview of pressure-volume theory in band adjustments. Surg Obes Relat Dis 2008 May-Jun;4(3 Suppl):S14-21.

8. Jaime Pounce. Laparoscopic adjustable gastric banding: Technique and outcomes The ASMBS textbook of bariatric surgery. vol. 1 New York: Springer; 193-204.

9. Lechner W, Gadenstätter M, Ciovica R, et al. In vivo band manometry: a new access to band adjustment. Obes Surg 2005;15:1432-6.

10. Moroshko I, Brennan L, Warren N, et al. Patients' perspectives on laparoscopic adjustable gastric banding (LAGB) aftercare attendance: qualitative assessment. Obes Surg 2014;24:266-75.

11. O'Brien PE. The Lap-Band solution. Melbourne: MUP 2007

12. Davis P, West-Smith L, Baldwin LL, et al. Gastric band adjustment credentialing guidelines for physician extenders. Surg Obes Relat Dis 2012: e69-71.

13. Rauth TP, Eckhauser AW, LaFleur BJ, et al. Intraband pressure measurements describe a pattern of weight loss for patients with adjustable gastric bands. J Am Coll Surg 2008; 206:926-32; discussion 932-4.

14. Sarker S, Myers JA, Shayani V. Superior weight loss with patient-driven, fluoroscopically guided band adjustment following laparoscopic adjustable gastric banding. JSLS 2005;9:269-71.

15. Swenson DW, Levine MS, Rubesin SE, et al. Utility of routine barium studies after adjustments of laparoscopically inserted gastric bands. Am J Roentgenol 2010;194:129-35.

16. Wiesner W, Hauser M, Schöb O, et al. Spontaneous volume changes in gastric banding devices: complications of a semipermeable membrane. Eur Radiol 2001;11:417-21.

Chapter 13 | 위밴드술의 합병증 관리

Management of complications after gastric banding

병적비만 환자에 대한 조절형위밴드술은 위밴드술의 간편성과 안전성으로 인하여 국내에서 현재까지는 가장 많은 환자들이 수술을 받아 왔기 때문에 위밴드술 환자들에 대한 수술 후 관리가 중요하다.[11, 29] 위밴드술 후 관리를 경험하지 않은 외과 의사들에게는 수술 후 발생할 수 있는 문제점 또는 합병증을 비롯한 위밴드술 후 관리는 일반적인 위장관 절제술 후 관리 및 발생 합병증과 차이가 있다. 위밴드술 후 합병증은 다른 병적비만수술에 비하여 수술 후 30일 이내 직접 사망률 발생이 거의 없으며[8] 수술 후 이환율이 낮을 뿐만 아니라 그 중증도가 낮은 비만수술 치료법이다.[33, 37] 위장관 장기 수술을 동반하는 다른 비만수술과는 달리, 위밴드술은 실리콘으로 된 위밴드를 환자의 위 최상부 분문부(cardia)에 위치시켜 포만감을 조기에 느끼도록 유도하면서 식후 배고픔을 줄여주는 역할을 하여, 환자가 식사량을 줄이고 식이습관의 변화를 일으켜 증가된 체중을 줄여주는 수술 방법이다. 따라서 위밴드술은 수술 후 그 성공 여부가 위밴드 작용 및 일반적 다이어트 방법에 대한 환자의 이해도와 적극적인 치료 협조에 따른 환자의 수술 후 순응도(compliance)가 무엇보다도 중요하다. 그러나 수술 후 나타날 수 있는 위밴드의 생체 작용에 대한 적응도 혹은 순응도가 낮거나 치료에 대한 저항감을 보이는 환자에서 실리콘 밴드가 최상부 위를 둘러쌈으로 인하여 문제가 발생할 수 있는 가능성이 있다.[6] 특히 위밴드술은 수술 후 나타나는 증상과 악영향을 끼치는 불량한 식이습관 및 생활습관에 대한 환자의 자발적이고 정확한 정보제공이 없다면 치료자가 문제점을 조기에 파악하기가 어렵다. 다른 일반적인 수술 치료와 마찬가지로 수술 후 발생 가능한 합병증을 예방하는 것이 가장 좋은 방법이나 차선책으로 이미 합병증이 발생했다면 정확한 합병증을 감별 진단을 해야 하고 이에 대한 적절한 치료가 필요하다. 위밴드 특이적인 합병증 발생은 수술 초기와 후기로 나눌 수 있고 이들은 또한 급성(acute) 혹은 긴급(urgent) 합병증과 만성 합병증으로 나눌 수 있다.

① 수술 초기 합병증

수술 초기 합병증이란 수술 후 30일 이내에 발생할 수 있는 합병증을 말하며 일반적으로 수술과정에서 위밴드술에 대한 수술자의 숙련도와 관련성이 있을 수 있는 합병증이다.[33] 수술 초기 합병증 발생비율은 0.1-3% 정도로 매우 드물다.

1. 위 혹은 식도 천공
(Gastric or Esophageal Perforation)

위 혹은 식도 천공은 위밴드 배출자(passer)를 이용하여 위뒤터널(retro-gastric tunnel)을 만드는 과정에서 발생할 수 있다. 특히 위주위지방(perigastric fat)이 위뒤복막강(retrogastric peritoneal cavity)의 해부학적 구조를 구별하는데 장애를 야기하는 심한 내장지방을 동반한 환자나 수술 전 예상하지 못한 우연 열공탈장(incidental hiatal hernia)으로 인하여 일반적인 위치에서 벗어나 위(stomach)가 머리쪽(cephalad) 방향으로 정상적 위치보다 상부에 위치하여 이를 확인하지 못한 상태에서 위밴드 배출자를 무리한 힘으로 통과시킬 때 발생 가능성이 높아진다.[12] 정상적인 해부학적 구조 확인이 어려운 경우 우각(crus muscle)과 히스각(Angle of His)에 존재하는 과도한 지방조직의 제거를 통한 세심한 조직 박리를 통하여 출혈이 없는 상태에서 주위 해부학적인 구조를 정확히 구별 후 위밴드 배출자를 정상적인 방향 즉 히스각을 향하게 통과를 시도해야 한다. 특히 위밴드 배출자 통과 시 정상적이지 않은 저항감이 있을 경우 반드시 위밴드 배출자를 제거 후 삽입 위치를 새롭게 변경하여 저항감이 없는 상태에서 통과를 시켜야 한다.

만일 수술 중 천공이 의심된다면 위밴드 배출자가 제거된 상태에서는 위뒤천공(retro-gastric perforation)의 위치를 확인하기가 어려운 경우가 발생할 수 있어서 가능한 위밴드 배출자를 제거하지 않은 상태에서 식도위내시경을 시행하여 천공 부위를 확인하는 것이 확진에 도움이 된다. 만일 밴드 설치 후에 지속적인 출혈 및 비정상적인 분비물(discharge)이 지속되는 경우에도 밴드를 제거하지 않은 상태에서 식도위내시경을 통하여 천공 유무를 확인하는 것이 위뒤천공의 위치를 특정하기가 좀더 원활한 것으로 알려져 있다. 천공 부위가 확인되면 천공 부위에 대한 적절한 봉합과 치료를 시행하고 밴드는 제거하여 오염된 부위에 보형물의 설치는 중단해야 한다.[12]

수술 당시에 식도 혹은 위 천공이 발견되지 않는 경우에는 일반적으로 수술 후 1주일 이내에 조절되지 않는 발열, 심한 빈맥(110회/min), 저혈압 및 비정상적인 통증, 압통, 복부 강직 등의 증상이 발현된다. 진단으로는 가스트로그라핀 위장관조영술이나 식도위내시경 및 필요시 복부전산화단층촬영을 통하여 천공 유무에 대한 감별진단을 가능한 조기에 시행해야 한다. 천공에 대한 진단이 지연되는 경우 복막염, 패혈증, 쇼크로 발전되어 위급 상황이 될 수 있다. 재수술 시 천공 부위 확인을 위하여 밴드 제거 전 수술 시야에서 식도위내시경을 통하여 정확한 천공 부위를 특정하는데 도움을 받을 수 있다. 천공 부위 오염이 심하지 않다면 천공 부위 봉합 및 배액을 시도하는 일반적인 식도위천공 응급 수술 치료법을 우선적으로 적용한다. 위, 뒤 천공 부위 봉합이 외부에서 어려운 경우 밴드 클립을 제거하여 분문(cardia) 부분의 위를 노출하여 전방위벽(anterior gastric wall)의 절개(gastrotomy)를 통하여 천공 부위 확인 밴드를 제거하면서 봉합하는 방법을 사용하기도 한다.

2. 출혈(Bleeding)

위밴드수술 시 식도위 천공을 동반하지 않는 출혈은 일반적으로 간 견인기 혹은 봉합 바늘에 의한 예기치 않은 간손상에 의하거나 비장 손상에 의한 경우가 있겠다. 대

그림 13-1 음식 잔유물에 의한 식도위출구폐쇄(Esophagogastric obstruction by food impaction)
(a) 1일 전 섭취한 반건시 곶감 식도 부유물(floating space occupying lesion)
(b) 내원 직전 섭취한 수박 식도 부유물

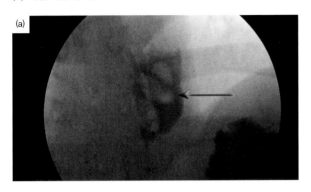
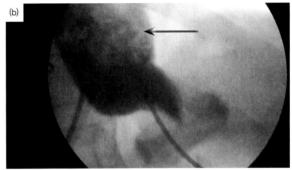

부분의 출혈은 즉시 압박 혹은 혈액응고제(coagulants) 등으로 조절이 가능하고 비장 출혈에서 출혈 조절이 안되는 경우 비장 절제가 필요할 수도 있으나 그 빈도는 매우 드문 것으로 되어 있다.[12] 비장 손상은 위밴드 배출자 통과시 위밴드술을 원활하게 하기 위한 환자의 적절한 수술 위치와 각도를 만들지 못하는 경우 발생 가능성이 높아진다. 병적비만 환자는 일반적으로 지방간으로 인하여 저항에 약한 비대한 간을 동반한 경우가 많기 때문에 간손상으로 인한 출혈의 위험성을 줄이기 위하여 수술 전 약 2주간 초저열량 식이와 단백질 쉐이크(protein shake) 등을 통한 고단백질 식이를 하여 수술 전 간의 크기와 간 조직 속의 지방을 감소시키는 것을 권장하고 있다.[31] 밴드를 고정하기 위하여 전방위위고정술(anterior gastrogastric fixation)을 사용하는 경우 가능한 위점막(gastric mucosa)을 통과하는 전층봉합(full thickness suture)이 일어나지 않도록 주의하여야 한다.

3. 식도위출구폐쇄
(Esophagogastric Obstruction)

수술 당일 혹은 일주일 이내 식도위출구폐쇄는 대부분 밴드에 의한 기계적 폐쇄에 기인하는 경우가 많다. 이러한 식도위출구폐쇄의 원인으로는 밴드 사이즈가 위 크기에 비하여 과도하게 작은 경우, 혹은 밴드가 히스각(angle of His)으로 연결된 분분에 정확히 위치하지 못하고 그 하방의 위에 밴드가 위치하도록 설치를 한 경우 발생 가능성이 높아진다. 수술 직후 식도위출구폐쇄를 예방하기 위하여는 적절한 밴드 사이즈를 사용해야 하고 밴드 설치 후 밴드가 자유롭게 움직이지 못할 정도로 과도한 위주위지방덩이(perigastric fat pad)가 존재하는 경우 일부 위주위지방덩이를 제거하여 밴드로 인한 기계적 폐쇄를 예방해야 한다.[42] 그러나 기계적 폐쇄가 없더라도 환자가 수술 후 식이 가이드라인을 지키지 않고 너무 이른 시기에 고형 식이를 진행하는 경우, 위 내 압력이 높아지고 조직의 부종을 심화시켜 식도위출구폐쇄가 발생할 수 있다. 매우 드물지만 물(liquid food)조차 넘길 수 없는 수술 직후 식도위출구폐쇄는 과도한 구역 구토 등으로 전해질 대사 이상과 수액 부족이 나타날 가능성도 배제할 수 없다.[23] 보전적 치료로 증상의 호전이 없고 빈맥, 발열 등의 활력징후 이상을 보인다면 재수술을 통하여 위 주위 지방덩이를 제거하고 위밴드 재위치(reposition)를 시행하고 위조직 부종이 심하여 재위치가 불가능하거나 위허혈이 회복되지 않으면 밴드를 제거해야 한다. 음식 잔유물에 의한 식도위출구폐쇄는 수술 후 어느 시기에도 나타날 수 있으며 식도위조영술을 통하여 식

그림 13-2 밴드 미끄러짐의 종류. (a) 전방 미끄러짐(anterior slippage) (b) 후방 미끄러짐(posterior slippage) (c) 중심 주머니 확장(concentric pouch dialatation)

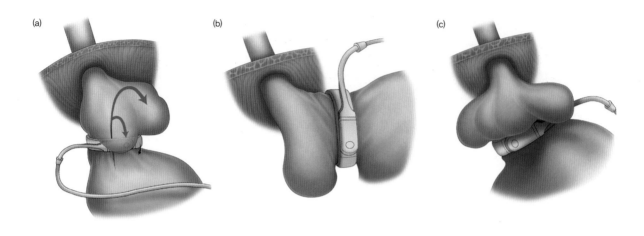

도 혹은 위낭 속에 식도위 연하운동에 따라 움직이는 부유물(floating space occupying lesion)을 발견할 수도 있다(그림 13-1). 생리식염수가 주입되어 있는 경우에는 포트를 통하여 생리식염수를 제거 밴드풍선의 압력을 감소(deflation) 시킨 후에 식도위조영술을 통하여 음식물 배출을 확인한다.

❷ 수술 후기 합병증

위밴드술은 밴드 설치만 하는 것으로 체중 감량이 끝나는 것이 아니라, 수술 후 치료 및 관리 과정에서 체중감량을 위한 식이조절은 포트를 통한 생리식염수의 주입 혹은 제거를 통하여 적절한 식이량과 식이습관 변경을 유도해야 하는 중요한 과정이 있다. 이러한 치료 과정 속에서 불량한 식이습관의 교정이 이루어지지 않거나 새로 나타나면서 주기적 내원을 하지 않고 불량한 순응도(poor compliance)를 보이는 환자군에서 합병증 발생 빈도가 증가할 수 있다.[7]

1. 밴드 미끄러짐
(Gastric Prolapse or Slippage)

밴드 미끄러짐(slippage, slipped band, or gastric prolapse)은 밴드 자체가 이동하여 움직이는 것이 아니라 밴드 하방 위가 밴드 내경을 통하여 밴드 상방으로(cephalad) 미끄러져(sliding) 올라가 마치 밴드가 원래 설치되어 있는 위치에서 벗어나 있는 것처럼 보이는 상태를 뜻한다(그림 13-2). 일반적으로 위낭(gastric pouch)이 전방(anterior) 혹은 외측(lateral) 방향으로 미끄러지는 상태를 전방 미끄러짐(anterior slip)이라고 불리며 그 빈도가 가장 많다. 이와 반대로 후방(posterior) 혹은 내측(medial) 방향으로 미끄러지면 후방 미끄러짐(posterior slip)이라고 한다. 이들 두 미끄러짐이 합쳐진 형태로 위낭(gastric pouch)의 전반적인 확장으로 인한 미끄러짐을 중심형 낭확장(concentric pouch dilatation)이라고 한다.

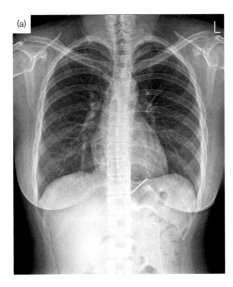

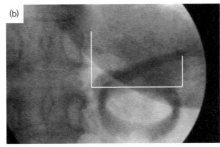

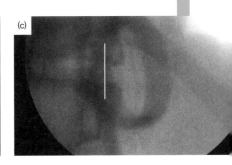

그림 13-3 단순 방사선 촬영 밴드 위치에 따른 밴드 미끄러짐 진단.
(a) 정상 밴드 위치(phi각 48°와 횡격막으로부터 1 cm 거리의 상외측밴드 변연부)
(b) 전방 미끄러짐(수평밴드, phi각 90°)
(c) 후방 미끄러짐(수직밴드, phi각 180°)

1) 증상

밴드 미끄러짐의 원인은 잘 알려져 있지 않지만 위밴드가 통과를 허락하지 않는 과식으로 인한 음식물 식도위저류(stasis) 상태에서 습관적 혹은 강제적 구토를 하는 음식제거식이(purging diet)가 있는 경우 발생 가능성이 있다. 발생하는 증상은 미끄러짐의 정도 즉 미끄러진 위낭의 위치 및 크기에 따른 식도위폐쇄 정도에 따라 다양하게 나타날 수 있다. 일반적인 초기 증상은 통증을 동반한 연하곤란(dysphagia), 조기포만감(early fullness), 야간기침(night cough), 야간역류(nocturnal reflux) 및 고형식이의 역류 혹은 구토를 일으킨다. 미끄러짐이 진행하면 일반적으로 유동식 식이만 가능하다가, 갑자기 완전 식도위폐쇄(complete esophagogastric obstruction)가 발생되어 음식물의 구토 후에도 해결되지 않고 물도 삼키면 역류와 구토가 발생하게 되며, 심하면 누워 있는 경우 침도 역류(regurgitation)하는 상태에서 흉통 혹은 복통을 동반하고 내원을 하게 된다.[40]

2) 진단

치료 없이 장기간 밴드 미끄러짐 상태로 지내면 위협착(gastric stricture), 위출혈, 위염전(volvulus), 위경색(infarc-

tion) 및 미란(erosion) 등으로 발전할 가능성이 있어 조기 진단과 치료가 필요하다. 그러나 미끄러짐이 발생한 환자들은 주기적인 내원을 하지 않거나 미끄러짐 발생 전 이미 위밴드 식이 습관이 잘못 형성되어 식후 연하곤란, 막힘, 답답함, 구역, 구토가 일상화되어 그 위험성을 간과하면서 지내온 경우에가 많다. 때로는 물도 못삼키는 미끄러짐 진행 말기에 내원하는 경우가 있어 조기 진단과 치료에 어려움이 있다. 밴드 미끄러짐의 증상을 보이는 환자들에 대해서는 위장관조영술이나 식도위내시경 보다 우선해 그림 13-3에서 보는 것과 같은 단순 기립복부방사선 촬영(upright frontal radiograph)을 통하여 밴드의 위치와 각도를 해석하여 일차적 진단을 시도 하는 것이 권장된다.[4,43]

밴드 미끄러짐이 의심되는 전통적인 두 가지 징후는 (1) 흉추(thoracic spine)의 정중시상면(midsagittal plane)에 대하여 밴드의 각도가 상대적으로 수직(vertical) 혹은 수평방향(horizontal orientation)을 이루는 경우(정상적인 phi 각도는 4-58°로 알려져 있다): 밴드가 수평으로 누워있는 경우 전방 미끄러짐(anterior slip), 수직으로 방향으로 서 있는 경우 후방 미끄러짐(posterior slip) 징후이며 (2) 밴드의 가운데 내강의 원형이 전방으로 보이

그림 13-4 식도위장관 C-arm 조영술. (a) O 징후(O sign) : 밴드 미끄러짐 진단
(b) 동일 환자에서 필링(filling) 생리식염수를 완전히 제거 후 밴드가 정상적인 phi각으로 회복되고 탈출된 위낭에 저류되어 있던 조영제가
배출된 경우: 위낭 탈출에 의한 밴드 미끄러짐에서 일정 부분 회복되었을 가능성이 높은 소견

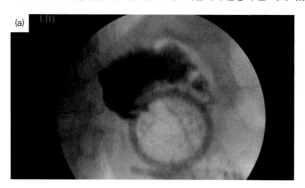
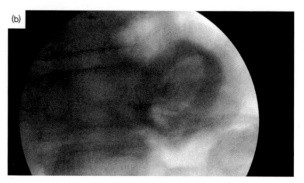

그림 13-5 식도위장관 C-arm 조영술. (a) 전방 미끄러짐(anterior slippage) (b) 후방 미끄러짐(posterior slippage)
(c) 중심 위낭 확장(concentric pouch dilatation with prolapse)

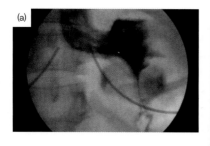
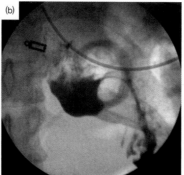
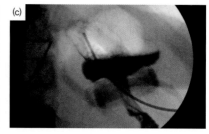

는 그림 13-4와 같은 O 징후(O sign)는 전방 및 후방 미끄러짐이 심한 말기에 나타난다.[38] 이와 더불어 추가적으로 (3) 좌측 횡격막(diaphragm)으로부터 상외측 위밴드 변연부(superolateral gastric band margin)가 2.4 cm 이상 아래 방향으로 밴드가 밀려 내려와 위치하고 있는 경우 (4) 위밴드 상부에 공기액체층(air-fluid level)이 존재하는 경우에 밴드 미끄러짐 증상의 동반 유무에 따라 조영제를 이용한 식도위조영술 없이도 밴드 미끄러짐을 의심(impression) 및 진단(diagnosis)할 수 있다.[45] 환자의 증상이 물을 토하거나 침이 역류되는 완전 식도위폐쇄 상태가 아니라면 이차적으로 가스트로그라핀 혹은 바륨 위장관 조영술을 진행하여 정확한 진단을 진행할 수 있

다(그림 13-5). 그러나 위의 4가지 밴드 미끄러짐 방사선 사진 징후를 보이면서 물도 역류하는 완전 식도위폐쇄 증상을 보이면 전신마취 하에 응급 수술 치료가 필요할 수 있고 조영제 검사 도중 역류 구토로 인한 흡인(aspiration)의 위험이 있어 가능한 위장관 조영술은 밴드에 들어 있는 생리 식염수를 제거한 이후로 연기를 해야 한다. 만일 환자가 생리식염수를 전혀 가지고 있지 않은 상태이거나 생리식염수를 완전히 제거 후에도 밴드 미끄러짐 증상 및 징후의 호전을 보이지 않고 4가지 방사선 사진 징후가 계속 보인다면 긴급하게 수술적(urgent operation) 치료가 필요할 수 있어서 가능한 조영술 특히 바륨조영술은 피하는 것이 권장된다(그림 13-6). 이러한 경우 컴퓨

그림 13-6 급성 위 밴드 미끄러짐 수술 소견(acute gastric prolapse with anterior slippage)

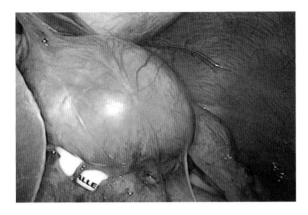

터단층촬영 혹은 식도위내시경으로 진단할 수도 있는데 일반적으로 첫 진단 방법으로 우선 선호되지는 않는다.

3) 치료

(1) 보존치료(conservative treatment)

밴드 미끄러짐이 의심되면 우선적으로 밴드의 생리식염수를 완전히 제거를 하여 증상의 완화를 유도해야 한다. 생체활력 징후가 정상이면서 밴드의 위치가 생리 식염수 제거 후 정상적인 위치로 회복을 보이면서 위장관 조영술에서 미끄러진 위가 정복되고 식도위폐쇄가 없음이 확인된 경우, 만일 환자가 밴드 생활을 더 지속하길 원하고 미끄러짐 발생 전 환자의 치료 순응도가 높다면 장기간의 투명액상식이(clear liquid diet)와 주기적 검사 및 식이상담을 통한 보전적 치료를 시도해 볼 수도 있다.[13]

(2) 수술치료(operative treatment)

위밴드 미끄러짐에 대한 수술치료는 환자의 전체적인 내과적 상태에 의존하며 만일 환자가 더 이상의 밴드 생활을 원치 않는 경우 혹은 위밴드 치료를 영위하기가 어려울 정도로 위밴드술 후 순응도가 나쁘거나, 식이습관, 생활 습관 등의 행동 교정이 힘들다고 진단되어 재발의 가

능성이 높은 환자의 경우에는 밴드를 제거하는 치료 방법이 적용된다. 환자가 밴드 생활을 더 영위하고 싶어한다면 Jaime Ponse 등[25]은 밴드 재위치 수술법(band reposition)을 적용하거나 밴드 제거와 함께 다른 병적비만수술로의 전환술(band removal & conversion) 등을 다음과 같은 환자에서 적용할 것을 제안하였다.

① 밴드 재위치(band reposition)

i) 20% 이상의 퍼센트 과다체중감량(% excess weight loss, %EWL)을 보이면서 위밴드술 전 동반되었던 동반 질환이 호전(improvement) 혹은 소실(resolution)된 경우

ii) 위밴드술 후 치료 순응도가 높으며 위밴드 합병증 발생의 원인을 잘 이해하는 경우

iii) 위밴드술 후 긍정적으로 생활습관 행동교정이 이루어진 경우

밴드 재위치 수술법은 위밴드의 클립을 손상 없이 열어 미끄러진 위를 하방으로 정복하고 처음 수술 시 시행한 전방위 위고정을 제거한 후에 위밴드가 분문(cardia)에서 히스각(Ange of His)을 향하는 정상적인 위치로 새로운 전방위 위고정을 시행하거나 위밴드를 완전히 제거하고 다시 새로운 후위터널(retro-gastric tunnel)을 만들어 새로운 위치에 설치할 수 있다. 만일 위낭 부종이 심하면 좀더 큰 사이즈의 밴드를 선택하는 것이 좋다. 몇몇 환자의 경우에는 위낭 부종과 확장(dilatation)뿐만 아니라 미끄러진 위저부(gastric fundus)의 심한 부종을 동반한 위확장으로 밴드 재위치가 불가능할 수도 있어 이때는 밴드를 제거하고 최소 6주 후 부종과 비대가 없어진 이후 재설치를 시도해야 한다.[33]

② 밴드 제거와 다른 비만수술로 전환술(band removal & conversion)

i) 위밴드술 후 적절한 추적 관찰과 치료를 받았음에도 불구하고 20% 이하의 불량한 퍼센트 과다체중감량(%EWL)을 보인 경우

ii) 위밴드술 전 동반 질환의 호전 정도가 부족하거나 없는 경우

iii) 위밴드 재위치 후 식이방법을 이해하지 못하거나 식이습관 변경을 거부하는 경우이거나 재수술 후 생활습관 행동교정이 필요한 경우

　전환술의 종류로는 환자의 내과적 상태에 따라 위소매절제술(sleeve gastrectomy), 위우회술(Roux-en-Y gastric bypass), 및 십이지장전환술(doudenal switch) 등의 수술법이 고려될 수 있다. 특이 전환술식을 적용하는 경우 예상치 못한 숨어있는 열공탈장(hiatal hernia)을 확인하여 적절한 수술치료를 함께 시행하는 것이 필요하다.[39]

4) 합병증
밴드 미끄러짐으로 인한 위저부탈장(herniated fundus)이 발생하는 것은 드물지만 위저부탈장은 허혈(ischemia) 혹은 괴사(necrosis)로 진행될 수도 있다. 일반적으로 만성 미끄러짐은 심한 복통 혹은 흉통을 동반하지는 않는다. 만일 일반적인 통증에 비해 심한 통증을 호소하고 복부진찰 상 압통 혹은 강직 등을 보이는 경우 허혈 혹은 괴사의 진행을 의심하고 수술치료를 시행해야 한다. 수술 시야에서 전층괴사(full-thickness necrosis)가 발견된다면 밴드는 제거를 하고 괴사된 위는 절제를 해야 한다. 괴사 없는 허혈이 보이면 밴드 클립을 열어 가능한 빠른 시간 내 미끄러진 위를 하방으로 정복 후 밴드를 제거하면서 그 생존력(viability) 여부를 수술 시야에서 판정하고 절제 유무를 결정한다.[5, 19, 44]

5) 예방
발생 시기는 수술 후 당일부터 발생 가능하나 과거 발생 빈도는 수술 기관에 따라 2~36%로 매우 다양하게 보고되고 있었다. 그 이후 밴드의 재질과 종류가 개선되고 수술 방법이 파스플라시다 방법(pars flaccida technique)으로 개선된 뒤부터는 밴드 미끄러짐의 발생 빈도가 1.4-4%로 매우 감소하였다.[34-35] 아직 완전한 결론은 없지만 일반적으로 밴드 설치 시 위낭과 밴드 하방 위장막근육 봉합(seromuscular suture)을 통하여 분문부(cardia)에 밴드를 고정하는 전방위 위고정(anterior gastrogastric fixation) 수술 방법을 적용함으로써 수술 초기에 발생하는 밴드 미끄러짐의 발생 빈도를 줄일 수 있었다.[28] 특히 미끄러짐이 발생한 환자들은 발생 전 위밴드 식이 습관이 잘못 형성되어 식후 막힘, 답답함, 구역, 구토가 일상화되어 그 위험성을 간과하면서 지내온 경우 최종적인 결과로 밴드 미끄러짐이 나타나게 되는 경우가 많아 주기적인 추적 관찰의 필요성과 잦은 구역 구토, 특히 음식 제거식이(purging diet) 방법의 위험성을 환자에게 인식하도록 해야 하며 이와 같은 불량한 식이생활 및 행동습관을 환자가 의료진에게 정직하게 자신의 정보를 제공하도록 해야 한다.[14-15] 환자로 하여금 구토, 구역 혹은 이상증세 발생 시 조기에 내원하여 위밴드와 식도위낭 상태를 검사 확인하는 습관 뿐만 아니라 위험한 증상을 야기하는 불량한 식이생활습관에 대한 행동교정을 통하여 잦은 구토 구역이 동반되지 않도록 노력하는 것이 미끄러짐 발생 예방을 위하여 중요하다.

2. 밴드 미란(Band Erosion or Migration)

밴드 미란은 밴드를 둘러싸고 있는 위벽의 부분괴사로 인하여 밴드가 위벽을 뚫고 밴드가 위 내강으로 부분이동(migration)한 상태를 말한다. 발생 빈도는 0.2-32.6%로[17] 다양하게 보고되나 유럽의 보고에 의하면 수술적 방법으로 위밴드를 처음 적용할 때 사용한 위주위법(perigastric technique)에서는 15-32%의 높은 발생률이 보고되었으나[39] 파스플라시다법(pars flaccida technique)을 적용한 이후 수술자의 숙련도와 그 경험치에 따라서는 0.09-1.0%의 낮은 발생률이 보고되기도 했다.[35]

1) 증상
대부분 초기에는 무증상인 경우가 많고 밴드에 생리식

그림 13-7 밴드 미란(Band erosion or migration). (a) 식후 속쓰림(postprandial brash), 명치통증(epigastric pain)을 주소로 한 환자의 정상배출 식도위장관 C-arm 조영술 소견 (b) 동일 환자 내시경 소견: 클립 부위를 제외한 밴드가 50% 이상 위강 내로 이동되어 있음

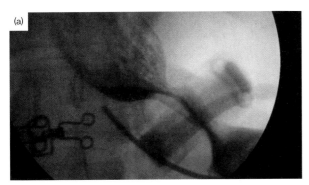
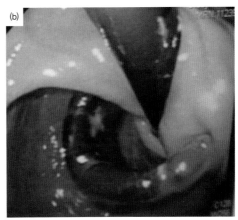

염수를 첨가하는 조절을 최대한 시행했음에도 불구하고 식후 포만감의 실종(loss of satiety)과 식욕의 증가로 인하여 감소되었던 체중의 재증가(regain) 혹은 체중감량의 중단을 보이며 드물게 지연 포트 감염(delayed port infection) 혹은 복통을 동반하기도 한다. 밴드 조절 시 포트나 튜브의 이상소견이 없음에도 불구하고 밴드에 존재하는 생리식염수의 자연 감소분이 급격히 증가하기도 한다. 위벽 천공에도 불구하고 대부분의 미란 상태에서는 급성 위벽 천공의 증상과 달리 전신 쇠약증이 나타나는 것은 드물다.

2) 진단

수술 후 초기 1-2주 이내의 포트감염이 아니라면 그 이후의 지연 포트 감염은 미란과의 감별을 위하여 식도위 내시경 검사가 필요하다. 비록 식도위조영술에서 조영제가 밴드 주위를 빠져나가는 것이 보이면 미란을 의심할 수 있으나 정확한 진단에 따른 밴드 제거를 위하여 식도위내시경 검사가 필요하다(그림 13-7). 그러나 초기 미란에서는 진단의 민감도가 떨어져 미란의 범위가 매우 적은 경우 혹은 근육층만 침범한 경우에는 식도위내시경으로도 진단이 안되는 경우도 있다.

3) 치료

밴드를 제거하는 방법은 위강 내로 밴드의 침범 정도에 따라 결정된다. 일반적인 표준 치료법은 밴드 제거와 손상된 위벽을 복구(repair)하고 배액을 실시하는 것으로 복강경 하에 밴드를 완전히 주위 조직으로부터 박리 노출시키고 결합부 절단 밴드를 제거하고 손상된 위벽을 영구(permanent) 봉합사를 이용하여 복구를 하면서 필요에 따라서는 그물막강화(omental reinforcement)를 함께 시행할 수 있다. 다른 방법으로는 복강경 시야에서 밴드를 찾을 수 없거나 밴드를 주위조직으로부터 확인 분리가 불가능한 경우에는 전방위절개(anterior gastrectomy)를 통하여 위강 내로 들어가 밴드를 절개하여 제거한 후에 전방위절개 부위를 봉합하는 방법이다. 이러한 수술 방법은 밴드에 의한 미란으로 손상된 염증성의 약한 위벽(inflamed friable gastric wall)의 봉합없이 위벽 복구가 가능하지만 밴드가 밴드의 결합부(buckle)를 포함하여 최소한 50% 이상 위강 내로 이동을 한 경우에 주로 적용할 수 있다.[17] 이와 비슷하게 밴드가 밴드의 결합부를 포함하여 50% 이상 이동이 내시경에서 진단된 경우 내시경을 통하여 특수한 내시경 밴드 절개기를 이용하여 밴드를 제거할 수도 있다. 그러나 내시경적 밴드 제

거술은 이차적으로 포트와 튜브 제거술이 필요하고 내시경 밴드 제거술 시 심한 저항으로 밴드가 부분 제거가 되거나 밴드 제거 시 위벽의 손상으로 밴드 제거 후 위출혈 등의 부작용 발생에 유의를 해야 한다.[32] 드물게는 좌측 위동맥을 포함 출혈을 동반한 미란의 경우에는 밴드 제거 시 심한 출혈 가능성으로 인한 혈관재건술이 필요할 수 있어 복강경보다는 개복술에 의한 수술이 권장된다는 보고도 있다.[24] 만일 심한 포트 감염을 동반된 미란의 경우에는 밴드와 포트를 제거 후 상처를 열어 놓고 배액을 하고 항생제 치료가 장기간 필요한 경우도 발생할 수 있다.

일반적으로 미란에 의하여 밴드를 제거한 후에는 대부분의 환자에서 체중의 재증가를 보이며 제2의 병적비만수술 방법이 필요하게 된다. 이러한 경우 또다른 새로운 밴드 설치는 염증 반응이 끝나가는 최소 3개월 이후에 실시를 해야 하며 밴드 제거 후 위벽을 복구하면서 동시에 위밴드의 재설치는 권장하지 않는다.[10] 일반적으로는 밴드 제거 6개월 후 체중이 급격히 다시 증가하는 경우 밴드 재설치 이외에 위우회술, 위소매절제술, 담췌우회술(biliopancreatic diversion, BPD) 등의 다른 비만수술을 환자에 알맞게 선택적으로 실시할 수 있다.

4) 예방

미란을 예방하기 위하여는 밴드 설치 시 위장막의 과도한 손상을 피하여야 하며 특히 위장막의 열손상 혹은 복강경 기구에 의한 물리적 손상, 전기소작기에 의한 위벽이 손상되지 않도록 세심하고 정밀한 수술적 방법이 요구된다. 또한 수술 당시 위밴드에 의하여 위벽의 과도한 견인이 발생하지 않도록 충분한 크기의 밴드를 선택하여야 하며 전방위고정 시 과도한 견인이 없도록 충분한 여유를 두고 밴드와 위벽 사이의 간격을 유지할 수 있게 봉합을 하여야 한다. 환자들에게는 적절한 교육을 통하여 한 번에 너무 큰 음식을 잘 씹지 않고 급하게 삼키지 않도록 하여야 하며 과도한 습관적인 구토를 하지 않도록 그 위험성을 교육하여야 한다. 위염의 병력이나 가능

성이 높은 환자군에서는 아스피린 혹은 비스테로이드성 진통제(NSAIDs)의 사용을 가능한 줄이거나 피하여야 하며 환자는 음주와 흡연을 중단하는 등 환자의 자발적이고 적극적인 식이습관 및 행동 교정 참여가 필수적이다.[25]

3. 열공탈장(Hiatal Hernia)

1) 진단

위밴드술 후에 열공탈장이 발생하면 일반적인 열공탈장과 마찬가지로 위식도역류(GERD) 증상이 나타나게 되어 야간역류(nocturnal reflux), 속쓰림(heartburn), 야간기침(night cough), 흡인(aspiration), 또는 연하곤란(dysphagia)을 보인다. 특히 밴드 후에는 밴드에 생리식염수를 채우면 증상이 악화되었다가 다시 생리식염수를 제거하면 증상이 호전되면서 체중이 다시 늘어나는 악순환을 지속적으로 반복하게 되면 임상적으로 열공탈장을 의심해 볼 수 있다.[16] 식도위내시경, 바륨 상부위장관조영술, 또는 컴퓨터단층촬영 등이 진단에 도움을 주는데 일반적으로 식도위내시경은 민감도가 상대적으로 떨어지고 컴퓨터단층촬영이 민감도가 높은 검사로 알려져 있다.

2) 치료

열공탈장의 크기가 크지 않고 체중 감량이 충분하고 환자의 치료 순응도가 높다면 밴드 생리식염수를 우선 제거하여 증상을 완화시키고 H2수용체 길항제(H2 receptor antagonist) 혹은 양성자펌프억제제(proton pump inhibitors, PPIs)를 사용하면서 보전적 치료를 시도한다. 보전적 치료에도 불구하고 역류가 지속되거나 진단 당시부터 열공탈장이 심한 경우 환자의 체중 감량 정도가 충분하고 치료 순응도가 높은 경우에는 수술을 통하여 열공탈장을 복원하고 밴드 재위치(reposition) 수술을 시행한다. 그러나 체중 감량이 불충분하고 치료 순응도가 낮

다면 밴드를 제거하고 열공탈장을 복원하거나 밴드를 제거하면서 위우회술과 동시에 열공탈장을 복원하는 것을 고려해야 한다.[25]

3) 예방

위밴드술을 받는 환자들에서 증상이나 징후가 전혀 없어 수술 전 진단되지 않는 열공탈장이 수술 시 발견되는 빈도가 1.7%로 보고되어 위밴드 설치 전 수술 시야에서 열공탈장 유무를 확인하여야 한다.[22] 만일 열공탈장이 확인되면 밴드 설치와 열공탈장 복원술을 동시에 시행하여야, 수술 후 발생하는 증상 뿐만 아니라 열공탈장에 의한 동심형위낭확장(concentric pouch dilatation) 혹은 밴드 미끄러짐 등의 합병증 발생 빈도를 줄일 수 있다.

4. 위식도역류(Gastroesophageal Reflux)

위식도역류는 일반적으로 밴드가 너무 좁은 상태로 조여 있거나, 위탈출(gastric prolapse), 혹은 진단되지 않았던 열공탈장 등이 있을 때 나타난다. 임상 증상으로만으로는 원인을 감별하기가 어려워 일반적으로 상부위장관 조영술을 통하여 감별을 한다. 밴드에서 생리식염수를 제거한 후 보전적인 치료에도 불구하고 증상이 지속된다면 그 원인에 따른 적절한 수술적 치료를 고려해야 한다. 위식도역류를 방치하면 야간역류(nocturnal regurgitation)로 충분한 수면을 유지할 수 없게 되거나 천식, 흡인성 폐렴 등으로 발전할 수 있고 이러한 증상은 위탈출 혹은 밴드 미끄러짐 발생 시에도 나타날 수 있다.[35]

3 체중 감량 불량 혹은 실패 (Poor Weight Loss or Band Failure)

불량한 체중 감량 혹은 체중의 재증가(regain)는 5-21%의 발생 빈도를 보이는데 여러 원인에 의한 밴드 식이제한 손실(loss of restriction)이 발생하였거나 환자의 육체적 정신적 혹은 생활습관 및 환경의 영향에 따른 위밴드 치료에 대한 저항과 불량한 순응도에 기인하여 발생한다.[1,35] 따라서 위밴드술 후 적절한 체중 감량을 위해서는 수술 후 지속적인 교육을 통하여 적절한 식사량과 식사습관의 변경이 필요하다. 특히 힘든 다이어트를 결정함에 환자를 격려하고 동기를 부여함으로써 환자의 식이습관과 더불어 생활습관의 변경을 유도하는 것이 필요하다. 또한 환자의 체중 감량을 저해하는 생활 속의 원인을 찾아 수정을 하도록 하고 불량한 식이습관과 생활습관의 변경이 안 되는 경우 발생할 수 있는 합병증의 조기교육을 통하여 위밴드 다이어트 생활에 대한 순응도를 높이는 것이 중요하다.[2,8] 따라서 위밴드술 후 체중 감량과 합병증 예방에는 치료에 따른 환자와 주위 환경의 절대적인 협조가 필요하다.

1. 식이제한 손실(loss of restriction)

배고픔이 빨리 돌아오고, 포만감을 느끼지 못하는 식이제한 손실은 밴드 기구 자체의 물리적 손상, 미란 및 생리적 혹은 물리적 식도 연하장애 등으로 인하여 발생할 수 있다.

1) 밴드 기구 손상/누출 및 기능이상(device leak or malfunction)

밴드 기구의 손상은 1% 이하로 매우 낮게 보고되고 있지만 밴드 손상은 생리식염수의 손실을 가져와 식이제한을 할 수 없게 된다.[8,27]

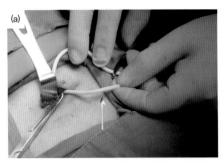

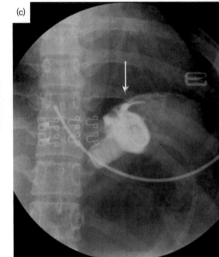

그림 13-8 밴드 기구 손상/누출 및 기능이상(device leak or malfunction).
(a) 연결관의 마모(wearing away)에 의한 밴드 연결관 손상/누출
(b) 포트연결부 천자로 인한 손상/누출
(c) 밴드 자체 손상/누출(band malfunction/leak)

(1) 밴드 연결관 손상/누출

밴드 연결관 손상은 관이 부분적으로 부서지거나 절단되거나 연결부위가 단절 혹은 분리가 되어 발생한다. 일반적으로 포트와의 연결부위가 분리가 된 경우 단순 복부 방사선 촬영에서 나타날 수 있으나 연결 부위가 아닌 복강 내 연결관의 경우에는 진단이 어려울 수 있다. 이런 경우 방사선 투시검사 하에 희석된 비이온성 요오드표지 조영제(nonionic iodinated contrast)를 포트로 주입하여서 진단에 도움을 받을 수 있다. 그러나 가장 정확한 진단은 수술 시야에서 50% 희석된 메틸렌블루(methylene blue)를 포트로 주사하여 누출 부위를 확인하는 것이다.[25] 치료는 연결관 손상 부위에 따라 포트, 연결관 혹은 밴드 전체를 교환 재설치하여야 한다. 위밴드 설치 시 이러한 손상을 예방하기 위하여 포트로부터 연결관이 부드럽게 꼬이지 않게 연결되어야 하고 밴드와 포트 사이에서 연결관이 너무 긴장이 심하지 않도록 하여 연결관의 피로도가 발생하지 않도록 하여야 한다. 특히 연결관을 근막이나 근육 등에 고정을 심하게 하면 연결관 벽의 움직임 제한으로 연결관의 마모(wearing away)를 야기할 수 있어 피해야 한다(그림 13-8a). 또한 복강 내 연결관이 포함되어 수술 후 유착증이 발생하는 경우 복강 내 연결관의 급격한 구부러짐과 펴짐의 반복으로 마모와 피로도가 증가되어 파손을 일으킬 수도 있어 가능한 복강 내 연결관에 긴장이 생기지 않도록 자연스러운 위치를 유지하도록 해야 한다. 또한 밴드 설치 시 기구나 봉합바늘에 의하여 의도하지 않은 손상에 조심하여야 한다.

2) 포트 손상/누출(port leak)

포트 손상은 일반적으로 생리식염수 주입 시 잘못 주입하거나(그림 13-8b) 연결부위 관의 분리 그리고 포트 자체의 파손으로 인하여 발생한다. 일반적으로 연결관의 분리 혹은 주사 바늘에 의한 잘못된 연결부 천자에 의한 손상이 아닌 포트막(port membrane) 자체의 손상은 비교적 늦게 나타나는 것으로 되어 있으며 생리식염수가 주입된 용량에 비해 남아있는 양이 큰 차이를 보이면서 식이제한 손실 증상이 나타나면 의심을 할 수 있다. 진단은 수술 시야에서 포트를 확인하는 것이 확실한 방법으로 수술 전 외부에서 진단을 하기는 어렵다. 포트 손상을 가능한 줄이기 위하여 생리식염수의 주입 혹은 제거 시 반드시 휴버(noncoring Huber) 바늘을 사용해야 한다. 치료는 포트 삽입 위치에 따라 부분 마취 혹은 전신 마취 하에 포트를 확인·진단과 함께 새로운 포트로 교환

을 한다. 잘못된 천자로 인한 포트 및 연결부 손상을 예방하기 위하여 필요에 따라 투시검사(fluoroscopy) 하에 생리식염수를 주입 혹은 제거를 하는 방법도 있다.

3) 밴드 손상/누출(band malfunction/leak)

밴드 자체의 기능 이상은 드물지만 밴드 버클(buckle)이 풀어진 경우, 밴드 풍선주름낭(balloon aneurysm) 형성 혹은 밴드 풍선 주름 파손 등이 있을 수 있다. 진단은 일반적으로 생리식염수 일정 양을 포트로 주입하고 3분뒤 다시 흡인하여 그 양의 차이를 확인하는 방법을 사용하나 처음 작은 파손의 경우에는 확인이 어려워 1 cc 이상의 생리식염수를 주입 후 일주일 후 다시 흡인하여 주입된 양과 다시 나오는 양의 편차를 측정하는 방법을 사용한다. 조영제를 통한 검사는 손상부위가 커서, 누출이 많은 경우에는(그림 13-8C) 진단이 가능하지만, 작은 경우에는 진단이 어렵고 드물게는 누출된 조영제에 의한 감염 위험에 노출될 수도 있다.[25] 복강경 수술 시야에서 메틸렌블루(methylene blue)를 포트로 주입하여 확인하는 것이 밴드 자체의 손상 혹은 누출을 진단하는데 다른 진단 방법보다 민감도와 정확도가 높다. 치료는 손상된 밴드를 제거 후 재설치하는 것이다. 드물게는 비대한 좌측 간으로 인하여 공기삽입(air inflation)에 의한 적절한 복강경 수술 시야 확보가 어려운 심한 내장 지방을 지닌 중심형 복부 비만(central obesity)에서 과도한 양의 작은그물막(lesser omentum)과 식도위주위지방(perigastro-esophageal fat pad or Belsey's fat pad)으로 인하여 위분문의 해부학적 구조가 구별이 불가능한 경우 위 배출자 삽입 시 히스각으로 통과하는 후위터널을 형성하지 못하고 작은 그물막과 식도위주위지방만을 통과한 상태에서 밴드를 설치를 한 경우에도 생리식염수의 주입 조절에도 불구하고 식이제한 손실이 나타날 수 있다. 이때는 일반적으로 식도위조영술이나 내시경에 의한 진단이 어려워 의심이 된다면 전산화단층촬영을 이용하여 정확한 진단을 해야 한다.[46]

4) 포트 플립(port flip)

포트 플립은 식이제한 손실을 직접적으로 가져오지 않지만 포트 삽입의 위치에 따라서는 포트막(port membrane)이 정상적으로 복벽의 전방을 보고 있지 않고 하방 혹은 옆면으로 위치하게 되어 원래 위치로 정복되지 않으면 밴드 조절을 위한 생리식염수 주입을 할 수 없게 만들기도 한다. 치료는 수술을 통하여 밴드를 정복하고 지방층 혹은 스카르파근막(Scarpa's fascia)이 아닌 복부근막(fascia)에 고정을 다시 하거나 포트 위치를 변경 다른 부위에 삽입하는 방법이 있다. 특히 다른 부위에 삽입 시에는 연결관에 긴장이 과도하게 걸리지 않도록 주의해야 한다.[36]

2. 밴드 부적응 식이(maladaptive eating)

위밴드술 후 환자에게 물리적, 생리적 혹은 정신적 이상 문제의 발생은 일반적인 고형식이 불내성(solid food intolerance)이 발생하게 되고 환자는 좀 더 내려가기 쉬운 연한(soft) 음식과 높은 칼로리 음식을 선택하는 습관으로 발전하게 되어 체중 감량을 저해하고 오히려 체중이 다시 증가하는 결과를 가져오게 된다. 따라서 이러한 문제점을 발견, 환자들의 순응도를 높여야 위밴드에 의한 적절한 다이어트 생활을 할 수 있다. 일부 환자 군에서는 조절이 어려운 식이장애, 행동장애 혹은 감정장애를 치료 없이 환자가 방치 혹은 치료를 거부하는 경우에도 체중감량에 악영향을 미치고 시간이 지남에 따라 부적절한 만성영양장애 및 잘못된 습관성 식이행동을 보여 위밴드로 인한 합병증 발생의 위험에 노출이 될 수 있다.[13]

1) 밴드 조임이 너무 큰 경우(band too tight) 혹은 불량한 식이 순응도(poor eating compliance)

밴드 조임의 과도함을 정의하기는 어렵지만 일반적으로 환자의 심리적 정신적 요인에 의하여 폭식 후 자의적 구토를 동반하는 자발적 식이제거를 하는 환자(binge eat-

그림 13-9 밴드 부적응 식이(maladaptive eating). (a) 위낭 확장(gastric pouch dilatation) (b) 식도확장증(esophageal dilatation or pseudoachalasia) (c) 호두까기 식도연하운동(nutcracker esophageal peristalsis)

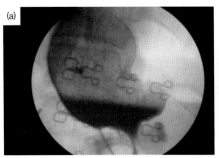 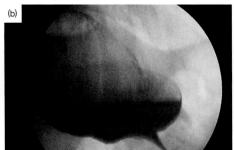 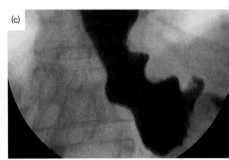

ing with purging diet)를[9, 20] 제외하고 정상적 위밴드 식이를 진행함에 있어서 고형식의 연하가 힘들어 유동식이만 진행하는 경우를 말한다. 밴드 조임이 과도하면 단기적으로는 식사제한을 가져올 수 있지만 장기적으로는 위식도 역류, 야간 역류, 연하곤란, 명치쓰림, 식도염 등의 증상이 발생하고 이들 증상은 환자로 하여금 삼키기 편하고 잘 내려가는 고지방 고칼로리 음식 혹은 크림, 버터, 당이 많이 포함된 음식 또는 아이스크림 등과 같이 연하가 쉬운 음식(slippery food)을 선택하게 하여 연한 음식 식이(soft food diet)를 하게 하고 불량한 식이습관을 만들어 체중감량을 저해하고 체중 재증가를 일으키는 원인이 될 수 있다. 밴드 조임에 의한 식이제한에도 불구하고 심리적, 감정적, 정신적 혹은 환경적 문제로 인하여 과도한 식이를 환자가 유지하면 증상을 조기에 일으키고 악화시킬 수 있다. 이러한 증상이 보이면 식도위장관 조영술을 통하여 이상 유무를 확인하고 밴드 식염수를 제거 혹은 줄여서 증상을 호전시키고 그 위험성과 체중 감량에 대한 악영향에 대한 교육을 통하여 환자의 순응도를 높여야 한다. 특히 불량한 순응도를 보이면서 잦은 음주 혹은 과음, 위밴드 후에도 식사속도가 수술 전과 같이 빠른 경우, 폭식(binge eating), 및 자발 구토를 동반한 식이거부증후군(PSEAD, post-surgical eating avoidance disorder with purging) 등이 있는 경우 불량한 체중 감량과 위밴드술 후 합병증 발생의 위험도를 높

일 수 있어 환자의 적극적이고 자발적인 협조가 이들을 예방하는데 필수적이다.[41]

2) 위낭 확장(gastric pouch dilatation)

밴드 부적응 식이는 수술 후 형성을 기대하였던 적절한 위낭 크기보다 확장되고, 확장된 위낭은 시간이 지남에 따라 밴드 생리식염수 주입조절을 함에도 불구하고 포만감 및 배고픔 조절에 실패하게 되어 역설적(paradoxical)으로 식사량을 늘리고 과식을 하게 만들 수 있다. 또한 이는 연하곤란을 호소함에도 불구하고 체중 감량에 실패하고 체중이 증가하게 할 수도 있다(그림 13-9a). 증상으로는 명치쓰림(heartburn), 연하곤란(dysphagia), 구토를 야기할 수 있고 드물게는 야간흡인(nocturnal aspiration) 발생으로 폐렴, 폐농양의 원인이 되기도 한다. 또한 장기간 지속된 위낭 확장은 시간이 지남에 따라 말기에 밴드 미끄러짐으로 발전할 가능성이 있다.[39] 식도위장관 조영술을 통하여 밴드주위 위구(gastric stoma)와 위낭의 크기를 확인하고 이미 주입된 생리 식염수를 위낭 확장 정도에 따라 일부 혹은 전부 제거하여 위낭의 크기를 줄이고 환자로 하여금 적절한 식이습관과 식사량(portion size)을 조절하도록 해야 한다. 수 주(예 8~10주) 후 재검사를 통하여 위낭 크기와 위구의 복귀 유무를 확인하고 만일 정상적인 위낭 상태로 돌아오지 않은 경우에는 밴드 재위치(reposition) 혹은 밴드제거 또는 다른 병적비

만수술로의 전환을 고려해야 한다.

3) 식도확장증(esophageal dilatation or pseu-doachalasia)

식도확장증 역시 위낭 확장증과 비슷하게 불량한 식이 습관과 생활습관을 수술 후에도 계속 지속하거나 밴드 후에도 조기 포만감이 생기지 않는 환자에서 발생 가능 성이 높다. 이러한 경우 밴드 주위 위구와 위낭의 크기가 정상적임에도 발생할 수 있다. 해부학적으로는 하부 식도괄약근(LES, low esophageal sphincter)의 기능이 떨어 져 있는 환자에서 발생 가능성이 높아진다는 보고도 있 다. 식도확장증은 식도에 음식물의 저류로 인하여 생겨 서 식도확장증이 발생하면 식이제한이 소실되고 체중 감량이 중단되거나 재증가가 나타난다. 증상은 위식도역 류(GERD) 증상과 연하곤란이 주증상이지만 말기 식도 확장증에서는 연하곤란을 느끼지 못하여 역설적으로 식사량이 증가하는 현상을 보일 수도 있다. 바륨 식도위 장관 조영술에서 척추보다 식도가 넓어지면 식도확장증 으로 확진한다(그림 13-9b). 척추보다는 사이즈가 넓지 않지만 정상적인 식도보다 커져 있으면서 식도 내에 분 비물이나 연하되고 남은 음식물 등이 보이거나 혹은 식 도의 연하운동 모양이 호두까기(nutcracker) 형태를 보이 면, 식도확장증의 전구 단계인 식도 운동장애(dysmotil-ity)를 의심할 수 있다(그림 13-9c).[3,47] 치료는 주입된 생리 식염수를 제거하여 밴드를 느슨하게 만들고 재검사를 통하여 식도 운동장애와 식도확장증의 개선 정도를 확 인한다. 주기적인 추적 관찰과 식이습관 식이양의 조절 을 통하여 식도확장증의 회복 정도에 따라 수 주 혹은 수 개월 후부터 주의 깊게 생리식염수 주입을 조절해야 한 다. 만일 환자가 지속적으로 불량한 순응도를 보이고 식 이습관 및 행동 생활습관의 교정을 보이지 않아서 식도 확장증의 개선이 나타나지 않으면 밴드를 제거하고 필요 시 다른 병적비만수술을 시행하는 것이 필요하다.[26,30]

결론

위밴드술 후 장기간이 지나서 발생하는 합병증(long-term complications)은 그 빈도와 종류 그리고 장기간의 체중 감량 유지 정도는 밴드 자체의 종류나 수술 방법에 직접 적으로 의존하지는 않는 것으로 나타나[21] 위밴드술 후 양호한 체중감소와 합병증 예방 혹은 감소를 위해서 수 술 후 환자의 좋은 순응도(good compliance)와 적극적이 고 자발적인 생활습관 및 행동교정에 대한 협조가 필요 하다.[18] 불행히도 발생한 합병증에 대하여는 합병증 종류 에 따른 적절한 치료를 통하여 회복을 유도할 수 있다. 일 반적으로 위밴드술 후 긴급(urgent) 혹은 응급(emer-gency) 치료가 필요한 경우는 여러 원인에 의하여 조절 형 위밴드 식도위배출구폐쇄(adjustable gastric band obstructions)로 인하여 발생한다. 미국비만대사외과학 회(ASMBS)는 비만수술 후 합병증에 대한 응급치료 가 이드라인을 제시하고 있다. 조절형위밴드술 후 식도위배 출구폐쇄가 발생하면 주로 구역, 구토를 동반하며 내원 한다. 이때 식도위장관 조영술 전 단순 방사선 사진 소견 에서 밴드 미끄러짐 방사선 소견이 보인다면 조영술 진 행을 중지하고 포트를 통하여 밴드 속 생리식염수를 가 능한 완전히 제거(deflation)하고 다시 검사를 통하여 방 사선 사진에서 밴드 미끄러짐 소견의 회복 정도를 파악 하고 방사선 소견에서 미끄러짐 소실 혹은 회복(resolu-tion)이 보이질 않는다면 동반된 증상 혹은 생체징후에 따라 식도위조영술의 추가 검사 없이 수술 치료도 고려 할 수도 있다. 미끄러짐 방사선 소견이 없고 물과 같은 투 명액상식이(clear liquid diet)에 대하여는 구토, 구역 등 의 이상증세 없이 삼킴장애(swallowing disturbance)가 없는 경우 식도위조영술을 통하여 폐쇄의 정도와 원인 을 검사하고 생리식염수 제거 정도를 결정하여 식도위배 출구폐쇄에서 회복시켜야 한다.

참고문헌

1. Aarts EO, Dogan K, Koehestanie P, et al. Long-term results after laparoscopic adjustable gastric banding: a mean fourteen year follow-up study. Surg Obes Relat Dis 2014;10:633-40.

2. Arapis K, Tammaro P, Parenti LR, et al. Long-Term Results After Laparoscopic Adjustable Gastric Banding for Morbid Obesity: 18-Year Follow-Up in a Single University Unit. Obes Surg. 2016.

3. Arias IE, Radulescu M, Stiegeler R, et al. Diagnosis and treatment of megaesophagus after adjustable gastric banding for morbid obesity. Surg Obes Relat Dis 2009;5:156-9.

4. Blachar A, Blank A, Gavert N, et al. Laparoscopic adjustable gastric banding surgery for morbid obesity: imaging of normal anatomic features and postoperative gastrointestinal complications. AJR Am J Roentgenol 2007;188:472-9.

5. Brac B, Rebibo L, Lemouel JP, et al. Laparoscopic Treatment of a Large Gastric Pouch Following Gastric Band Slippage. Obes Surg 2016;26:3084-5.

6. Burton PR, Ooi GJ, Laurie C, et al. Changes in Outcomes, Satiety and Adverse Upper Gastrointestinal Symptoms Following Laparoscopic Adjustable Gastric Banding Obes Surg. 2016.

7. Busetto L, Segato G, De Luca M, et al. Weight loss and postoperative complications in morbidly obese patients with binge eating disorder treated by laparoscopic adjustable gastric banding. Obes Surg 2005;15:195-201.

8. Carelli AM, Youn HA, Kurian MS, et al. Safety of the laparoscopic adjustable gastric band: 7-year data from a U.S. center of excellence. Surg Endosc 2010;24:1819-23.

9. Chao AM, Wadden TA, Faulconbridge LF, et al. Binge-eating disorder and the outcome of bariatric surgery in a prospective, observational study: Two-year results. Obesity (Silver Spring) 2016;24:2327-33.

10. Chisholm J, Kitan N, Toouli J, et al. Gastric band erosion in 63 cases: endoscopic removal and rebanding evaluated. Obes Surg 2011;21:1676-81.

11. Choi YB. Current Status of Bariatric and Metabolic Surgery in Korea. Endocrinology and metabolism. 2016.

12. Christine Ren-Fielding JA. Gastric Banding Complica-tions: Management. In; Ninh T Nguyen , eds The ASMBS textbook of bariatric surgery 2014;1:249-55.

13. Clough AD, Moore PM. Intermittent gastric prolapse after adjustable gastric banding is a potential cause of band intolerance: clinical and diagnostic findings from eight patients. Obes Surg 2015;25:360-5.

14. Conceicao E, Orcutt M, Mitchell J, et al. Eating disorders after bariatric surgery: a case series. Int J Eat Disord 2013;46:274-9.

15. Conceicao EM, Utzinger LM, Pisetsky EM. Eating Disorders and Problematic Eating Behaviours Before and After Bariatric Surgery: Characterization, Assessment and Association with Treatment Outcomes. Eur Eat Disord Rev 2015;23:417-25.

16. Dolan K, Finch R, Fielding G. Laparoscopic gastric banding and crural repair in the obese patient with a hiatal hernia. Obes Surg 2003;13:772-5.

17. Egberts K, Brown WA, O'Brien PE. Systematic review of erosion after laparoscopic adjustable gastric banding. Obes Surg 2011;21:1272-9.

18. Elkins G, Whitfield P, Marcus J, et al. Noncompliance with behavioral recommendations following bariatric surgery. Obes Surg 2005;15:546-51.

19. Foletto M, De Marchi F, Bernante P, et al. Late gastric pouch necrosis after Lap-Band, treated by an individualized conservative approach. Obes Surg 2005;15: 1487-90.

20. Forney KJ, Haedt-Matt AA, Keel PK. The role of loss of control eating in purging disorder. Int J Eat Disord 2014; 47:244-51.

21. Gero D, Dayer-Jankechova A, Worreth M, et al. Laparoscopic gastric banding outcomes do not depend on device or technique. long-term results of a prospective randomized study comparing the Lapband(R) and the SAGB(R). Obes Surg 2014;24:114-22.

22. Gulkarov I, Wetterau M, Ren CJ, et al. Hiatal hernia repair at the initial laparoscopic adjustable gastric band operation reduces the need for reoperation. Surg Endosc 2008;22:1035-41.

23. Hussain A, El-Hasani S. Bariatric emergencies: current evidence and strategies of management. World J Emerg Surg 2013;8:58.

24. Iqbal M, Manjunath S, Seenath M, et al. Massive upper

gastrointestinal hemorrhage: an unusual presentation after laparoscopic adjustable gastric banding due to erosion into the celiac axis. Obes Surg 2008;18:759-60.

25. Jaime Ponce JWA, Sunil Bhoyrul, Helmuth T. et al. Patterson, Christine J. Ren-Fielding, Vafa Shayani,. Clinical algorithms for identifying and managing complications of laparoscopic adjustable gastric banding. Bariatric Times 2013;10:14-9.

26. Khan A, Ren-Fielding C, Traube M. Potentially reversible pseudoachalasia after laparoscopic adjustable gastric banding. J Clin Gastroenterol 2011;45:775-9.

27. Lattuada E, Zappa MA, Mozzi E, et al. Injection port and connecting tube complications after laparoscopic adjustable gastric banding. Obes Surg 2010;20:410-4.

28. Lazzati A, Polliand C, Porta M, et al. Is fixation during gastric banding necessary? A randomised clinical study. Obes Surg 2011;21: 1859-63.

29. Lee HJ, Ahn HS, Choi YB, et al. Nationwide Survey on Bariatric and Metabolic Surgery in Korea: 2003-2013 Results. Obes Surg 2016;26:691-5.

30. Lipka S, Katz S. Reversible pseudoachalasia in a patient with laparoscopic adjustable gastric banding. Gastroenterol Hepatol (N Y) 2013;9:469-71.

31. Mechanick JI, Youdim A, Jones DB, et al. Clinical practice guidelines for the perioperative nutritional, metabolic, and nonsurgical support of the bariatric surgery patient--2013 update: cosponsored by American Association of Clinical Endocrinologists, the Obesity Society, and American Society for Metabolic & Bariatric Surgery. Surg Obes Relat Dis 2013;9:159-91.

32. Mozzi E, Lattuada E, Zappa MA, et al. Treatment of band erosion: feasibility and safety of endoscopic band removal. Surg Endosc 2011;25:3918-22.

33. Nguyen NT, Hohmann S, Nguyen XM, et al. Outcome of laparoscopic adjustable gastric banding and prevalence of band revision and explantation at academic centers: 2007-2009. Surg Obes Relat Dis 2012;8:724-7.

34. O'Brien PE, Dixon JB, Laurie C, et al. A prospective randomized trial of placement of the laparoscopic adjustable gastric band: comparison of the perigastric and pars flaccida pathways. Obes Surg 2005;15:820-6.

35. O'Brien PE, MacDonald L, Anderson M, et al. Long-term outcomes after bariatric surgery: fifteen-year follow-up of adjustable gastric banding and a systematic review of the bariatric surgical literature. Ann Surg 2013;257:87-94.

36. Owers CE, Barkley SM, Ackroyd R. Gastric band port site fixation: which method is best? J Obes 2015;2015:701689.

37. Parikh MS, Laker S, Weiner M, et al. Objective comparison of complications resulting from laparoscopic bariatric procedures. J Am Coll Surg 2006; 202:252-61.

38. Pieroni S, Sommer EA, Hito R, et al. The "O" sign, a simple and helpful tool in the diagnosis of laparoscopic adjustable gastric band slippage. AJR Am J Roentgenol 2010;195:137-41.

39. Ponce J, Fromm R, Paynter S. Outcomes after laparoscopic adjustable gastric band repositioning for slippage or pouch dilation. Surg Obes Relat Dis 2006;2:627-31.

40. Ponce J, Paynter S, Fromm R. Laparoscopic adjustable gastric banding: 1,014 consecutive cases. J Am Coll Surg 2005;201:529-35.

41. Segal A, Kinoshita Kussunoki D, Larino MA. Post-surgical refusal to eat: anorexia nervosa, bulimia nervosa or a new eating disorder? A case series. Obes Surg 2004;14:353-60.

42. Shen R, Ren CJ. Removal of peri-gastric fat prevents acute obstruction after Lap-Band surgery. Obes Surg 2004;14: 224-9.

43. Sonavane SK, Menias CO, Kantawala KP, et al. Laparoscopic adjustable gastric banding: what radiologists need to know. Radiographics 2012;32:1161-78.

44. Srikanth MS, Oh KH, Keskey T, et al. Critical extreme anterior slippage (paragastric Richter's hernia) of the stomach after laparoscopic adjustable gastric banding: early recognition and prevention of gastric strangulation. Obes Surg 2005;15:207-15; discussion 15.

45. Swenson DW, Pietryga JA, Grand DJ, et al. Gastric band slippage: a case-controlled study comparing new and old radiographic signs of this important surgical complication. AJR Am J Roentgenol 2014;203:10-6.

46. Szydlowski K, Michalik M, Pawlak M, et al. Band misplacement: a rare complication of laparoscopic adjustable gastric banding. Wideochir Inne Tech Maloinwazyjne 2012;7:40-4.

47. Wiesner W, Hauser M, Schob O, et al. Pseudo-achalasia following laparoscopically placed adjustable gastric banding. Obes Surg 2001;11:513-8.

Chapter 14 | 위밴드술 후 교정수술

Revisional surgery after gastric banding

1 서론

비만은 대표적으로 고혈압, 당뇨의 발생 빈도가 높으며, 기타 지질이상, 심혈관계 질환, 관절염 등의 대사성 질환과도 관계가 높다.[5] 그러나 비만을 비롯한 이와 연관된 대사성 질환은 비만수술의 등장으로 성공적인 치료의 결과를 나타내는 많은 문헌들이 보고되었다. 여러 가지 비만수술 중 복강경하 조절형위밴드술(laparoscopic adjustable gastric banding, LAGB)는 개복하 루와이위우회술(Roux-Y gastric bypass)의 변형된 술식으로 1990년대 초반에 등장하였고, 기술적으로 시행하기 쉬우며, 밴드를 조절할 수 있고, 술후 합병증이 낮다는 장점으로 인해 현재까지도 가장 많이 시행하는 비만수술 중의 한 술식으로 자리잡고 있다. 그러나, 추적 관찰이 장기간 진행될수록 많은 합병증이 발생하고 있고, 환자의 약 50%에서 재수술이 필요하다고 보고되고 있다.[2,4,6,8,12]

2 적응증 (표 14-1)

위밴드제거술을 시행하여야 하는 이유는 크게 두 가지로 구분될 수 있다. 첫째는 수술 후 충분한 체중감소가 이루어지지 않은 경우, 둘째는 위밴드로 인한 합병증이 발생하거나 건강에 심각한 문제를 야기시킬 수 있는 상황이 발생된 경우이다. 환자가 가질 수 있는 증상으로는 속쓰림(heartburn), 구토, 음식을 삼키기 어려움(eating or swallowing difficulty), 변비, 소화불량, 토혈 등이 있을 수 있으며, 불충분한 체중감소 또는 체중 증가, 식도확장, 식도열공탈장, 위-식도 역류성 질환, 담석증, 폐렴 등의 소견이 관찰될 경우 정확한 검사를 통해 위밴드제거술을 고려하여야 한다.

1) 체중감소의 실패

위밴드술 후 체중감소 실패의 원인은 다양하다. 우선 밴드 미란(band erosion) 등의 밴드 관련 합병증에 의해 실패할 수 있으며, 식이 교육에 대한 순응도의 부족, 식도

표 14-1   위밴드제거술의 적응증

체중감소의 실패
밴드 관련 합병증
밴드의 미끄러짐
밴드의 미란
밴드의 감염
밴드의 불내성
밴드의 손상
저장낭의 확장
연하곤란
위식도 역류성 질환
식도의 운동장애 또는 확장
포트의 감염

운동 손상 등과 연관이 있다. 그 외에도 체중감소에 대한 동기 부여의 부족, 정신과적인 문제들도 체중감소 실패의 원인으로 꼽을 수 있다. 또한 이러한 원인이 독립적으로 작용하는 경우보다는 복합적으로 환자의 수술 결과에 영향을 미치고 있으며, 이러한 이유로 위밴드수술을 포함한 비만수술 후 적절한 체중감소 뿐만 아니라 체중감소의 실패에 대해 명확한 정의는 현재 없는 실정이다.

대부분 체질량지수(body mass index, BMI)나 초과 체중감량 % (% excess body weight loss, %EWL)를 그 기준으로 삼고 있다. 그 중 가장 흔히 사용되고 있는 것은 Reinhold criteria로서 초과 체중감량이 25% 이하인 경우를 체중감소의 실패로 정의하였다.[10] 비만으로 인한 동반질환의 호전을 위해서는 초과 체중에 대해 최소 20% 이상의 체중감소가 필요하고 초과 체중의 30% 감소 이하를 체중감소 실패로 정의한 보고도 있다. 그러므로 문헌을 종합해 볼 때 초과 체중에 대한 체중감소량이 25-30% 이하인 경우를 체중감소 실패로 정의하는 것이 가장 무난할 것으로 보인다. 이러한 기준하에 체중감소의 실패는 위밴드수술 이후 3년 내에 약 30-40% 정도에서 발생하는 것으로 보고되고 있다.

그러나 이러한 획일화된 기준에 의한 것보다는 동반 질환의 조절 정도, 환자의 삶의 질이 얼마나 개선되었는가를 고려한 체중감소량이 위밴드제거술을 고려해야 할 기준이 되어야 할 것이다.[1]

2) 밴드 관련 합병증[2,3,4]

(1) 위밴드 미끄러짐(band slippage)
위밴드술 후 발생하는 합병증 중 가장 흔히 관찰되는 합병증의 하나로 위(stomach)의 아래 부분이 밴드를 통해 미끄러져 올라가면서 밴드의 상부에 큰 주머니(pouch)를 형성하는 것을 말한다. 증상으로는 구역, 구토, 복통, 연하곤란, 위산 역류 등이 있으며 우선적인 치료는 밴드의 부풀림을 줄이거나(band deflation) 밴드의 원래 위치로의 재조정(band repositioning)을 시도할 수 있다. 그러나 중등도 이상의 심한 밴드 미끄러짐이 있는 경우는 위밴드제거술을 시행하여야 한다.

(2) 밴드의 미란(band erosion)
위밴드술 후 1-4% 이하에서 발생하며, 위밴드가 위 안쪽으로 점점 파고 들어가 구멍을 만들게 되는 경우를 말한다. 증상으로는 복통, 구역, 구토, 연하곤란, 체중증가, 토혈, 조기 포만감, 발열 등이 있으며 심하면 패혈증이 발생하기도 한다. 치료는 수술로 위밴드를 제거하여야 하나 최근 내시경을 이용한 위밴드제거술이 보고되기도 한다.[7]

(3) 밴드의 감염(band infection)
밴드의 감염은 드물게 보고되고 있으며 대부분 항생제로 치유되나 항생제 치료에 반응하지 않는 경우는 위밴드제거술이 필요하기도 하다.

(4) 밴드 불내성(band intolerance)
심한 구역 또는 구토, 지속적이고 반복적인 복통 및 불편감이 발생할 수 있으며 위밴드제거술을 고려할 수 있다.

(5) 밴드 손상(damaged band)

밴드 손상은 밴드에 압력을 가한 후 서서히 발생할 수 있으며 술후 음식물 섭취의 제한이 이루어지지 않아 체중의 재증가가 발생할 수 있다.

3) 위낭 확장(Pouch dilatation)

위밴드의 상부에서 위의 저장낭이 확장되는 경우를 말하며 대부분 밴드의 물을 빼거나 감압시켜 주면 치유되나 가끔은 위밴드제거술이 필요하기도 하다.

4) 연하곤란(Swallowing difficulty, Dysphagia)

원인은 대부분 너무 빨리 음식물을 섭취하거나 너무 많은 양을 섭취하는 경우, 음식물을 삼키기 전에 충분히 씹지 않았을 경우에 발생하게 되는데 치료 또한 적극적인 식이 섭취 교육으로 대부분 해결되나 이에 잘 순응하지 못하는 환자의 경우 위밴드제거술이 요구되기도 한다.

5) 위식도역류 질환(Gastroesophageal reflux disease, GERD)

위밴드술 관련 위식도역류 질환은 만성적인 질환으로 약 7%에서 발생을 하는데 위식도역류, 속쓰림, 식도점막 손상으로 인한 식도염 등 식도의 손상을 일으킬 수 있다. 이의 치료를 위해 식이 습관 교육, 행동치료, 양성자 펌프 억제제(proton pump inhibitors, PPIs), 밴드감압 등의 다양한 보존적 치료가 우선적으로 시행되나 보존적 치료가 효과가 없을 경우 위밴드제거술이 필요할 수 있다.

6) 식도 운동장애(Dysmotility) 또는 식도 확장증(Dilatation)

위밴드로 인해 음식물이 더 이상 입에서 위로 전달이 되지 않는 상태를 말하며, 섭취한 음식의 역류, 연하곤란, 통증이 발생할 수 있다. 일시적인 밴드의 감압으로도 해결이 되지 않을 경우 위밴드제거술을 적극적으로 고려한다.

7) 포트 감염(Port infection)

포트가 삽입되어 있는 부위 주변 복부에서 발생되는데 항생제 치료에 반응하지 않거나 만성적으로 진행이 되는 경우 위밴드제거술이 필요하다.

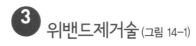

③ 위밴드제거술 (그림 14-1)

1) 술식

위밴드제거술의 접근법은 그 원인에 따라 다양할 수 있다. 위밴드 미란에 의한 경우 내시경을 이용하여 제거술을 시행할 수 있으며, 개복술을 이용하여 시행할 수 있으나 대부분 복강경을 이용한 수술이 표준화된 술식으로 받아들여지고 있다. 특히 위밴드 수술을 복강경으로 시행받은 경우는 대부분 복강경 접근법으로 수술이 가능하다.

수술 소요 시간은 그 원인에 따라 차이는 있을 수 있으나 평균 1시간 이내이며 실질적으로 밴드의 제거에 걸리는 시간은 더욱 짧을 것이다.

위밴드제거술은 비교적 쉽게 할 수 있으나 밴드 주변이나 위 주변에 염증이 심할 경우 주변에 형성된 반흔으

그림 14-1 위밴드제거술. (A) 간의 좌 외측구역 하방 밴드 주변의 유착 (B) 밴드 주변 유착박리술 후 밴드를 자르는 모습 (C) 위밴드 제거후 밴드가 위치했던 부위의 섬유성 변화

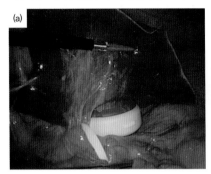
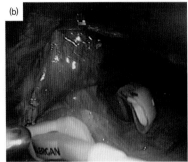
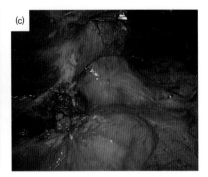

로 인해 수술이 어려워질 수 있고 환자의 회복과도 상관관계가 있으므로 이런 경우 세심한 주의가 필요하다. 술식은 크게 두 가지로 나뉘는데 우선 밴드 주변에 형성된 유착으로 인한 밴드 몸체의 capsule을 제거하기 위한 유착박리술이 첫번째 단계이며, 밴드를 자른 후 밴드를 몸 밖으로 꺼내는 것이 두번째 단계로 이때 포트와 연결된 선을 자른 후 밴드 본체를 꺼내게 되며, 포트는 삽입한 부위를 절개하여 포트와 연결선 모두를 제거하면 된다.

위밴드제거술 시 반드시 주의할 점은 처음 위밴드 수술 시 밴드의 위치를 고정하기 위해 위와 밴드 사이에 봉합(gastrogastric plication)을 시행하는데 이 봉합사를 반드시 제거해야 된다는 점이다. 그렇지 않을 경우 위밴드의 완전한 제거가 이루어지지 않을 수도 있다.

또한 위밴드 제거 후 위소매절제술이나 루와이위우회술로의 전환을 고려하고 있는지 여부가 중요하다. 단순히 위밴드를 제거하기 위한 목적으로 시행하는 제거술 보다 더욱 세심한 주의가 필요하다는 것이다. 위를 밴드가 둘러쌓음으로 인해 형성된 섬유화 고리를 완전히 제거하여 해부학적으로 확실히 구별이 될 수 있어야 한다. 그렇지 않은 경우 위에 봉합기(stapler)를 이용하여 firing 시 조직이 너무 두꺼워 불완전하게 될 수 있다. 그리고 이를 위해서는 좌측 횡격막각(diaphragmatic crus)을 완전히 노출시켜야만 한다.

이처럼 위밴드제거술을 시행하기 전 그 원인에 대한 명확한 분석을 통해 주된 술식 외에 배액관 삽입 등 부가적인 다른 술식이 필요한지 여부를 면밀히 따져보고 준비해야 하며 제거술 후 바로 다른 수술로 전환하는 교정수술을 시행할지 여부 또한 수술 전 반드시 고려하여야 한다.

2) 합병증

다른 수술과 유사한 합병증이 발생할 수 있으며 그 종류에는 출혈, 감염, 심폐 합병증, 심부정맥 혈전증 등이 발생할 수 있다. 특히 위와 밴드 주변의 심한 염증으로 인해 유착이 심한 경우에는 수혈이 필요한 정도의 출혈이 발생될 수 있으며 위 천공 등의 위 손상이 발생될 수 있다. 위 천공(gastric perforation) 발생 시 천공 부위 주변 염증의 심한 정도에 따라 지연성 일차 봉합을 시행하여야 하는 경우도 있다. 또한 교정수술과 같은 새로운 수술이 더해질 경우에는 합병증 발생률이 높아지므로 세심한 주의가 필요하다.

또한 위밴드제거술 후 위는 원래의 상태로 회복되기 때문에 체중의 증가가 다시 발생할 수 있다는 사실을 반드시 환자에게 주지시켜야 하며 이 점이 위밴드제거술 후 다른 교정수술이 필요한 이유이기도 하다.

④ 위밴드제거술 후 교정수술

여러 가지 원인들로 인해 위밴드 수술이 실패한 경우 위밴드제거술을 시행하게 되는데 위밴드제거술 후 체중이 다시 증가하는 경우가 대부분으로 이의 교정을 위해 다시 위소매절제술이나 루와이위우회술 등의 교정수술을 시행하게 된다. 그러나 이러한 교정수술은 아직 많은 논란을 가지고 있고 기술적으로도 어려움이 있다.

1) 수술시기(one stage 또는 two stage 수술)

One stage 재수술이란 위밴드제거술 후 동시에 재수술을 시행하는 것을 말하며, two stage 재수술은 위밴드제거술 후 수술을 종료한 뒤 일정 기간이 경과한 후 나중에 재수술을 시행하는 경우를 말한다. 그러나 재수술을 one stage로 시행할 것인가 two stage로 시행할 것인가 하는 문제는 아직 논란이 많다.

Two stage 재수술은 위밴드제거술 후 최소 3개월의 시간이 경과한 이후에 시행하는 것을 권하며, 많은 보고들에서 one stage 수술보다 더 좋은 결과를 보고하고 있다.[11,13] 재수술을 시행하기 위한 준비 기간 동안 섬유화된 조직과 유착 반응이 더 부드러워지거나 거의 정상화될 수 있는 기회를 갖게 됨으로써 수술 후 발생하는 합병증이 비교적 더 적다는 것이 two stage 수술이 우월하다는 근거가 되고 있다. 또한 밴드의 미란과 같은 합병증으로 수술하는 경우와 같이 심한 염증 반응과 유착으로 밴드와 위 주변의 섬유화가 심하거나, 수술 중 대량 출혈, 위의 천공이 발생하게 되는 경우는 two stage 수술을 강력히 권하고 있다.

그러나, 많은 외과 의사들이 가능하다면 one stage 수술을 선호한다. one stage 수술은 위밴드제거술과 동시에 시행하므로 한번의 전신마취하에 가능하며, 시행되는 수술의 횟수도 적고, 체중이 재증가하는 상황을 피할 수 있으며, 전체적인 비용 면에서도 two stage 수술에 비해 우월하다는 장점이 있기 때문이다. 또한 몇몇 보고에서는 two stage 재수술에 비해 수술시간이 더 길지만 통계적으로 차이는 없었으며 합병증 발생률과 재원기간도 차이가 없었다고 주장하기도 한다.[9]

그러나 각각의 수술이 우월하다는 보고들을 살펴보면 연구에 포함된 환자의 수가 너무 적다는 오류를 포함하고 있다. 또한 대규모의 전향적, 무작위적 연구도 드물다. 다기관 연구를 포함하여 향후 더 많은 연구가 필요한 현실이다.

2) 접근방법(복강경 또는 개복술)

재수술을 하기 위한 접근 방법으로는 개복술과 복강경을 이용한 접근 방법 두 가지가 있다. 그 중 복강경 수술이 개복술에 비해 합병증 발생 및 사망률이 낮기 때문에 복강경적 접근 방법이 선호된다. 또한 이러한 장점 이외에도 복강경적 접근 방법은 술자의 경험에 의해 많이 좌우된다고 할 수 있다. 경험이 많은 술자는 대부분의 재수술을 복강경적 접근 방법으로 시행할 수 있으며, 이전에 개복술을 시행한 과거력과 상관없이 복강경 수술을 시행하기도 한다. 그러나, 모든 술자는 복강경 수술 시 개복술로의 전환 가능성에 대해 항상 염두해 두어야 할 것이다. 지금까지의 연구 결과를 토대로 보면 위밴드제거술 후 재수술을 위한 접근방법으로 복강경적 접근 방법을 우선적으로 고려하는 것이 좋을 것 같다. 술전 검사상 심한 유착 등으로 인해 복강경 수술이 어렵다고 판단이 되는 경우라 할 지라도 카메라를 이용해 육안적으로 복강 내의 상태를 확인한 후 복강경 수술이 가능하면 복강경 수술을 지속하고, 불가능하다고 판단될 경우는 개복술로 전환하는 접근 방법이 가장 합리적인 접근 방법이 될 수 있을 것이다.

3) 교정수술방법 선택

위밴드제거술 후 시행할 수 있는 교정수술은 크게 루와이위우회술, 위소매절제술, 담췌우회술 및 십이지장전환술(biliopancreatic diversion with/ without duodenal switch) 등이 있다.

그 중 루와이위우회술이 가장 많이 시행되는 수술 중의 하나로 특히 밴드에 의해 형성된 위낭이 매우 크면서 전방에 위치할 경우에는 루와이위우회술이 가장 좋은 재수술이 될 수 있으며, 위식도 역류 증상이 심하거나, 식도의 운동이상이 동반된 경우에도 루와이위우회술을 우선적으로 생각할 수 있다. 또한 수술 후 체중감소의 면에서도 위소매절제술에 비해 더 우월한 결과가 보고되고 있으며, 합병증 발생률도 2% 미만으로 비교적 안전한 수술로 알려져 있다. 그러나 수술 술식이 위소매절제술에 비해 기술적으로 어렵고, 간의 좌외측 구역 하방의 노출이 필수적인 술식으로 이 부위의 염증과 유착이 심한 경우 또한 수술이 어려우며, 위와 공장의 문합을 시행할 부위를 선정할 때 신중한 선택이 필요하다. 위공장 문합 시 이전에 밴드가 위치해 있거나 밴드에 의해 섬유화가 심한 부위는 피하는 것이 좋다. 이에 따라 축소위우회술이나 원위부위우회술을 선택적으로 시행할 수 있다. 그러므로 술전에 위의 부종과 확장을 최소화 하기 위해 2-4주동안 밴드를 완전히 감압시키는 것이 좋으며, 내시경 또는 상부 위장관 조영술 등을 통해 밴드의 상부와 하부 위와 식도 등에 남아 있는 위낭의 크기를 측정하는 것이 매우 중요하다.

위밴드제거술 후 시행하는 위소매절제술은 2005년 처음 보고된 이후 루와이위우회술에 비해 기술적으로 더 쉽고, 영양장애가 덜하며, 신장결석, 내탈장, 문합부 궤양 형성의 위험이 적어 최근 시행이 급증하고 있는 수술이나, 여러 연구에도 불구하고 아직까지 명확한 적응증은 없으며, 환자의 선택이나 집도의의 경험에 의지해 수술이 시행되어지는 경우가 많다. 그러나 앞서 말했듯이 루와이위우회술을 우선적으로 선택해야 하는 경우와

같이 술후 위식도역류 질환이 발생할 가능성이 높은 환자 즉, 열공탈장이 있거나, 위식도역류 질환 증상이 있는 경우, 내시경소견 상 역류성 식도염이 있는 경우는 위소매절제술의 절대적 금기는 아니지만 루와이위우회술이 우선 권고되고 있다. 위소매절제술의 수술 결과를 살펴보면 합병증 발생률이 1-2% 내외로 루와이위우회술에 비해 합병증 발생률이 더 낮거나 비슷하고, 체중감소의 효과면에서도 초과체중감소량의 60-80%로 루와이위우회술과 비슷한 효과를 보고하고 있다. 염증 반응이나 심한 유착으로 인해 간의 좌외측구역 하부의 노출이 완전히 되지 않는 경우는 루와이위우회술보다는 위소매절제술이 더 유리하다. 위소매절제술 시행 시 특히 중요한 점은 좌측 횡격막각의 완전한 노출이다. 좌측 횡격막각은 위소매절제술의 해부학적 기준이 되는 것으로 완전한 위저부 절제를 위해서 좌측 횡격막각의 노출이 필수적이며 안전한 수술을 위해서도 반드시 필요하다. 또한 위밴드로 인해 위벽이 두꺼워져 있는 경우에 적절한 봉합기의 선택이 수술 후 누출, 출혈 발생 예방을 위해 중요하다.

위밴드제거술 후 시행하는 교정수술로서 선택할 수 있는 또 하나의 수술로 담췌우회술 및 십이지장전환술을 들 수 있다. 재수술로서 십이지장전환술은 2001년에 처음 보고되었으며, 담췌우회술 및 십이지장전환술은 그 다음해인 2002년에 처음 보고되었다. 그 이후 현재까지 근거있는 데이터를 가진 보고는 매우 드물지만, 제한된 보고들에 의하면 체중감소의 효과는 루와이위우회술에 비해 우월한 결과를 보이고 있어 체질량지수가 45 kg/m^2 이상인 환자에서는 시행해 볼 수 있다고 보고하고 있으나, 10%에서 많게는 60% 이상의 높은 합병증 발생률을 보고하고 있어 세심한 주의가 요구되고 있다. 더 많은 연구가 진행되어야 하지만 위밴드제거술 후 재수술로서의 십이지장전환술은 선택할 수 있는 하나의 수술 방법이기는 하나 아직까지는 수술 경험이 많은 술자 또는 기관에서 시행되어지는 것이 옳다고 생각한다.

그 외에 축소위우회술이나 위소매절제술을 동반한

십이지장공장우회술 등이 루와이위우회술의 변형된 방법으로 시행될 수 있으나 아직까지 신빙성 있는 결과를 보고한 연구가 적으며, 장기간의 추적 관찰이 요구된다.

 결론

위밴드제거술 전 신중한 병력 청취와 내시경, 상부위장관 조영검사, 복부 컴퓨터 단층촬영 등을 통해 위밴드와 주변 상태에 대한 정확한 정보를 수집한 후 환자의 동반질환, 신체질량지수, 환자의 선호도 등을 고려하여 위밴드 제거술 후 적절한 교정수술을 선택 시행한다면 합병증 발생률도 더욱 낮출수 있을 것이며 더 좋은 수술 결과로 환자의 만족도 및 삶의 질도 더욱 향상되리라 기대한다.

참고문헌

1. Andrea Figura, Anne Ahnis, Andreas Stengel et al. Determinants of weight loss following laparoscopic sleeve gastrectomy: the role of psychological burden,coping style, and motivation to undergo surgery. J Obes 2015;1-10.

2. Charles Kodner, Daniel R. Hartman, Complication of adjustable gastric banding surgery for obesity. Am Fam Physician 2014;89:814-8.

3. Fabio Cesare Campanile, Cristian E. Boru, Mario Rizzello et al. Acute complications after laparoscopic bariatric procedures:update for the general surgeon. Langenbeck Arch Surg 2013;398:669-86.

4. Jason Kasza, Fred Brody Khashyar Vaziri et al. Analysi of poor outcomes after laparoscopic adjustable gastric banding. Surg Endosc 2011;25:41-7.

5. Khaodhiar L.., McCowen KC., Blackburn GL. Obesity and its comorbid condition. Clin Cornerstone 1999;2:17-31.

6. Lanthaler M., Strasser S., Aigner F. et al. Weight loss and quality of life after gastric band removal and deflation. Obes Surg 2009;19:1401-8.

7. Marko Nikolic, Mateja Sabol, Ivan Kruljac et al. A first case of endoscopic removal of an eroded adjustable gastric band in Croatia. Coll Antropol 2014;38:343-46.

8. Matlach J., Adolf D., Benedix F. et al. Small-diameter bands lead to high complication rates in patients after laparoscopic adjustable gastric banding. Obes Surg 2011;21:448-56.

9. Raquel Gonzalez-Heredia, Mario Masrur, Kristin Patton et al. Revisions after failed gastric band: sleeve gastrectomy and Roux-en-Y gastric bypass. Surg Endosc 2015;29:2533-7.

10. R. B. Reinhold, Critical analysis of long term weight loss following gastric bypass. Surg Gynecol Obstet 1982;155:385-94.

11. Silecchia G., Rizzello M. De Angelis F. et al. Laparoscopic sleeve gastrectomy as a revisional procedure for failed laparoscopic gastric banding with a"2-step approach":a multicenter study. Surg Obes Relat Dis 2013;10:623-31.

12. Snow JM., Severson PA. Complications of adjustable gastric banding. Surg Clin North Am 2011;91:1249-64.

13. Stroh C., Benedix D, Weiner R. Is a one- step sleeve gastrectomy indicated as a revision procedure after gastric banding? Data analysis from a quality assurance study of the surgical treatment of obesity in Germany. Obes Surg 2014;24:9-14.

Chapter 15 | 비만수술 후 교정수술

Revisional bariatric surgery

서론

1996년 세계보건기구는 비만을 장기적인 치료가 필요한 질병으로 규정하였다. 비만은 고혈압, 당뇨병, 수면무호흡증, 이상지질혈증, 위-식도역류 질환, 퇴행성 관절염, 불임, 그리고 유방암이나 대장암 등의 악성 종양과 밀접한 관련이 있음이 잘 알려져 있으며, 동시에 체중 감량을 통해 이와 같은 동반질환이 뚜렷이 개선된다는 사실 또한 충분히 입증되었다. 그러나 식이와 운동으로 대표되는 기존의 비만치료는 체중 감량 및 유지에 있어 유의미한 결과를 보이지 못했으며, 현재까지 병적비만의 치료에 있어 장기적인 효용성과 안정성이 입증된 것은 비만수술 뿐이다.[23, 33]

단, 일차로 시행되는 비만수술 역시 표준화된 이상적인 수술은 없는 것이 현실이며, 각각의 수술이 비록 효과적일지라도 고유의 합병증 및 일정 정도의 실패 확률이 있는 것 또한 사실이다. 이 경우 교정수술이 필요하게 되며, 실제로 일차 수술의 증가와 맞물려 그 시행빈도가 전체 비만수술의 10~25%를 차지하고 있다.[17, 33] 본 장에서는 교정수술의 적절한 적응증, 수술 전 준비, 각 적응증에 따른 적절한 수술 방법에 대해 고찰하고자 한다.

교정수술의 적응증(Indications for revisional bariatric surgery)

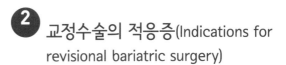

교정수술의 적응증은 크게 두 가지로 수술 관련 합병증과 체중 문제로 대표된다. 이 중 수술 관련 장기 합병증으로 인한 교정수술의 필요성에 대해서는 이견이 없으나, 불충분한 체중감소 혹은 체중 증가의 경우에는 교정수술의 적절성 혹은 장기 결과에 대해 아직 근거가 충분치 못한 상황이다. 보편적으로 일차 수술 후 체중관련 문제로 교정수술이 필요하게 되는 경우는 약 20% 정도로 알려져 있으며, 이 중 일부는 교정수술 후에도 불충분한 체중감소로 이어지는 경우가 종종 있어 임상영양사와 정신과를 통한 사전 준비가 필수적이라 할 수 있다.[22]

조절형위밴드술 후 교정수술 빈도는 0.76%에서 40%

까지 보고되고 있으며,[35] 루와이위우회술 후는 10-20%,[8, 33] 그리고 위소매절제술 후는 5.5% 정도로 알려져 있다.[40] 교정수술이 필요한 수술 관련 합병증에 있어, 조절형위밴드술의 경우는 밴드 이탈, 미란, 협착, 그리고 포트 관련 합병증이 있으며, 위우회술의 경우는 연결부위 궤양 출혈, 연결부위 협착, 위-위 누공 등이 있다. 위소매절제술 후 교정수술이 필요한 경우는 대부분 약물치료에 불응하는 역류성 식도염이다.[8, 12, 22, 26] 이 경우 교정수술 방법 선택은 각각 선택적으로 적용될 수 있다. 조절형위밴드술이나 위소매절제술 후 체중 감량에 실패한 경우 위우회술이나 십이지장전환술이 추천되며, 위우회술 후인 경우는 원위소장위우회술(distal roux-en-Y gastric bypass)이나 담췌우회술 및 십이지장전환술(biliopancreatic diversion with duodenal switch)이 고려될 수 있다.[22, 23, 33]

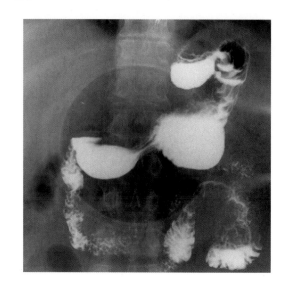

그림 15-1 위소매절제술 30개월 후 시행한 상부위장관조영술 소견. 저명하게 늘어난 위낭을 확인할 수 있으며, 수술 후 경과에 따라 잔위가 확장되었거나 일차 수술 중 위절제가 불충분하였을 경우 발생 가능함. 이 환자는 교정수술로 루와이위우회술 전환을 시행하였음.

1. 수술 전 평가

1) 식이 관리 및 영양 평가
교정수술 전 부적절한 식이 습관을 평가하고 교정하는 것은 기본적이며 필수적이다. 대개 일차 수술 후 충분한 체중 감량이 이루어지지 않았거나, 체중 재증가를 경험한 환자들 대부분 음식을 선택하는 기준이나 칼로리 관리 자체가 부적절하기 때문이다. 반복되는 구토를 보이거나, 단기간에 체중 재증가를 보인 일부 환자의 경우 식이 지도만으로도 교정할 수 있으며, 때때로 적절한 체중 관리가 가능하다. 또한 최근 다양한 약물이 개발되고 임상에 적용되면서 약물을 통한 식욕 혹은 식탐을 조절하는 것도 교정수술 전 고려해 볼 수 있는 방법이다.

2) 위내시경
교정수술 전 위내시경은 필수적이며 반드시 시행되어야 한다. 특히 일차 수술 기록이 불분명한 경우 수술 전 위내시경은 다양한 정보를 얻을 수 있는 기본 검사로, 역류성 식도염, 연결부위 궤양 혹은 연결부위 협착, 위-위 누

공 등을 확인할 수 있다.

3) 상부위장관 조영술(그림 15-1)
상부위장관 조영술의 경우 해부학적 정보뿐 아니라 기능적인 문제, 협착, 누공 등의 정보를 얻을 수 있다. 또한 수술 후 경과를 판단하는 데 있어서도 도움이 될 수 있어 수술 전 시행하는 것이 적극적으로 추천된다.

4) 추가 검사
이전 수술로 인한 식도 운동기능 평가를 위해 식도 내압검사를 시행할 수 있으며, 위배출능검사를 통해 위의 기능 이상을 평가할 수 있다.

5) 1차 수술 기록지 검토
수술 기록지 검토를 통해 해부학적 이상 소견이나 일차 수술에 대한 자세한 정보를 얻는 것은 교정수술의 시작이라 할 만큼 중요하다 할 수 있다. 일차 수술이 루와이위우회술이라면, 우회된 소장의 길이, 위-공장 연결 방

그림 15-2 조절형위밴드술 후 교정수술. (a) 위의 소만과 간 좌엽 사이에 심한 유착이 확인됨. (b) 밴드를 제거하기 위하여 밴드 주위의 유착을 박리하는 모습

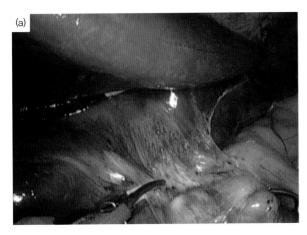

법, 장간막 결손 부위 봉합 여부 등을 파악하는 것이 도움이 될 수 있다. 조절형위밴드술의 경우 사용된 밴드의 종류를 포함한 해부학적인 정보를 얻는 것은 교정수술 준비과정에서 필수적이라 할 수 있다.

6) 그 외 확인하고 준비할 사항들

모든 수술과 마찬가지로 환자의 기저질환에 대해 충분히 파악하고 수술에 적절하도록 환자를 최적화하는 것이 수술 후 합병증 발생을 최소화할 수 있다. 특히 심부정맥 혈전증에 대한 수술 전 평가 및 대비는 병적비만 환자 준비에 있어 필수적이라 할 수 있다.[21]

2. 교정 수술의 일반 원칙

1) 유착 박리(그림 15-2)

대부분의 교정수술은 복강경을 이용한 접근이 가능하며, 일차 수술이 개복수술로 시행되었다 할지라도 유착에 대해 올바로 이해한다면 오히려 복강경을 이용하여 접근하는 것이 원래의 해부학적 구조를 확보하는 데 도움이 될 수 있다. 우선 소만 부위를 통해 위, 간, 췌장, 좌위동맥 및 하대정맥 주변의 해부학적 구조를 확인한 후

조심스런 박리를 지속해서 히스각을 확보하면 비교적 안전하게 교정수술을 시행할 수 있다. 충분한 박리를 통해 시야를 확보하는 것이 교정수술을 더욱 쉽게 그리고 안전하게 할 수 있는 방법이다.

2) 선형 자동문합기(linear stapler)의 사용

교정수술에 따른 위 절단 시 반드시 4.5 mm 또는 4.8 mm 높이의 카트리지(green or black cartridge)를 사용하는 것이 바람직하다. 이전 수술로 인한 만성 염증과 부종은 보편적으로 사용하는 절단기로 때때로 절단 실패 및 추후 심각한 합병증으로 이어질 수 있기 때문이다. 또한 이전 절단 부위를 다시 절단할 경우 반드시 보강 봉합이 추천된다.

3) 누출 검사

교정수술의 경우 절단면을 포함한 문합 부위 누출의 위험이 일차 수술에 비해 높을 수 밖에 없으며, 결국 누출 여부를 확인하는 것이 중요하다 할 수 있다. 수술 중 삽입된 비위관을 통해 메틸렌블루 혹은 공기를 주입하는 누출 검사를 통해서 확인할 수 있으나, 가능한 수술 중 내시경을 통해 육안적 그리고 공기 누출 검사를 시행하는 것이 바람직하며 가장 안전한 검사로 추천된다.

그림 15-3 조절형위밴드술 후 위소매절제술로의 전환. (a) 위 소만 주위의 유착을 주의하여 박리 (b) 선형 자동문합기를 이용하여 위를 절제한 후 스테이플 절단면을 따라 보강봉합을 시행한 모습. 화살표는 절제된 위를 가리킴.

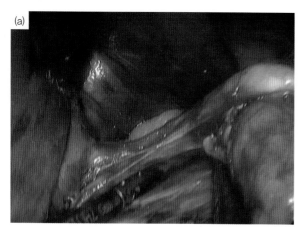
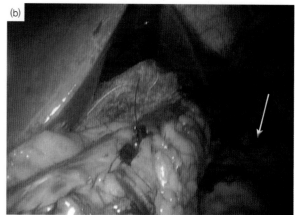

4) 위루 설치

문합 부위 누출의 위험이 높은 경우, 영양실조가 동반된 경우, 광범위한 박리로 남은 위 확장의 위험이 있는 경우 등에 있어 남은 위에 일시적 위루를 형성하는 것을 고려해 볼 수 있다.

5) 배액관 설치

배액관 설치 여부는 일반 수술에서의 결정과 크게 다르지 않지만, 교정수술의 특성 상 삽입하는 것이 일반적으로 추천된다.

3. 조절형위밴드술 후 교정수술

1) 적응증

교정수술이 필요한 가장 흔한 적응증으로는 위밴드 탈출과 미란이다. 단순 위밴드 탈출의 경우는 생리 식염수 제거, 위밴드 재설치만으로도 문제가 해결될 수 있으나, 미란의 경우 환자의 임상 양상 및 미란 정도에 따라 다양한 수술 접근이 필요하게 된다.[12, 42] 그 외에 식도 운동 기능 이상, 불충분한 체중감소, 위-식도역류 질환, 부적응

증 등이 교정수술의 적응증이 된다.[8, 38, 42] 이 경우 어떤 수술이 적절한지 아직 합의가 이루어지지 않았으나, 일반적으로 불충분한 체중 감량 혹은 체중 재증가의 경우 위우회술로의 전환이 추천된다.[30, 38, 43]

2) 수술 방법

① 위밴드제거술

가장 쉬운 방법의 하나로, 밴드 확인 후 밴드 주변 특히 버클 부위를 박리하면 쉽고 안전하게 밴드를 제거할 수 있다. 밴드 미란의 경우, 특히 버클 부위가 위 안쪽으로 들어와 있는 경우 내시경을 이용한 위밴드 제거가 가능할 수도 있다. Neto 등은 82명의 위밴드 미란 환자에서 내시경을 통한 1차 시도로 85%에서 위밴드 제거가 가능함을 보고했다.[31]

② 위밴드 재위치

안정적인 체중 감량 결과를 보이면서 단순 밴드 이탈이 발생한 경우에는 선택적으로 다시 위밴드 삽입술을 시행할 수 있다. 그러나 위밴드 미란이 있었던 경우, 체중 감량이 불충분했던 경우, 그리고 반복되는 구토가 있는 경우는 다른 수술로의 전환을 고려하여야 한다. 특히 이

그림 15-4 조절형위밴드술 후 루와이위우회술로의 전환. (a) 밴드 주위의 심한 유착이 확인됨. (b) 작은 위낭을 형성한 후 결장전방 루와이위우회술을 완성한 모습. 우측에 제거된 밴드를 확인할 수 있음.

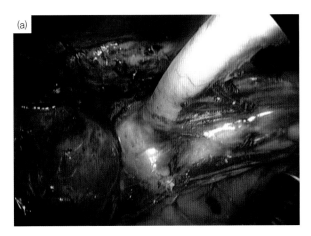
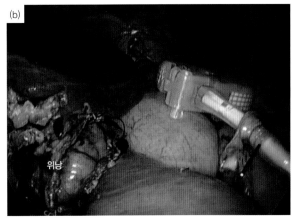

런 경우 밴드 재위치와 같은 수술의 경우 추가적인 합병증 발생으로 이어지거나, 전혀 체중 감량에 도움이 되지 못하는 경우가 발생할 수 있다.[8, 42, 43]

기술적인 측면에서 위밴드 재위치 시, Zundel 등은 일차 수술과 다른 트랙을 통해 위밴드를 위치시키는 것이 반복되는 이탈 등을 예방하는 데 우월하다고 하였다.[45] 또한 이전 밴드 수술 시 밴드 고정을 위해 봉합했던 위저부를 박리해서 원래의 해부학적 구조를 확보하는 것이 위밴드 재위치에 따른 위낭 형성 및 밴드 고정에 도움이 된다.

③ 조절형위밴드술 후 위소매절제술로 전환(그림 15-3)
조절형위밴드술과 위소매절제술은 기본적으로 순수 음식 섭취 제한을 그 기전으로 하고 있어, 조절형위밴드술을 통해 적절한 체중 감량이 이루어졌지만 위밴드의 기능이 적절치 못한 경우 선택될 수 있는 방법이다. 위소매절제술로 전환 시 위밴드 제거 후 히스각과 위저부를 충분히 박리해 정상 해부학적 구조를 최대한 확보한다. 이후 수술 방법은 일차로 시행되는 위소매절제술과 동일한 방식으로 진행된다. 단 앞서 언급되었듯이, 선형 자동문합기 선택 시 4.5 mm 혹은 4.8 mm를 사용이 추천된다.

아직 관련 보고는 많지 않은 상황이며, Folletto 등은 41명의 환자에서 19.5%의 합병증률 및 2년 추적 결과 41.5%의 초과체중감소를 보고했다.[10] Iannelli 등은 조절형위밴드술 후 체중 감량에 실패한 36명의 환자에서 12.2%의 합병증률 및 13.4개월 추적 결과 42.7%의 초과체중감소를 보였으며, 이 중 6명은 결국 담췌우회술 혹은 루와이위우회술이 필요했다고 보고하였다.[20]

④ 조절형위밴드술 후 위우회술로 전환(그림 15-4)
조절형위밴드술 후 위우회술로 전환에 대한 적응증으로는 위밴드에 부적응, 불충분한 체중감소 혹은 체중 재증가, 약물에 반응하지 않는 위-식도역류 질환 혹은 식도 기능 이상 등이다. 위우회술로 전환을 위해서는 소낭 주변 및 히스각 주위를 충분히 박리하여 정상 해부학적 구조를 확보해야 한다. Van Wageningen 등은 47명의 환자에서 조절형위밴드술 후 위우회술로 전환을 시행했으며 17%의 수술 관련 합병증, 총 추적 기간 5년 6개월 그리고 교정 수술 후 1년 경과 후 수술 전 체질량지수 49.2 ± 9.3 kg/m²에서 37.7 ± 8.7 kg/m²로 감소를 보고했다.[41] Mognol 등은 70명의 환자에서 14.3%의 초기 합병증, 8.6%의 장기 합병증, 그리고 18개월 추적 기간 70%의 초과체중

감량(excess weight loss, EWL)을 보고했다.[30]

최근 이와 관련해 8개 연구의 635명을 대상으로 위소매절제술과 위우회술을 비교한 메타 분석의 결과, 3개의 연구는 6개월 추적 시 두 수술 간 %EWL에 차이를 보이지 않았으나 12개월 추적한 6개 연구와 24개월 추적한 4개의 연구결과는 위우회술로 전환한 경우에서 유의하게 높은 %EWL을 보고했다.[29]

4. 위소매절제술 후 교정수술(그림 15-5)

주요 적응증으로는 위-식도역류 질환과 불충분한 체중감소다. 불충분한 체중감소의 경우 추가적인 위소매절술이나[20] 위우회술로의 전환이[41] 고려될 수 있다. 위소매절제술 후 위-식도역류 질환의 발생은 5~36%로 다양하게 보고되고 있으며,[40] 적절한 약물치료에도 불구하고 증상이 지속되거나 내시경 상 이상소견이 지속되는 경우 위우회술로 전환이 추천된다.[26]

Iannelli 등은 일차 위소매절제술 후 체중관련 문제로 13명의 환자에서 추가 위소매절제술을 시행했으며, 수술 후 1개월, 6개월, 1년 시점 각각의 초과체중감소율을 50.3%. 47.9%, 그리고 71.4%로 보고했다.[19] Van Rutte 등은 23명의 환자에서 교정수술로 위우회술을 시행했으며, 1년 추적 결과 52.5%의 초과체중감소를 보고했다.[40] Gautier 등은 18명의 환자에서 위우회술로 전환하였으며, 그 원인으로는 불충분한 체중감소, 지속되는 위-식도역류 질환, 그리고 지속되는 당뇨 등이었다. 수술 후 15개월 추적 결과 최종적으로 47.1%의 초과체중감소를 보였으며, 위-식도역류 환자는 모두 증상이 소실되었으며, 당뇨병 환자 역시 관련 약물 치료를 모두 중단하였다.[13,32] 그러나 최근 Robert 등은 48명의 환자에서 위-식도역류 질환과 불충분한 체중감소로 위우회술로 전환 후 20개월 추적 결과 역류증상은 96%에서 호전되었으나, 추가적인 %EWL은 30% 미만을 보고했다.[5]

위소매절제술의 경우 일차 수술로 인정된 것이 2009

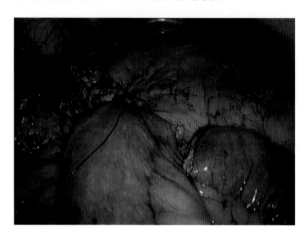

그림 15-5 위소매절제술을 루와이위우회술로 전환한 후 최종 수술 소견. 위낭을 형성한 후 공장을 끌어올려 위-공장 문합을 시행한 후, 공장을 절단하여 루각과 담췌각을 형성함.

년으로 아직 추적기간이 짧아 관련 보고가 부족한 상태로 다른 수술에 비해 상대적으로 표준화된 치료 지침이 없는 것이 사실이다. 다만 지금까지 일관된 결과는 위-식도 역류 질환이 교정수술의 원인인 경우 위우회술로의 전환이 효과적이지만, 불충분한 체중감소 혹은 체중 재증가의 경우에 대해서는 연구자마다 서로 상반된 결과를 보고하고 있어 신중한 접근이 필요하다 할 수 있겠다.

5. 루와이위우회술 후 교정수술

1) 적응증

1차 루와이위우회술 후 불충분한 체중감소 혹은 체중 재증가는 약 15~25% 정도로 보고되고 있다.[16,27,37] 체중감량 실패의 원인이 구조적인 문제가 아닌 정신과적인 문제를 포함한 행동 양상의 문제에 기인한다면 교정수술은 적응증이 되지 않는다. 즉 교정수술 시행 전 전반적인 식이 습관 평가 및 정신과적 상담이 필수적이라 할 수 있다. 위우회술 후 교정 수술 시행의 흔한 원인으로는 연결부위 궤양, 위-위 누공, 위-소장 연결부위 협착 등이다.

2) 교정수술 방법 선택 및 임상 결과

(1) 섭취 제한 수술 방법의 추가

섭취 제한 술식을 추가하는 데 있어서는 여전히 논란의 여지가 있지만, 위낭(gastric pouch)이나 위-공장 문합 부위의 확장 소견이 있는 경우 이 자체의 크기를 줄여 주거나 위낭에 조절형위밴드를 설치하는 것이 도움이 된다는 보고가 있다. Bessler 등은 22명의 환자에서 위우회술 후 조절형위밴드를 추가하여 5년 추적 결과 47%의 초과 체중감소를 보고하였다.[2] Gobble 등은 11명의 위우회술 환자에서 조절형위밴드를 추가하여 13개월 추적 결과 20.8%의 추가 초과체중감소가 이루어져 일차 위우회술 후를 기점으로 총 59%의 초과체중감소를 보고하였다.[14]

이론 상 위소매절제술로 전환하는 것도 고려될 수 있으나, Parikh 등은 14명의 환자에서 위우회술 후 불충분한 체중감소로 위소매절제술을 시행 후 1년 추적결과 의미 있는 체중감소를 보이지 않았다고 보고했고, Carter 등은 5명의 환자에서 위소매절제술로 전환 19개월 후 체질량지수 6.4 kg/m^{2}의 감소를 보고해 상반된 결과를 보이고 있다.[4, 32] 최근에는 내시경을 이용해 문합부위 크기나 위낭 크기를 줄이는 방법도 보고되고 있으나, 대부분 증례보고 수준의 작은 표본에 대한 단기 결과이며, 시술에 이용된 장비가 아직 실용화 단계에 있지 않다는 문제점이 있다.[1, 7, 18, 28, 32, 39]

(2) 흡수 제한 방법을 추가

① 소장 우회를 추가하는 방법(conversion to distal RYGB)

위낭과 위-소장 연결 부위의 해부학적 구조에 이상이 없는 경우, 루각(Roux limb) 혹은 췌담도각(Biliopancreatic limb)의 길이를 늘려 체중감소를 유도할 수 있다. 이 경우 상복부의 유착 박리가 필요 없어 상대적으로 술기가 단순하다는 장점이 있다. 루각과 췌담도각이 합쳐져 회맹판(ileocecal valve)까지 이르는 소장을 공통장관(common channel)이라 하며, 이 길이를 최소 75 cm 이

상 유지하는 것이 수술 후 심각한 영양학적 합병증을 예방하는 데 필수적이라 할 수 있다.[3] Sugerman 등은 27명의 환자 중 5명은 50 cm의 공통장관을, 22명은 150 cm 공통장관을 형성하는 교정수술(distal RYGB)을 시행한 결과, 50 cm의 공통장관을 형성한 5명의 경우 심각한 단백질 부족 및 영양학적 합병증이 발생했으며, 모든 환자에서 추가 수술이 필요했다. 150 cm의 공통장관을 형성한 22명의 경우 2명의 환자에서 영양 불균형으로 추가 수술이 필요했다.[36] 모든 환자에서 혈액 검사 상 철분 부족에 의한 빈혈을 포함한 다양한 영양학적 불균형을 보였으며, 4명(18%)의 환자는 정맥 영양 공급이 필요했다. 5년 추적 결과 69%의 초과체중감소를 보였으며, 동반 질환의 대부분은 교정 수술 후 1년 시점으로 개선되었다. Fobi 등은 65명의 환자에서 추가로 총 50%의 소장 우회를 추가하는 교정 수술을 시행해 추가 20 kg 감량 및 7 kg/m^{2}의 체질량지수의 감소를 보였다. 3%에서 심각한 설사, 8명의 환자에서 경장관 영양공급이, 그리고 6명에서 경정맥 영양공급이 필요했으며, 6명은 추가 수술이 필요했다.[9]

② 담췌우회술(+십이지장전환술)로 전환(conversion to biliopancreatic diversion with duodenal switch)

루와이위우회술 후 체중 감량에 실패한 경우 십이지장전환술을 시행할 수 있으며, 기존 연구 결과 약 15~20%의 초과체중감소를 보고했다.[11, 17, 33, 44] 단 술기 측면에서 3~4개의 추가 문합이 필요하기에 기술적인 어려움이 있어 경우에 따라 2단계로 나누어 접근하거나 개복이 필요하다는 문제점이 있다.

위우회술 후 십이지장전환술로 전환이 필요한 또 다른 적응증 중 하나는 바로 과인슐린 분비에 이은 저혈당(hyperinsulinemic hypoglycemia)이 발생하는 환자로 유문을 살리는 십이지장전환술이 적절할 수 있다.[24] Greenbaum 등은 41명의 환자에서 십이지장전환술로 전환한 결과, 6개월 추적 25명의 환자의 경우 54%의 초과체중감소, 1년 추적 15명의 경우 59%의 초과체중감소 및 2년 추

적 5명에서 77%의 초과체중감소를 보고했다. 32%에서 주요 합병증이 발생했으며, 수술관련 사망은 없었다.[15] Keshishian 등은 47명의 환자에서 십이지장전환술로 전환했으며, 46%는 불충분한 체중감소, 그리고 28%는 심각한 덤핑증후군이 그 원인이었다. 수술 후 누출 발생률은 8.5%였으며, 30개월 추적 결과 체질량지수는 48.9 kg/m² 에서 29.2 kg/m²로 감소하였고 67%의 초과체중감소율을 보였다.[25] 요약하면 루와이위우회술 후 추가적인 체중 감량 목적으로 소장 흡수를 줄이는 수술 방법으로 전환하는 경우, 효과는 뚜렷하지만 추가적인 다양한 합병증 발생 가능성이 있어 이런 전략이 적절한지에 대해서는 제한 사항이 많은 것이 현실이다.[34]

3 결론

비만수술은 지난 반세기를 거치면서 그 효과와 안정성이 입증되면서 꾸준히 발전하고 있다. 일차 수술의 증가와 함께, 그에 따른 장단기 합병증 및 불충분한 체중감소 혹은 체중 재증가 등의 이유로 교정수술의 필요성 및 빈도 역시 증가하고 있다. 삶의 질 측면에서 교정수술은 필요한 환자에서 반드시 고려되어야 함은 부정할 수 없으나, 체중 감량에 실패한 일부 환자의 경우 교정 수술 후에도 종종 실패를 보고하고 있어 시행 전 철저한 영양 상담 및 정신과적 면담이 필수적이라 할 수 있다. 또한 비만수술의 특성을 감안할 때, 체중관련 문제로 고려할 수 있는 교정수술 방법에 대해 아직 전혀 합의가 없음을 이해하여야 한다.[6]

참고문헌

1. Abu Dayyeh BK, Jirapinyo P, Weitzner Z, et al. Endoscopic sclerotherapy for the treatment of weight regain after Roux-en-Y gastric bypass: outcomes, complications, and predictors of response in 575 procedures. Gastrointest Endosc 2012; 76:275-82.

2. Bessler M, Daud A, DiGiorgi MF, et al. Adjustable gastric banding as revisional bariatric procedure after failed gastric bypass--intermediate results. Surg Obes Relat Dis 2010; 6:31-5.

3. Brolin RE, LaMarca LB, Kenler HA, et al. Malabsorptive gastric bypass in patients with superobesity. J Gastrointest Surg 2002; 6:195-203; discussion 204-5.

4. Carter CO, Fernandez AZ, McNatt SS, et al. Conversion from gastric bypass to sleeve gastrectomy for complications of gastric bypass. Surgery for Obesity and Related Diseases 2016; 12:572-576.

5. Casillas RA, Um SS, Getty JLZ, et al. Revision of primary sleeve gastrectomy to Roux-en-Y gastric bypass: indications and outcomes from a high-volume center. Surgery for Obesity and Related Diseases 2016; 12:1817-1825.

6. Choi SH, Kasama K. Bariatric and metabolic surgery. 1 ed. Berlin: Springer-Verlag Berlin Heidelberg. 87-96, 2014

7. Dakin G, Eid G, Mikami D, et al. American Society for Metabolic and Bariatric Surgery (ASMBS) Emerging Technology and Procedures Committee. Endoluminal revision of gastric bypass for weight regains—a systematic review. Surg Obes Relat Dis 2013; 9:335-342.

8. DeMaria EJ, Sugerman HJ, Meador JG, et al. High failure rate after laparoscopic adjustable silicone gastric banding for treatment of morbid obesity. Ann Surg 2001; 233:809-18.

9. Fobi MA, Lee H, Igwe D, Jr., et al. Revision of failed gastric bypass to distal Roux-en-Y gastric bypass: a review of 65 cases. Obes Surg 2001; 11:190-5.

10. Foletto M, Prevedello L, Bernante P, et al. Sleeve gastrectomy as revisional procedure for failed gastric banding or gastroplasty. Surg Obes Relat Dis 2010; 6:146-51.

11. Gagner M. Laparoscopic revisional surgery after malabsorptive procedures in bariatric surgery, more specific after duodenal switch. Surg Laparosc Endosc Percutan Tech

2010; 20:344-7.

12. Gagner M, Gumbs AA. Gastric banding: conversion to sleeve, bypass, or DS. Surg Endosc 2007; 21:1931-5.

13. Gautier T, Sarcher T, Contival N, et al. Indications and mid-term results of conversion from sleeve gastrectomy to Roux-en-Y gastric bypass. Obes Surg 2013; 23:212-5.

14. Gobble RM, Parikh MS, Greives MR, et al. Gastric banding as a salvage procedure for patients with weight loss failure after Roux-en-Y gastric bypass. Surg Endosc 2008; 22: 1019-22.

15. Greenbaum DF, Wasser SH, Riley T, et al. Duodenal switch with omentopexy and feeding jejunostomy-a safe and effective revisional operation for failed previous weight loss surgery. Surg Obes Relat Dis 2011; 7:213-8.

16. Hall JC, Watts JM, O'Brien PE, et al. Gastric surgery for morbid obesity. The Adelaide Study. Ann Surg 1990; 211:419-27.

17. Hamoui N, Chock B, Anthone GJ, et al. Revision of the duodenal switch: indications, technique, and outcomes. J Am Coll Surg 2007; 204:603-8.

18. Himpens J, Coromina L, Verbrugghe A, et al. Outcomes of revisional procedures for insufficient weight loss or weight regain after Roux-en-Y gastric bypass. Obesity surgery 2012; 22:1746-1754.

19. Iannelli A, Schneck AS, Noel P, et al. Re-sleeve gastrectomy for failed laparoscopic sleeve gastrectomy: a feasibility study. Obes Surg 2011; 21:832-5.

20. Iannelli A, Schneck AS, Ragot E, et al. Laparoscopic sleeve gastrectomy as revisional procedure for failed gastric banding and vertical banded gastroplasty. Obes Surg 2009; 19:1216-20.

21. Inabnet WB, 3rd, Belle SH, Bessler M, et al. Comparison of 30-day outcomes after non-LapBand primary and revisional bariatric surgical procedures from the Longitudinal Assessment of Bariatric Surgery study. Surg Obes Relat Dis 2010; 6:22-30.

22. Jones KB, Jr. Revisional bariatric surgery-potentially safe and effective. Surg Obes Relat Dis 2005; 1:599-603.

23. Kellogg TA. Revisional bariatric surgery. Surg Clin North Am 2011; 91:1353-71, x.

24. Kellogg TA, Bantle JP, Leslie DB, et al. Postgastric bypass hyperinsulinemic hypoglycemia syndrome: characteriza-tion and response to a modified diet. Surg Obes Relat Dis 2008; 4:492-9.

25. Keshishian A, Zahriya K, Hartoonian T, et al. Duodenal switch is a safe operation for patients who have failed other bariatric operations. Obes Surg 2004; 14:1187-92.

26. Lacy A, Ibarzabal A, Pando E, et al. Revisional surgery after sleeve gastrectomy. Surg Laparosc Endosc Percutan Tech 2010; 20:351-6.

27. Lechner GW, Callender AK. Subtotal gastric exclusion and gastric partitioning: a randomized prospective comparison of one hundred patients. Surgery 1981; 90:637-44.

28. Leitman IM, Virk CS, Avgerinos DV, et al. Early results of trans-oral endoscopic plication and revision of the gastric pouch and stoma following Roux-en-Y gastric bypass surgery. JSLS: Journal of the Society of Laparoendoscopic Surgeons 2010; 14:217.

29. Magouliotis DE, Tasiopoulou VS, Svokos AA, et al. Roux-En-Y Gastric Bypass versus Sleeve Gastrectomy as Revisional Procedure after Adjustable Gastric Band: a Systematic Review and Meta-Analysis. Obesity surgery 2017:1-9.

30. Mognol P, Chosidow D, Marmuse JP. Laparoscopic conversion of laparoscopic gastric banding to Roux-en-Y gastric bypass: a review of 70 patients. Obes Surg 2004; 14:1349-53.

31. Neto MP, Ramos AC, Campos JM, et al. Endoscopic removal of eroded adjustable gastric band: lessons learned after 5 years and 78 cases. Surg Obes Relat Dis 2010; 6:423-7.

32. Parikh M, Heacock L, Gagner M. Laparoscopic "gastrojejunal sleeve reduction" as a revision procedure for weight loss failure after roux-en-y gastric bypass. Obes Surg 2011; 21:650-4.

33. Radtka JF, 3rd, Puleo FJ, Wang L, et al. Revisional bariatric surgery: who, what, where, and when? Surg Obes Relat Dis 2010; 6:635-42.

34. Rawlins ML, Teel D, 2nd, Hedgcorth K, et al. Revision of Roux-en-Y gastric bypass to distal bypass for failed weight loss. Surg Obes Relat Dis 2011; 7:45-9.

35. Singhal R, Bryant C, Kitchen M, et al. Band slippage and erosion after laparoscopic gastric banding: a meta-analysis. Surg Endosc 2010; 24:2980-6.

36. Sugerman HJ, Kellum JM, DeMaria EJ. Conversion of proximal to distal gastric bypass for failed gastric bypass for superobesity. J Gastrointest Surg 1997; 1:517-24; discussion 524-6.

37. Sugerman HJ, Starkey JV, Birkenhauer R. A randomized prospective trial of gastric bypass versus vertical banded gastroplasty for morbid obesity and their effects on sweets versus non-sweets eaters. Ann Surg 1987; 205:613-24.

38. Suter M. Laparoscopic band repositioning for pouch dilatation/slippage after gastric banding: disappointing results. Obes Surg 2001; 11:507-12.

39. Thompson CC, Chand B, Chen YK, et al. Endoscopic suturing for transoral outlet reduction increases weight loss after Roux-en-Y gastric bypass surgery. Gastroenterology 2013; 145:129-137. e3.

40. van Rutte PW, Smulders JF, de Zoete JP, et al. Indications and short-term outcomes of revisional surgery after failed or complicated sleeve gastrectomy. Obes Surg 2012; 22:1903-8.

41. van Wageningen B, Berends FJ, Van Ramshorst B, et al. Revision of failed laparoscopic adjustable gastric banding to Roux-en-Y gastric bypass. Obes Surg 2006; 16:137-41.

42. Weber M, Muller MK, Michel JM, et al. Laparoscopic Roux-en-Y gastric bypass, but not rebanding, should be proposed as rescue procedure for patients with failed laparoscopic gastric banding. Ann Surg 2003; 238:827-33; discussion 833-4.

43. Westling A, Ohrvall M, Gustavsson S. Roux-en-Y gastric bypass after previous unsuccessful gastric restrictive surgery. J Gastrointest Surg 2002; 6:206-11.

44. Zingg U, McQuinn A, DiValentino D, et al. Revisional vs. primary Roux-en-Y gastric bypass--a case-matched analysis: less weight loss in revisions. Obes Surg 2010; 20:1627-32.

45. Zundel N, Hernandez JD. Revisional surgery after restrictive procedures for morbid obesity. Surg Laparosc Endosc Percutan Tech 2010; 20:338-43.

PART 03 대사수술 Metabolic surgery

Chapter 01 | 대사수술의 개요

Introduction of metabolic surgery

 1 **서론**

"새로운 것은 그들의 우연한 발견일 뿐이다."– 니체

우연한 관찰을 통해 발견된 사실이 기존의 프레임을 완전히 뒤엎는 경우가 있다. 그리고 그것이 새로운 시대를 열게 되는 계기가 된다. 20세기 초에 세상을 보는 시각과 기존의 과학을 완전히 바꿔버린 상대성이론도 빛은 어떤 상황에서도 모든 관찰자가 측정한 속도가 같다는, 우리가 일상으로 경험하는 바와는 사뭇 다른, 그리고 아주 작은 관찰과 고찰로부터 시작되었다.

대사증후군의 대표적 질환인 당뇨병은 의학의 역사와 함께 기술된 질환이며, 이의 치료법도 그 시작 이래 현재까지 내과적 치료를 하고 있는 질환이다. 그리고 기타 대사질환 역시 내과적 치료를 원칙으로 하고 있다. 근래에 와서는 대사질환의 빈도가 현저히 증가하고, 질환의 중증도도 높아지고 있다. 완치는 거의 불가능하고, 장기적으로 많은 장기의 부전으로 환자의 고통을 심화시키며 사망에 이르게 될 뿐 아니라 관련 의료비도 급증하고 있다. 근래에 우리나라의 사망원인 2위, 3위, 5위가 대사

질환으로 인한 것이고, 이는 현재 의학계에서 풀어야 할 최대의 과제 중 하나다.

내과적 방법으로는 관리 또는 치료가 거의 되지 않는 병적비만 환자들에게 수술적인 방법, 즉 강제적으로 섭취량을 줄이고, 흡수를 줄이는 방법으로, 영양균형을 낮은 수준에 맞춰주어 체중을 줄이고자 하는 비만수술이 1950년대에 개발되었다. 비만, 병적비만과 대사질환은 밀접한 관계가 있어 수술로 인한 체중 감량으로 대사질환이 현저히 개선 또는 관해될 것으로 예측하였고, 당연히 그 목적은 이루어졌다.

그런데 수술의 결과 중에 단순히 체중 감량만으로 대사질환을 개선시킨다고는 해석할 수 없는 몇 가지 증거와 더불어 대사질환의 기저를 이루는 기전인 인슐린 저항성이 개선된다는 증거가 나오면서 새로운 전기를 맞이하게 되었다. 즉 대사질환을 개선시키는 데 있어 체중 감량뿐만이 아니라 다른 기전도 인슐린 저항성을 낮추어 대사질환을 개선시키므로 이 기전을 잘 이해하고 적용한다면 체중 감량이 없이도 대사질환을 개선시킬 수도 있겠다는 생각이었다. 초기의 대사수술은 당뇨병 치료가 목표였던 만큼 당뇨수술이라 불리기도 했었는데, 이

후에 대사질환의 대부분을 개선하는 것을 더 강조하여 대사수술이라 부르게 되었다. 최근에는 비만수술도 결국 수술의 목표는 비만의 동반질환 개선이고 동반질환의 대다수가 대사질환이므로 비만수술도 포함하는 용어로 바뀌어가고 있다.

　본 장의 내용은 확실히 밝혀지지 않았거나 논란이 있는 부분이 적지 않지만, 많은 주목을 받고 있는 분야이고 계속적으로 새로운 연구발표가 이어지고 있으므로 대체로 인정받는 부분을 기술하고자 한다. 대사수술의 역사부분과 현재 이미 발표된 연구결과들을 기술한 부분 등은 사실에 근거한 내용이지만, 그에 대한 평가와 전망 등의 내용은 앞으로 개정될 소지가 많고 또 이 내용에서 많은 부분이 비만대사 외과의로서의 의견임을 미리 밝혀두고자 한다.

❷ 대사수술의 역사

1. 대사수술의 태동

의학에서는 우연히 관찰되고 발견된 사실이 기존의 프레임을 뒤엎고 새로운 시대의 단초가 되는 일이 있지만, 수술에서는 비교적 그러한 일이 적은 편이라 생각된다. 왜냐하면 수술은 최대한 예측을 하고 그 예측에 맞는 일을 하는 작업이며, 인간의 몸에 직접적으로 외상을 입히는 일이만큼 좀 더 세심한 사전연구, 동물실험 등이 선행되기 때문이다. 예를 들면, 소화성 궤양에 대한 수술은 궤양에 대한 병리기전의 연구와 생리학적 연구를 기반으로 미주신경 절단 및 유문성형술을 함께하였고, 위전정부절제, 선택적 미주신경절단술 등의 고안이 있었다. 그리고 그러한 수술의 결과와 합병증 등에 대해서도 예측이 가능한 상황에서 수술이 개발되었으며, 이러한 예측은 대체로 정확하였다. 반대의 경우도 있는데 예를 들면,

역류성 식도염에 대한 수술로 알려진 니센 위낭주름술(Nissen fundoplication)은 하부식도의 천공에 대한 수술로 처음 사용되었다. 즉 하부식도의 천공 부위를 막기 위한 serosal patch로서 위낭을 사용한 셈이다. 이는 고안이라기보다는 당장 발생한 천공에 대해 가장 쉽게 할 수 있는, 어쩌면 다른 선택이 별로 없이 시행한 대책이었다고 볼 수 있을 것 같다. 하지만 이 수술을 하고 나서 역류성 식도염의 증상이 현저히 줄어드는 것을 관찰하면서 역류 성식도염을 치료하기 위한 수술로 개발, 인정받게 되었다.

　협의의 대사수술 또는 당뇨수술도 이와 비슷한 발견으로 시작되었다고 할 수 있다. 1955년 Friedman 등은 소화성 궤양 등으로 위아전 절제술을 한 후에 당뇨병이 사라지는 것을 보고한 바 있고, 1970년대와 80년대에 흡수제한수술을 받은 비만환자에서 수술 직후에 당뇨병이 사라져 체중감소 전에 혈당조절을 위한 약제를 중단하였다고 보고하였다. 그리고 이와 유사한 보고가 간헐적으로 있었으나 체중 감량에 따른 당연하고도, 또한 부수적인 효과로 생각하여 거의 주목을 받지 못했다. 실제로 과거 당뇨병이 그리 흔치 않았던 시절에, 우리나라에서도 위수술 전문가들이 위절제술을 한 후에 당뇨병이 없어질 수 있으니 기대해보자는 말을 해왔지만 개인적인 경험 정도로 치부되었다. 그런데, 비만수술 후 당뇨병이 개선되는 것을 관찰하던 중, 루와이위우회술과 조절형 위밴드술을 한 후에 혈당이 개선되는 것에 차이가 있음을 발견하였다. 즉, 조절형위밴드술 후에는 체중 감량이 일어나면서 그 정도에 따라 혈당이 개선되고 혈중 인슐린 농도도 그에 비례해서 감소하는 데 비해, 루와이위우회술 후에는 수술 직후에 바로 혈당이 떨어져 정상화되고, 혈중 인슐린 농도도 바로 감소하는 것이었다. 이는 루와이위우회술 직후에 인슐린 저항성이 현저히 감소하는 것을 의미한다고 볼 수 있다. 왜냐하면 혈당이 떨어졌는데 인슐린 분비량 또한 감소하였기 때문이다. 인슐린 저항성은 비만 정도와 밀접한 관계가 있는 것으로 생각되고, 비만수술의 효과도 체중 감량으로 인슐린 저항성이

감소하는 것이 관련이 있는 것으로 당연히 생각하였지만, 이 관찰로 루와이위우회술이 만들어 낸 소장의 해부학적 변화가 어떤 특별한 기전을 가지고 있는 것이 아닌가 하는 생각을 하게 되었다.

1995년 Pories 등[16]은 당뇨병 또는 내당능 장애가 있는 비만환자, 각각 146명과 152명에서 루와이위우회술 후 14년 관찰한 결과 수술 당시에 당뇨병인 환자의 83%, 내당능 장애인 환자의 99%가 완전관해를 유지하는 것과 이들 환자에서 당뇨병이 수술 후 1주일 이내에 개선 또는 완전관해되는 것을 보고하면서, 다른 어떤 치료법도 '이와 같이 지속적이면서도 완전하게 당뇨병을 조절할 수 있는 방법은 없다' 라는 주장을 하였으나 의학계 전반에서는 주목을 받지 못했다. 하지만, 이러한 몇몇 관찰들은 외과의들에게 영감을 주게 되었다고 생각된다. Rubino 등[17, 19]이 2004년부터 2006년에 걸쳐 비만하지 않은 제2형 당뇨병 동물모델인 GK rat (Goto-Kakizaki rat)을 이용한 일련의 실험을 하였다. 적용한 수술은 십이지장공장우회술로서, 위우회술과 비교해 볼 때, 우회를 시작하는 부분이 십이지장 제 1부라는 점을 제외하고 소장의 해부학적 변화는 동일하며, 위 전체가 소화과정에 참여할 수 있게 하여 체중감소가 적도록 한 수술이었는데, 이 수술 후에 즉시 혈당이 개선 또는 정상화되었다. 그리고 이렇게 혈당이 개선된 GK rat에서 우회되었던 십이지장 및 소장 근위부로 음식이 지나도록 재개통시키면 다시 당뇨병이 생기는 것을 관찰하였다. 이 실험은 당뇨병이 개선되는데 체중감소에 의한 인슐린 저항성을 배제하고도 당뇨병이 개선, 관해되는 것을 보여주는 실험이다.

Rubino의 동물실험은 많은 의사들의 영감을 자극하였고, 이러한 동물실험만을 가지고 Cohen[3], De Paula[4] 등이 비만수술의 적응증보다 낮은 체질량지수의 환자에게 십이지장공장우회술, 공장치환술 등을 시행한 증례보고를 하게 되는데, 수술을 시행한 후 바로 제2형 당뇨병이 관해 또는 개선되는 것을 보여주었다.

2. 대사수술의 제안 후 변화

이런 몇 편의 연구와 증례보고 후에 2006년 미국비만외과학회(ASBS: American Society for Bariatric Surgery)가 학회의 공식명칭을 미국비만대사외과학회(ASMBS: American Society for Metabolic and Bariatric Surgery)로 바꾸고, 2007년에는 로마에서 당뇨수술회담(Diabetes Surgery Summit Meeting)이 열리는 등 일련의 상황이 일어나게 된다.

2007년 당뇨수술회담에서는 많은 참여연구자들이 내과계 의사였음에도 불구하고, 비만수술의 적응증보다 낮은 체질량지수 30–35 kg/m²의 당뇨병 환자에서 수술적 치료를 시도하는 것에 동의하였다. 이후 몇몇 연구자들이 체질량지수 30 kg/m² 이하의 당뇨병 환자에서 십이지장공장우회술을 비롯한 몇 가지 술식을 적용하여 당뇨병이 관해되거나 개선되는 것을 보고하였다. 아시아에서는 2008년에 ACMOMS (Asian Consensus Meeting on Metabolic Surgery)가 당뇨수술회담과 같은 형식으로 전문가 투표로 진행되었는데 여기에서 아시안의 경우 체질량지수 35 kg/m²를 넘거나, 32 kg/m²를 넘으면서 1개의 동반질환 또는 30 kg/m²을 넘으면서 2개의 동반질환이 있는 경우엔 수술을 고려하는 것으로 제안하였다. 하지만 이것은 비만수술과 혼용된 가이드라인이었다고 볼 수 있을 것 같다. 2010년에는 ADSS (Asian Diabetic Surgery Summit)가 열리고 여기서는 체질량지수 37 kg/m²을 넘거나, 체질량지수 32 kg/m²를 넘으면서 조절이 잘되는 제2형 당뇨병을 가진 경우와 체질량지수 27 kg/m²을 넘으면서 당뇨조절이 잘 안되고 동시에 여러 동반질환을 가진 경우에 대사수술을 할 것을 권유하였다.

2009년 미국당뇨병학회(American Diabetes Association, ADA)가 체질량지수 35 이상의 환자에서 수술적 치료를 가이드라인에서 인정하였는데 이는 비만수술의 적응증과 같은 것이었지만, 당뇨병학회로는 처음으로 당뇨병 치료목적으로서 수술의 필요성을 인정한 것이었다. 이후 여러 연구자들의 연구를 통해 여러 비만수술이 당뇨병에 미치는 영향이 밝혀지고, 새로운 제안과 가설이 나오면서, 2011년 3월 국제당뇨병연맹(International Diabetes Federation, IDF)은 미국당뇨병협회와 같은 기준뿐 아니라 체질량지수 30-35 kg/m² 경우도 2차 약제를 사용하는 단계에서 수술적 치료를 고려하도록 개정하였다.[21] 그리고, 아시아인에 있어서는 체질량지수의 기준을 2.5 kg/m² 씩 낮춰서 서양인의 체질량지수 30-35 kg/m² 를 27.5-32.5 kg/m² 로 해야 한다고 하였다. 따라서 아시아인의 경우엔 제2형 당뇨병 환자가 2차 약제를 쓰는 단계에 이르면 체질량지수 27.5 kg/m² 이상에서 대사수술을 고려하는 것을 권유한 것이다. IDF의 가이드라인 이후에는 거의 모든 학회가 비슷한 기준의 대사수술의 적응증을 얘기하고 있으며, 아시아인에 대해서 체질량지수의 기준을 낮추어야 한다는 것도 마찬가지다.

한편, 비만수술의 적응증에 대해서도 변화가 있었다. 2013년에 ASMBS, 2014년에는 국제비만대사외과연맹(IFSO: International Federation for the Surgery of Obesity and Metabolic Disorders)에서 서구 기준 비만인 체질량지수 30-35 kg/m² 인 환자에서 동반질환이 있으면 수술을 할 것을 권유하였으며, 체질량지수보다는 동반질환이 환자에게 미치는 부담 정도를 우선 고려해야 한다고 하였다.

2015년에 런던에서 열린 제2회 당뇨수술회담에서는 2007년에 이어 당뇨병치료의 가이드라인을 새로 제시하였다.[18] (그림 1-1, 표 1-1) 이 국제회의에는 이 분야의 권위 있는 6개의 학술단체(American Diabetes Association, International Diabetes Federation, Chinese Diabetes Society, Diabetes India, European Association for the Study of Diabetes, and Diabetes UK)를 대표하는 임상의와 학자 48명(75%가 비외과 의사)이 다학제적 그룹을 형성하여 제2형 당뇨병에 대한 내과적, 수술적 치료의 효능과 한계에 대한 현재까지의 연구 결과를 종합 분석하여 합의 진료지침의 개정을 한 것이었다. 새로운 가이드라인이 기존 가이드라인과 가장 큰 차이가 나는 점은, 제2형 당뇨병이 진단되면 우선 비만도를 기준으로 접근을 하

는 것이다. 과거에는 제2형 당뇨병이 진단되면, 우선 생활습관개선 후 metformin을 사용하는 단계를 거쳤으나 새로운 가이드라인은 비만(체질량지수 30 kg/m² 이상, 아시아인은 27.5 kg/m²)인 경우와 아닌 경우로 나누는 것을 먼저 고려하는 것으로 바뀌었다. 두 번째 큰 변화는 비만수술이라는 용어는 없어지고 대사수술이라는 용어로 바뀌었다. 여기에는 ADA, IDF를 비롯해서 전 세계 각 국가를 대표하는 45개의 당뇨병관련 학회(내과적 학술단체[30], 외과적 학술단체[15]가 지지표명(endorsement)을 하였으나 우리나라에서는 이 제안에 지지표명을 하지 않았다. 각 나라를 대표하는 45개 학회가 지지표명을 한 이 가이드라인에 우리나라가 함께 하지 않은 이유에 대해서는 정확히 알 수 없다.

3. 국내의 대사수술 연구

우리나라의 대사수술은 세계적인 추세를 잘 따라갔다고 볼 수 있다. 물론 인도, 대만, 브라질보다 1-3년 정도 늦은 감이 있기는 하지만, 위암수술을 받은 당뇨병 환자들의 결과를 검토한 후에 접근을 하였다는 점에서는 타 국가에 비해 좀 더 많은 증거를 가지고 시작하였다고 할 수 있을 것이다.

국내에서는 위암수술 후 재건방식에 따라 당뇨병의 개선되는 정도에 차이가 있음을 확인하는 보고를 하였다.[7] 위암수술 후 재건을 할 때 십이지장과 공장 일부가 우회되는 위전절제술 후에 가장 많은 당뇨병 개선이 있고, 주로 십이지장이 우회되는 Billroth II 문합이 다음이고, 십이지장, 소장의 우회가 없는 Billroth I이 가장 적게 개선되었다. 이런 배경을 가지고 2009년 체질량지수 25.0 kg/m² 인 환자에서 십이지장공장우회술을 시행하여 당뇨병이 관해된 것을 관찰하였다. 이후 체질량지수 30 kg/m² 이하인 당뇨병 환자에서 루와이위우회술, 축소위우회술 등을 시작하였고, 2011년에 그 결과를 보고하였는데, 개선을 각각 83-90%, 89%, 관해를 각각 60-83%, 73%

그림 1-1 국제당뇨병기구의 당뇨병치료 알고리듬과 대사수술.

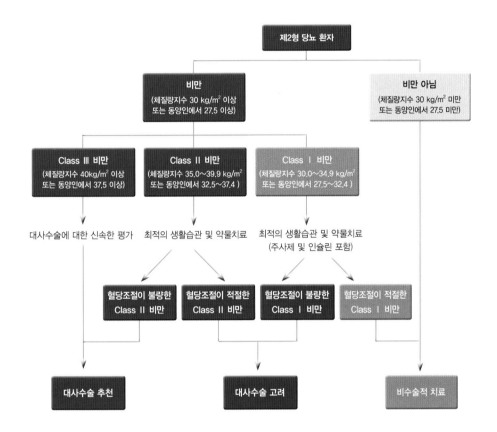

로 보고하였다.[9, 10] 허 등[5]은 체질량지수 25 kg/m² 이하의 환자에서 십이지장공장우회술을 한 경우 1년 후에 27% 의 개선과 13.3%의 관해율을 보고하였는데, 루와이위우 회술의 경우에는 50% 이상의 관해와 45%의 개선을 보이는 데 비해 효과가 떨어져 더 이상의 십이지장공장우 회술은 하지 않고 있는데 이는 세계적으로도 같은 상황이다. 2016년에는 권 등[11]이 체질량지수 30 kg/m² 이하의 당뇨병 환자에서 루와이위우회술을 시행하여 50%의 관해율을 보고하였다. 그리고 경구당부하 검사를 통해 인슐린 저항성과 베타세포의 인슐린 분비능을 측정하였는데, 인슐린 저항성은 곧바로 개선되었고 1년 동안 체중감량이 진행되었지만 인슐린 저항성의 개선은 초기 이후에 더 이상 변화가 없었다. 그리고 베타세포의 인슐린 분비능은 시간이 지나면서 점차로 개선되었고 인슐린분

비능의 개선 여부와 정도가 이 환자들에서 제2형 당뇨병이 관해되는 데 있어 중요한 요인이었다.

그리고 위암환자 중 당뇨병이 있는 환자를 대상으로 소위 장각루와이(long limb roux en Y) 술식을 적용하여 당뇨개선 또는 관해를 유도하려는 시도를 하고 있으며 몇몇 연구자들의 초기 보고에 의하면 55% 정도의 관해를 보인다고 발표하였고, 이 결과를 토대로 위암환자 중 제2형 당뇨병이 있는 환자에서 대사수술을 시도하고 있다.

표 1-1 제2회 국제 당뇨수술회담에서 공표한 성명 및 권고사항[18]

일반사항	등급; LoC
1. 위장관은 대사 조절에서의 역할을 감안할 때 제2형 당뇨병의 치료를 위한 임상적, 생물학적으로 의미 있는 표적이 된다.	등급 U; LoC 100%
2. 현재 제2형 당뇨병과 비만이 있는 환자에 대한 항당뇨 중재방법에 위장관 수술의 포함을 뒷받침하는 충분한 임상적, 메커니즘적 증거가 있다.	등급 A; LoC 97%
3. 제2형 당뇨병 치료를 위한 알고리즘에는 생활습관 교정, 영양 및 약리적 접근과 더불어 대사수술이 치료 옵션으로 간주되는 특정 시나리오가 포함되어야 한다.	등급 A; LoC 92%
4. 생활습관 교정, 영양, 약리적 및 외과적 접근의 통합적인 만성 질환 관리 모델의 개발은 현대 당뇨병 치료의 중요한 우선 순위이다.	등급 U; LoC 100%
5. 임상 학회(clinical community)는 보건 관리 당국(health care regulators)과 협력하여, 대사수술을 비만 환자에서의 제2형 당뇨병의 효과적인 치료 중재임을 인식하도록 하고 적절한 보상 정책(보험 정책)을 도입하도록 해야 한다.	등급 U; LoC 100%

대사수술 대 전통적인 비만수술	등급; LoC
6. 제2형 당뇨병과 비만 치료를 목적으로 하는 위장관 수술로 정의되는 대사 수술은 당뇨병 치료의 국제 표준 방법에 부합하는 당뇨병-기반 임상 진료 모델 개발을 필요로 한다.	등급 U; LoC 100%
7. 대사수술에 더 적합한 환자 선택 알고리즘을 수립하기 위해 비만수술의 후보자를 선택하는 데 사용되어 온 전통적인 기준인 체질량지수의 단독 사용에 대한 보완적인 기준이 개발되어야 한다.	등급 U; LoC 100%
8. 루와이위우회술, 위소매절제술, 복강경 위밴드술, 전통적인 담췌우회술, 또는 담췌우회술-십이지장전환술은 일반적인 대사수술법으로, 각각 위험-대-이익의 비율이 다르다. 다른 모든 대사수술은 현재 연구 목적으로 간주되고 있다.	등급 A; LoC 91%
9. 대사수술은 당뇨병 치료와 위장관 수술에 대한 이해와 경험이 있는 다학제 팀이 있는 수술 건수 상위병원에서 시행되어야 한다.	등급 U; LoC 100%

대사수술의 목표와 성공에 대한 정의	등급; LoC
10. 장기적인 효과를 입증하기 위해서는 더 많은 연구가 필요하지만, 위장관 수술이 제2형 당뇨병의 합병증을 줄이기 위한 생활습관 개선 및 현재의 약물치료 이외의 추가적인 접근법으로 간주될 수 있다는 증거가 있다.	등급 A; LoC 97%
11. 제2형 당뇨병과 비만이 있는 환자에서 대사수술의 목표는 장기적인 건강을 향상시키기 위해 당뇨병의 합병증을 줄이면서 고혈당과 다른 대사 이상을 개선하는 것이다.	등급 A; LoC 97%

환자 선택	등급; LoC
12. 환자가 대사수술에 적합한 지 여부는 당뇨병 치료에 대한 전문 지식을 지식을 갖춘 외과의, 내과의, 또는 당뇨병 학자/내분비학자 및 영양사를 포함한 다학제 팀에서 평가해야 한다. 또한 개별 상황에 따라 환자 평가를 위해 다른 관련 전문가들에게 상의할 수 있다.	등급 B; LoC 85%
13. 대사수술의 금기증은 제1형 당뇨병의 진단(병적비만과 같은 다른 이유로 수술의 적응증이 되지 않는 한); 현재 약물 또는 알코올 남용; 조절되지 않는 정신 질환; 위험/이익, 기대되는 결과 또는 대안에 대한 이해 부족; 수술에 필요한 영양 보충 및 장기 추적 관찰에 대한 제한이 있는 경우 등이다.	등급 A; LoC 93%
14. 대사수술은 다음 조건을 가진 환자에서 제2형 당뇨병을 치료하기 위한 옵션으로 권고된다: • Class III 비만(체질량지수 ≥ 40 kg/m²), 혈당 조절 수준 또는 포도당 감소 약제요법의 복잡성과 상관없이 • Class II 비만(체질량지수 35.0-39.9 kg/m²), 생활 습관 교정과 최적의 약물치료에도 불구하고 부적절하게 조절되는 고혈당증이 있는 경우.	등급 U; LoC 100% 등급 A; LoC 97%
15. 대사수술은 또한 Class I 비만(체질량지수 30.0-34.9 kg/m²)과 경구 또는 주사제(인슐린포함)에 의한 최적의 치료에도 불구하고 적절하게 조절되지 않는 고혈당증이 있는 제2형 당뇨병 환자를 치료하기 위한 옵션으로 고려되어야 한다.	등급 B; LoC 87%
16. 이 권고사항에 제시된 모든 체질량지수 기준값은 환자의 인종에 따라 재검토되어야 한다. 예를 들어, 아시아계 환자의 경우, 위의 체질량지수 값은 2.5 kg/m² 감소해야 한다.	등급 B; LoC 86%
17. 제2회 당뇨수술회담위원회는 청소년 환자의 제2형 당뇨병에 대한 대사 수술의 효과를 보여주는 1등급 증거가 부족하다는 점을 감안하여 현재는 청소년 인구에서 위장관 수술의 사용이 적절치 않다고 생각한다. 그러나 위원회는 이 점을 향후 연구의 최우선 고려 사항으로 판단하고 있다.	등급 U; LoC 100%

표 1-1 (계속) 제2회 국제 당뇨수술회담에서 공표한 성명 및 권고사항[18]

수술 전 검사	등급; LoC
18. 수술 전 환자 평가에는 내분비, 대사, 신체적, 영양 및 심리적 건강 상태에 대한 평가가 포함되어야 한다.	등급 U; LoC 100%
19. 수술 전 평가에는 일상적인 임상 당뇨병 관련 특정 지표가 함께 포함되어 있어야 한다. 제2회 당뇨수술회담전문가 그룹은 다음 검사를 권고한다: • 개별 의료기관에서 위장관 수술을 위해 시행되는 표준 수술 전 검사 • HbA1c, 공복 혈당, 지질 검사, 망막증, 신병증, 신경병증 검사와 같은 현재 당뇨병의 상태를 파악하기 위한 최근 검사들 • 제2형 당뇨병과 제1형 당뇨병을 구별하기 위함 검사들(공복 C-peptide; anti-GAD 또는 다른 자가항체들)	등급 A; LoC 98%
20. 고혈당으로 인한 수술 후 감염의 위험을 줄이기 위해서, 수술 전 혈당 조절을 개선하려는 시도가 있어야 한다.	등급 A; LoC 95%

수술 방법의 선택	등급; LoC
21. 루와이위우회술은 잘 표준화된 외과 수술이며, 대사수술 목적으로 용인되는 네 가지 수술 중 제2형 당뇨병 환자 대부분에서 보다 유리한 위험-이익 프로파일을 갖는 것으로 보인다.	등급 U; LoC 100%
22. 장기간의 연구가 필요하지만, 현재의 결과는 무작위 대조군 연구 결과에 따르면 위소매절제술이 적어도 단기에서 중기(1-3년)에서 우수한 체중감소 및 제2형 당뇨병의 주요 개선을 이루는 효과적인 수술 방법임을 시사한다. 특히, 장관 구조의 전환을 시행하는 수술법에 대한 위험이 있는 우려되는 환자의 경우에 위소매절제술은 당뇨병 치료에 가치 있는 선택이 될 수 있다.	등급 B; LoC 80%
23. 복강경 위밴드술은 비만과 제2형 당뇨병이 있는 환자에서 혈당을 개선하는 데 효과적인데, 그것은 복강경 위밴드술이 체중감소를 유발하는 정도까지이다. 그러나 이 수술은 실패 또는 밴드 관련 합병증(예. 미끄러짐/이동, 미란 등)으로 인해 루와이위우회술에 비해 재수술/교정수술의 위험이 더 높다.	등급 B; LoC 85%
24. 담췌우회술/담췌우회술-십이지장전환술이 혈당 조절 및 체중 감량 측면에서 가장 효과적인 방법이라는 임상적 증거가 있지만, 이 수술은 영양 결핍의 위험이 커서, 대부분의 환자에서 다른 비만/대사수술에 비해 위험-이익 프로파일이 더 나쁘다. 담췌우회술/담췌우회술-십이지장 전환술은 비만도가 극심한 환자(예. 체질량지수 > 60 kg/m²)에서만 고려되어야 한다.	등급 B; LoC 83%

수술 후 추적관찰	등급; LoC
25. 수술 후 환자는 당뇨병 전문의/내분비 의사/외과 의사, 영양사 및 특히 당뇨에 전문 지식을 갖춘 간호사를 포함한 다학제 팀에 의해 지속적으로 관리되어야 한다.	등급 A; LoC 98%
26. 수술 후 추적관찰은 수술 후 첫 2년간은 적어도 6개월마다 그리고 필요한 경우 더 자주, 그 이후에는 적어도 매년 한 번씩 외과적, 영양학적 평가를 포함해야 한다.	등급 U; LoC 100%
27. 환자가 비당뇨병성 혈당증에 대해 문서화되고 안정된 상태가 아닌 이상, 혈당 조절은 최소한 수술 받지 않은 환자에서의 표준 당뇨병 치료에서와 같은 빈도로 감시되어야 한다.	등급 U; LoC 100%
28. 적어도 6개월 동안 고혈당증이 안정된 정상화 상태에 도달한 환자에서, 재발 가능성 때문에 혈당 조절의 감시는 당뇨병 전 단계 환자에서 권장되는 것과 동일한 빈도로 시행되어야 한다.	등급 A; LoC 95%
29. 5년 미만으로 비당뇨병성 혈당증이 안정된 상태로 유지되는 환자는 관해 전과 같은 빈도로 당뇨병의 합병증을 감시해야 한다. 일단 관해가 5년까지 유지되는 경우, 합병증의 감시는 각 합병증의 상태에 따라 그 빈도를 줄여서 시행할 수 있다. 특정 합병증에 대한 검사를 완전히 중단하는 것은 비당뇨병성 혈당증이 지속되고 그 합병증의 병력이 없는 경우에만 고려되어야 한다.	등급 B; LoC 85%
30. 수술 후 첫 6개월 이내에 환자는 의사의 전문적인 의견에 따라 혈당 조절 및 당뇨병 치료제 감량에 대해 신중하게 평가되어야 한다. 처음 6개월 이후 제2형 당뇨병의 추가적인 약물치료는 적절하게 투여되어야 하지만, 안정된 혈당의 정상화 상태가 검사 결과에 의해 증명될 때까지 중단해서는 안 된다. 안정적인 비당뇨병성 혈당증(즉, 정상 범위의 HbA1c)은 혈당 강하제의 완전한 중단을 고려하기 전 최소 2번의 3개월 HbA1c 검사(총 6개월)에 의해 문서화해야 하지만, 특정 흔히 쓰이는 약제(예. metformin)의 중단은 보다 신중하게 고려되어야 한다.	등급 B; LoC 82%
31. 수술 후 초기에 혈장 포도당 수준이 정상 범위에 빠르게 도달하는 경우, 저혈당을 예방하기 위해 약물치료를 적절하게 조정(약물 종류 및 용량)해야 한다. Metformin, thiazolidinediones, GLP-1 유사체, DPP-4 억제제, a-glucosidase 억제제 및 SGLT2 억제제는 저혈당 유도의 가능성이 낮기 때문에 수술 후 초기에 당뇨병 관리에 적합한 약제이다.	등급 A; LoC 98%

표 1-1 (계속) 제2회 국제 당뇨수술회담에서 공표한 성명 및 권고사항[18]

수술 후 추적관찰	등급; LoC
32. 국내 및 국제 사회(예. AACE/TOS/ASMBS, IFSO, BOMSS)에 의한 대사/비만수술의 수술 후 관리에 대한 진료지침에 따라 미량 영양소 상태, 영양 보충 및 지원에 대한 지속적이고 장기적인 감시가 수술 후 환자에게 제공되어야 한다.	등급 U; LoC 100%

등급 U = 100% 동의(만장일치); 등급 A = 89-99% 동의; 등급 B = 78-88% 동의; 등급 C = 67-77% 동의. AACE, American Association of Clinical Endocrinologists; ASMBS, American Society for Metabolic and Bariatric Surgery; BOMSS, British Obesity & Metabolic Surgery Society; DPP-4, dipeptidyl peptidase 4; GLP-1, glucagon-like peptide 1; IFSO, International Federation for the Surgery of Obesity and Metabolic Disorders; LoC, level of consensus; SGLT2, sodium-glucose cotransporter 2; TOS, The Obesity Society.

❸ 대사수술의 용어 정의

1. 대사수술(Terminology of Metabolic Surgery)

대사수술이라는 용어가 처음 사용된 것은 1978년 Buchwald와 Varco가 건강을 목적으로 정상장기에 대해 하는 수술이라는 의미로 사용하였으며 동명의 책을 저술하였다. 이런 수술의 예로는 소화성궤양수술, 비만수술, 난소, 정소절제술 등을 포함한다고 하였고 이는 질환을 치료하는 데 있어서 외과의 다양한 역할을 의미하는 것으로 기술하였지만 그리 주목을 받지는 못했다. 당시의 상황을 돌이켜보면 각 장기를 절제하거나 기능을 제한하는 것으로 신체의 대사를 조절하는 것이라는 개념을 도입한 것은 매우 선견지명이 있었던 것 같다. 그리고 지금에 와서는 더욱 그러한 정의가 필요하지 않을까 하는 생각이 들기도 한다.

현재의 개념에 가까운 대사수술이라는 용어를 사용하게 된 계기는 Rubino 등이 십이지장공장우회술의 동물실험 결과를 발표하면서 시작되었다고 할 수 있다. 이전에 몇몇 연구자들이 몇 가지 수술 후에 당뇨병이 개선, 관해되는 것을 관찰하고 보고하였지만, 체중감소효과라는 지적에서 벗어날 수 없었다. 하지만, Rubino의 실험으로 소장의 변화가 당뇨병을 관해시킨 데 관련이 있는데,

이것은 장호르몬의 변화, 소위 인크레틴의 변화를 일으키고 이로 인해 당뇨병이 관해 또는 개선된다는 주장에 힘이 실리기 시작한 것이다. 2000년대 초반에 비만수술이라는 용어만이 사용되던 상황에서 비만수술을 당뇨병에 적용하는 것으로 기술되었다가 Rubino의 동물실험 후에 대사수술이라는 용어를 사용하였는데, 당시의 상황을 돌이켜보면, 대사수술보다는 당뇨수술 또는 비만수술의 적용이라는 용어나 기술이 많았다. 하지만 여러 연구자들이 이런 수술이 당뇨병뿐만이 아니라 여러 대사질환을 개선시키는 것이므로 대사수술로 불려야 한다는 주장도 하고 있었다. 그러던 중에 대사수술 후에 인슐린 저항성이 감소한다는 여러 연구결과가 발표되었다. 인슐린 저항성은 수많은 대사질환의 기저에서 작용하는 기전이며 이의 개선이 대사질환을 개선, 치료하는데 있어서 중심이 되는 것이다.

1950년대 병적비만환자에서 수술적 치료를 시작한 이래 비만수술(bariatric surgery)이라는 확고한 용어를 사용해왔다. 비만수술은 그리스어인 baros에서 유래되었는데, baros는 체중을 의미하고, iatr는 치료를 ics는 관계된 이란 뜻을 의미하여 체중을 치료하고 유지한다는 뜻을 가지고 있다. 하지만 비만수술을 하게 되면 체중뿐만이 아니라, 이와 관련된 질환들, 주로 대사증후군으로 표현되는 질환군과 체중 때문에 발생하는 문제를 해결하게 된다. 그러므로 비만수술의 효과를 판정하는 지표로 체중감소율, 초과체중감소율 등을 사용해 왔는데, 2010

년대에 들어와서는 많은 연구자들이 비만수술의 목적은 동반질환의 개선이지 체중감소율 자체가 아니라는 의견을 내놓기 시작했다.

체중감소 이외의 기전으로 인슐린 저항성이 개선되는 것이 알려지고, 대사증후군으로 대표되는 동반질환의 개선이 비만수술의 목적이며, 비만과 관련된 대부분의 동반질환이 대사질환이라는 점에서 대사수술은 과거 잠깐 언급되었던 당뇨수술뿐 아니라 비만수술을 포함하는 용어로 받아들여지게 되었다. 그런 상황에서 2015년 전 세계적으로 각 나라를 대표하는 학회의 지지표명을 받은 새로운 가이드라인에서 비만수술이라는 용어가 없어지고 대사수술로 표기된 것은 이러한 용어 사용의 변화를 공식화한 것이라는 생각이 든다. 2018년 현재까지도 비만수술과 대사수술이 조금 다른 의미로 사용되고 있지만 앞으로는 대사수술이 이런 모든 수술을 지칭하는 대표용어가 될 것으로 예상한다.

2. 당뇨병의 관해, 개선에 대한 정의
(Definition of Remission and improvement of Type 2 Diabetes Mellitus)

2009년 이전까지 당뇨병치료에서 공식적으로 완치(cure), 관해(remission)의 개념을 인정하지 않았다. 단지 각 연구자들, 특히 제1형 당뇨병에서 이식을 하는 경우, 비만수술 후에 당뇨병을 관찰하는 경우에서 각자의 정의에 따라 이러한 용어를 사용해왔다. 최소한 2009년, 2010년대 초반까지의 연구에서는 공인된 기준이 없었고, 따라서 그 당시의 논문에 기술된 완치, 관해라는 용어는 각 연구자들이 임의로 사용한 것일 경우가 많았다. 2009년 미국 당뇨병학회는 이러한 혼란이나 대사수술이라는 새로운 치료법의 등장에 따라 완치, 관해 등의 용어에 대한 논의를 하였다.[2]

완치라는 용어는 정상 신체로 돌아오는 것을 의미하므로 급성감염성 질환(HIV, 결핵 등 일부 감염성 질환도 완치를 정의할 수 없다) 외에는 정의될 수 없음을 전제로 제외되어서 관해라는 용어만을 사용하기로 하였다. 그리고 당화혈색소, 공복혈당 및 유지기간을 기준으로 완전관해, 부분관해, 관해유지를 정의하였는데 과거 완치라고 불렸던 것은 관해유지 또는 완전관해와 같다. 이에 따르면 완전관해는 약제 등의 사용이 없이 공복혈당이 100 mg/dl 이하, 당화혈색소 6% 이하를 1년간 유지한 경우이고 부분관해는 약제 등의 사용이 없이 공복혈당 126 mg/dl 이하, 당화혈색소 6.5% 이하를 1년간 유지한 경우

표 1-2 미국당뇨병학회와 국제당뇨병연맹의 제시한 제2형 당뇨병에서 관해, 부분관해, 개선의 기준

미국당뇨병학회의 기준

부분관해
- 당뇨병 진단기준 이하의 혈당
- 최소 1년간 유지
- 당뇨병 치료를 위한 약제나 다른 방안을 사용하지 않음

완전관해
- 정상혈당
- 최소 1년 이상 유지
- 당뇨병 치료를 위한 약제나 다른 방안을 사용하지 않음

관해유지
- 완전관해를 5년 이상 유지

국제당뇨병연맹의 기준

최적의 대사상태(Optimization of metabolic state)
- 당화혈색소 < 42 mmol/mol (6%)
  - 저혈당 없음.
  - 총 콜레스테롤 < 4.0 mmol/l
  - LDL cholesterol < 2.0 mmol/l
  - 중성지방 < 2.2 mmol/l
  - 혈압 < 135/85 mmHg
  - 15% 이상의 체중감량
  - 이상과 함께 약제사용의 감소 또는 약제사용이 없음(약제를 사용하고 있는 경우엔 최소의 부작용으로 유지가 가능할 것으로 예상될 때)

대사상태의 중대한 개선상태(Substantial improvement of metabolic state)
- 20% 이상의 당화혈색소 감소
- LDL < 2.3 mmol/l
- 혈압 < 135/85 mmHg
- 이상과 함께 약제사용의 감소

다. 국제당뇨병연맹는 최적화와 중대한 개선으로 정의하였는데[21] 현재 대부분의 논문은 ADA의 완전관해, 부분관해, 관해유지를 사용하고 개선은 IDF의 정의를 사용하고 있다. 자세한 기준은 **표 1-2**에 정리하였다.

④ 대사수술의 기전

초기에 대사수술의 기전에 대해서는 당뇨병의 개선에 관련된 연구가 주로 진행되었다. 그러므로 인크레틴의 분비와 인크레틴의 변화가 미치는 효과에 대한 연구가 주된 연구였으며, 베타세포의 기능개선과 인슐린 분비능의 증가 등에 주로 초점이 맞추어져 있었다. 왜냐하면 당시에는 인간에서 베타세포의 기능향상 또는 재생을 인정받지 못했기 때문이다. 그리고 인슐린 저항성은 주로 단순히 체중 감량, 식사량 감소에 의해 얻어지는 것으로 생각하고 있었다. 따라서 초기 대사수술의 효과 기전을 설명할 때 가장 중요한 기전은 체중 감량이라는 주장이 우세하였다. 하지만 이후의 연구들에서 체중 감량과 무관한 인슐린 저항성의 감소가 관찰되고, 수술 후에 인슐린 분비능이 향상된다는 연구보고가 발표되면서 새로운 전기를 맞게 된다. 실제로 인슐린 분비능이 향상되는 것이 먼저 알려졌는데, 이 때문에 이때만 해도 당뇨수술이라는 용어와 대사수술이라는 용어를 혼용하는 상황에서 벗어날 수 없었을 것으로 생각된다. 왜냐하면 베타세포의 기능향상이 당뇨병에는 결정적인 영향을 줄 수 있지만, 대사수술이라는 용어를 뒷받침하기에는 베타세포 기능향상은 좀 다른 기전이라고 보이기 때문이다. 앞서 잠깐 언급하였지만, 인슐린 저항성이 거의 모든 대사질환의 기저가 되는 병인으로 꼽고 있다. 최근에 대사수술 후 체중 감량과 무관하게 인슐린 저항성이 감소하는 것을 관찰한 연구들이 속속 발표되면서 대사수술이라는 용어가 더욱 힘을 받고 있는 것이다.

대사수술의 기전을 설명하는 대표적인 가설은 전장 가설(foregut hypothesis), 후장가설(hindgut hypothesis)이 있으며 이는 주로 장호르몬의 변화가 주된 요인으로 설명하고 있다. 이런 기전과 더불어 현재까지 대부분의 연구자들이 동의하는 대사수술의 기전은 다음과 같다. 1) 섭취량 감소 및 체중 감량, 2) 장호르몬의 변화, 3) 베타세포의 기능 증강, 4) 간과 기타조직의 인슐린 저항성 감소, 5) 담즙의 변화, 6) 장내 세균의 변화 등이다.

1. 섭취량감소 및 체중 감량(Decreased Caloric Intake and Weight Loss)

대사수술 후 혈당이 떨어지거나 정상화되면서도 인슐린 분비량이 감소하는 것은 체중 감량으로 체내 지방량이 줄면서 인슐린 저항성이 감소하거나 섭취량의 감소로 인슐린 요구량 자체가 감소하는 것으로 이해할 수 있다. 이는 수술적 치료 후에 체중 감량이 많이 되었다가 다시 증가한 증례에서 당뇨병도 개선 또는 관해되었다가 다시 재발하는 것으로 잘 해석이 될 것이다. 그러므로 대사수술 후 여러 가지 기전으로 초기에 당뇨병이 좋아지지만 지속적으로 유지되는 것은 체중 감량이 절대적으로 중요한 것으로 생각하였다. 수술 전후의 섭취량 감소와 수술의 스트레스가 주로 간의 인슐린 저항성을 급격히 떨어뜨리고, 이것이 대사수술 후 1주일 이내에 당뇨병이 개선되는 것과 관련이 있는 것으로 생각하였다. 따라서 섭취량 감소와 체중 감량이 대사수술에서 가장 중요한 기전으로 받아들여졌으며 대사수술이 아닌 비만수술이라는 용어가 더 적합한 것으로 보이도록 하였다. 이 기전은 특히 비만한 당뇨병 환자에서는 매우 중요한 기전이 될 것으로 생각된다. 물론 병적비만이 아닌 경우도 이 기전은 중요한 역할을 할 것이다. 그리고 이러한 인슐린 저항성의 변화는 당뇨병이 없이 비만수술을 받은 환자에서도 나타나고, 더구나 수술 직후에 보이는 인슐린 저항성의 변화도 마찬가지로 나타난다.

하지만 루와이위우회술과 조절형위밴드술 후에 관

찰되는 차이점, 즉 루와이위우회술의 경우엔 수술 직후부터 혈당이 조절되어 계속적으로 유지되는 반면에 조절형위밴드술 후에는 체중이 감소하면서 혈당이 조절되어 가는 점을 설명하지는 못한다. 조절형위밴드술은 비록 수술적 스트레스가 적고 조금 더 일찍 식이를 시작하는 점이 다르기는 하지만 이 차이를 설명하기엔 부족하다. 다음으로 루와이위우회술과 조절형위밴드술 후에 같은 정도의 체중 감량이 일어난 경우를 비교하면, 비록 숫자가 적고 정확한 매칭이 되지는 않았지만, 루와이위우회술을 받은 환자에서 더 혈당조절이 잘되는데 이 점을 설명할 수 없다. 그리고 당뇨병이 없는 비만환자에서 루와이위우회술을 받고 1년 이상이 지난 후에 발생한 췌도 모세포증식증(nesidioblastosis = hyperinsulinemia hypoglycemia)의 몇몇 증례는[6] 대사수술이 베타세포의 재생 또는 성장인자에 역할을 하는 것을 나타내고 있다. 그러므로 이것 또한 체중 감량이라는 기전만으로 대사수술의 당뇨병에 대한 효과를 설명할 수 없는 근거다.

더욱이 대사수술의 시작을 알린 십이지장공장우회술은 약간의 체중 감량 또는 체중 감량이 거의 없는 경우에도 당뇨병이 개선되고 고지혈증이 개선되는 것을 보여주고 있는데 이 또한 체중 감량만으로 설명하지는 못한다. 비록 동물실험과는 달리 실제 당뇨병 환자에서는 십이지장공장우회술 후에 당뇨병의 관해는 15% 이하로 낮지만, 기존의 약물치료나 식이요법으로는 조절이 안되던 당뇨병에서 관해가 나타나는 것이다. 이 경우는 섭취량 감소가 없고 체중 감량도 거의 없는 상태에서 나타나는 것이므로 체중감소가 아닌 다른 기전이 더욱 중요한 역할을 하는 것으로 볼 수 있다.

2. 장호르몬의 변화(Changes of Gut Hormones)

루와이위우회술 후에 장호르몬의 변화는 1990년대 초부터 많은 연구가 있었다. 당시 루와이위우회술 후에는 장글루카곤이 증가하는 데 비해 식이제한 수술을 받은 환자에서는 증가하지 않는다는 것을 보고하였다. 이후 장글루카곤(enteroglucagon)이 글루카곤양 펩타이드-1 (glucagon like peptide-1, GLP-1), 글루카곤양 펩타이드-2 (GLP-2), 글루카곤, 글리센틴(glicentin), 옥신토모듈린 (oxyntomodulin) 등으로 세분되었는데, GLP-1에 대한 연구가 많다. 루와이위우회술 후 GLP-1이 증가하고, 조절형위밴드술 후에는 별로 증가하지 않는다는 것은 루와이위우회술 후에 더 많은 포만감을 느끼고, 덤핑증후군을 일으키며, 따라서 체중감소가 더 많이 일어난다는 것을 설명한다. 그리고 펩타이드 YY, 옥신토모듈린 등도 GLP-1과 유사한 효과를 일으킨다. 장호르몬이 혈당조절에 관여한다는 것은 소위 인크레틴 효과(incretin effect)라는 용어로 잘 알려져 있다. 즉 같은 양의 포도당을 정맥주사 할 때에 비해 경구 투여할 때 훨씬 더 많은 인슐린이 분비되는데, 이는 경구투여로 장호르몬의 분비가 촉진되어 나타나는 현상으로 생각한다.

장호르몬이 대사수술의 효과를 설명하는 중요한 기전이라는 것은 대사수술의 태동기, 즉 Rubino의 실험 때부터 제기되어 왔다. 소위 전장가설(foregut hypothesis) 및 후장가설(hindgut hypothesis)과 더불어 전장가설을 보완하는 항인크레틴 가설(anti-incretin hypothesis)이 있다. 장호르몬에 관련된 연구는 현재까지 가장 많이 연구가 되어왔고 가장 중요한 역할을 할 것이라는 평가를 받고 있지만 대사질환보다는 주로 제2형 당뇨병과 관련된다. 전장가설은 십이지장, 상부소장을 우회하면 혈당개선의 효과가 인슐린 저항성의 감소를 통해 나타나는 것인데 이런 효과를 나타내는 이유를 정확히 설명하지는 못한다. 현재 항인크레틴 가설은 이를 뒷받침하기 위한 것인데 Rubino 등이 주장하였다. 아직까지 발견되지는 않았으나, 전장 즉 십이지장과 근위부 소장에 항인크레틴 인자가 있는데, 정상인에서는 인크레틴 인자와 균형을 이루고 있다는 것이다. 이 균형이 항인크레틴 인자 쪽으로 기울면 제2형 당뇨병을 일으키는데, 항인크레틴 인자가 주로 분포한 부분인 전장을 우회시키면 균형이

표 1-3 대사수술과 관련된 대표적인 장호르몬

	분비위치	관련 세포	주요기능
그렐린	주로 위낭과 폐, 공장, 췌장	Ghrelinegic cell	식욕 ↑ 인슐린 분비 ↓
GIP	십이지장, 공장	K-cell	위산의 분비 및 위장운동 ↓ 인슐린 분비 ↑
GLP-1	주로 회장과 뇌, 소장 전체	L-cell	베타세포에서 인슐린 분비 유도 인슐린 저항성 ↓ 글루카곤 분비 억제 공복감 및 섭취량 ↓
펩타이드	주로 회장과 대장 및 장관 전체	L-cell	장운동과 췌장분비 ↓ 식욕 ↓

다시 돌아와 혈당이 조절된다는 것으로 설명하고 있다. 후장가설은 어떤 과정을 거쳐서든 하부소장에 음식이 빠르게 도달하게 되면 GLP-1, 펩타이드 YY (peptide YY= peptide tyrosine tyrosine =pancreatic peptide YY) 등 인크레틴이 상대적으로 조기에 그리고 많이 분비되어 인슐린의 분비가 조기에 그리고 더 강하게 일어난다는 것이다.

그리고 당뇨병이 없는 비만환자에서 비만치료목적으로 루와이위우회술을 하고, 1-9년 후에 췌도모세포증식증(nesidioblastosis)이 발생한 증례들이 있다.[6] 고인슐린혈증으로 인한 저혈당이 수술 직후에 발생하지 않고 장시간이 지난 후에 발생한다는 것은 수술 초기에 생기는 인슐린 저항성의 감소와 동반된 현상이 아니라, 장호르몬의 변화가 원인이고 장호르몬 중에 베타세포의 성장인자가 있다는 것을 강력히 시사한다 하겠다. 그리고 실제로 몇몇 보고에서 루와이위우회술, 공회장우회술(jejunoileal bypass) 후 20년이 지난 후에도 GLP-1, GIP가 높다고 한다.[15]

따라서 어떤 기전이 관여하는지에 대한 다양한 의견이 있지만, 루와이위우회술이 인슐린 저항성을 초기부터 감소시키는 어떤 기전이 있을 것으로 보이며, 장호르몬의 변화가 초기 및 장기적으로 혈당을 개선하는 데 중요한 역할을 한다고 생각된다.

연관된 장호르몬으로 주로 연구되고 있는 것은 그렐린(ghrelin), GLP-1, 펩타이드 YY, GIP (glucose dependent insulinotropic peptide) 등을 들 수 있다(표 1-3). Ghrelin은 주로 식욕과 관련되어 분비되고 체내 에너지 균형과 관련되어 있으므로 중요한 역할을 할 것으로 기대하였지만, 여러 대사수술 후에 분비량의 변화가 일정치 않고 당뇨병의 개선 정도와 연관성이 떨어지며, ghrelin knockout mice에서도 대사수술의 효과가 같게 나타나는 등의 증거로 볼 때 대사수술 후 당뇨병이 개선되는 것과는 연관성이 떨어질 것으로 생각되고 있다.

GLP-1은 대사수술과 관련하여 비교적 많은 연구가 되었고, 실제로 약제도 개발되어 사용 중이며 대사수술 후 당뇨병의 개선, 관해에 중요한 역할을 하는 것으로 생각된다. 루와이위우회술 후에 GLP-1이 증가하고 조절형 위밴드술 후에는 변화가 없는데 이는 누구나 예측 가능한 상황이다. 즉 음식이 빠르게 후장에 도달하면서 조기에 GLP-1이 분비되어 혈당조절에 기여한다는 것으로 후장가설의 중심이 되는 장호르몬이다. 하지만 위소매절제술 후에 루와이위우회술에 버금갈 만큼 GLP-1의 분비가 증가하는 것은 특이한 현상이다. 이를 설명하는 기전은 위낭이 사라지면서 음식이 빠르게 소장으로 내려가서 수술 후에 인크레틴이 조기에 분비되는 것으로 이해하고 있는데, 앞서 언급한 ghrelin 등 위장의 장호르몬이나 위소매절제로 인한 기타 변화가 관련될 것이라는 의견도 있다. 일부 연구자들은 회장전위술(ileal transposition) 후 제2형 당뇨병 환자에서 혈당이 정상화될 뿐 아니라 심한 저혈당 증상을 겪을 정도로 강력한 효과를 보인다는 것을 근거로 후장가설이 더욱 중요한 역할을 할 것이라는 주장을 하기도 하지만, 혈당조절 효과가 그리 강력하지 않다는 보고도 많다. 한편, 루와이위우회술 후 혈당이 정상화된 경우 GLP-1 receptor antagonist (exendin (9-39))를 주어도 혈당이 다시 오르지 않는 것은 대사수술을 통한 혈당개선의 기전이 단순히 GLP-1의 분비증가만으로 해석할 수 없는 요인이 있다고 할 수 있다.

GIP에 대한 연구는 아직까지 확실한 결과를 보여주지는 못하고 상대적으로 연구도 적지만, 많은 연구자들이 GIP는 인크레틴의 하나로 베타세포에서 인슐린분비를 증가시키는 것 뿐만이 아니라 다른 여러 인크레틴과 상호작용이 있을 것으로 예상하고 이에 대한 연구를 하고 있으며, GIP가 전장가설에 관련된 중요한 장호르몬으로 생각한다. 하지만 루와이위우회술 후에 GIP의 분비는 감소할 것으로 예측할 수 있는데 증가한다는 보고도 있다. 아직까지 GIP의 역할에 대해서는 많은 연구가 필요하다.

펩타이드 YY는 비만수술과 관련된 연구가 주를 이루고 있는데, 루와이위우회술 및 위소매절제술 후에는 증가하고 조절형위밴드술 후에는 변화가 없다. 이는 예측과 일치하는 것인데 아직까지 이와 관련된 연구는 많지 않지만, neuropeptide Y와 관련되어 작용하므로 식욕과 에너지 균형에 관련된 연구가 주를 이루고 있다.

3. 베타세포의 기능증강(Improvement of Beta Cell Function)

이것은 대사수술의 효과기전에 중요한 요인으로 인정받고 있지만 베타세포의 기능을 측정하는 공인된 확실하고 간단한 방법은 없다. 하지만 많은 연구에서 대사수술 후에 베타세포의 인슐린 분비능이 증가하는데 이는 분비총량뿐이 아니라 고혈당에 반응하는 분비능도 함께 증가하여 음식을 섭취한 직후에 바로 인슐린 분비의 증가가 나타나게 되어 당뇨병 환자의 경구당부하검사에서 정상인의 분비 양상과 같게 변화한다. 그리고 많은 연구에서 대사수술 후에 베타세포의 기능이 증가한다는 증거를 보여주고 있고 특히 장기적으로 당뇨병이 개선된 경우에는 베타세포의 기능증강이 중요한 요인인 것으로 보고 있다. 베타세포의 기능증가에 대한 국내의 연구는 병적비만이 아닌 30 kg/m^2 이하의 체질량지수를 가진 제2형 당뇨병 환자에서 루와이위우회술 후에 베타세포의 인슐린 분비량도 증가하고 분비능도 증가하며 이런 변화가 수술 후 당뇨병의 관해 여부를 결정하는 중요한 인자라고 하였다.[10]

4. 간과 기타조직의 인슐린 저항성 감소 (Decreased Insulin Resistance of Liver and Body)

인슐린 저항성은 대사수술 직후부터 감소해서 지속적으로 유지된다. 그런데 간을 제외한 기타조직의 인슐린 저항성 감소는 체중 감량이 중요한 요인이다. 간의 인슐린 저항성은 수술 전후에 금식, 수술로 인한 스트레스 등으로 간 내의 지방이 감소하고 금식과 감소된 식사량은 간에서의 포도당 생성을 감소시킨다. 이것이 수술 초기에 인슐린 저항성 감소의 원인으로 생각되었지만 이 효과는 앞서 언급한 바와 같이 조절형위밴드술과 루와이위우회술의 차이에서 보이는 관찰로 논란이 되었는데, 만일 이 효과가 단지 간의 인슐린 저항성에서 비롯된 것이라면 전장가설이 맞지 않는다는 것을 뒷받침하는 것이라 할 것이다. 하지만 최근 몇몇 연구에서 인슐린 저항성은 수술 초기부터 낮아지며 시간이 흘러 체중 감량이 더 되더라도 더 이상 낮아지지 않는다는 것을 보여주면서 전장가설이 어느 정도 현상을 설명하는 데 도움이 될 것이라는 것을 보여준다. 즉 대사수술의 효과를 해석하는 데 있어 간과 기타조직의 인슐린 저항성 감소가 중심적인 역할을 하는 것은 아닐 것으로 보인다. 초기에 간의 인슐린 저항성 감소가 나타나는 것은 확실하고 장기적으로 체중 감량이 인슐린 저항성 감소와 관련이 있는 것은 맞지만, 초기부터 나타난 인슐린 저항성 감소가 지속적으로 유지되는 것은 간과 지방조직의 감소만으로 해석할 수 없다.

5. 담즙의 변화(Change of Bile)

루와이위우회술 후에는 담즙의 장-간의 순환이 변화하고, 담즙생성의 변화, 담즙의 접합(conjugation) 및 재흡수의 변화가 발생하게 된다. 이러한 변화는 결국 순환하는 담즙의 양을 증가시키게 되는데, 담즙은 간의 farnesoil X receptor와 L-cell의 TGR5 (G-protein coupled bile acid activated receptor)를 통해 인크레틴의 분비를 촉진하는 한편 지질대사도 함께 개선시키게 된다. 장-간 순환이 변경되는 것이 담즙의 양이 증가하는 주된 원인이고, 다른 변화가 이에 일부 기여한다. 그리고 장내 세균총의 구성이 변화하는데 이것이 담즙의 성분변화의 주된 원인으로 생각되고 있다. 즉 1차 담즙과 2차 담즙, 12-α-hydroxyated와 non 12-α-hydroxyated, conjugated와 non-conjugated 담즙의 비율의 변화에 기여한다. 이런 담즙의 변화는 앞서 언급한 두 수용체에 대한 반응에 변화를 일으키고, 이것이 인크레틴과 fibroblast growth factor 19, 콜레스테롤 생성, 포도당신합성, 지질대사의 변화와 골격근 및 갈색지방조직에서 에너지 대사의 변화를 일으킨다. 현재 이 변화에 대한 연구가 광범위하게 진행되고 있으며 이 기전을 좀 더 이해하는 것이 대사수술의 술식이나 대사질환의 치료에도 중요한 기여를 하게 될 것이라 기대한다.

6. 장내 세균의 변화(Change of Microbiome)

대사수술 후에 장내 세균의 변화는 장의 에너지 흡수, 대사에 관련된 효소의 조절, 지질다당체에 의한 경도염증의 변화를 일으켜 대사질환의 개선에 기여하는 것으로 이해하고 있다. 장내 세균이 비만, 대사질환에 중요한 역할을 할 것이라는 추측은 지속적으로 있었으나, 2004년에 비만한 사람과 정상체중인 사람의 장내 세균에 차이가 있다는 연구 이후에 많은 주목을 받았고,[1] 크론병 등 다른 질환에서도 관련성이 있다는 연구가 발표되고 있다. 비만과 관련해서는 비만한 경우에 Firmicutes 속의 세균이 Bacteroided 속의 세균보다 더 많고 또한 루와이위우회술 후 체중이 감소하면 Bacteroides 속의 장내 세균이 증가한다. 이는 1) 장에서의 에너지 흡수 변화, 2) 에너지 대사에 관여하는 여러 효소 및 요인들의 변화, 3) 비만과 관련이 있는 경도염증 상태의 개선, 4) 장의 투과성의 변화 등이 관련되어 나타나는 것으로 이해하고 있다. 몇몇 질환에서는 유리한 균주를 주입하여 질환을 개선했다는 보고가 있고, 비만에서도 동물실험에서 비만도가 감소하였다는 보고가 있으나 아직까지 인간에서 비만을 균주접종으로 개선하였다는 보고는 없다. 하지만 이제야 균주를 분리하고 특성을 정의해가는 과정에 있는 분야이기 때문에 앞으로 연구가 진행이 되면 장내 세균의 변화가 미치는 영향, 장내 세균 변화의 원인이 밝혀지면서 좀 더 대사질환의 이해와 치료에 도움이 될 것으로 기대하고 있다.

현재 진행되고 있는 연구들

병적비만환자를 위한 수술이었던 루와이위우회술, 위소매절제술 등을 대사수술로 적용하려면 몇 가지 질문에 답을 얻어야 할 것이다. 우선 당뇨병 또는 대사증후군이 비만, 병적비만, 과체중, 정상인 경우 같은 기전을 가진 질환인가? 그리고 이들에서 어떤 기전으로 수술이 효과를 나타내는가? 다른 소집단의 환자에서는 수술의 효과가 다를 것인가? 라는 질문이 있고, 당뇨병 환자에게 더 맞는, 다른 형태의 수술 방법이 있는가? 어떤 환자가 더 효과적일 것인지를 예측할 수 있는 인자는 무엇인가? 등이다. 다음으로, 병적비만인 당뇨병 환자들의 경우에서 비만수술의 효과에 대한 장기관찰결과가 있는 것처럼, 비만하지 않은 환자의 장기관찰 결과가 필요하고, 비용효과분석 등의 연구가 필요할 것이다. 그래야 비만하지 않은 제2형 당뇨병 환자에서 대사수술의 효용성을 인정하고 이 집단에서 당뇨병 치료의 한 방법으로 사용할 수 있을 것이다. 이런 것에 답을 얻기 위해 우선적으로 어떤 대사수술이든 기전에 대한 연구가 진행되어야 한다.

대사질환의 기저병인인 인슐린 저항성 개선과 베타세포 기능개선에 관련된 연구는 앞서 언급한 바와 같이 가장 중요한 연구로 현재 의학계의 중요한 연구과제다. 그 중에 장호르몬과 관련된 연구가 많이 되어있고 이런 연구를 근거로 엔도슬리브(endosleeve), 십이지장점막제거술(duodenal mucosal ablation) 등이 시도되고 있지만 아직 믿을만한 결과는 없다.

다음으로 당뇨병의 개선, 관해를 예측하고자 하는 연구들이 있다. 이는 현재 대사수술에서 당뇨병이 가장 극적으로 효과를 보여주고 또한 환자에게 가장 많은 이익을 줄 수 있는 것이기 때문일 것이다. 예측과 관련하여 최근 DiaRem score, ABCD score, Ramos Levi의 Statistical model, Hayes model 등이 제안되었는데 다음 장에서 자세히 언급이 될 것이기 때문에 여기서는 간단히 나열만 한다.

과체중 또는 정상체중인 제2형 당뇨병 환자에서 대사수술을 적용할 수 있는가에 대한 연구는 매우 제한적이다. 그리고 많은 가이드라인에서 서양인의 경우 체질량지수 $30 \, \text{kg/m}^2$ 이하, 아시안의 경우 $27.5 \, \text{kg/m}^2$ 이하에서는 연구목적 이외에는 적용하는 것을 제한하고 있고 현재와 같은 연구여건에서는 더욱 연구가 어렵다. 하지만, 당뇨병을 가진 위암, 조기위암 환자를 대상으로 한 연구가 진행되고 있다. 우선적으로 우리나라를 비롯하여 중국, 대만 등에서 과거 위암수술을 받은 당뇨병 환자의 후향적 장기관찰 결과가 보고되고 있는데 공통적으로 십이지장, 상부소장이 우회되는 경우에 당뇨병 조절효과가 뛰어나다는 결과를 보고하고 있다. 이에 힘입어 위절제 후 재건하는 방식을 장각루와이로 하여 효과를 관찰하려는 시도가 있다. 국내에서는 이미 몇몇 선도적 연구가 진행되었는데 후향적 관찰이기는 하지만 50% 이상의 관해율을 보고하고 있다. 이 연구는 위암의 관찰기간인 5년의 관찰을 할 가능성이 매우 높아 장기관찰 결과가 기대되고 있다. 그리고 위암이 없이 당뇨병만으로 수술적 치료를 시도한 연구도 있는데[10, 11] 비만한 당뇨병 환자에서 보이는 결과에 필적하고 있다.

❻ 대사수술의 전망

여기에는 대사수술 외과의 입장에서의 전망을 주로 적을 것이어서, 현재 다른 분야 외과의의 시각, 내분비내과를 포함한 의학계의 일반적인 시각과 다를 수 있다는 것을 미리 밝혀둔다.

대사수술은 결과는 얻었는데 기전은 잘 모르는 상황이라고 요약할 수 있다. 그리고 이를 접하는 외과 의사들의 태도와 내과 의사들의 태도는 상당히 다르다. 개인적인 의견이지만, 이에 대해서는 외과 의사들이 좀 더 확고한 자세를 견지하지 않는다면 대사수술은 그 가치를 제대로 인정받지 못하는 상황이 올 수도 있을 것이라 생각한다. 그 이유는 다음과 같다. '기전이 밝혀지지 않았기 때문에', '장기결과가 없기 때문에'라는 이유로 대사수술을 받아들일 수 없고 좀 더 많은 연구가 필요하다는 태도는 연구자의 자세로서는 맞는 것이라 생각한다. 하지만 필요한 연구결과 및 자료를 얻기 위해서 대사수술을 해야 하는 것이 당연한데, 그 자료와 결과가 없기 때문에 시도를 못하고 시도할 수 없으니 자료를 얻지 못한다는 딜레마에 빠지게 된다.

약제와 비교해서 수술은 도입하는 과정에서 당연히 엄격한 검증을 거쳐야 한다. 아스피린의 경우 처음에는 진통제, 해열제로 사용되었는데 이때 기전은 밝혀지지 않았고, 합병증도 상당했지만 대치할 약제나 방법이 없었기 때문에 사용되었다. 그리고 연구를 하면서 기전이 밝혀지고 원래의 목적과 다른 목적인 항혈소판제제로도 사용되고 있다. 메트포르민도 마찬가지다. 당뇨병에 효과가 있어서 사용되기 시작했지만, 인슐린 저항성을 낮추는 것이 당뇨병에 효과를 나타내는 기전이라는 것은 나중에 밝혀졌고, 혈당을 낮추는 목적이 아닌 대사질환에 효과가 있다거나 항암효과 또는 암을 예방하는 효과가 있다는 것이 알려지면서 그 목적으로도 사용되고 있다. 더욱이 그 기전이 확실하게 밝혀졌다기보다는 이론적으로 가능성이 있는 상황에서 실제로 적용해보니 효과가 있어서 사용하게 된 것이다. 인슐린 저항성을 낮추는 효과가 있으니 인슐린 저항성이 낮아진다면 효과가 있을 수 있는 영역에 사용하게 된 것이다. 즉 대부분의 약제는 완벽히 기전이 밝혀져서 사용된다기보다는 효과와 부작용의 평가와 경제성 분석을 통해 사용여부를 판단한다는 것이다. 물론 수술이라는 것은 인체에 직접적으로 불가역적인 손상을 입히는 것이기 때문에 좀 더 엄격한 잣대를 사용해야 하는 것에는 동의한다. 하지만 수술은 외과의 역사를 통해 안전한 방법이 개발되어 왔고, 수술 후 합병증의 예측과 대처에 대해 새롭게 개발되는 약제에 비해서는 훨씬 잘 알려진 상황에서 적용되는 것이라고 생각한다. 그러므로 수술이 인체에 외상을 직접 가하는 작업이기 때문에 신약의 도입보다 훨씬 까다로운 잣대와 검증을 요구하는 것이 옳다고 생각하지만, 연구 자체를 하기 어려울 만큼 까다로운 검증을 요구하는 것이 아닌가 하는 것이 개인적인 의견이다.

더구나 이 분야를 선도하고 있는 세계적인 연구자들은 우리나라 의사들과는 좀 다르게 생각하는 것 같다. 이에 관련해서는 선도적인 내과 의사들의 언급을 인용하고자 한다. 2011년 3월 28일에 국제당뇨병연맹이 대사수술을 당뇨병 치료의 가이드라인에 포함시키는 것을 발표하는 현장에서의 일이다. 당시 많은 내과 의사들로부터 장기결과도 없고, 기전도 밝혀지지 않았을 뿐 아니라 현재 제안하는 정도의 수준으로 기전을 얘기하고 있는 상황이고 더욱이 전향적 연구가 한번도 이루어진 적이 없는 치료법인데 어떻게 가이드라인에 포함시킬 수 있는가? 라는 내용의 여러 질문이 쏟아졌다. 당시 가이드라인을 발표한 국제당뇨병연맹의 전임회장인 G. Alberti, P Zimmet 두 분의 답은 다음과 같았다.

전 세계적으로 당뇨병이 만연하고 있고 더구나 폭발적으로 증가하는 상황이다. 당뇨병이 원인으로 작용하는 사망이 1위를 차지하고 합병증으로 수많은 사람들이 고통을 겪고 있지만, 당뇨병의 현재 치료방법으로는 이런 상황을 바꿀 수가 없는데, 아직까지 충분한 증거가 없는 대사수술이지만 당뇨병의 관해를 처음으로 보여준 치료법일 뿐 아니라 대부분의 환자에서 개선을 유도할 수 있는 이 방법을 적용하지 않을 수 있겠는가.

2011년 이후에 대사수술이 체중감소와 무관하게 인슐린 저항성의 감소시키고, 인슐린 분비능을 개선시킨다는 것을 뒷받침하는 증거가 점점 더 많아지고 있으며, 정상체중의 당뇨병에 대한 효과를 보고하는 연구자도 증가하고 있다. 그리고 전향적 연구도 진행되고 있고 국내에서도 작은 규모지만, 전향적 연구가 진행되고 있다. 현재 대사수술이 대사질환에서 치료법의 하나로 인정받기 위해서는 대사수술의 기전에 대한 좀 더 근본적인 연구도 필요하지만, 현 상황에서 좀 더 쉽게 인정받는 방법은 장기관찰결과와 경제성분석이라 생각한다. 왜냐하면 현재 대사수술을 둘러싼 질문은 장기적으로 효과가 유지되는가, 비용대비 효과가 있는가, 수술의 합병증을 받아들일 수 있는가, 병적비만이 아닌 제2형 당뇨병은 기전이 조금 다른데, 같은 효과를 보일 것인가, 정상체중에서도 같은 기전으로 설명할 수 있는가 등이다. 이런 의문은 매우 과학적이고 이성적이며 논리적이라 생각한다. 하지만 의학과 과학의 역사를 되돌아보면 이런 질문은 매우 냉소적인 질문이라는 것이 개인적인 의견이다. 증명이 끝나면 받아들일 것이라는 것은 누구나 할 수 있는 일이며 연구자의 자세는 아닐 것이다. 그렇다고 임상의사의 자세도 아닐 것이다. 왜냐하면 당장 대사질환을 치료하지 못해서 고통을 받고 결국 조기사망에 이르는 환자들이 많은 상황이다. 이런 환자들을 보고 있는 임상의사에게는 좀 더 전향적인 자세가 필요하다는 생각이며 이는 앞서 얘기했던 국제당뇨병연맹 전임회장들의 언급에서도 엿볼 수 있다.

　다음으로 연구자를 힘들게 하는 상황은 현재 대사질환을 주로 치료하고 관리하는 의사들이 증명을 하고자 하는 입장에 있지 않고 의료계 내에서 대사질환과는 거리가 먼 외과 의사들이 증명을 해야 하는 입장이라는 것이다. 물론 외과 의사인 Schauer,[20] Mingrone 등[14]의 전향적 연구는 일부 과체중환자도 포함이 되기는 했지만 주로 비만인 제2형 당뇨병 환자를 대상으로 진행된 연구였다. 그리고 그 연구에 힘입어 2015년 말에 **그림 1-1**의 당뇨병 가이드라인으로 개정되었다. 하지만 이 가이드라인에 따르자면 체질량지수 30 kg/m^2 이하, 아시아인에서 27.5 kg/m^2 이하의 대사질환 환자에서는 연구를 하기가 어렵다. 혼란이 있었던 과거에 단발적으로 시행된 정상체중 환자를 대상으로 한 연구에서 병적비만인 환자에서 보이는 효과에 버금가는 결과를 보이고 있지만, 더 이상의 연구를 진행하기엔 여전히 어려운 상황이다. 상황이 이러하지만 앞서 언급한 바와 같이 제2형 당뇨병을 가진 조기위암 환자를 대상으로 한 연구가 진행된다면 상황은 달라질 것으로 기대한다. 위암 환자는 일단 정상체중인 경우가 대부분이고 충실한 장기관찰이 가능한 경우가 많기 때문이다. 하지만 고령인 경우가 많고 위암 진단 후에 생활습관을 개선하여 잘 유지할 가능성이 많으므로 좀 더 세심한 분석이 필요할 것이다. 이에 대해서는 우리나라 의사들이 매우 유리한 입장이다. 우리나라 위암환자의 수술 후 관리는 세계적으로도 가장 뛰어나고, 환자를 장기관찰하면서 연구를 한 경험이 다른 어느 나라보다 많으며 그 연구의 질 또한 매우 우수하다. 따라서 당뇨병을 가진 위암 환자를 대상으로 한 대사수술 연구 결과가 우리나라에서 만들어질 가능성이 매우 높으며, 이는 대사수술을 평가하는 중요한 연구가 될 것이다.

 ## 맺음말

대사수술은 병적비만, 비만환자에서는 이미 그 역할을 인정을 받아 시행되고 있지만 아직까지 기전이 제대로 밝혀지지 않은 부분이 많다. 이를 위해 많은 연구가 필요하고, 이런 연구를 통해 대사질환의 기전이 좀 더 밝혀지고 또한 대사수술의 가치도 밝혀질 것이다. 하지만 우리나라에서는 아직까지 여러 가지 이유로 대사수술이 세계적인 추세에 비해 인정을 받지 못하고 있는 것이 현실이다. 과체중, 정상체중인 대사질환자가 많은 우리나라를 생각하면 서양의 비만한 당뇨병 환자에 대한 연구를 넘어선 더욱 적극적인 연구가 필요하며, 이는 국내의 사정을 생각할 때 대사수술을 지지하는 외과 의사의 사명이라 할 것이다.

참고문헌

1. Bäckhed F1, Ding H, Wang T, et al. The gut microbiota as an environmental factor that regulates fat storage. Proc Natl Acad Sci U S A. 2004;101:15718-23.

2. Buse JB, Caprio S, Cefalu WT: How do we define cure of diabetes?. Diabetes Care 2009, 32: 2133-5.

3. Cohen RV1, Schiavon CA, Pinheiro JS, el al. Duodenal-jejunal bypass for the treatment of type 2 diabetes in patients with body mass index of 22-34 kg/m2: a report of 2 cases. Surg Obes Relat Dis 2007;3:195-7.

4. DePaula AL, Macedo AL, Rassi N, et al. Laparoscopic treat-

ment of metabolic syndrome in patients with type 2 diabetes mellitus.Surg Endosc 2008;22:2670-8.

5. Heo Y, Ahn JH, Shin SH, el al. The effect of duodenojejunal bypass for type 2 diabetes mellitus patients below body mass index 25 kg/m(2): one year follow-up. J Korean Surg Soc 2013;85:109-15.

6. Geoffrey J. Service, M.D., Geoffrey B. et al. Hyperinsulinemic Hypoglycemia with Nesidioblastosis after Gastric-Bypass Surgery N Engl J Med 2005; 353:249-254

7. Kang KC, Shin SH, Lee YJ, et al. Influence of gastrectomy for stomach cancer on type 2 diabetes mellitus for patients with a body mass index less than 30 kg/m2. J Korean Surg Soc 2012;82:347-55.

8. Kim JW, Cheong JH, Hyung WJ, el al. Outcome after gastrectomy in gastric cancer patients with type 2 diabetes. World J Gastroenterol 2012;18:49-54.

9. Kim MK, Lee HC, Lee SH, el al, Baek KH, Kim EK, Lee KW, Song KH. The difference of glucostatic parameters according to the remission of diabetes after Roux-en-Y gastric bypass. Diabetes Metab Res Rev 2012;28:439-46.

10. Kim Z, Hur KY. Laparoscopic mini-gastric bypass for type 2 diabetes: the preliminary report. World J Surg 2011;35:631-6.

11. Kwon O, Lee YJ, Yu JH, et al. The Recovery of Beta-Cell Function is Critical for Antidiabetic Outcomes of Gastric Bypass in Asian Subjects with Type 2 Diabetes and a Body Mass Index Below 30. Obes Surg 2017;27:541-544.

12. Kwon Y, Abdemur A, Lo Menzo E, et al. The foregut theory as a possible mechanism of action for the remission of type 2 diabetes in low body mass index patients undergoing subtotal gastrectomy for gastric cancer. Surg Obes Relat Dis 2014;10:235-42.

13. Lee W, Ahn SH, Lee JH, et al. Comparative study of diabetes mellitus resolution according to reconstruction type after gastrectomy in gastric cancer patients with diabetes mellitus. Obes Surg 2012 Aug;22:1238-43.

14. Mingrone G, Panunzi S, De Gaetano A, et al. Bariatric surgery versus conventional medical therapy for type 2 diabetes. N Engl J Med 2012;366:1577-85.

15. Näslund E1, Backman L, Holst JJ, et al. Importance of small bowel peptides for the improved glucose metabolism 20 years after jejunoileal bypass for obesity. Obes Surg 1998 Jun;8:253-60.

16. Pories WJ, Swanson MS, MacDonald KG, et al. Who would have thought it? An operation proves to be the most effective therapy for adult-onset diabetes mellitus. Ann Surg 1995;222:339-50.

17. Rubino F, Marescaux J. Effect of duodenal-jejunal exclusion in a non-obese animal model of type 2 diabetes: a new perspective for an old disease. Ann Surg 2004;239:1-11.

18. Rubino F, Nathan DM, Eckel RH, et al. Metabolic Surgery in the Treatment Algorithm for Type 2 Diabetes: a Joint Statement by International Diabetes Organizations. Diabetes Care 2016;39:861-877.

19. Rubino F, Schauer PR, Kaplan LM, et al. Metabolic surgery to treat type 2 diabetes: clinical outcomes and mechanisms of action. Annu Rev Med 2010;61:393-411.

20. Schauer PR, Kashyap SR, Wolski K, et al. Bariatric surgery versus intensive medical therapy in obese patients with diabetes. N Engl J Med 2012;366:1567-76.

21. Zimmet P, Alberti KG, Rubino F, et al. IDF's view of bariatric surgery in type 2 diabetes. Lancet 2011;378:108-10.

Chapter 02 | 대사수술의 방법

Methods of metabolic surgery

서론

비만과 당뇨는 전염병처럼 세계적으로 급증하여 현대인의 건강을 위협하는 가장 심각한 질병이 되었다. 최근 세계보건기구의 통계에 의하면 전 세계 성인의 13%인 6억 인구가 체질량지수(BMI, kg/m²) 30 이상의 비만 환자이고 성인 인구의 10% 정도가 당뇨병을 앓고 있다.[44] 당뇨병 환자의 80% 이상이 과체중 또는 비만이라는 통계가 보여주듯이 비만은 제2형 당뇨병의 가장 중요한 위험 인자이다. 아시아인의 당뇨 환자의 상승률은 다른 지역에 비해 가파른데, 이미 세계 당뇨 환자의 60% 이상이 아시아인이고 서양에 비해 비만하지 않은 당뇨 환자의 비율이 높고 발병 연령이 젊다는 특징이 있다.[5] 우리나라의 경우, 건강보험공단에서 발표한 자료에 따르면 비만한 사람의 당뇨 발병 상대위험도가 정상 체중인 사람에 비해 4.5~9.0 배 높다고 보고하였으며, 2016년 대한당뇨병학회는 우리나라 성인 인구(30세 이상)의 당뇨 유병률이 13.7%에 이르렀다고 발표하였다.[1, 14] 이에 최근 'Diabetes'(당뇨)와 'Obesity'(비만)의 합성어로 Diabesity'란 용어가 등장하였으며, 비만한 제2형 당뇨병 환자를 '비만형 당뇨환자'

라 부르기도 한다.

당뇨병은 수많은 합병증을 유발하여 삶의 질을 떨어뜨리고 생명을 단축시키는 질환으로, 이 골치 아픈 당뇨병을 치료할 수 있는 방법에 대한 연구는 오랜 기간 계속되어 왔으나 근본적인 치료보다는 대증적 치료를 통해 평생 합병증이 오지 않도록 조절하며 관리해야 하는 질병으로 인식되어 왔다. 생활방식 교정과 약물요법이 비만과 제2형 당뇨병 치료의 기본이 되어왔지만, 당뇨가 있는 비만 환자 대부분에서 적절한 혈당 조절이 이루어지지 않는다. 현재까지 어떠한 방법도 진행성 질환인 제2형 당뇨병의 완전 관해를 이끌어내지 못하였으나 비만수술은 충분하고 지속적인 체중 감량을 달성할 뿐만 아니라, 병적비만 환자의 상당수에서 제2형 당뇨병의 개선 또는 완전 관해까지도 가능하게 하였다. 비만수술 후 당뇨 치유의 장기 성적은 아직 검증이 필요한 단계이나, 수술로 인해 장기간 호전된 혈당 조절은 비록 나중에 재발하는 경우에서도 당뇨 합병증에 의한 기관의 손상을 줄여줄 수 있다는 의미가 있다.[8-10, 31, 35, 36] 비만수술은 제2형 당뇨병에서 매우 효과적인 치료법으로 인정될 뿐 아니라 당뇨병이 없는 병적비만 환자의 당뇨병 발병률을 낮추는데

도 기여하는 것으로 확인된다. 스웨덴의 비만연구회 (Swedish Obese Subjects Study)는 당뇨병이 없는 병적비만 환자 중 비만 수술을 받은 1,658명의 환자와 비만 대조군 1,771명 사이의 제2형 당뇨병 발병률을 15년 동안 추적관찰하였다. 연구 결과 비만수술을 받은 환자군의 당뇨병 발병률이 대조군에 비해 78% 낮았고, 13명의 비만 환자 중 약 10명에서 당뇨병이 발생하지 않았다.[4]

❷ 비만수술과 대사수술의 차별성

비만과 당뇨는 서로 깊은 연관이 있으나 두 질환 모두 진행성이고 이질적인 고유의 임상 특징을 갖는다. 따라서 당뇨의 치료가 일차적인 목적인 대사수술(metabolic surgery)과 병적비만 환자에 대한 체중 감량을 목적으로 하는 전통적인 비만수술(bariatric surgery)은 임상적 배경 및 치료의 원칙과 기준에 차이가 있을수 밖에 없다.

첫 번째, 수술에 임하는 환자들의 임상적 특성과 기저 질환에 차이가 있다. 비만수술을 원하는 환자들은 대부분 여성이고, 젊고 상대적으로 제2형 당뇨병의 유병률이 낮은 데 비해, 대사수술을 원하는 환자들은 같은 비만도에서 남성의 비율이 높으며 더 나이가 많고 더 심각한 제2형 당뇨병이나 심혈관 질환을 앓고 있는 특징이 있다.[37] 이런 대상 환자들의 차이는 당연히 수술 결과 및 수술 후 환자 관리에 영향을 미친다. 따라서 대상 환자의 단순한 비만도의 차이가 아닌 두 수술 간의 근본적인 차이를 이해하고 대사수술 환자들에 대한 맞춤형 임상 치료 모델의 개발이 필수적이다.

두 번째, 현재 비만수술의 정책적 적응증을 보면 전통적 비만수술은 일반적으로 미래에 올 수 있는 비만의 심각한 대사적 합병증을 예방하자는 의미가 있다. 이러한 비만수술에 대한 개념은 비만의 합병증이 오기 전 조기에 비만수술을 시행할 수 있는 정책적 지침과 권고 사항이 없어 수술의 적기를 놓치는 오류를 범할 수 있다. 반면, 대사수술은 이미 발병된 당뇨 등 대사 질환을 치유하고자 하는 개념이다. 그러나 모든 당뇨병 환자가 수술의 효과를 보지는 못한다. 여러 연구 결과에 의하면 수술 후 1-5년의 추적 결과 당뇨의 관해율은 30-63%로 보고되고 있으며 처음 관해되었던 환자의 35-50%의 환자가 결국 재발한다. 따라서 수술에 효과를 예측할 수 있는 방법을 개발하는 것이 중요하며, 그에 대한 연구가 활발하다. 현재까지 밝혀진 바로는 당뇨의 유병 기간이 짧을수록 췌장의 베타세포의 기능이 보전되어 있고 대사수술의 결과가 좋다. 즉, 당뇨는 진행성 질환으로 유병 기간이 길수록 심혈관 질환과 미세혈관 합병증의 위험도가 증가하므로 수술 시기의 적절한 선택이 매우 중요하다[26]. 체질량지수만으로 당뇨의 심한 정도를 판단할 수 없고 수술 전 체질량지수가 대사수술 성공을 예측하지 못하므로 이것만으로 수술 대상 환자를 결정하는 것은 불합리하다. 최근의 메타분석에 따르면, 수술 전 체질량지수가 평균 35 이상인 60건의 연구와 35 미만인 34건의 연구를 비교한 결과 수술 후 당뇨의 관해율에 차이가 없었다(71% vs. 72%).[28] 그러나 무작위 연구를 포함한 기존의 대부분 연구가 체질량지수의 범위를 주요 환자 선택 기준으로 삼고 있으므로 추가적인 연구에 의해 수술 결과에 대한 보다 강력한 예측 인자를 밝힐 때까지, 체질량지수 범위는 대사수술 환자의 선택에 일정 부분 이용될 수밖에 없는 실정이다.

세 번째, 두 수술의 목적과 성공의 판정 기준이 다르다. 일반적으로 전통적인 비만수술은 초과 체중의 50% 이상의 체중 감량이 있으면 성공이라 판정하고 있다. 그러나 당뇨의 치유가 일차적인 목적인 대사수술의 경우, 질환의 병태생리가 더 복잡하고 진행과정이 다르기 때문에 그 수술의 목적과 성공의 기준 또한 달리 정의될 필요가 있다. 그러나 현재 대사수술과 기존의 내과적 치료법의 미세혈관 합병증 및 심혈관 질환의 위험성을 직접적으로 비교한 연구는 아직 없다. 2009년 미국당뇨병학회는 모든 당뇨약을 끊은 상태에서 HbA1c < 6.5 및 < 6.0 %를 달성하고 최소 1년간 이 혈당치를 유지하는 것으로

제2형 당뇨병의 부분 및 완전 관해를 정의하였다. 비록 이 정의는 치료 결과 분석의 표준화에는 기여하였으나, 메포민 등 모든 약물을 끊어야 한다는 조항은 대사수술의 역할을 충분히 반영할 수 없을 수 있어 일반적인 임상 및 연구에서의 적용에는 문제가 있다. 대부분의 연구에서 당뇨의 관해율을 성공의 기준으로 삼고 있으나 혈당 조절의 일시적(수개월에서 수년) 관해 또는 완전히 관해되지 않은 장기간의 당뇨병 개선 또한 당뇨 환자에게 잠재적 이득을 제공하기 때문에 완전 관해가 대사수술의 유일한 목표 또는 성공의 유일한 척도로 간주되어서는 안 된다. 대사수술의 결과 분석은 당뇨병 관리의 큰 맥락에서 포괄적으로 정의되어야 하며 이를 위해서는 당뇨의 개선 및 관해의 합리적인 정의를 위한 과학적 연구 근거가 마련되어야 한다.

③ 대사수술의 작용 기전

대사수술 후 정상 혈당으로 회복되는 정확한 기전은 부분적으로만 규명되었다.[3, 8, 13, 18, 24, 29, 36, 42] 체중감소와 더불어 칼로리 제한, 췌장 β세포의 기능개선, 인슐린 저항성의 개선, 장내호르몬의 변화, 장내 세균의 변화, 담즙산의 변화, 뇌신경 신호전달체계의 변화 등이 수술 후 당뇨가 호전되는 기전으로 거론되고 있으나 명확한 이해는 아직 부족한 상황으로 그에 대한 연구가 활발하다. 단, 수술 후 인체에 생기는 변화가 당뇨를 치유할 수 있는 보다 효과적이고 비침습적인 치료제를 개발할 수 있는 단초를 제공하는 역할을 하는 것은 확실해 보인다. 표준 대사수술 후 당뇨 조절에 작용하는 유효한 증거는 **그림 2-1**에 요약되어 있다. 근본적인 기전에 대한 간단한 설명을 아래에 제시한다(표시된 step은 **그림 2-1**에 있는 숫자와 일치함):

a. 모든 표준 대사수술 방법의 식이제한 요소는 물리적으로 식사량을 제한한다(step 1).

b. 루와이위우회술과 담췌우회술의 흡수억제 요소는 열량 섭취를 더 낮춘다(step 2).

c. 모든 대사수술은 열량 섭취의 감소와 체중 감량에도 불구하고 식욕을 억제한다. 반대로, 비수술적 치료로 얻어진 체중 감량은 보상성 배고픔과 체중을 증가시키려는 경향을 유발하는 생리적인 반응을 활성화시킨다. 포만감 기전의 활성화는 수술 후 체중감소를 유지하는데 중요한 역할을 한다(step 3).[8, 42]

d. 강력한 식욕 자극 호르몬으로써 위의 기저부에서 주로 분비되는 그렐린은 위소매절제술과 루와이위우회술 후에 감소한다(step 4). 반면, 대부분의 연구에서 복강경 위밴드술 후에는 그렐린이 증가한다고 보고하였다. 복강경 위밴드술은 위소매절제술과 달리 위를 온전하게 보존하고, 루와이위우회술과 달리 위 기저부의 주요 그렐린 분비 세포와 음식이 접촉하는 것을 배제하지 않는다. 따라서, 식사 제한으로 얻어진 체중감소와 비슷하게, 복강경 위밴드술에서는 열량이 제한된 후의 반응으로 그렐린이 증가하게 된다. 복강경 위밴드술 이후에 보상성으로 그렐린 수치가 증가하기는 하지만, 밴드가 적절하게 조여져 있으면 미주 신경이 분포하고 있는 위의 기계적 자극 수용기가 활성화됨에 따라 식욕은 감소하고, 포만감은 증가하게 된다. 그렐린에 미치는 담췌우회술의 효과에 관한 연구 결과는 아직 일관적이지 않다.[13, 42]

e. 앞서 말한 기전의 최종 효과는 열량 섭취의 감소와 그에 따른 체중감소이고(step 5), 이에 따라 다음의 결과들이 유발된다:

f. 수술 직후의 급속한 열량 제한은 혈당 조절을 일시적으로 호전시킨다(step 6).[24, 42]

g. 대사수술 후 며칠 이내에 충분한 체중감소가 이루어지기 전의 열량 섭취 감소는 간의 지방을 감소시키고, 간에서의 포도당 생성을 감소시킨다(step 7).[24]

h. 지방 세포 이외의 장소에 중성지방의 이소성 축적(예. 간, 골격근, 췌장 베타세포)은 세포의 산화 요구를 초과할 때 지방산의 세포 내 에너지원을 제공한다. 과잉 지방산 아실 조효소(fatty acid acyl CoA)가 세포 기능 장애

그림 2-1 표준 대사수술의 작용기전[27]

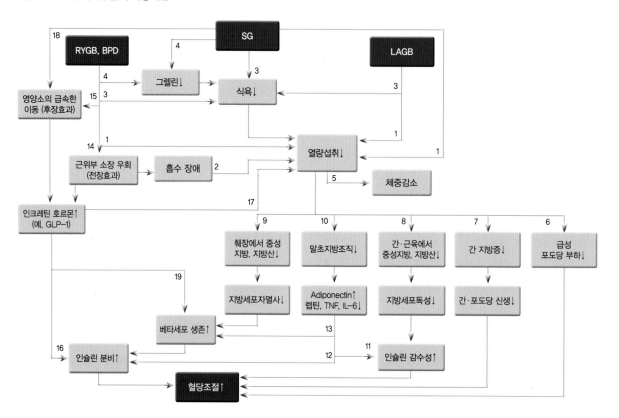

(예. 지질독성)와 궁극적으로 지질자멸사(lipoapoptosis)에 관여하는 것으로 생각되는 비산화 대사 경로로 들어간다. 간과 골격근의 지질독성은 인슐린 신호 전달 연속 과정(cascade)을 손상시키는데 이는 비만 관련 인슐린 저항성의 작용 기전 중 하나로 확인되고 있다. 대사수술은 체질량지수가 정상화되기 전부터 이 해로운 효과를 감소시키고 인슐린 민감도를 유의하게 증가시킨다(step 8). 췌장 베타세포의 지질자멸사는 또한 열량 제한에 의해 예방될 수 있다(step 9).[43]

　i. 비만은 만성적인 낮은 수준의 염증상태로 고려된다. 아디포넥틴과 렙틴은 "adiopocytokine" 또는 "adipokine" 으로 불리는 지방 세포에서 분비되는 단백질 중 하나인데, 이들은 염증과 인슐린 민감도와 같은 몇몇 병태생리 과정에 관여한다. 총 지방량이 증가하면, 렙틴과 C-반응 단백질(CRP), 종양 괴사 인자-α (TNF-α), 인터루킨-6 (IL-6)과 같은 염증 매개 물질이 더 많이 생산되지만, 아디포넥틴의 합성은 감소한다. 그 결과로 염증 유발성 환경(proinflammatory environment)은 인슐린 신호 전달 과정에 악영향을 끼치고 따라서 인슐린 저항성이 생기게 된다. 대사수술 후 지방량이 감소하면 염증성 사이토카인과 adipokine이 정상화되고(step 10) 인슐린 민감도를 향상시킨다(step 11). 또한, 렙틴과 염증성 사이토카인의 감소가 췌장 베타세포의 기능을 호전시키고(step 12) 생존율을 향상시킨다(step 13).[3, 8, 20, 24]

　j. 우회 술식의 대사수술(예. 루와이위우회술, 담췌우회술) 후 제2형 당뇨병이 관해되는 인크레틴의 기전은 최근 수년간 많은 관심을 끌어왔다. 인크레틴은 장관 유래 호르몬으로, 식사 후에 분비되고 식후 인슐린 분비의 70%까지 관여한다. 십이지장과 근위부 공장의 배제(전장 가설)(step 14), 소화되지 않은 영양소의 급속한 원위부 회

장으로의 노출(후장 가설)(step 15)을 포함하는 우회식 대사수술 후의 위장관 경로 변경은 포도당 항상성에 좋은 영향을 미치는 글루카곤양 펩타이드-1 (glucagon like peptide-1, GLP-1), 포도당 의존 인슐린 친화성 폴리펩타이드(glucose-dependent insulinotropic polypeptide, GIP), 펩타이드 YY (Peptide YY, PYY) 등의 장관 호르몬들의 분비를 변화시킨다. 가장 많이 연구된 GLP-1은 인슐린 분비의 패턴을 향상시키고(step 16), 글루카곤의 분비를 억제하며, 말초에서의 포도당 흡수를 증가시키는 것으로 보인다. PYY와 함께 이 펩타이드는 식욕억제 효과를 가져온다(step 17).[18, 36, 42] 최근의 연구에 의하면, 위소매절제술의 경우 소화되지 않은 음식물의 원위부 회장으로의 도달이 빨라짐으로써 후장 효과가 나타나 장내 호르몬의 변화를 유발하는 것으로 보고되고 있다(step 18).[29]

k. GLP-1은 베타세포의 세포자멸사를 억제하고, 증식을 촉진하며, 산화 공격에 대한 보호작용을 함으로써 췌장 베타세포 양의 감소를 지연시키거나 또는 심지어 증가시킬 수 있다(step 19).[18, 23]

한편, 앞서 언급된 몇 가지 기전들(예. 지질독성, 염증성 상태, 인슐린 저항성의 감소)은 대사수술의 특별한 효과라고 생각되지 않으며 비수술적 체중감소 이후에도 관찰되는데, 수술로 얻어진 체중 감량은 이러한 반응을 신속하고 과장되게 일으키는 것으로 보인다. 이 중 인슐린의 작용과 관련하여, 수술 후 인슐린 분비능의 호전은 주로 수술 전에 얼마나 베타세포의 기능이 남아있느냐에 달려있으므로,[15] 수술 후 당뇨병의 호전은 나머지 하나인 인슐린 저항성의 개선의 역할이 큰 것으로 판단된다.[16] 인슐린 저항성의 측정방법에는 HOMA-IR (homeostasis model assessment-insulin resistance),[21] Matsuda index[22] 등이 있다. HOMA-IR은 (공복 시 포도당(nmol/L) × 공복 시 인슐린(uU/mL))/22.5로 계산한 값으로, 공복 시 간의 인슐린 저항성을 구하여 그에 비례하는 전신 인슐린 저항성을 구하는 방법이다. Matsuda index는 10,000/√((공복 시 포도당(mg/dL) × 공복 시 인슐린(uU/mL) × (경구당부하 검사 동안 평균 포도당 × 평균 인슐린))

으로 계산한 값으로, 이는 간과 말초의 인슐린 감수성을 대표해 인슐린 저항성을 상대적으로 정확하게 측정할 수 있는 방법이다. 다양한 비만/대사수술 후의 인슐린 저항성에 관한 여러 연구들을 메타분석한 결과에 따르면 루와이위우회술과 담췌우회술은 2주 안에 인슐린 저항성을 급속히 감소시킨다. 위소매절제술은 복강경 위밴드술에 비해 1개월째 인슐린 저항성의 더 빠른 감소를 보인다.[33]

유사한 맥락으로, 많은 당뇨 호전 효과는 어떤 대사수술 후에도 일어나지만, 그 중 일부는 우회술식 이후에만 특이적으로 나타난다. 동등한 체중감소를 보이는 다른 수술법에 비해 루와이위우회술과 담췌우회술 후 제2형 당뇨병의 관해율이 유의하게 크다는 것은 이런 기전의 중요성을 뒷받침한다. 또한, 루와이위우회술과 담췌우회술 후, 충분한 체중감소가 일어나기 전인 며칠에서 수 주 안에 당뇨는 주로 해결된다.[36, 42] 240명의 루와이위우회술을 시행한 당뇨 환자를 분석한 연구는 30%의 환자가 평균 수술 후 재원 기간 2.8일 후에 모든 당뇨 치료약을 끊고 정상 혈당 상태로 퇴원하였다고 보고하였다.[39] 더 흥미로운 것은, 인슐린 저항성과 분비에 미치는 루와이위우회술의 효과는 담췌우회술과 차이가 있는 것으로 보인다. 루와이위우회술은 인슐린 분비를 더 효과적으로 증가시키는 반면, 담췌우회술의 주요한 항 당뇨 효과는 인슐린 민감도의 급속한 호전과 관련된다.[25] 우회수술법이 주로 조기의 체중감소와 무관한 정상 혈당 상태를 유발한다는 관찰 결과에도 불구하고, 장기적으로는 체중 감량의 정도가 주요한 요인일 것이다.[36] 표준 대사수술의 제안된 항 당뇨 효과의 기전은 표 2-1에 요약되어 있다.

❹ 대사수술 후 당뇨 호전 예측 모델

현재 당뇨에 대한 대사수술이 뚜렷한 효과가 있다는 명

표 2-1 다양한 대사수술의 제안된 항 당뇨병 기전의 요약

	체중감소와 독립적인 항 당뇨효과	급속한 영양소 통과	상부 소장 배제	그렐린 분비	인슐린 저항성 감소
복강경위밴드술	아니오	아니오	아니오	증가	후기
위소매절제술	예	예	아니오	감소	초기
루와이위우회술	예	예	예	감소	중기
담췌우회술	예	예	예	일관적이지 않음	중기

백한 증거들이 수없이 많다. 그러나 모든 환자들에 대해 같은 효과가 있는 것이 아니고 환자의 특성에 따라 효과의 정도가 다양하다. 대사수술의 효과를 극대화하기 위한 최적의 수술방법에 대한 꾸준한 연구와 함께, 현 시점에서 대사수술로 어떤 환자들이 어느 정도의 효과를 볼 것인가를 예측할 수 있는 객관적 자료가 수술 환자를 선택하는 데 필수적이다. 이에 따라 대사수술의 효과를 추정하고자 하는 연구 결과들이 발표되었는데, 이는 특히, 당뇨의 개선과 관해율을 예측하고자 하는 시도이며, 다이아렘 스코어(DiaRem score), ABCD 스코어, Ramos-Levi의 통계적 모델(statistical model), 하예스 모델(Hayes model) 등이 있다.

다이아렘 스코어는 수술 전 손쉽게 이용할 수 있는 환자의 4가지 특징인 인슐린 사용, 나이, 당화 혈색소 농도, 당뇨약의 유형을 기준으로 했다. 점수 시스템을 개발하기 위해 2004~2011년 사이에 루와이위우회술을 시행받은 제2형 당뇨병을 동반한 비만 환자 약 700명을 대상으로 하였고, 그 중 63%가 당뇨의 부분 혹은 완전 관해를 이루었다. 당뇨 관해의 독립적인 예측인자를 확인하기 위해 51가지의 동반질환, 93가지의 약물, 78가지의 검사 결과, 19개의 설문 점수, 나이, 성별, 흡연, 음주 등 18가지의 다른 요인들을 포함한 259가지의 임상 요인을 분석했다. 연구팀은 그 중 유의한 4가지 요인을 추출하고, 각각에 특정 점수를 배정해 다이아렘 스코어를 결정했다(표 2-2). 스코어는 0에서 22점까지 분포하고, 점수에 따라 다섯개의 그룹으로 나누는데, 점수가 낮은 환자들

은 수술 후 5년 이내에 관해될 확률이 높은 반면, 높은 점수의 환자들은 관해될 확률이 낮아진다. 즉, 각각의 점수 그룹에 따른 당뇨의 관해율은 다음과 같다; 0-2 (88%-99%), 3-7 (64%-88%), 8-12 (23%-49%), 13-17 (11%-33%), 18-22 (2%-16%). 비록 서양인을 대상으로 하였고, 특히 루와이위우회술 환자만을 분석하여 개발하였다는 점이 한계이기는 하지만, 다이아렘 스코어는 쉽게 얻을 수 있

표 2-2 다이아렘(DiaRem) 스코어

예측 인자		점수
나이(세)	< 40	0
	40-49	1
	50-59	2
	≥ 60	3
당화 혈색소(%)	< 6.5	0
	6.5-6.9	2
	7.0-8.9	4
	≥ 9.0	6
다른 당뇨치료제 사용	설폰요소제(sulfonylureas)를 사용하지 않거나 또는 메트포민 이외의 인슐린 감작제를 사용하지 않음	0
	설폰요소제와 메트포민 이외의 인슐린 감작제를 사용	3
인슐린 사용	인슐린 사용 안함	0
	인슐린 사용	10
다이아렘 스코어(각 항목 점수의 합)		

표 2-3 ABCD 스코어

	0	1	2	3
나이(Age)	≥ 40세	< 40세		
체질량지수 (BMI) (kg/m²)	< 30	30-39	40-49	≥ 50
C-peptide (ng/mL)	0.9-1.9	2.0-3.9	4.0-6.0	> 6
유병기간 (Duration)	>10년	5-10년	2-4.9년	< 2년

는 4가지 임상 변수를 이용하여 대사수술 후 당뇨 개선을 예측하기 위한 수술 전 평가도구를 제공하였다는 의의가 있다.[40]

한편, Lee[19] 등은 대사 수술의 성공률을 예측하기 위한 인자로 ABCD 스코어를 제시하였다(표 2-3). ABCD는, 각각 A (age, 나이), B (BMI, 체질량지수), C (C-peptide, C-펩타이드), D (Duration score, 당뇨의 유병기간)을 의미하며, 각 항목에 대해 0에서 3점을 부여했다. ABCD 기준에 따라 대사수술 결과를 예측할 경우 총점 8점 이상이면 100%에 가까운 완치율을 기대할 수 있다고 보고하였다. 점수의 기준은 체질량지수 35 kg/m²를 초과하면서 제2형 당뇨병이 있는 환자 또는 체질량지수가 35 kg/m² 이하여도 조절되지 않는 제2형 당뇨병(6개월간 약물치료에도 당화혈색소가 7% 이상인 환자)이 있는 환자 239명을 대상으로 결정하였다. 1차로 2005년부터 2008년까지 대만의 한 병원에서 대사수술을 받은 64명의 3년 추적관찰 결과를 분석했고, 2차로 5개국에서 시행한 대사수술 환자 176명 환자의 1년 후 치료결과를 분석해 완치확률 0점부터 10점까지 33%에서 100%까지 완치 확률을 계산했다. ABCD 스코어는 대사수술의 성공을 예측해 볼 수 있는 도구이므로, 이를 이용하여 대사수술을 시행할 환자를 선택하는 데 도움이 될 수는 있겠지만, 이 자제가 대사수술의 적응증이 되어서는 안 된다. ABCD 점수로 수술효과를 100% 예측하기는 어렵지만 대사수술 결과를 예측하는 데 큰 도움이 될 것이며, 장기 추적관찰 결과를 통해 지속적인 보완이 필요할 것이다.

그 밖에 Ramos-Levi 등은 통계적 모델을 통해 성별, 공복 시 혈당, C-펩타이드, 인슐린 치료여부, %체중감량 항목을 고려하였을 때 대사수술 후 당뇨 관해 예측률이 95.9%에 이른다는 연구결과를 발표하였고[32], Hayes 모델은 체질량지수, 공복 시 혈당, 인슐린 사용여부, 고혈압 동반여부, 당화혈색소 수치를 대사수술 1년 뒤 당뇨 관해를 예측하는 인자로 제시하였다.[12]

❺ 대사수술의 종류

대사수술의 기본적인 원리와 목적은 섭취 감소, 위의 부분 절제, 음식물의 빠른 소장 통과, 소장(주로 전장) 일부 분절의 우회 등을 통해 음식과 장 사이의 접촉을 줄이는 것이다. 효과는 음식에 대한 장의 노출이 감소되는 양과 비례한다. 루와이위우회술(RYGB), 위소매절제술(SG), 복강경 위밴드술(LAGB), 담췌우회술(BPD) 또는 담췌우회술/십이지장전환술(BPD/DS)이 현재 용인된 표준 대사수술이다. 대사수술과 관련된 합병증과 사망률은 일반적으로 낮게 보고되고 있으며 복강경 수술은 개복 수술보다 수술 후 합병증이 더 낮으며, 가장 현저한 차이는 상처 감염과 절개창 탈장의 빈도이다.[8, 34, 36] 비만과 당뇨의 관리에 필요한 경험이 풍부한 전문가들로 구성된 다학제 팀이 있는 대형병원(high-volume center)에서 대사수술을 시행해야 하며 외과 의사는 풍부한 경험이 있는 전문의사의 감독 하에서 각각의 수술방법에 대한 임상 경험을 쌓아야 한다고 권고하고 있다.

표 2-4 **표준 대사 수술 후의 결과 요약**

	복강경 위밴드술	위소매 절제술	루와이 위우회술	담췌 우회술
제2형 당뇨병 관해	+	++	+++	++++
% 과다체중 감소	+	++	+++	++++
수술 합병증, 사망률	+	++	+++	++++
영양 결핍	+	+	++	++++

1. 최적의 수술방법(Operation of Choice)

네 가지 표준 대사수술 방법은 각각의 위험과 효과를 가지고 있다. 예를 들어 담췌우회술과 같은 극단적 흡수제한 술식은 일반적으로 체중감소가 더 많고 대사 효과도 더 확실하지만, 수술과 관련한 합병증도 더 많다(표 2-4).[8, 9, 30, 35, 36] 대사수술을 선택할 때는 각 수술의 위험성과 기대 효과를 정밀하게 평가해 보아야 하고, 수술 받는 환자 개인에 맞추어 결정되어야 한다. 국제당뇨연맹은 대사 수술을 선택할 때 고려해야 할 요인의 목록을 제시하였다.[9]

첫째는 외과의와 센터의 비만대사수술의 전문 지식과 경험, 둘째는 환자의 선호도(위험성과 기대 효과, 환자의 순응도, 수술 후 식이와 생활 방식의 중요성에 대해 충분히 설명되었을 때), 셋째는 환자의 전신 건강 상태와 수술 전후 합병증과 사망률을 높일 수 있는 위험인자, 넷째는 수술 방법의 간결성과 가역성, 다섯째는 제2형 당뇨병의 이환 기간과 뚜렷한 잔여 베타세포 기능의 정도, 마지막으로는 수술 후 추적 관찰 프로토콜과 이에 대한 환자의 순응도(compliance)이다.

2. 표준대사수술 종류

1) 복강경 위소매절제술(그림 2-2)

위의 소만부를 따라 위의 좌측(주로 위 체부와 기저부)

그림 2-2 **위소매절제술**

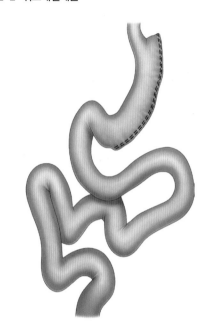

을 수직으로 절제하여 50-80 cc 정도의 길고 좁은 관형 위를 만들어 주는 비만대사수술이다. 이 수술의 체중감소 및 대사성 합병증의 완화는 위 용적 감소로 인한 섭취 제한과 더불어 위 절제 및 장내 음식물 이동 속도의 변화에 따른 다양한 장 호르몬 분비의 변화에 기인한다고 설명되고 있다. 원래 고위험군의 병적비만 환자에 대해 담췌우회술/십이지장전환술 또는 위우회술을 위한 1차 수술로 시행되다가, 체중 감량과 동반 질환 호전에 있어 루와이위우회술에 근접하는 중·단기적인 좋은 결과와 수술의 안정성으로 인해 독립된 비만대사 수술로 자리잡았고 현재는 전 세계적으로 가장 많이 시행되는 수술이 되었다. 이 수술은 루와이위우회술에 비해 비교적 간단하고 수술 합병증이 적고, 장관 문합이 필요 없어 내부 탈장이나 변연성 궤양 위험이 없으며 대사성 및 영양상의 합병증이 적고, 유문 보존으로 덤핑증후군이 없으며, 효과가 미흡할 경우 다른 수술로 변환이 쉽고, 소화기관의 해부학적 변형이 없어 잔위나 십이지장에 대한 검사가 용이하고, 복강경위밴드술에 비해 체중감소 효과와 대사 효과가 좋고 이물질의 삽입이 불필요한 장점

그림 2-3 복강경 루와이위우회술

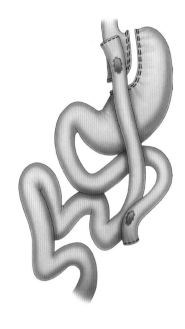

그림 2-4 복강경 위밴드술

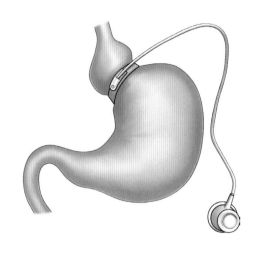

이 있다.

2) 복강경 루와이위우회술(그림 2-3)

50년 이상의 역사를 갖고 오랜 기간 동안 변형을 거쳐 근래까지 비만/대사수술의 "gold standard"로 간주되어 왔다. 복강경 수술의 도입으로 대표적인 비만과 대사수술로서 더욱 발전을 거듭하였다. 이 수술의 작용기전은 다양하고, 아래에 제시된 각각의 기전들이 복잡하게 얽혀 대사 효과를 가져온다고 보고 있다.[41] 즉, 작은 위낭(약 30 cc)으로 인한 음식과 칼로리 섭취 감소, 작은 위-소장 문합(약 10 mm)으로 인한 지연된 위 배출, 소화되지 않은 음식물의 상부 공장으로의 조기 "덤핑", 위로 공급되는 미주 신경의 부분 손상, 그리고 위 기저부, 전정부, 십이지장, 근위부 공장으로부터 음식물의 우회, 소화되지 않은 음식물의 말단 회장으로의 빠른 통과 및 장 호르몬의 환경 변화, 또한 담즙산 대사 변화, 장내 미생물총 환경의 변화, 식이 섭취의 변화, 아디포카인의 감소와 변화를 동반한 체중감소와 같은 이차 효과, 장관, 간, 근육, 지방 세포와 각 장기체계 사이의 신호체계의 변화 등이 그것이다.

일반적으로 위소매절제술에 비해 높은 당뇨 관해율을 보이며, 이는 십이지장과 상부 공장의 우회에 따른 효과로 인한 것으로 이해되고 있다. 위 우회 후의 주머니 크기, 위공장 문합의 크기, 루 각(Roux-limb) 또는 담췌 각(biliopancreatic limb)의 길이 등이 수술 후 대사 효과에 영향을 미친다.[30]

3) 복강경위밴드술(그림 2-4)

수술이 가장 간단하며 수술 후 단기 합병증 및 사망률이 적으며 밴드의 크기를 조절할 수 있고 문제가 발생하거나 필요가 없어지면 제거하여 정상적인 해부학적 구조를 회복할 수 있다는 장점이 있다. 그러나 체내에 이물질을 지녀야 하고, 밴드의 크기 조절을 위하여 자주 병원을 방문하여야 하며, 체중 감량 효과나 대사 효과가 다른 수술에 비해 적고 속도가 느리다는 단점이 있고 장기적으로 밴드에 의한 높은 합병증이 보고되면서 점차 시행률이 감소되고 있는 수술 방법이다.

그림 2-5 담췌우회술 및 십이지장전환술

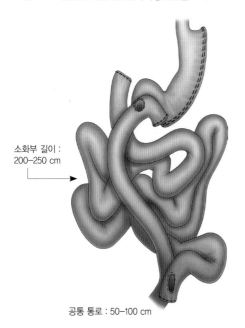

소화부 길이 :
200-250 cm

공통 통로 : 50-100 cm

그림 2-6 십이지장-공장우회술

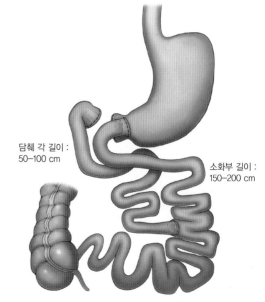

담췌 각 길이 :
50-100 cm

소화부 길이 :
150-200 cm

공통 통로 : 십이지장 전환술보다 길게 형성

4) 복강경 담췌우회술 및 십이지장전환술
(laparoscopic biliopancreatic diversion with duodenal switch, BPD/DS)(그림 2-5)

담췌우회술은 대표적인 흡수 제한수술로서, 위를 절제하여 250-500 cc의 위낭을 만들고 250 cm의 루 각(Roux-limb)과 50 cm의 흡수를 위한 공통 통로(common channel)를 만든다. 이 수술의 변연 궤양(marginal ulcer)의 빈도를 줄이기 위해 위를 소매절제하고 유문부를 살려 변형시킨 수술이 담췌우회술 및 십이지장전환술(BPD with DS)이다. 이 수술은 특히 BMI 50 이상의 슈퍼비만 환자에서 체중 감량과 비만관련 대사 질환의 치료에 가장 탁월한 효과를 보인다. 반면에 수술의 합병증과 사망률이 가장 높으며, 장기적으로 볼 때, 단백질과 비타민, 각종 미네랄의 흡수에 장애가 생기며, 대사성 골질환, 신장 결석의 가능성이 높다.

3. 새로운 대사 수술 방법과 기구들

1) 십이지장-공장우회술(duodenal-jejunal bypass, DJB) (그림 2-6)

표준 루와이위우회술과 비교했을 때 비슷한 길이의 문합부를 가진 근위부 소장을 우회하면서 위는 보존하는 술식이다. 위 절제나 배제 없이, 삼킨 음식물과 십이지장, 근위부 공장이 직접적으로 닿는 것을 막게 되어 과도한 체중감소 없이 포도당의 항상성 유지를 촉진시키기 위해서 경한 비만의 당뇨 환자에게 표준 수술방법의 좋은 대안이 될 수 있다. 전장과 후장 가설은 이 술식의 항당뇨 효과를 설명하는 데 적용될 수 있다. 남은 위는 내시경 검사가 가능하기 때문에, 위암 고위험 집단에서는 루와이위우회술의 좋은 대안으로 고려될 수 있다.[8,36] 2007년 Ricardo 등은 십이지장-공장우회술을 시행한 체질량지수가 29, 30 kg/m² 인 두 명의 당뇨 환자에 대한 증례를 발표하였다. 수술 후 혈당 조절은 호전을 보였고(공복 혈당 정상화, 공복 인슐린 수치 정상화, HbA1c 정상화), 중요한 점은 이런 변화가 두 환자에서 체중감소 없이 일어

그림 2-7 회장 전위수술

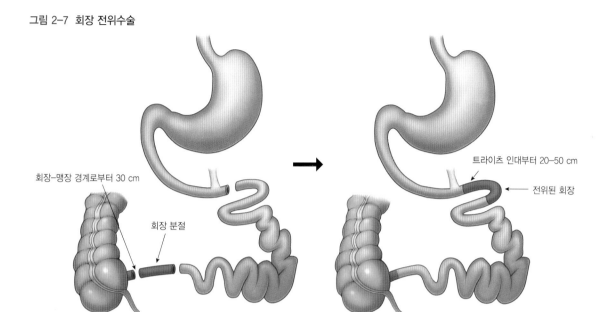

회장-맹장 경계로부터 30 cm

회장 분절

트라이츠 인대부터 20-50 cm

전위된 회장

낳다는 것이다. 그 이후 시행한 35명의 비만한 당뇨 환자 (평균 체질량지수 28.5 kg/m²)를 대상으로 한 1년 추적관찰의 전향적 연구에서, 40%의 환자에서 제2형 당뇨병의 관해를 보였다.[6] 브라질의 연구자들에 의해 발표된 연구에서도 십이지장-공장우회술의 좋은 효과를 보고하였다. 다만, 관해율이 다소 낮았는데 이는 당뇨의 유병기간이 길고, 당뇨 합병증을 동반한 환자들이 많다는 환자군의 차이 때문이라고 생각된다. 또 다른 연구에서도 95%의 환자가 6개월째 당뇨 관련 약물 복용을 멈출 수 있었다고 보고하였다.[11]

이 수술이 베타세포의 기능에 미치는 영향을 알아보기 위해 십이지장-공장우회술을 시행받은 환자와 정상 포도당 내성을 가진 대조군을 비교한 연구 결과가 발표되었다. 수술 시행 후 포도당 섭취에 대한 베타세포 반응에 관한 모든 지표들(경구 당부하 검사 동안의 인슐린, C-펩타이드 농도, C-펩타이드 분비 반응, 인슐린 생성 지표, 인슐린 저항 대비 인슐린 생성 지표 등)이 십이지장-공장우회술 이후에 2-3배 증가하였지만, 정상 포도당 내성의 대조군보다는 훨씬 낮았다. 즉, 이 수술은 제2형 당뇨병이 있는 과체중과 class I 비만 환자에서 베타세포의 기

능과 혈당 조절을 향상시킨다.[17] 그러나 그 효과에 대한 연구 결과는 일관적이지 못하여 아직 검증의 필요성이 있다.

이 수술이 가져오는 변화의 작용 기전은 아직 명확하지 않다. 십이지장-공장우회술이 원위부 공장으로 영양소의 흐름을 바꾼다는 사실을 고려할 때, 이 효과는 Breen 등이 기술한대로 장-뇌-간 네트워크를 통한 공장의 영양소 감지에 영향을 미칠 수 있다. Breen 등은 공장 내로 영양소가 유입되면 정상 쥐와 STZ 쥐(streptozotocin-induced uncontrolled diabetic rats, 스트렙토조토신 유도 조절되지 않는 당뇨 쥐 모델)에서 인슐린 수치의 변화 없이 내인성 포도당 생성을 감소시킨다는 것을 발견했다. 십이지장-공장우회술 수술을 받은 STZ 쥐는 수술 후 2일째 혈장 포도당 농도가 감소했는데, 이는 인슐린 농도, 음식 섭취량 및 체중의 변화와 무관한 변화였다.[2]

2) 회장 전위수술(ileal interposition, IT) (그림 2-7)

회장 전위수술은 1926년 처음 발표되었으나, 1999년 Mason과 2006년 De Paula에서야 비로소 비만과 당뇨 치료 목

그림 2-8 회장 전위수술 및 위소매 절제술

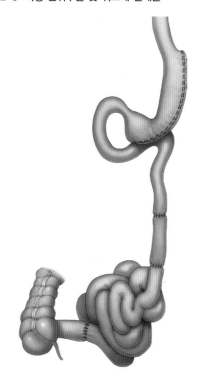

그림 2-9 회장 전위수술 및 위소매 절제술, 그리고 십이지장 배제술

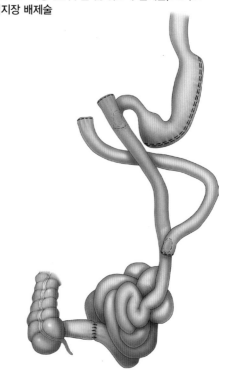

적으로 시행되었다. 장간막과 신경혈관이 유지된 짧은 말단부 회장의 분절을 근위부 공장으로 삽입하는 것으로, 소화되지 않은 음식물이 빨리 말단부 회장에 노출된다. 이 수술방법은 체중감소 효과없이 인크레틴 호르몬의 분비를 촉진한다. 회장 전위수술은 세 개의 문합(두 개의 문합이 필요한 루와이위우회술, 담췌우회술, 십이지장-공장우회술과 비교하여)이 필요하다.[8, 36] De Paula 는 회장 전위수술과 위소매절제술의 혼합(그림 2-8) 또는 회장 전위수술과 위소매절제술, 그리고 십이지장 배제의 혼합방법(그림 2-9)을 제안하였다. De Paula에 의해 발표된 여러 연구에서 유의한 당뇨의 관해를 보였지만(86.5-95.7%), 추적관찰 기간이 짧은 한계(7-24개월)가 있다. 또한 두 수술법을 시행한 202명의 당뇨병 환자에 대한 결과를 추가로 발표하였는데, 당뇨병의 평균 이환 기간은 9.8년이었고, 40%의 환자가 인슐린을 사용 중이었다. 사망률은 1%, 주요 합병증은 11.9%에서 발생하였다. 평균 체질량지수는 29.7 kg/m²에서 24.5 kg/m²로 감소하였고,

혈당, 지질 프로파일, 고혈압의 개선을 동반했다. 평균 HbA1c는 9.7%에서 6.2%로 감소하였고, 환자의 90%에서 39개월째 HbA1c가 7% 미만이었다. 즉, 회장 전위수술은 매우 효과적이지만 복잡한 수술법이라는 단점이 있다. 대사 질환의 유의한 호전이 보고되었지만 합병증 발생률이 다른 수술법들에 비해 높다. 게다가, 전위된 회장의 허혈이나 소장 탈장에 의해 발생하는 소장 폐색의 높은 발생률과 같은 이 수술방법에 국한된 합병증이 있다. 몇몇 합병증은 표준 대사수술에 비해 사망률을 더 높이는 데 일조한다(1% 대 0.05%).[7]

3) 위소매절제 및 십이지장-공장우회술 (sleeved DJB) (그림 2-10)

십이지장-공장우회술과 회장 전위수술은 체중 조절과 포도당 대사에 미치는 위소매절제술의 유익한 효과(예. 위의 축소, 그렐린 분비의 감소, 빠른 영양소 통과)를 추가로 얻기 위해 표준 위소매절제술과 결합해서 시행될

그림 2-10 위소매절제 및 십이지장-공장우회술

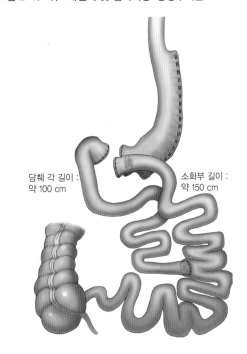

담췌 각 길이 : 약 100 cm

소화부 길이 : 약 150 cm

수 있다. 두 가지 수술법 모두 당뇨 조절에 실패했을 때, 위소매절제술 후에 교정 수술로 고려될 수 있다. 몇몇 중요한 임상시험들은(the Action to Control Cardiovascular Risk in Diabetes (ACCORD), the Action in Diabetes and Vascular Disease: Preterax and Diamicron MR Controlled Evaluation (ADVANCE), and the Veterans Affairs (VA) Diabetes trial) 당뇨 환자들이 정확한 혈당 조절뿐만 아니라 고혈압, 이상지질혈증과 같은 합병증 치료를 목표로 치료되어야 함을 보여주었다. 2008년 발표된 Steno 연구에서는 혈당, 혈압, 그리고 지질 관리에 집중할 경우 당뇨병 환자의 사망률을 현저하게 감소시킬 수 있음을 입증하였다. 이러한 연구 결과를 토대로 Ricardo 등은 새로운 수술법을 시행하였는데, 47명의 환자를 대상으로 50/60 Fr bougie를 이용한 위소매절제술을 시행하고 "위소매절제 및 십이지장 배제(sleeved duodenal exclusion)" 또는 "짧은 십이지장 전환(short duodenal switch)"을 시행한 것이다. 일차 평가 기준은 공복 시 및 식후 혈당 조절이었고, 이차 평가 기준은 지질 및 고혈압 조절 및 동맥

경화증 진행에 관한 중요한 대리 표지자인 경동맥 내막 두께(carotid intimal media thickness, CIMT)였다. 추가적으로 병적비만 환자에서 더 긴 문합부 길이가 대사/당뇨에 관하여 더 나은 결과를 보여주었던 연구 결과에 기초하여, 담췌 각(biliary limb) 길이를 100 cm, 소화부(alimentary limb) 길이를 150 cm으로 길게 조절하였다. 연구자들은 위낭을 종방향으로 절제하여 주요 그렐린 생산 부위의 일부를 제거함으로써 포도당이 장으로 이동하는 것을 줄여서 위의 배출을 늦출 수 있다고 설명하였다. 유문의 보존은 음식 섭취 후 혈당의 최고 농도를 감소시켜 개선된 1차 인슐린 반응과 더 나은 혈당 결과를 보이는 데 중요할 수 있다. 그렐린은 직접 및 대응 조절 작용기전을 통해 췌장 인슐린 분비를 감소시키는 능력이 있다. 따라서 주요 그렐린 생산 부위를 제거하면 당뇨병을 더 잘 조절할 수 있을 것이라고 하였다. 평균 1년의 추적관찰 기간 동안, 위소매절제술을 적용하고 문합부의 길이를 늘리는 것은 과도한 체중감소를 초래하지 않았으며(총 체중감소 6%), 당뇨 치료율은 71%(관해에서 개선된 환자까지 포함하면 100%)였다. 이 수치는 수술 직후에 환자가 제2형 당뇨병의 개선을 경험하는 것이기 때문에, 수술의 직접적인 항 당뇨 효과를 암시하는 것으로써 흥미롭다. 2차 평가 기준에 대해서는, 12개월 후 고혈압의 67% 조절, 중성지방 및 저밀도 지질단백질 콜레스테롤 정상화를 각각 77, 81%에서 이루었다. 경동맥 내막 두께는 수술 전과 비교하여 12개월에 유의하게 감소하였다. 최근에는 Roux-en-Y 형식의 문합을 공통 통로 200-300 cm의 루프 형식의 십이지장-회장 문합으로 하는 단일 문합 십이지장전환술(single anastomosis duodenal switch: SADS, or single-anastomosis duodenoileal bypass with sleeve gastrectomy: SADI-S)이 시행되기도 한다.[38] 아직 일반화되지 않고 실험적인 단계의 수술로서 그 효과에 대한 검증이 필요하다.

4) 내시경을 이용한 새로운 방법들

덜 침습적인 방법으로 대사수술 후의 예상되는 기전을

모방하기 위해 몇몇 내시경적으로 기구를 위치시키는 새
로운 방법들이 연구 중에 있다. 위내 풍선술; 스테이플링,
봉합, 또는 고정(anchoring)의 방법으로 위 부피 제한
(endoluminal gastroplasties, 위내강 성형술), 제한 밸브
등이 섭취 제한 대사수술의 기저 작용 기전을 이용한 예
이다. 내시경으로 내강에 삽입물을 위치시키는 방법(en-
doscopically placed endoluminal liner)이 십이지장과 근
위부 공장(십이지장-공장우회술과 유사하게) 또는 위, 십
이지장, 근위부 공장(루와이위우회술과 유사하게)을 우
회하기 위해 개발되고 있다. 이 기구들은 유연하고 투과
성이 없는 플라스틱 소매이며, 근위부 공장과 위식도 접
합부에 고정된다. 체중감소와 혈당 조절의 관점에서 내
강 삽입물의 예비 단기 결과는 유망하다. 하지만 내강에
삽입되는 기구들은 6개월에서 12개월 동안 제자리에 머
무를 수 있도록 고안되었기 때문에, 병적비만과 제2형 당
뇨병의 치료로는 현재까지는 제한적이다.[8, 36]

6 맺음말

현재까지의 연구 결과에 의하면 수술적 치료를 하는 경
우에 체중 감량만으로 해석할 수 없는 특별한 기전에 의
하여 당뇨병 및 대사증후군을 호전시킬 수 있다는 기대
를 하게 된다. 그러나 모든 당뇨 환자에서 대사수술이 효
과적인 것이 아니라는 것을 고려하면 현 시점에서는 대
사수술로 효과를 볼 가능성이 많은 환자군을 분류해 내
는 것이 당면한 과제인 듯하다. 대사수술 후 당뇨가 호전
되는 기전에 대한 다방면의 기초연구와 병행하여, 기존
의 표준 대사수술의 장단점에 대한 임상적 고찰이 심도
있게 이루어져 각 개인에 맞는 맞춤형의 새로운 대사수
술이 개발되어야 할 것이다. 아무쪼록 현재 진행되고 있
는 많은 연구들이 가까운 시일 내에 대사질환으로 고통
받는 환자들에게 희망적인 해답을 제시할 수 있기를 기
대한다.

참고문헌

1. Ahn BC, Joung HJ. Socioeconomic cost of obesity in Korea. Korean J Nutr 2005; 38: 786-92.

2. Breen DM, Rasmussen BA, Kokorovic A, et al. Jejunal nutrient sensing is required for duodenal-jejunal bypass surgery to rapidly lower glucose concentrations in uncontrolled diabetes. Nat Med 2012; 18: 950-5.

3. Butner KL, Nickols-Richardson SM, Clark SF, et al. A review of weight loss following Roux-en-Y gastric bypass vs restrictive bariatric surgery: impact on adiponectin and insulin. Obes Surg 2010; 20: 559-68.

4. Carlsson LM, Peltonen M, Ahlin S, et al. Bariatric surgery and prevention of type 2 diabetes in Swedish obese subjects. N Engl J Med 2012; 367: 695-704.

5. Chan JCN, Malik V, Jia WP, et al. Diabetes in Asia: epidemiology, risk factors, and pathophysiology. JAMA 2009; 301: 2129-40.

6. Cohen R, Caravatto PP, Correa JL, et al. Glycemic control after stomach-sparing duodenal-jejunal bypass surgery in diabetic patients with low body mass index. Surg Obes Relat Dis 2012; 8: 375-80.

7. DePaula AL, Stival AR, DePaula CC, et al. Surgical treatment of type 2 diabetes in patients with BMI below 35: mid-term outcomes of the laparoscopic ileal interposition associated with a sleeve gastrectomy in 202 consecutive cases. J Gastrointest Surg 2012; 16: 967-76.

8. Dixon JB, le Roux CW, Rubino F, et al. Bariatric surgery for type 2 diabetes. Lancet 2012; 379: 2300-11.

9. Dixon JB, Zimmet P, Alberti KG, et al. Bariatric surgery: an IDF statement for obese Type 2 diabetes. Surg Obes Relat Dis 2011; 7: 433-47.

10. Eldar S, Heneghan HM, Brethauer SA, et al. Bariatric surgery for treatment of obesity. Int J obes 2011; 35 Suppl 3: S16-21.

11. Fried M, Ribaric G, Buchwald JN, et al. Metabolic surgery for the treatment of type 2 diabetes in patients with BMI <35 kg/m2: an integrative review of early studies. Obes Surg 2010; 20: 776-90.

12. Hayes MT, Hunt LA, Foo J, et al. A model for predicting the resolution of type 2 diabetes in severely obese subjects

following Roux-en Y gastric bypass surgery. Obes Surg 2011; 21: 910-6.

13 Lee H, Te C, Koshy S, et al. Does ghrelin really matter after bariatric surgery? Surg Obes Relat Dis 2006; 2: 538-548.

14 Jang JH. Psychological support before and after obesity metabolic operation is tried. J Korean Diabetes 2013; 14: 75-8.

15 Jimenez A, Casamitjana R, Flores L, et al. GLP-1 and the long-term outcome of type 2 diabetes mellitus after Roux-en-Y gastric bypass surgery in morbidly obese subjects. Ann Surg 2013; 257: 894-9.

16 Kim BK, Seo KW. Insulin Resistance Changes after Meta-bolic/Bariatric Surgery. J Metab Bariatr Surg 2017; 6: 6-11.

17 Klein S, Fabbrini E, Patterson BW, et al. Moderate effect of duodenal-jejunal bypass surgery on glucose homeostasis in patients with type 2 diabetes. Obesity 2012; 20: 1266-72.

18 Laferrere B. Diabetes remission after bariatric surgery: is it just the incretins? Int J Obes 2011; 35 Suppl 3: S22-25.

19 Lee WJ, Hur KY, Lakadawala M, et al. Predicting success of metabolic surgery: age, body mass index, C-peptide, and duration score. Surg Obes Relat Dis 2013; 9: 379-84.

20 Marroqui L, Gonzalez A, Neco P, et al. Role of leptin in the pancreatic beta-cell: effects and signaling pathways. J Mol Endocrinol 2012; 49: R9-17.

21 Mather KJ, Hunt AE, Steinberg HO, et al. Repeatability characteristics of simple indices of insulin resistance: impli-cations for research applications. J Clin Endocrinol Metab 2001; 86: 5457-64.

22 Matsuda M, DeFronzo RA. Insulin sensitivity indices obtained from oral glucose tolerance testing: comparison with the euglycemic insulin clamp. Diabetes Care 1999; 22: 1462-70.

23 Meier JJ, Nauck MA. Glucagon-like peptide 1(GLP-1) in biology and pathology. Diabetes Metab Res Rev 2005; 21: 91-117.

24 Meijer RI, van Wagensveld BA, Siegert CE, et al. Bariatric surgery as a novel treatment for type 2 diabetes mellitus: a systematic review. Arch Surg 2011; 146: 744-50.

25 Mingrone G, Castagneto-Gissey L. Mechanisms of early improvement/resolution of type 2 diabetes after bariatric surgery. Diabetes Metab 2009; 35: 518-23.

26 Nguyen KT, Billington CJ, Vella A, et al. Preserved insulin secretory capacity and weight loss are the predominant pre-dictors of glycemic control in patients with type 2 diabetes randomized to Roux-en-Y gastric bypass. Diabetes 2015; 64: 3104-10.

27 Nguyen NT, Blackstone RP, Morton JM, et al. The ASMBS Textbook of Bariatric Surgery: Volume 1: Bariatric surgery. New York, USA: Springer. P. 338, 2015.

28 Panunzi S, De Gaetano A, Carnicelli A, et al. Predictors of remission of diabetes mellitus in severely obese individuals undergoing bariatric surgery: do BMI or procedure choice matter? A meta-analysis. Ann Surg 2015; 261: 459-67.

29 Peterli R, Steinert RE, Woelnerhanssen B, et al. Metabolic and hormonal changes after laparoscopic Roux-en-Y gastric bypass and sleeve gastrectomy: a randomized, prospective trial. Obes Surg 2012; 22: 740-8.

30 Pories WJ. The IDF Statement: a big and long-awaited step for our diabetic patients. Obes Surg 2011; 21: 1487-9.

31 Pories WJ, Swanson MS, MacDonald KG, et al. Who would have thought it? An operation proves to be the most effec-tive therapy for adult-onset diabetes mellitus. Ann Surg 1995; 222: 339-50.

32 Ramos-Levi AM, Matia P, Cabrerizo L, et al. Statistical models to predict type 2 diabetes remission after bariatric surgery. J Diabetes 2014; 6: 472-7.

33 Rao RS, Yanagisawa R, Kini S. Insulin resistance and bar-iatric surgery. Obes Rev 2012; 13: 316-28.

34 Reoch J, Mottillo S, Shimony A, et al. Safety of laparoscopic vs open bariatric surgery: a systematic review and meta-analysis. Arch Surg 2011; 146: 1314-22.

35 Rubino F, Kaplan LM, Schauer PR, et al. The Diabetes Sur-gery Summit consensus conference: recommendations for the evaluation and use of gastrointestinal surgery to treat type 2 diabetes mellitus. Ann Surg 2010; 251: 399-405.

36 Rubino F, Schauer PR, Kaplan LM, et al. Metabolic surgery to treat type 2 diabetes: clinical outcomes and mechanisms of action. Annu Rev Med 2010; 61: 393-411.

37 Rubino F, Shukla A, Pomp A, et al. Bariatric, metabolic, and diabetes surgery: what's in a name? Ann Surg 2014; 259: 117-22.

38 Sanchez-Pernaute A, Rubio MA, Cabrerizo L, et al. Single-anastomosis duodenoileal bypass with sleeve gastrectomy (SADI-S) for obese diabetic patients. Surg Obes Relat Dis

2015; 11: 1092-1098.

39 Schauer PR, Burguera B, Ikramuddin S, et al. Effect of laparoscopic Roux-en Y gastric bypass on type 2 diabetes mellitus. Ann Surg 2003; 238: 467-85.

40 Still CD, Wood GC, Benotti P, et al. Preoperative prediction of type 2 diabetes remission after Roux-en-Y gastric bypass surgery: a retrospective cohort study. Lancet Diabetes Endocrinol 2014; 2: 38-45.

41 Tam CS, Berthoud HR, Bueter M, et al. Could the mechanisms of bariatric surgery hold the key for novel therapies?

report from a Pennington Scientific Symposium. Obes Rev 2011; 12: 984-94.

42 Thaler JP, Cummings DE. Minireview: Hormonal and metabolic mechanisms of diabetes remission after gastrointestinal surgery. Endocrinology 2009; 150: 2518-25.

43 Unger RH. Lipotoxic diseases. Annu Rev Med 2002; 53: 319-36.

44 World Health Organization (2016). Obesity and Overweight. Fact Sheet No. 311. http://www.who.int/mediacentre/factsheets/fs311/en/ [accessed 2017 January 31].

Chapter 03 | 대사수술의 결과

Outcomes of metabolic surgery

 서론

역사적으로 체중감소를 위한 수술을 '비만수술(bariatric surgery)'라 칭해왔고, 비만수술의 체중감소 효과 이외의 건강에 미치는 영향이 알려지면서, '대사수술(metabolic surgery)'이라는 용어를 사용하게 되었다. 초기에 대사수술을 뒷받침하는 많은 증거들은 비만 동물모델 및 비만하지 않은 동물 모델을 이용한 연구들을 통해 나오게 되었다.[28] 대표적인 대사수술의 이점으로는 의미 있는 체중감소 이전에 동반되는 당뇨의 조기 회복을 들 수 있다. 또한 대사수술은 고지혈증, 고혈압, 폐쇄성 수면무호흡증의 개선 및 심혈관 사망률의 감소 효과를 보이고 있다.

❷ 후향적 연구 및 관찰 연구에서의 대사 수술의 결과

....

1. 혈당에 대한 영향

후향적 연구 및 관찰 연구에서 나온 많은 자료들은 병적 비만 환자들이 여러 위장관 수술 후에 제2형 당뇨병이 급격하게 호전되었음을 명백하게 보여주고 있다. 다기관 스웨덴 비만연구회 연구(Swedish Obese Subject Study, SOS study)는 대규모의 전향적 관찰연구로, 비만수술을 받은 환자군(복강경 조절형 위밴드술(laparoscopic adjustable gastric banding, LAGB) 156명, 수직밴드위성형술(vertical banded gastroplasty, VBG) 451명, 루와이위우회술(roux-en-Y gastric bypass, RYGB) 34명)과 잘 대응된 보존적 약물 치료를 받는 환자군을 비교하였다.[35] 2년 후 내과적 치료를 받은 당뇨 환자군은 21%였던 것에 비해 수술을 받은 당뇨 환자군의 72%가 제2형 당뇨병의 관해(remission)를 보였다. 10년 후에는 수술군에서 제2형 당뇨병 발생의 상대적 위험이 1/3로 감소하고, 제2형 당뇨병에서 회복되는 사람들이 세 배나 많았다. 10년째에 당뇨의 완화가 유지되는 사람은 수술군에서는 36%로 감소하게 되고, 대조군에서는 13%만 유지되었다.[35] 이에 대해서는 SOS 연구에서 수술군 환자들의 약 95%가 루와이위우회술이 아닌 위축소수술을 받았다는 것을 고려해야 한다.

Pories (330명 환자)[26] 및 Schauer 등(191명 환자)[31]이 보고한 대규모의 증례-시리즈 연구에서는 주로 루와이위우회술 후의 당뇨에 대해 초점을 맞추었다. 평균 공복혈당은 당뇨 수치에서 거의 정상치로 감소하였고(두 연구에서 각각 117 및 98 mg/dl), 당화혈색소는 각각 89%와 82%의 환자에서 약물치료 없이 정상으로 감소하였다(6.6% 및 5.6%). 근래에 복강경 위소매절제술(laparoscopic sleeve gastrectomy)이 효과적으로 체중감소를 가져오고, 동반질환을 호전시키는 합병증이 적은 비만수술 술기로 각광받고 있다. 이에 따라 위소매절제술 결과들이 나오고 있는데, 5년 이상의 장기 결과를 보고하는 논문은 수가 적은 편이다. Gill 등[12]은 673명을 포함한 27개의 연구(평균 추적관찰 13.1개월)에 대해 메타분석을 시행하여 비만환자에서 66.2%의 제2형 당뇨병 소실율(resolution)을 보였고, 26.9%에서 혈당 조절의 호전을 보였다고 하였다. 위소매절제술 후 혈당과 당화혈색소의 평균은 각각 88.2 mg/dl, 1.7%가 감소되었다.[12] 또한 Aminian 등이 비만과 제2형 당뇨병을 가진 134명의 환자를 5년 이상 추적 관찰한 후향적 연구에 따르면, 26%의 환자에서 약물치료 없이 당화혈색소 6.5% 미만으로 정의되는 당뇨 관해를 보였으며, 3%의 환자에서 5년 이상 약물치료 없이 당화혈색소 6% 미만을 유지할 수 있었다.[3] 초기에 당뇨 관해를 보인 환자의 44%에서 제2형 당뇨병의 재발을 보였지만, 재발 환자의 67%는 당화혈색소를 7% 미만으로 유지할 수 있었다. 결국 복강경 위소매절제술은 제2형 당뇨병 환자의 혈장 조절을 개선시키기는 하나, 베타세포 기능이 좋지 않은 진행된 제2형 당뇨병 환자에서는 장기간의 완전 완화 및 완치는 빈도가 낮다고 할 수

있었다.[3]

Buchwald 등[5]이 136개의 연구, 22,094명을 포함하여 메타분석을 시행하고, 약물복용 없이 지속적으로 정상 혈당을 유지하는 것을 제2형 당뇨병의 관해라고 정의하였을 때, 비만수술 후 77%의 환자에서 제2형 당뇨병이 관해되었다고 보고하였다. 수술 유형별 제2형 당뇨병의 관해율은 복강경 조절형 위밴드술 48%, 수직밴드위성형술 68%, 루와이위우회술 84%, 담췌우회술(biliopancreatic diversion) 98%였다. 하지만 이를 해석할 때는 메타 분석에 포함된 대부분의 연구는 추적관찰 기간이 1~3년인 후향적 연구라는 것과 당뇨의 관해에 대한 정의가 연구마다 차이가 있어 여러 연구를 취합하는 것이 어렵다는 점을 염두에 두어야 할 것이다. 미국당뇨병학회(The American Diabetes Association, ADA)는 최근에 제2형 당뇨병의 관해를 비만수술 1년 이내 약물복용 없이 당화혈색소 6% 미만 및 공복혈당 100 mg/dL 미만이 되는 것으로 정의하고 있다.

Pounaras 등[27]은 최근 미국당뇨병학회의 당뇨 관해 정의를 이용한 연구를 발표하였는데, 209명의 환자 중 72명(34.4%)의 환자들이 새로운 기준에 따른 완전 관해를 보였고, 관해율은 루와이위우회술 후 40.6% (65/160), 위소매절제술 후 26% (5/19), 위밴드술 후 7% (2/30)로 수술 방법에 따른 유의한 차이를 보고하였다(p < 0.001). 루와이위우회술 후 관해율은 새로운 기준을 적용했을 때, 이전 기준에 의한 57.5%에 비해 40.6%로 유의하게 감소하였다(p= 0.003).[27] 이에 따라 환자 및 의료진은 비만이 아닌 당뇨의 개선을 위해 대사수술을 받을 경우 제2형 당뇨병의 관해율에 대한 기대치를 낮추어 잡아야 할 것으로 보인다.

대사수술 후 혈당조절에 영향을 미치는 인자들에 대한 연구에서 수술과 관련해서는 술식의 선택이 가장 중요한 요소가 된다. 위밴드술, 위소매절제술, 루와이위우회술, 담췌우회술로 갈수록 혈당 조절 개선 효과가 더 좋다. 그리고 당뇨의 관해에 영향을 미치는 다른 요인으로는 초과체중감량율(%EWL)과 젊은 나이를 들 수 있다.

수술 전 높은 당화혈색소, 오래된 당뇨, 수술 전 인슐린의 사용으로 판단되는 당뇨의 심각도가 높을수록 대사수술 후 당뇨의 완화에 부정적 영향을 미치는 것으로 보고되었다. Schauer 등은 수술 전 식이조절군에서는 97%, 경구 혈당 조절제 복용 군에서는 87%, 인슐린 치료군에서는 62%의 당뇨 관해율을 보고하였다.[31]

2. 지질 대사에 대한 영향

대사수술의 장점에는 혈당의 교정 뿐 아니라 다른 대사질환에 대한 효과도 있다. 철저한 혈당 조절은 당뇨 환자에서 주로 미세혈관 합병증을 줄여주지만, 고혈압과 고지혈증의 조절은 특히 심혈관 같은 큰혈관 합병증의 발생을 감소시켜 준다. 고지혈증은 대사수술을 받는 병적 비만 환자의 50% 정도에서 관찰된다.[25] 대사수술은 총콜레스테롤, 저밀도-지질단백(low-density lipoprotein. LDL) 콜레스테롤, 중성지방(triglyceride)을 낮추고, 고밀도-지질단백(high-density lipoprotein. HDL) 콜레스테롤을 높여서 statin 같은 약물 복용이나 지질을 낮추는 치료를 중단하거나 줄여줄 수 있다.

대사수술의 지방 프로파일에 대한 영향은 수술 술식에 따라 차이가 난다. Vila 등[36]은 위소매절제술을 제외한 수술 술식에 따른 지질의 변화와 당대사 조절에 대한 연구를 6개월에서 10년까지 추적 관찰하여 발표하였다. 종합적으로, 흡수저해 술식들은 지방 프로파일의 모든 변수들을 개선시키는 반면, 위축소 술식의 경우에는 주로 HDL 콜레스테롤을 증가시키고, 중성지방을 감소시키는 경향이 있었다. 일부의 연구에서는 위축소 술식 후 총 콜레스테롤이 미약하게 변한다는 보고를 하기도 하였다. 지질 프로파일의 정상에 대한 표준 정의가 없고, statin을 시작, 지속, 중단하는 것에 대한 기준이 달라서, 보고된 연구들을 직접적으로 비교하지는 못하였다. 또한 일부 환자에서는 수술 후 고지혈증 약물 복용을 중단하지만, 일부 환자들은 콜레스테롤이 정상범위로 회복되어도 복용을 지속하는 것도 연구들을 해석할 때 주의해야 할 것이다.

Nguyen 등[25]이 루와이위우회술이 지질 프로파일에 미치는 영향을 분석한 후향적 연구에 따르면, 추적 관찰 기간 동안에 중성지방이 상승되어 있던 환자의 96%에서 개선 효과를 보였다(수술 전 중성지방 248±149 mg/dl에서 수술 후 3개월째 122±46 mg/dl로).[25] 수술 후 1년째에는 총 콜레스테롤의 16%, 중성지방 63%, LDL 콜레스테롤의 31% 감소를 보이고, HDL 콜레스테롤의 39% 증가가 있었다. 이런 결과들은 수술 후 2년째까지 유지되었다[25]. SOS 연구에서는 장기간의 추적관찰이 이루어졌는데, 루와이위우회술을 시행한 군에서 수술 후 10년째에 중성지방의 28% 감소 및 HDL 콜레스테롤의 47% 증가를 보였다. 한편 위밴드군에서는 18%의 중성지방 감소와 LDL 콜레스테롤의 20.4% 증가를 보였다. 총콜레스테롤과 LDL 콜레스테롤에서는 장기간 추적관찰을 시행했을 때, 수술한 군과 내과적 치료를 받은 군 간에 차이를 보이지 않았다. 하지만 수술을 받은 군은 대조군에 비해 비만 관련 동반질환에서 유의한 개선 효과를 보였고, 위밴드술보다 루와이위우회술에서 더욱 큰 효과를 보였다.[35] Jamal 등[18]은 6년간 추적 관찰하는 연구를 시행했는데, 각각 79% 및 76%의 환자에서 총 콜레스테롤과 중성지방이 바람직하게 유지되어, 혈청 평균 총 콜레스테롤은 179±32.4 mg/dl로, 중성지방은 106±23.8 mg/dl로 감소하였다. 게다가 5-6년째 추적 관찰하는 모든 환자들이 지질을 낮추는 약물 복용을 중단할 수 있어서 수술의 장기 효과를 보여주었다. 하지만 이 연구에서 HDL 콜레스테롤이 상승하는 것은 다른 지질의 개선효과보다는 좀 더 시간이 걸렸음(12개월 이상)을 알 수 있었다.

Brolin 등[4]은 루와이위우회술 후 지질 프로파일의 개선은 체중감소와 연관이 있으며, 초과체중의 50% 이상을 감소하지 못한 환자에서는 지질 프로파일의 개선 효과가 다시 감소하는 것으로 보고하였다. 하지만 체중감소와 지질 측정값들의 관계는 아직 확실하지 않아서, 일부 연구에서는 상관관계가 있음을 다른 연구에서는 관계 없음을 보고하고 있는 실정이다. 한편으로 루와이위 우회술에서 루각(Roux limb)의 길이가 지질의 개선에 중 요한 역할(루각의 길이가 길수록, 지질 개선 효과가 크 다)을 한다는 것도 제기되고 있다.

담췌우회술은 지질 측정값들이 수술 후 조기에 변화 가 시작되고 장기적으로 유지되는 데 가장 큰 영향을 미 치는 것으로 알려져 있다. Scopinaro 등은 담췌우회술을 시행한 환자들을 10년간 추적 관찰하여, 수술 전 고중성 지방혈증을 가졌던 38%의 환자 중에서 수술 후 10년이 지나고 나서 단지 1%의 환자에서 고중성지발혈증을 유 지하고 있음을 보고하였다. 수술 전 평균 콜레스테롤은 222±75 mg/dl에서 10년째에 113±29 mg/dl로 감소하여, 이는 담췌우회술의 고지혈증에 대한 효과가 오래 지속 됨을 보여주었다.[34]

위소매절제술과 관련하여서는 고지혈증의 개선 및 70% 이상에서 개선 또는 완화를 보였다는 몇몇 보고들 이 있다. 루와이위우회술과 비교하여 일부 연구에서는 위소매절제술이 비슷한 고지혈증 개선효과를 보고 있다 고 하지만, 루와이위우회술보다 위소매절제술에서 지질 개선 효과가 떨어진다는 보고도 있다. 또한 위소매절제 술의 장기 효과에 대한 보고가 아직은 적어, 효과의 지속 여부는 아직 밝혀지지 않고 있는 상태이다.

3. 고혈압에 대한 영향

고혈압은 비만과 관련한 가장 흔한 동반질환이고, 심혈 관 질환 및 뇌경색의 중요한 위험인자이다. 비만 환자에 서 고혈압의 유병률은 다양한 기준에 따라 40%에서 70% 에 이르는 것으로 알려져 있다.[16] Buchwald 등은 메타 분 석에서 62%의 환자가 수술 후 고혈압이 소실된다고 하 였다. 수술 술기 별로는 위밴드술 38.4%, 루와이위우회 술 75.4%, 담췌우회술 81.3%로 보고하였다.[5]

Hinojosa 등[16]은 고혈압을 동반한 비만으로 복강경 루와이위우회술을 시행 받은 95명의 환자의 코호트에서

수술 후 임상 양상을 분석하였다. 그들은 평균 수축기 혈 압이 수술 전 140±17 mmHg에서 수술 후 12개월째 123±18 mmHg로, 평균 이완기 혈압은 수술 전 80±11 mmHg에서 수술 후 12개월째 71±8 mmHg로 감소하는 것을 보여주었다(각각 P < 0.01). 12개월째 추적관찰에서 46%의 환자는 고혈압의 완전 소실을 보였고, 19%의 환 자에서는 고혈압의 개선효과를 보였다. 초과체중감량율 과 고혈압의 소실은 양의 상관관계를 보여주었고, 고혈 압의 기간도 수술의 효과를 결정짓는 중요 요인이 되었 다. 고혈압의 개선은 수술 후 1개월째부터 나타났고, 수 술 전 고혈압 기간이 짧을수록 개선 효과는 더 잘 나타 났다.[16] Ahmed[2] 등은 루와이위우회술을 시행한 환자들 을 전향적으로 관찰하여 고혈압을 가진 환자의 비율이 수술 전 58%에서 수술 후 1주 째 13%로, 수술 후 즉시 혈 압 개선의 효과가 나타남을 보여주었다. 이런 혈압의 저 하는 의미 있는 체중감소가 나타나기 전에 발생하며, 이 는 수술에 체중과 관련된 호르몬 기전이 관여함을 시사 한다 하겠다.[2]

Sarkhosh 등[30]은 33개의 연구, 3,997명의 환자들(평균 추적관찰기간 16.9±9.8개월)에 대해 체계적 고찰을 하 였는데, 고혈압 약을 중단하는 것을 고혈압의 소실로 정 의할 때, 복강경 위소매절제술을 시행한 환자의 58%에 서 고혈압의 소실을 보였다. 평균적으로 75%의 환자에 서 고혈압의 개선 및 소실 효과를 보여, 위소매절제술이 고혈당의 소실뿐 아니라 고혈압의 개선에도 효과가 있음 을 보여주었다.[30] SOS 연구에서는 내과적 치료군에 비해 수술을 시행한 군에서 수술 후 2년 째에는 혈압 감소 효 과가 있었는데, 그 효과는 점점 약해져서 수술 후 8년이 경과해서는 두 군 간에 유의한 혈압 차이는 보이지 않았 다.[35] 이런 결과는 아마도 SOS 연구에는 주로 위축소 술 식을 받은 환자들이 흡수장애 술식을 받은 환자들보다 많아서일 것으로 생각된다.

4. 폐쇄성수면무호흡증(Obstructive sleep apnea, OSA)에 대한 영향

폐쇄성수면무호흡증에 비만이 가장 강력한 위험 인자라는 것은 잘 알려져 있고, 비만이 유병률이 높은 지역에서 폐쇄성수면무호흡증의 유병률 또한 증가하고 있다. 여러 보고에서 유병률이 다르게 나온 것은 폐쇄성 수면무호흡증의 진단 기준이 증상이나 수면다원검사로 다르기 때문이다. 수면다원검사에서 측정한 무호흡-저호흡 지수(apnea-hypopnea index, AHI)가 5 초과이고, 주간수면 과다증을 보이는 경우 폐쇄성수면무호흡증이라 하면, 전반적인 유병률은 남자에서 4%, 여자에서 2% 정도된다. 하지만 비만수술을 받는 환자에서는 45~77%까지 보고되고 있다. 일반적으로 폐쇄성 수면무호흡증은 제2형 당뇨병, 인슐린 저항성 및 대사 증후군과 관련있다고 알려져 있다. Coughlin 등[6]은 29에서 36.7 kg/m² 사이의 낮은 체질량지수를 가진 환자군에서도 대사 증후군과 폐쇄성수면무호흡증이 관련 있음을 보고하여, 이들 환자에는 수면무호흡증이 체중과는 관련이 적음을 보였다.

수면 AHEAD 연구는 강력한 생활 습관 교정이 비만 환자의 수면 무호흡증에 미치는 영향을 전향적으로 연구하였고, 초기 AHI와 체중 감량이 1년 후 AHI의 변화에 가장 중요한 변수임을 밝혀냈다.[11] 대사수술도 뚜렷한 체중 감량을 보이고 AHI도 유의한 감소를 가져올 수 있어, 일부 환자에서는 지속성 양압 호흡(continuous positive airway pressure, CPAP)을 중단하게 해주었다. 하지만 병적 비만 환자에서는 AHI가 많이 감소하여도, 지속적 치료를 요하는 폐쇄성수면무호흡증이 지속되는 경우가 있다.[22] Greenburg 등[14]이 평균 체질량지수가 55.3 kg/m² 에서 37.7 kg/m²로 감소한 342명의 비만 환자를 대상으로 메타 분석을 시행했을 때, AHI가 71%가 감소되는 것을 보여주었다. 그리고 폐쇄성 수면무호흡증이 해소되는 것을 AHI가 5 미만인 것으로 정의할 때, 38%의 환자에서 폐쇄성 수면무호흡증이 해소되었다.

수술적 체중감소가 폐쇄성 수면무호흡증 해소에 영향을 미치는 것을 설명하기 위한 몇 가지 기전이 보고되고 있다. 인두결공간의 지방 조직(parapharyngeal adipose tissue) 감소, 폐의 부피 증가, 염증성 시토카인(inflammatory cytokine), 특히 Interleukin-3, Tissue Necosis Factor-alpha의 감소 등이 상기도의 collapsibility의 감소와 폐의 단면적을 증가시켜서 폐쇄성 수면무호흡증의 정도를 감소시킬 수 있다.[19] 이런 기전을 더 잘 설명하기 위해 대사수술이 폐쇄성 수면무호흡증에 직접적으로 미치는 영향에 대한 연구가 필요하다.

5. 다낭성 난소 증후군(Polycystic ovarian syndrome)에 대한 영향

다낭성 난소 증후군은 안드로겐 과잉증이 특징인 흔한 대사 질환으로, 다모증, 탈모, 무배란 월경주기 및 불임을 임상적 특징으로 한다. 이는 비만, 인슐린 저항성 및 제2형 당뇨와 가까운 관계가 있으며, 뇌경색과 관상동맥 질환의 위험이 증가되는 것과 관련이 있다. 미국 가임기 여성의 약 6%에서 보이며, 비만 여성에서는 13~30%의 유병률을 보이고 있다.[10, 13]

다낭성 난소 증후군의 치료 목표는 체중 감량과 약물 치료를 통해 배란 주기를 회복시키고, 임신을 가능하게 하고, 다모증을 개선시키는 데 있다. 특히 병적비만 환자에서 이 목표를 달성하고 유지하기는 어려운 경우가 종종 있었지만, 몇몇 연구에서 대사수술이 다낭성 난소 증후군을 가진 비만 환자의 내분비 기능 장애를 개선시켜서, 환자군을 잘 선정하면 대사수술이 다낭성 난소 증후군 치료의 한 방법으로 자리할 수 있음을 보여주었다.

Escobar-Morreale 등[9]은 17명의 환자 증례 연구에서 담췌우회술이나 루와이위우회술을 시행받은 여자 환자들이 다낭성 난소 증후군이 완전 해소되었으며, 혈청 안드로겐치가 정상화되고, 성호르몬 결합 글로불린이 증가함을 보고하였다. 다모증도 1명의 환자를 제외하고는 개선 또는 정상화되었으며, 인슐린 저항성 및 고지혈증 같은 대사 지표도 개선됨을 보여주었다.

Eid 등[9]은 수술 전 다모증을 보였던 23명의 환자 중 52%의 환자에서 평균 8±2.3개월 추적 관찰 중에 경도에서 중등도의 개선을 보였으며, 8.7%의 환자에서만 변화 없음을 보고하였다. 이 연구의 모든 환자는 월경이상은 해소되었으며, 정상화에 걸린 시간은 수술 후 평균 3.4± 2.1개월이었다.

다낭성 난소 증후군의 대사적이고 내분비적 요소들은 대사수술에 의해 효과적으로 조절되고, 이런 해소는 수술 후 조기에 일어나서 생식능력 및 여자에서 흔한 내분비적 상황을 개선시킨다. 하지만, 비만이 심하지 않은 다낭성 난소 증후군을 가진 여자 환자에서 대사수술의 역할에 대해서는 아직 연구가 많이 필요하다.

6. 심혈관 질환 및 사망률에 대한 영향

몇몇 연구들은 대사수술이 제2형 당뇨병, 고지혈증 및 고혈압 같은 심혈관 위험 인자들을 개선시키는 효과가 있다는 것을 밝혀주었고, 이는 심혈관 질환으로 인한 사망률 감소의 기대로 이어졌다. Adams 등[1]이 7,925명의 루와이위우회술을 받은 병적 비만 환자와 7,925명의 대조군으로 구성된 후향적 코호트에서 여러 가지 원인들로 인한 사망률을 조사하였다. 평균 8.4년의 추적 관찰 기간 후, 수술군의 총 사망률의 40%, 심혈관 질환 사망률의 56%, 암 사망률의 60%, 당뇨 관련 사망률의 92%를 감소시켰다.[1] 대사수술이 생존율을 향상시킨다는 가장 확실한 증거는 SOS 연구에서 나왔는데, 이 연구는 2,010명의 비만수술을 받은 병적 비만 환자와 표준 내과 치료를 받은 2,037명의 대조군 환자를 비교하고, 99%의 환자를 20년까지 추적 관찰하였다.[35] 이 연구에서 비만수술은 치명적 및 총 심근경색, 뇌경색 및 모든 원인으로 인한 사망률을 감소시키는 것으로 나타났다. 연구에서 수술 전 체질량지수나 수술 후 체중 감량 정도가 수술관련 심혈

관 사건의 감소를 예측하지 못하였는데, 이는 비만수술 후 당뇨 조절도 일부는 체중감소와 무관한 것과 일맥상통한다.

7. 한국에서의 연구결과

한국에서 대사수술 결과에 대한 연구들은 아직 많지 않으며, 단기간 결과에 대한 연구이거나, 위암환자를 대상으로 한 후향적 연구가 대부분이다. 추후 우리나라에서도 좀 더 장기간의 연구결과가 나올 것으로 기대한다.

김 등[20]은 체질량 평균이 23.3 kg/m² 인 비만하지 않은 12명의 조절이 안 되는 당뇨 환자를 대상으로 복강경 단일문합 위우회술(laparoscopic single anastomosis gastric bypass)을 시행하고 수술 후 1개월째에 당화혈색소의 1.6% 감소를 보였으며, 모든 환자에서 당뇨의 조절이 이루어졌다고 하였다.

허 등[15]은 체질량지수가 25 kg/m² 미만인 제2형 당뇨병 환자 31명을 단일기관에서 십이지장공장우회술(duodenojejunal bypass, DJB)을 시행하고 그 결과를 발표하였다. 대상환자의 평균 체질량지수는 23.1 kg/m², 평균 당뇨 유병기간은 8.3년이었으며, 수술 후 3개월째에 13.3%의 환자에서 당화혈색소 6.0% 미만으로 정의되는 당뇨의 관해가 이루어졌다.

한편 김 등[21]은 33명의 비만한 제2형 당뇨병 환자들을 대상으로 루와이위우회술 후 2년 동안 전향적으로 추적관찰한 결과를 발표하였다. 이 연구에서는 중성지방과 지방산은 수술 후 감소하였지만 HDL 콜레스테롤은 수술 후 증가하는 소견을 보였으며, 18명(55%)의 환자에서는 1년 이상 약물치료 없이 당화혈색소 6.5% 미만 및 공복혈당 126 mg/dL 미만으로 정의되는 당뇨의 관해를 이루었다고 하였다.

❸ 무작위 대조시험에서의 대사수술의 결과

후향적 연구 및 관찰 연구에서 나온 많은 자료들이 대사수술의 효용과 안정성을 증명하고 있지만, 이제까지 병적비만 환자나 덜 비만한 환자에서 제2형 당뇨병을 치료하는 알고리즘에 수술이 차지하는 정확한 위치를 규정하는데 필요한 level 1 증거는 부족하였다. 대사수술의 혈당 및 비혈당 지표뿐 아니라 미세혈관 및 큰혈관 합병증, 총 사망률에 대한 결과는 전향적인 무작위대조시험에서 가장 적절한 내과적 치료와 비교 연구되어야 한다. 전향적 무작위대조시험에서는 비만이 아니라 제2형 당뇨병 치료를 위한 비만 환자를 모집하게 되므로, 이전의 관찰 연구나 후향적 연구와 환자들의 인구학적, 임상적 특징이 차이를 보이고, 나아가서는 그 결과도 다르게 될 수 있다. 현재 몇몇 중소 규모의 비만환자에서 당뇨치료를 위한 내과적 치료와 수술을 비교하는 연구가 진행되고 있다. 이 중 평균 체질량지수가 35 kg/m² 초과인 환자들과 평균 체질량지수가 35 kg/m² 이하인 환자들을 대상으로 하는 대표적인 무작위대조시험들을 **표 3-1**에 요약해 두었다.

가장 처음 발표된 Dixon 등[8]에 의한 무작위대조시험은 체질량지수 30에서 40 kg/m²이며, 당뇨를 진단 받은지 2년 이내인 60명의 환자를 대상으로, 생활습관 변경에 의한 체중 감량에 초점을 맞춘 전통적인 당뇨 치료 방법과 복강경 조절형 위밴드술을 비교하였다. 2년의 추적 관찰 기간이 종료된 후, 혈당 강하제 사용 없이 당화혈색소 < 6.2% 및 공복 혈당 126 mg/dl 미만으로 정의되는 당뇨의 관해는 수술군의 73%와 대조군의 13%에서 나타났다. 제2형 당뇨병의 관해는 체중감소와 초기의 낮은 당화혈색소와 관계가 있었다. 수술군과 대조군에서 유의한 혈압 차이는 보이지 않았지만, 수술군에서 혈압조절 약제 사용이 유의하게 감소되었다. 또한 수술군에서는 지질감소 약물 사용도 감소하였다.

Migrone 등[24]은 제2형 당뇨병 환자에서 치료를 위해 60명의 병적 비만 환자를 전통적인 내과적 치료와 루와이위우회술이나 담췌우회술 같은 수술적 치료에 무작위 배정을 하여 수술적 치료와 내과적 치료의 효과를 5년째 비교하였다. 5년 후, 혈당 강하제 사용 없이 당화혈색소 < 6.5% 및 공복 혈당 100 mg/dl 미만으로 정의되는 당뇨의 관해는 내과적 치료군에서는 한 명도 보이지 않았고, 루와이 수술군의 37% 및 담췌우회술군의 63%에서 보였다. 루와이위우회술 후 2년째에 관해를 보였던 15명의 환자 중에 8명(53%)과 담췌우회술 후 2년째에 관해를 보였던 19명의 환자 중 8명(42%)이 당뇨의 재발을 보였다. 수술 후 2년째까지 당뇨의 관해를 보이지 않은 환자에서는 5년 추적 관찰을 하여도 당뇨의 관해가 이루어지지 않았다. 혈당 강하제 사용과 상관 없이 당화혈색소 6.5% 이하를 달성한 환자는 루와이위우회술 환자의 42%와 담췌우회술 환자의 68%로, 내과 치료 환자의 27%에 비해 유의하게 높았다(p = 0·0457). 수술군에서 유의하게 체중감소가 더 많이 되었지만, 체중 변화는 당뇨의 관해와 재발에 대한 예측인자가 아니었다. 5년 경과 후에 내과적 치료군의 13%, 루와이위우회술 환자의 68%, 담췌우회술 환자의 100%가 혈청 지질 수치, 혈압, 혈당의 개선을 보였다. 또한 수술군에서 심혈관 질환의 위험이 내과적 치료군의 반 정도로 감소하였으며, 지질 강하제 및 혈압 강하제 등의 심혈관 약물 사용도 내과적 치료군보다 유의하게 적었다.

Schauer 등[32,33]은 체질량지수가 27-43 kg/m² 인 150명의 환자에게 집중 내과 치료와 루와이위우회술 및 위소매절제술 같은 수술적 치료로 무작위 배정을 하고 12개월 및 36개월 후, 혈당 강하제 사용 없이 당화혈색소 6% 미만을 얼마나 달성하는지를 시험하였다. 수술 후 1년째에는 루와이위우회술 환자의 42%, 위소매절제술 환자의 27%에서, 수술 후 3년째에는 루와이위우회술 환자의 38%, 위소매절제술 환자의 24%, 내과 치료 환자의 5%에서 목표를 달성하였다. 인슐린을 포함한 혈당강하제 사용도 수술군에서 유의하게 적었다. 수술군에서 체중

표 3-1 평균 체질량지수가 35 kg/m² 초과이거나 이하인 환자들을 대상으로 대사수술과 집중적 내과 치료를 비교하는 무작위대조시험[a]

	평균 나이 (년)	평균 체질량 지수 (kg/m²)	제2형 당뇨 유병 기간 (년)	추적 관찰 기간 (년)	등록 환자수 (명)	수술 방법	제2형 당뇨 완화 b(%)	당화 혈색소 변화 (%)	체중 변화 (%)	수축기 혈압 변화	이완기 혈압 변화	LDL-콜레스테롤 변화(%)	HDL-콜레스테롤 변화(%)	중성 지방 변화 (%)	총 콜레스테롤 변화 (%)
평균 체질량지수가 35 kg/m² 초과															
Dixon 등	43	45	6	2	60	LAGB	73	−23	−20	−6	−0.7	보고 안됨	27	−38	2
						LSM	13	−5	−3.8	−1.7	−0.9	보고 안됨	5	−1	0
Mingrone 등	47	37	2년 이하	5	53	RYGB	37	−21.4	−28.4	−15	−8.3	−14.2	27.6	−11.1	−6.3
						BPD	63	−25.9	−31.1	−26.1	−12.4	−58.3	19.2	−42.4	−43
						IMT	0	−17.9	−6.9	−25.2	−13.3	−28.1	8	−23.3	−23.2
Schauer 등	49	36	8.5	3	150	RYGB	38	−2.5	−24.5	1.3	−4.3	16.9	34.7	−45.9	보고 안됨
						SG	24	−2.5	−21.1	−4.34	−6.3	14.5	35	−31.5	보고 안됨
						IMT	5	−0.6	−4.2	0.6	−6.5	2.5	4.6	−21.5	보고 안됨
평균 체질량지수가 35 kg/m² 이하															
Wentworth 등	53	29	2.5	2	51	LAGB	91	−0.8	−11.5	−6	−5.7	−0.3	0.3	−0.5	−0.3
						IMT	60	0	−1.6	−2	−2.8	−0.6	0.05	−0.5	−0.5
Liang 등	51.2	30.3	7.3	1	101	RYGB	90	−4.5	보고 안됨	−15	보고 안됨	−1.87	0.32	−1.79	−2.08
						IMT	0	−2.7	보고 안됨	−24.2	보고 안됨	−0.03	−0.06	0.01	−0.42
						Exenatide 치료	0	−3.4	보고 안됨	−34.3	보고 안됨	−1.04	0.12	−0.77	−0.99
Ikramuddin 등	49	34.6	9.1	2	119	LAGB	42	−3.1	−23.8	−7	−8	−0.5	0.2	−0.9	−0.7
						LSM	0	−1.2	−7.3	−7	−4	−0.4	0	−0.2	−0.4
Courcoulas 등	47.3	35.7	6.5	3	51	RYGB	40	−1.42	−25	−13	−544	−0.5	16.7	−95.3	−13.1
						AGB	29	−0.8	−15	2.72	2.65	6.52	11	−48.8	2.48
						LSM	0	0.21	−5.7	−0.24	−2.87	−7.66	4.7	−16.9	−11.6

a. 약자 : LDL (low-density lipoprotein, 저밀도지질단백), HDL (high-density lipoprotein, 저밀도지질단백), LAGB (laparoscopic adjustable gastric banding, 복강경조절형위밴드술), RYGB (Roux-en-Y gastric bypass, 루와이위우회술), BPD (biliopancreatic diversion, 담췌우회술), SG (sleeve gastrectomy, 위소매절제술), AGB (adjustable gastric banding, 조절형위밴드술), IMT (intensive medical treatment), LSM (lifestyle modification)

b. 제2형 당뇨의 관해를 혈당 조절 약물을 사용하지 않는 상태에서 Dixon 등은 당화혈색소 < 6.2% 및 공복 혈당 126 mg/dl 미만으로 정의하였고, Mingrone 등은 당화혈색소 < 6.5% 및 공복 혈당 100 mg/dl 미만으로 정의하였고, Schauer 등은 당화혈색소 < 6.0%으로 정의하였다.

감소는 위우회술에서 24.5±9.1%, 위소매절제술에서 21±8.9%로 내과 치료군의 4.2±8.3% 보다 유의하게 많았다. 수술군에서 내과 치료군보다 유의하게 중성지방이 감소하고, HDL 콜레스테롤 수치가 증가하였는데 이는 수술 후 3년째까지 유지되었다.

한편 평균 체질량지수가 35 kg/m² 이하인 연구들을 살펴보면, 5년 이상의 장기 결과는 아직 없지만, 대사수술군에서 내과적 치료군에서보다 유의하게 2형 당뇨의 관해를 가져옴을 알 수 있다.[7, 17, 23, 37]

④ 요약 및 결론

세계적으로 제2형 당뇨병과 대사증후군으로 수 백만 명 이상의 사람들이 고통받고 있다. 비록 최근에 새로운 내과적 치료제가 많이 개발되어 사용되고 있지만, 많은 치료 목적을 달성하지는 못하고 있다. 이에 대사수술은 생활 습관의 변화와 적절한 약물치료로 조절되지 않는 환자들에게 내과적 치료의 적절한 대안이 될 수 있을 것이다. 대사수술은 혈당 조절 이외에도 수술적 치료는 고혈압, 고지혈증, 다낭성 난소 증후군, 폐쇄성 수면 무호흡증 같은 대사 질환들의 개선에 도움이 되고, 비만 환자들의 생존률의 향상도 가져오는 것으로 알려져 있다. 앞에 기술했던 여러 무작위 대조시험들을 검토하여, 제2회 당뇨수술회담(Diabetes Surgery Summit (DSS-II)) 에서는 제2형 당뇨병 치료 알고리즘에 다음과 같이 대사 수술을 포함시켰다. 체질량지수가 40 kg/m² 이상인 환자군(아시아인은 37.5 kg/m² 이상)과 내과적 치료에도 혈당 조절이 되지 않는 체질량지수가 35-39.9 kg/m² 인 환자(아시아인은 32.5-37.4 kg/m²)에서 대사수술이 권고되어야 하며, 내과적 치료에도 혈장 조절이 되지 않는 체질량지수가 30.0-34.9 kg/m² 인 환자(아시아인은 27.5-32.4 kg/m²)에서 대사수술을 고려해 볼 수 있다고 하였다.[34] 앞으로 지속적 연구를 통해 제2형 당뇨병의 치료뿐 아니라 다른 대사 질환에 대한 대사수술의 적절한 역할을 확립해 나가야 할 것이다.

참고문헌

1. Adams TD, Gress RE, Smith SC, et al. Long-term mortality after gastric bypass surgery. N Engl J Med 2007;357: 753-61.
2. Ahmed AR, Rickards G, Coniglio D, et al. Laparoscopic Roux-en-Y gastric bypass and its early effect on blood pressure. Obes Surg 2009;19:845-9.
3. Aminian A, Brethauer SA, Andalib A, et al. Can Sleeve Gastrectomy "Cure" Diabetes? Long-term Metabolic Effects of Sleeve Gastrectomy in Patients With Type 2 Diabetes. Ann Surg 2016;264:674-81.
4. Brolin RE, Kenler HA, Wilson AC, et al. Serum lipids after gastric bypass surgery for morbid obesity. Int J Obes 1990; 14:939-50.
5. Buchwald H, Avidor Y, Braunwald E, et al. Bariatric surgery: a systematic review and meta-analysis. JAMA 2004;292: 1724-37.
6. Coughlin SR, Mawdsley L, Mugarza JA, et al. Obstructive sleep apnoea is independently associated with an increased prevalence of metabolic syndrome. Eur Heart J 2004;25: 735-41.
7. Courcoulas AP, Belle SH, Neiberg RH, et al. Three-Year Outcomes of Bariatric Surgery vs Lifestyle Intervention for Type 2 Diabetes Mellitus Treatment: A Randomized Clinical Trial. JAMA Surg 2015;150:931-40.
8. Dixon JB, O'Brien PE, Playfair J, et al. Adjustable gastric banding and conventional therapy for type 2 diabetes: a randomized controlled trial. JAMA 2008;299:316-23.
9. Eid GM, Cottam DR, Velcu LM, et al. Effective treatment of polycystic ovarian syndrome with Roux-en-Y gastric bypass. Surg Obes Relat Dis 2005;1:77-80.
10. Escobar-Morreale HF, Botella-Carretero JI, Alvarez-Blasco F, et al. The polycystic ovary syndrome associated with morbid obesity may resolve after weight loss induced by bariatric surgery. J Clin Endocrinol Metab 2005;90: 6364-9.

11. Foster GD, Borradaile KE, Sanders MH, et al. A randomized study on the effect of weight loss on obstructive sleep apnea among obese patients with type 2 diabetes: the Sleep AHEAD study. Arch Intern Med 2009;169:1619-26.

12. Gill RS, Birch DW, Shi X, et al. Sleeve gastrectomy and type 2 diabetes mellitus: a systematic review. Surg Obes Relat Dis 2010;6:707-13.

13. Gosman GG, King WC, Schrope B, et al. Reproductive health of women electing bariatric surgery. Fertil Steril 2010;94:1426-31.

14. Greenburg DL, Lettieri CJ, Eliasson AH. Effects of surgical weight loss on measures of obstructive sleep apnea: a meta-analysis. Am J Med 2009;122:535-42.

15. Heo Y, Ahn JH, Shin SH, et al. The effect of duodenojejunal bypass for type 2 diabetes mellitus patients below body mass index 25 kg/m: one year follow-up. J Korean Surg Soc 2013;85:109-15.

16. Hinojosa MW, Varela JE, Smith BR, et al. Resolution of systemic hypertension after laparoscopic gastric bypass. J Gastrointest Surg 2009;13:793-7.

17. Ikramuddin S, Billington CJ, Lee WJ, et al. Roux-en-Y gastric bypass for diabetes (the Diabetes Surgery Study): 2-year outcomes of a 5-year, randomised, controlled trial. Lancet Diabetes Endocrinol 2015;3:413-22.

18. Jamal M, Wegner R, Heitshusen D, et al. Resolution of hyperlipidemia follows surgical weight loss in patients undergoing Roux-en-Y gastric bypass surgery: a 6-year analysis of data. Surg Obes Relat Dis 2011;7:473-9.

19. Kalra M, Inge T. Effect of bariatric surgery on obstructive sleep apnoea in adolescents. Paediatr Respir Rev 2006;7:260-7.

20. Kim MJ, Park HK, Byun DW, et al. Incretin levels 1 month after laparoscopic single anastomosis gastric bypass surgery in non-morbid obese type 2 diabetes patients. Asian J Surg 2014;37:130-7.

21. Kim MK, Kim W, Kwon HS, et al. Effects of bariatric surgery on metabolic and nutritional parameters in severely obese Korean patients with type 2 diabetes: A prospective 2-year follow up. J Diabetes Investig 2014;5:221-7.

22. Lettieri CJ, Eliasson AH, Greenburg DL. Persistence of obstructive sleep apnea after surgical weight loss. J Clin Sleep Med 2008;4:333-8.

23. Liang Z, Wu Q, Chen B, et al. Effect of laparoscopic Roux-en-Y gastric bypass surgery on type 2 diabetes mellitus with hypertension: a randomized controlled trial. Diabetes Res Clin Pract 2013;101:50-6.

24. Mingrone G, Panunzi S, De Gaetano A, et al. Bariatric-metabolic surgery versus conventional medical treatment in obese patients with type 2 diabetes: 5 year follow-up of an open-label, single-centre, randomised controlled trial. Lancet 2015;386:964-73.

25. Nguyen NT, Varela E, Sabio A, et al. Resolution of hyperlipidemia after laparoscopic Roux-en-Y gastric bypass. J Am Coll Surg 2006;203:24-9.

26. Pories WJ, Swanson MS, MacDonald KG, et al. Who would have thought it? An operation proves to be the most effective therapy for adult-onset diabetes mellitus. Ann Surg 1995;222:339-50; discussion 50-2.

27. Pournaras DJ, Aasheim ET, Sovik TT, et al. Effect of the definition of type II diabetes remission in the evaluation of bariatric surgery for metabolic disorders. Br J Surg 2012;99:100-3.

28. Rubino F, Schauer PR, Kaplan LM, et al. Metabolic surgery to treat type 2 diabetes: clinical outcomes and mechanisms of action. Annu Rev Med 2010;61:393-411.

29. Rubino F, Nathan DM, Eckel RH, et al. Metabolic Surgery in the Treatment Algorithm for Type 2 Diabetes: a Joint Statement by International Diabetes Organizations. Obes Surg 2016

30. Sarkhosh K, Birch DW, Shi X, et al. The impact of sleeve gastrectomy on hypertension: a systematic review. Obes Surg 2012;22:832-7.

31. Schauer PR, Burguera B, Ikramuddin S, et al. Effect of laparoscopic Roux-en Y gastric bypass on type 2 diabetes mellitus. Ann Surg 2003;238:467-84; discussion 84-5.

32. Schauer PR, Kashyap SR, Wolski K, et al. Bariatric surgery versus intensive medical therapy in obese patients with diabetes. N Engl J Med 2012;366:1567-76.

33. Schauer PR, Bhatt DL, Kashyap SR. Bariatric surgery versus intensive medical therapy for diabetes. N Engl J Med 2014;371:682.

34. Scopinaro N, Marinari GM, Camerini GB, et al. Specific effects of biliopancreatic diversion on the major components of metabolic syndrome: a long-term follow-up study.

Diabetes Care 2005;28:2406-11.

35. Sjöström L, Lindroos AK, Peltonen M, et al. Lifestyle, diabetes, and cardiovascular risk factors 10 years after bariatric surgery. N Engl J Med 2004;351:2683-93.

36. Vila M, Ruiz O, Belmonte M, et al. Changes in lipid profile and insulin resistance in obese patients after Scopinaro biliopancreatic diversion. Obes Surg 2009;19:299-306.

37. Wentworth JM, Playfair J, Laurie C, et al. Multidisciplinary diabetes care with and without bariatric surgery in overweight people: a randomised controlled trial. Lancet Diabetes Endocrinol 2014;2:545-52.

Chapter 04 | 위암수술의 비만대사 효과

Metabolic effects of gastric cancer surgery

1 서론

비만대사수술이 체중을 감소시키고 제2형 당뇨병을 호전시킨다는 것은 잘 알려져 있다. 비만대사수술이 단순히 체중감소 효과로 당뇨병을 호전시키는 것뿐만 아니라 다양한 독립적인 기전들이 추가적으로 있을 것으로 추정된다.[9,12,18,20] 이러한 체중감소 이외의 기전이 밝혀진다면 제2형 당뇨병을 외과적으로 치료할 수 있는 가능성을 높일 수 있으며, 마른 당뇨병 환자도 수술을 통해 치료할 수 있을 것이다. 이러한 배경에서 비만대사수술과 유사한 위절제술을 시행 받은 위암 환자들의 체중감소 및 대사질환 호전에 대한 임상 자료는 이러한 기전의 비밀을 밝히는 데 큰 역할을 할 것으로 기대된다. 그리고, 이러한 임상 결과들은 마른 당뇨병 환자들에게 수술적 치료를 시행할 때 이론적 토대가 되어 추후 의학 연구의 단초를 제공할 것이다.

이에 위암 환자들의 위절제술 후에 발생하는 체중 변화, 당뇨병 및 고혈압 개선에 대한 기존의 국내 연구 결과들을 정리하여 비만대사수술을 이해하는 데 도움이 되고자 한다.

2 위암 수술의 비만대사 효과

1. 체중 변화

위절제술 후 체중감소는 보통 수술 전 체중의 10~15% 정도라고 알려져 있으며 위 절제범위, 재건술 형태 등에 영향을 받는다고 알려져 있다. 이러한 위절제술 후 체중감소는 근육량에 비하여 체지방의 선택적 감소가 특징적이며, 일반적으로 위부분절제술보다 위전절제술에서, 그리고 빌로스 I 술식보다 빌로스 II 술식에서 체중감소가 상대적으로 크다고 알려져 있다.[5,23]

강 등은 46명의 환자를 대상으로 위절제술 후 1년간 체중 변화를 관찰하여 체중이 수술 후 1개월째 가장 낮은 단계에 도달한 뒤 서서히 증가하여 수술 후 5개월이 되면 체중 변화가 정지되는 양상을 보고하였다. 또한 빌로스 I 술식이 빌로스 II 술식에 비하여 수술 후 12개월이 지난 후 유의하게 체중 증가를 보인다고 하였다.[5]

유 등은 위전절제술 및 위아전절제술을 시행 받은 238명의 환자를 대상으로 한 후향적 연구에서 위전절제술을 받은 환자들이 위아전절제술을 받은 환자들에 비하여 체중감소가 심하고 수술 후 2년째 상대체중(relative body weight)이 각각 92.7%와 99.9%로 유의한 차이가 있음을 보고하였다. 그런데 4년이 지나면 비체중이 각각 95.29%와 102.72%로 수술 후 시간이 경과함에 따라 위절제 범위에 따른 체중 변화의 차이가 감소하는 경향을 보고하였다.[23]

배 등은 위전절제술을 받은 20명의 국내 환자를 대상으로 한 연구를 통하여, 우리나라 성인의 평균 일일 섭취량은 1,838 kcal이며 위전절제술 후 1,586.2 kcal로 감소하며, 체중감소의 정도가 평균적으로 수술 전 체중의 15%라고 보고하였다. 그리고 체중감소의 원인으로 열량 섭취량 부족과 상대적 췌장효소 결핍(음식물과 소화효소의 불충분한 혼합)을 제시하였으며, 탄수화물이나 단백질의 흡수장애는 관찰되지 않았고 지방의 흡수장애가 크다고 주장하였다.[3] Ambrecht 등에 의하면 위전절제술 후 체중감소의 원인으로 짧은 장 통과시간, 세균의 과다 증식, 췌장효소의 분비저하를 제시하였으나,[2] 양 등은 위전절제술 후 루프 식도공장연결술을 시행한 환자에서 소장 통과시간이 정상인과 차이가 없음을 밝혀 위전절제 후 체중감소가 소장통과 시간의 변화에 따른 것은 아니라고 주장하였다.[21]

그외 위전절제술 이후에 공장낭을 이용하여 저장 능력을 향상시켜 체중감소를 줄이려는 연구가 있었는데 공장낭의 영양학적 효과에 대해서는 아직 합의가 되지 않은 상태이며 공장 삽입술 또한 마찬가지이다.[15] 그리고 위절제술 후 체중 유지의 중요 호르몬인 그렐린에 대한 연구도 진행되어 수술 후 1년째 심한 체중감소를 보인 환자에게 합성 그렐린을 투여하여 음식 섭취를 증가시키고 식욕부진과 체중감소를 치료한 2상 임상연구도 진행된 바 있다.[19]

2. 당뇨병

비만대사수술 후 당뇨병이 호전되는 기전으로 섭취량 제한에 따른 체중감소, 장 흡수제한 등이 관련되었으리라 추정되나 이러한 기전은 당뇨병의 완전 관해를 설명하기 어렵다. 그리고 비만대사수술 직후 체중이 감소하기 전에 당뇨병이 호전되는 것은 또 다른 기전이 있다는 것을 의미하며, 이 기전은 위장관, 내분비기관 그리고 췌장 분비와의 상호작용 즉 뇌섬엽내 축(enteroinsular axis)에 의한 장 호르몬과 관련된 것으로 생각된다. 그 외 몇 가지 가설들이 제시되고 있는데, 섭취량 제한은 단기적 원인으로 추정되며, 체중감소, 장 호르몬의 변화, 인슐린 분비능 향상, 담즙산의 증가, 장내 미생물의 변화 등은 장기적 원인으로 추정된다.[17]

국내에서 시행된 위암 수술이 당뇨병에 미치는 영향에 대한 연구에서 관련 인자로 체질량지수 감소, 당뇨병 유병 기간, 위절제범위, 재건술 종류 등이 조사되었다. 각각의 연구에서 당뇨병 호전의 정의가 다양하여 통일된 기준으로 결과를 제시할 수는 없지만, 대체로 체질량지수 감소가 큰 경우, 당뇨병 유병 기간이 짧은 경우, 십이지장 우회술(위공장연결술 또는 식도공장연결술)이 시행될 경우가 당뇨병의 호전과 연관성이 있었다.

김 등은 제2형 당뇨병이 있는 위암 환자 403명의 환자를 대상으로 위암 수술 후 당뇨병의 완치 및 호전이 각각 15.1% 및 30.4%에서 나타났으며, 이는 체질량지수 감소율, 수술 후 추적 관찰 기간, 수술 종류, 위절제 범위, 십이지장 우회술 유무와 관련이 있고 체질량지수 감소율에 가장 크게 영향을 받는다고 주장하였다. 그리고 체중감소가 심하지 않은 10% 이하의 체질량지수 감소를 보인 266명의 환자들을 대상으로 한 아군분석(subgroup analysis)에서 위절제술 후 당뇨병의 완치와 호전이 각각 7.6%와 28.8%로 수술 종류와 재건술은 당뇨병 변화 양상에 중요하지 않았으므로 통상적인 위암수술로 제2형 당뇨병의 호전을 기대하기 어렵다고 주장하였다.[6]

이에 김 등은 평균 체질량지수가 25.2 kg/m²인 15명의 당뇨병을 가진 위암 환자를 대상으로 위절제 후 루와이 위공장연결술 또는 식도공장연결술을 시행할 때 루각(Roux limb)과 담췌각(biliopancreatic limb)의 길이를 각각 100 cm으로 만들어 연결하고 12개월 동안 추적 관찰하여, 약물 없이 HbA1c가 6% 이하로 감소한 경우가 78.6%이며 빈혈 또는 영양실조 환자가 없었음을 보고하였다.[7]

이 등은 위암으로 위절제술을 받은 당뇨병 환자 229명을 대상으로, 위절제술 후 1년 후 당뇨병의 관해와 호전을 보고하였다. 당뇨병의 관해와 호전은 각각 빌로스 I 술식군에서 15.1%와 34.4%, 빌로스 II 술식군에서 20.3%와 46.2%, 루와이 위공장연결술군에서 20.0%와 37.5%, 그리고 루와이 식도공장연결술군에서 25%와 50.0%를 보여, 십이지장 우회술(루와이위공장연결술, 빌로스 II 술식)군에서 빌로스 I 술식군에 비하여 더 높은 당뇨병 호전을 보였다고 주장하였다.[14]

안 등은 제2형 당뇨병이 있는 조기위암 환자 64명을 전향적으로 연구하여 수술 후 3개월, 6개월 12개월째 당뇨병 상태를 수술 종류에 따라 각각 조사하였고, 12개월 후 3.1%의 환자들이 당뇨병 약물을 끊었고 54.7%의 환자들이 약물 용량을 줄였음을 보고하고 이러한 변화는 수술 종류보다 당뇨병 이환 기간과 관련이 있다고 주장하였다.[1]

권 등은 위암으로 위아전절제술을 시행 받은 49명의 환자를 대상으로 빌로스 I 술식을 받은 23명과 빌로스 II 술식을 받은 26명의 환자를 성향점수맞춤법(propensity score matching)과 역확률가중보정(inverse probability-weighting adjustment)을 통하여 비교하여 수술 후 2년째 빌로스 I 술식군과 빌로스 II 술식군의 당뇨병 관해율을 각각 39.1%와 50.0%로 보고하고 낮은 체질량지수를 가진 환자에게서 당뇨병 관해의 가능한 기전으로 전장이론(foregut theory)을 제시하였다.[10] 그리고, 체계적 문헌고찰 및 메타분석을 시행하여 빌로스 I에 비하여 빌로스 II 술식의 수술 후 제2형 당뇨병 관해 및 호전의 상대적 위험도가 각각 1.49 (95% CI, 1.01 to 2.19)와 1.31 (95%

CI, 1.11 to 1.54)으로 보고하여 비만도가 높지 않은 환자들에게 수술적 치료를 통하여 당뇨병을 개선시키려 할 때 빌로스 II 재건술을 추천하는 수술적 전략을 제시하였다.[11]

이 등은 2004년 국민건강보험 자료를 이용하여 10만명의 제2형 당뇨병 또는 고혈압 환자를 무작위적으로 선택하여 2005년부터 2010년 사이 위암으로 내시경 절제술, 위아전절제술, 위전절제술을 시행 후 항암치료를 받지 않은 360명의 당뇨병 환자를 조사하여 약물을 끊은 경우를 9.7%로 보고하였다. 치료 방법에 따라 당뇨병이 호전되는 비율은 내시경 절제술인 경우 9.5%, 위아전절제술인 경우 6.4%, 위전절제술인 경우 22.8%였으며, 치료 후 당뇨병 약물을 끊는 데까지의 평균 시간은 각각 37.4개월, 47.0개월, 28.6개월이었다. 이 연구는 우리나라의 전국적 후향적 코호트를 이용한 첫 연구이다.[13]

3. 고혈압

고혈압은 국내 연령표준화 유병률이 20세 이상에서 25.3%로 암 환자에게서 가장 흔한 만성 질환으로, 흡연, 식습관, 운동 부족, 알코올 남용 등의 생활양식의 위험인자를 암과 공유한다.[16] 그리고, 최근 건강검진을 통한 암 조기 발견과 치료 방법의 향상으로 암 생존자의 수가 증가하고 있다. 위암에서도 2010년에서 2014년 발생한 환자를 대상으로 할 때 5년 상대생존율이 74.4%로 보고되고 있으므로,[8] 위암 치료 후 건강과 삶의 질의 향상을 위하여 고혈압 치료는 상당히 중요한 문제가 될 수 있다. 다만, 국내의 위암 수술 후 혈압 변화에 대한 자료는 빈약한 상태로 부족하나마 위암 수술 후 혈압 변화의 양상에 대한 국내 자료를 소개하고자 한다.

위에 소개된 이 등에 의한 전국적 후향적 코호트 연구에서 351명의 위암 및 고혈압을 가진 환자들을 대상으로 위암 치료 후 고혈압 약물을 끊은 경우를 조사하여 그 비율을 11.1%로 보고하였다. 이 환자들을 내시경 절제술, 위아전절제술, 위전절제술을 시행한 그룹으로 나누어 그룹 간 비교를 한바 당뇨병과는 다르게 치료 방법에 따라서 고혈압이 호전되는 양상에 의미 있는 차이가 없었다. 그리고 항고혈압 약물의 재개에서도 각 그룹간 차이를 보이지 않았다.[13]

그런데, 국내 위암 환자들은 위암 진단 후 식생활을 변화시키는 경향이 있어 짠 음식을 피하고 탄수화물을 줄이며 신선한 채소 소비를 증가시킨다.[22] 국내의 다른 연구에서는 고혈압을 가진 위암 생존자는 고혈압만 가진 환자들에 비하여 알코올 소비를 유의하게 줄이지만 소금 섭취량은 차이가 없다고 밝히고 있어 이에 대한 추가 연구가 필요하겠다.[4]

❸ 요약

우리나라는 위암 발생률이 가장 높은 국가 중 하나로 현재까지 위암 환자들의 위절제술 후 체중 변화 및 대사 질환의 호전에 대하여 여러 국내 연구가 있었다. 기존의 체중감소 관련 인자로 위 절제 범위, 재건술 등이 알려져 있고 통상적으로 10-15%의 체중감소가 나타나며, 위전절제술인 경우와 십이지장을 우회하는 술식일 경우 체중감소가 크다고 알려져 있다. 체중감소의 기전은 섭취량 감소, 상대적 췌장효소 결핍, 짧은 장 통과시간, 세균의 과다 증식 등 여러 가설이 있으나 아직 명백히 밝혀지지 않았다.

위암으로 위 절제술을 받은 환자에서 당뇨병, 고혈압 등의 대사 질환의 개선이 보고되는 바 일반적으로 약물을 끊은 경우는 각각 9.7%와 11.1%가 보고되었다. 당뇨병의 관해와 호전은 연구자마다 기준이 달라 수치를 제시하기는 어려우나, 위전절제술이 위아전절제술에 비하여 그리고 빌로스 II 술식이 빌로스 I 술식에 비하여 높은 관해와 호전을 보인다고 알려져 있다. 그리고 당뇨병의 이환 기간도 영향을 주는 것으로 보고되었다.

참고문헌

1. An JY, Kim YM, Yun MA, et al. Improvement of type 2 diabetes mellitus after gastric cancer surgery: Short-term outcome analysis after Gastrectomy. World J Gastroenterol 2013;19:9410-7.

2. Armbrecht U, Lundell L, Lindstedt G, et al. Causes of malabsorption after total Gastrectomy with Roux-en-Y reconstruction. Acta Chir Scand 1988;154:37-41.

3. Bae JM, Park JW, Yang HK, et al. Nutritional status of gastric cancer patients after total gastrectomy. World J Surg 1998;22:254-60.

4. Jo SR, Joh JY, Jeong JR, et al. Health Behaviors of Korean Gastric Cancer Survivors with Hypertension: A Propensity Analysis of KNHANES III-V (2005-2012). PLoS One 2015;10:e0126927.

5. Kang SC, Oh ST. The weight changes after gasttrectomy in gastric cancer patients. J Korean Surg Soc 1994;47:209-15.

6. Kim JW, Cheong JH, Hyung WJ, et al. Outcome after Gastrectomy in gastric cancer patients with type 2 diabetes. World J Gastroenterol 2012;18:49-54.

7. Kim WS, Kim JW, Ahn CW, et al. Resolution of type 2 diabetes after gastrectomy for gastric cancer with long limb Roux-en Y reconstruction: a prospective pilot study. J Korean Surg Soc 2013;84:88-93.

8. Korea Central Cancer Registry, National Cancer Center. Annual report of cancer statistics in Korea in 2014, Ministry of Health and Welfare, 2016

9. Korner J, Inabnet W, Febres G, et al. Prospective study of gut hormone and metabolic changes after adjustable gastric banding and Roux-en-Y gastric bypass. Int J Obes 2009;33:786–95.

10. Kwon Y, Abdemur A, Lo Menzo E, et al. The foregut theory as a possible mechanism of action for the remission of type 2 diabetes in low body mass index patients undergoing subtotal Gastrectomy for gastric cancer. Surg Obes Relat Dis 2014;10:235-42.

11. Kwon Y, Kim HJ, Lo Menzo E, et al. A systematic review and meta-analysis of the effect of Billroth reconstruction on type 2 diabetes: A new perspective on old surgical methods. Surg Obes Relat Dis 2015;11:1386-95.

12. Laferrère B, Teixeira J, McGinty J, et al. Effect of weight loss by gastric bypass surgery versus hypocaloric diet on glucose and incretin levels in patients with type 2 diabetes. J Clin Endocrinol Metab 2008;93:2479–85.

13. Lee EK, Kim SY, Lee YJ, et al. Improvement of diabetes and hypertension after Gastrectomy: A nationwide cohort study. World J Gastroenterol 2015;21:1173-81.

14. Lee W, Ahn SH, Lee JH, et al. Comparative study of diabetes mellitus resolution according to reconstruction type after Gastrectomy in gastric cancer patients with diabetes mellitus. Obes Surg 2012;22:1238-43.

15. Liedman B. Symptoms after total gastrectomy on food intake, body composition, bone metabolism, and quality of life in gastric cancer patients— is reconstruction with a reservoir worthwhile? Nutrition 1999;15:677-82.

16. Ogle KS, Swanson GM, Woods N, et al. Cancer and co-morbidity: redefining chronic diseases. Cancer 2000;88:653-63.

17. Park YS, Ahn SH, Park DJ, et al. Effects of Metabolic surgery on glucose homeostasis in type 2 diabetes. J Metab Bariatr Surg 2014;3:25-32.

18. Rubino F, Marescaux J. Effect of duodenal-jejunal exclusion in a non-obese animal model of type 2 diabetes: a new perspective for an old disease. Ann Surg 2004;239:1–11.

19. Takiguchi S, Miyazaki Y, Takahashi T, et al. Impact of synthetic ghrelin administration for patients with severe body weight reduction more than 1 year after gastrectomy: a phase II clinical trial. Surg Today 2016;46:379-85.

20. Van der Schueren BJ, Homel P, Alam M, et al. Magnitude and variability of the glucagon-like peptide-1 response in patients with type 2 diabetes up to 2 years following gastric bypass surgery. Diabetes Care 2012;35:42–6.

21. Yang HK, Kim SW, Kim JP, et al. Small bowel transit time in patients who had total Gastrectomy with loop esophago-jejunostomy. Korean J Gastroenterol 1988;20:37-46.

22. Yu EJ, Kang JH, Yoon S, et al. Changes in nutritional status according to biochemical assay, body weight, and nutrient intake levels in Gastrectomy patients. J Korean Diet Assoc 2012;18:16-29.

23. Yu W, Chung HY. Nutritional Status after Curative Surgery in Patients with Gastric Cancer: Comparison of Total Versus Subtotal Gastrectomy. J Korean Surg Soc 2001;60:297-301.

PART 04 기타 Specific considerations

서론

어린이 및 청소년의 비만 유병률은 계속해서 증가하고 있으며 전 세계에서 심각한 건강문제를 발생시키고 있다. 미국의 소아청소년의 17%가 비만(체질량지수 95백분위수 이상)이고, 4%는 극심한 비만(extremely obese, 체질량지수 99백분위수 이상)이었다.[22] 한국의 소아청소년의 경우 1998년에 6.8%이던 것이 2013년에는 10.0%로 비만의 유병률이 증가했다.[13] 지난 수십 년 동안 유년기의 비만 유병률이 거의 4배 증가한 것에 더하여, 이전에는 병적비만 성인인구에만 영향을 미치는 것으로 여겨지던 비만 관련 합병증(고혈압, 제2형 당뇨병, 인슐린 저항성, 폐쇄성 수면 무호흡증, 다낭성 난소 질환, 이상 지질혈증, 지방간 질환 등)이 동반되었다고 보고되었다. 건강에 대한 인식의 변화와 더불어 성인에서 의미 있었던 비만수술 치료를 청소년들에게도 적용하는 데 의료계와 사회가 경각심을 가지게 되었다. 비만한 소아청소년은 소아청소년기에 여러 가지 장애와 질병을 가지며, 향후 비만한 성인으로 성장하면서 개인의 건강과 사회활동이 어려운 만성 비만 관련 질병의 심각한 부담을 가지게 되므로, 결국 수술이 필요하게 된다.[8, 10, 12]

현재 미국에서 실제 시행되고 있는 사춘기 환자에서 비만수술의 종류는 불확실하지만, 최근의 보고서를 보면 수술 건수가 증가하고 있다. 소아 환자에서 시행된 비만수술 증례는 1990년 말보다 10년 사이에 세 배로 증가했으며, 2004년에는 연간 약 2,000례 정도가 시행되었다.[45] 시행되는 수술의 전체 수가 증가하고 있기 때문에, 수술관련 위험요소와 성공적인 장기추적결과를 가능하게 하는 요인에 대한 이해가 점점 더 중요해지고 있다.

비만치료에 있어서 수술적 방법에 대한 관심 증가에 덧붙여, 환자 선택, 비만수술 전 평가요소 및 효과적으로 청소년 비만수술팀을 만드는 데 필요한 여러 가지를 구체적으로 다루는 근거기반 가이드라인의 필요성을 강조하는 최근의 보고서가 있다.[27, 28, 36]

이 장에서는 소아청소년 인구에서 공통적으로 발생하는 비만 관련 질환의 발생 및 진행에 관한 여러 데이터를 검토하고 소아청소년 비만수술의 적응증을 알아볼 것이다. 특정 비만수술술식에 관한 현재까지의 장단기 결과와 관련된 합병증을 검토하고 청소년 비만수술환자의 다학제 치료에 대한 현재 권장 사항을 서술할 것이다.

② 본론

1. 청소년기 비만의 합병질환

성인에서 병적비만과 관련되어 발생한 동반질환이 이제는 소아 및 청소년 인구에서 많이 발생하는 것이 잘 알려져 있다. 흔히 발생하는 합병증으로는 고혈압, 수면무호흡증, 내당능 장애, 제2형 당뇨병, 위식도역류질환, 좌심실 비대증, 뇌의 가성 종양 및 다낭성 난소 증후군이 포함된다.[8, 12, 20]

1) 포도당대사장애

최근 보고에 따르면 소아비만과 고인슐린혈증(60-80%), 내당능장애(12-35%) 및 제2형 당뇨병(1-6%)과 같은 비정상적인 포도당조절과 관련된 연관성이 입증되었다.[8] 한 연구에서 비만수술로 루와이위우회술을 받은 청소년환자에서 당화혈색소 및 HOMA-IR에 의해 측정된 인슐린 저항성의 변화를 보았는데 수술 후 체중감소 이후 첫 해에 대사기능장애의 거의 모든 생리학적 지표가 크게 개선되었음이 입증되었다.[18]

2) 심혈관질환

비만과 심혈관계 질환 발병의 관계는 성인에서 잘 알려져 있고 비만 관련 사망의 주요 원인으로 밝혀졌지만, 병적비만수술 후 심혈관계 상태변화를 포함하여, 병적비만 청소년의 심혈관계 합병증에 초점을 둔 연구가 상대적으로 부족하다. 비만 관련 심혈관 질환(즉, 죽상 동맥경화증, 심근 경색, 심부전, 말초 혈관 질환 및 뇌졸중)의 주요 임상 증상은 일반적으로 성인시기까지는 나타나지 않지만 병태생리학적 변화과정으로 인한 합병증 발생과 진행은 어린 시절에 시작된다. 최근의 증거는 비만 청소년인구에서 심근 구조 및 기능 이상 뿐 아니라 나빠진 심혈관 위험 인자(고혈압, 고중성지방혈증, 공복 혈청 포도당 및 LDL 콜레스테롤 증가, 낮은 혈청 HDL 콜레스테롤)를 보여준다.[18, 20] 청소년에서 비만수술을 한 경우 성인에서와 같이 좌심실 비대, 이완기 성능 및 심장 작업 부하의 현저한 호전은 물론 심혈관 위험성의 수많은 혈청 바이오마커의 개선을 보여준다.[38]

3) 비알콜성지방간병증

합병증없는 지방증(steatosis)부터 비알콜성지방간염(nonalcoholic steatohepatitis; NASH)으로 진행할 수 있는 비알콜성지방간질환(nonalcoholic fatty liver disease; NAFLD)은 비만과 인슐린 저항성과 밀접한 관련이 있으며, 이러한 성인 인구의 25%까지 간경화(hepatic cirrhosis)와 연관이 있는 것으로 나타났다.[26] Xanthakos 등에 의하면 루와이위우회술을 받은 병적비만 청소년(평균 체질량지수 59 kg/m²) 41명에서 얻은 간 생검의 83%가 NAFLD를 가지는 것으로 확인되었다.[48] 또한 24%가 지방증(steatosis)만 보였고 7%는 지방증이 있는 섬유화(isolated fibrosis with steatosis)를 보였고 20%는 NASH를 가진 것으로 나타났다고 하였다. 그러나 저자들은, 비록 조직학적 결과가 성인병 환자와 비교했을 때 질병상태가 덜 심각하고 NASH의 유병률도 낮았지만, NAFLD 이외에 NASH를 가진 환자를 구별하기 위한 노력으로 조직병리검사결과와 임상경과 사이에 강한 상관 관계를 입증하기 어려운 점에 우려를 제기하였다. 따라서 이뿐만 아니라 성인에서의 연구와 비교할 때 간조직병리검사에서 관찰된 차이는 이 "조용하지만" 의미있는 질병의 전반적인 정도를 결정하는 검사의 신뢰를 높이기 위해 현재의 NASH 채점 시스템을 수정해야 할 필요를 제기한다. 비록 최근 자료에 의하면 연령 및 성별이 일치된 대조군에 비해 간이식이 필요한 사망이나 간부전의 위험이 13배 증가하지만, 청소년에서 체중감소를 할 경우 지방증(steatosis)과 염증의 정도를 개선시키기 때문에[11] 청소년 인구에서 체중 감량 수술을 사용할 근거가 된다.[9]

4) 폐쇄성 수면무호흡증

수면호흡장애(sleep-disordered breathing; 심한 코골이, 간헐적인 무호흡, 저호흡 및 만성 피로를 포함한 다양한 증상)은 성인 비만 뿐만 아니라 아동기 비만과 밀접한 관련이 있다.[1, 21] 최근의 증거에 따르면, 비만 아동의 최대 46%가 폐쇄성 수면무호흡증(obstructive sleep apnea; OSA)을 기록했으며, 비만수술을 받는 병적비만 아동 집단에서는 55%까지 보고되었다.[1] 치료를 받지 않으면 폐쇄성수면무호흡증은 만성 피로로 인한 성격 변화와 학교 성적이 떨어지는 등 심각한 기능 장애를 유발할 수 있다. 뿐만 아니라 만성 폐쇄성수면무호흡증과 관련된 보다 심각한 결과로는 좌우 심실기능장애 및 심장 remodelling으로 나타나는 고혈압과 심부전의 발생과 진행이 있으며, 급사(sudden death)의 위험이 증가한다.[8] 폐쇄성 수면무호흡증과 관련된 심각한 임상적 의미에도 불구하고, 비만수술을 받는 병적비만 청소년의 추적결과를 조사한 최근의 증거는 의미있는 수술 전/후의 수면다원검사에서 폐쇄성수면무호흡증의 중증도가 유의하게 개선되었음을 보여준다(무호흡-저호흡 지수의 향상).

5) 정신질환

소아청소년 비만의 의학적 합병증에 관한 문헌들이 많이 나오는 것에 비해, 아동기에서 성인기로의 섬세한 전환과 관련된 다양하고도 복잡한 발달 과정에서 비만의 영향에 관한 자료는 상대적으로 많이 부족하다. 그러나 이것에도 불구하고, 과체중과 비만이 심리적 발달의 이 취약한 시기에 치명적인 영향을 줄 가능성이 있다는 것을 말하는 일반적인 의견 일치가 나오고 있다. 최근의 연구 결과에 의하면 청소년의 과체중 및 비만이 우울증의 발병 위험 증가와의 연관성이 밝혀졌다.[30] 또한 우울 증상의 중요한 의미는 소아기 및 청소년기의 과체중 및 비만과 우울의 위험성 사이의 연관성을 시험하기 위해 고안된 최근의 대규모 전향적 코호트 연구에 의해 더욱 강조되고 있다. 이 연구에서 연구자들은 5세 때 과체중 및 비만으로 확인된 대상자에서 성인 우울증의 위험이 증가할 것으로

예측했으며, 20세에 과체중 또는 비만으로 판명된 대상자들에게서는 더욱 강한 연관성을 보였다.[39]

2. 청소년비만수술의 특수성을 고려한 비만 수술팀의 역할

2004년에 처음으로 발표된 청소년 비만수술의 지침[17]은 토론을 통해 여러 번 개정되었다.[4, 28, 36] 병적비만 청소년에 대한 수술적 치료가 보편화되고 수술을 시행하는 의료기관의 수가 지속적으로 확대됨에 따라 청소년 중심의 다학제팀 접근 방식에 대한 필요성이 대두되었다.[28] 이에는 외과의사의 노력 외에도, 소아과 또는 가정의학과 의사와의 관계와 협력이 중요하다는 것이 강조되었다. 여기에는 건강 검진을 포함하여 부족한 영양상태에 대한 예방적 치료등도 포함된다. 심한 청소년 비만을 평가하고 치료하기 위해 고안된 다학제팀의 핵심 구성원에는 다음이 포함된다.

1. 비만대사수술 인증의 : 청소년에게 비만수술을 시행하는 외과의사는 대한민국 의사면허를 취득한 자로서 외과전공의과정을 수료하고 외과전문의 자격을 취득한 자이어야 한다. 세부적으로 비만대사 수술 인증 전문의 아래에서 수련경험 혹은 비만대사수술 경험이 있으며, 비만대사수술센터에서 포괄적인 환자 진료 경험이 있어야 한다. 한국에는 비만수술의 건수가 많지 않으므로, 기술적 부분을 고려했을 때 상급의 복강경위장관수술이 가능한 자라면 자격이 된다고 할 수 있다. 또한 학회의 정회원으로서 정기적으로 시행하는 연수교육을 이수하고 자격조건을 이수하는 것이 반드시 필요하고 바람직하다.

2. 관련된 타과의 협력의사 : 내과 또는 소아과(호흡기, 순환기, 신장, 내분비), 정신건강의학과, 재활의학과, 가정의학과 전문의 등 청소년 의학 또는 가정의학 실무 경험을 포함하는 전문의로서 비만대사

수술 환자의 진료에 참여하고 비만대사수술센터 조직도 내에서는 그 역할이 명시되어야 할 것이다.

3. 비만대사수술 의료인력(간호사, 식이처방사(영양사), 운동치료사 등) : 같은 기관에서 비만대수술 환자의 치료에 종사하고 있음을 증명하며, 각 직종의 자격이 증명되고, 조직도 내에서 역할이 명시되어야 할 것이다.

그리고, 청소년에서 시행하는 비만수술 프로그램은 수술을 시행하기 전에 개별 사례를 비만대사수술위원회에서 검토하는 것이 좋다.[27]

3. 환자 선택(표 1-1)

성인과 비교하여 청소년 병적비만의 진단기준과 병적비만수술의 적응증을 살펴보면 우선 사용하는 단위가 일치하지 않는다는 것을 알 수 있다. 성인의 경우 1997년 WHO 전문가 협의에서 체질량지수 30 kg/m² 이상을 비만으로 정의하여, 30 kg/m² 이상을 class I obesity, 35 kg/m² 이상을 class II obesity, 40 kg/m² 이상을 class III obesity로 구분하였다.[31] 1991년 제정한 NIH (National Institute of Health)의 병적비만수술 적응증은 체질량지수 40 kg/m² 이상, 35 kg/m² 이상이면서 동반 질환이 있는 경우로서 성인에서의 비만의 기준과 병적비만수술의 적응증은 체질량지수에 따라서 나누는 것이 일반적이다. 그러나, 청소년 비만의 경우, 미국질병관리예방관리국에서 제시한 기준은 연령과 성별에 따라 체질량지수의 '백분위수'에 따라 구분하였다.[5] 그런데, 18세 이하의 청소년의 경우 체질량지수 35가 대부분 연령대 99백분위수 이상이기 때문에 성인에서 사용하는 체질량지수의 기준을 그대로 준용하는 대신 동반질환에 대한 기준을 변형적용하는 것이 더 적절하다고 미국비만대사외과학회가 권고하였다.[28] 이 권고에서는 청소년 비만수술의 적응증으로 체질량지수 35 이상이면서 주요 합병질환(제2형 당뇨병, 중등도 이상의 수면무호흡증(무호흡-저호흡 지수 >

표 1-1 미국비만대사외과학회가 권고하는 청소년의 비만수술 적응증

주요 합병증이 있는 BMI ≥ 35 kg/m²
1. 제2형 당뇨병
2. 뇌가성종양
3. 중증 NASH
4. 심한 폐쇄성 수면무호흡증(무호흡 - 저호흡 지수 > 15)

중등도 이하의 합병증을 동반한 BMI ≥ 40 kg/m²
1. 포도당 불내성
2. 고혈압
3. 이상 지질 혈증
4. 과체중관련 나쁜 삶의 질
5. 저-중등도 폐쇄성 수면 무호흡증(무호흡 - 저호흡 지수 > 5)[28,36]

15), 뇌가성종양(pseudotumor cerebri)과 심한 비알콜성 지방간을 가진 경우이거나, 체질량지수 40 이상이면서 다른 합병 질환을 가진 경우로 하였다.[36]

개별 체질량지수 및 동반 질환 상태 이외에도 청소년 환자에서 비만수술진을 결정하기 전에 몇 가지 중요한 요소를 고려해야 한다. 그러한 고려 사항에는 비만수술의 이점과 위험에 대한 포괄적인 이해능력을 포함하여 환자의 심리 사회적 성숙도에 대한 평가뿐만 아니라(현재 비만수술을 받는 청소년을 위한 장기간의 수술 전 체중 감량 프로그램 사용을 뒷받침하는 데이터는 없지만) 환자가 수술 전에 영양 지침을 준수할 수 있는 능력이 있어야 하며 수술 전 과하게 체중이 증가하지 않아야 한다. 또한 수술 후 추적 관찰을 할 수 있어야 할 뿐 아니라 수술 후 영양관리 및 행동요법 준수를 잘하기 위해 환자를 지원할 수 있는 가정환경, 부모/간병인의 상태 등을 평가하는 것이 매우 중요하다. 마지막으로, 담당주치의는 비만을 치료하지 않았을 경우에 발생할 수 있는 결과와 관련된 전체 위험과 수술을 시행해서 얻을 수 있는 이익 사이의 비율을 고려해야 한다.

4. 비만 술식의 종류

청소년 환자에게 어떤 비만수술이 가장 적절하다고 합의된 바는 없지만, 이 연령대에서 가장 일반적으로 시행되는 것은 루와이위우회술(RYGB), 조절형위밴드술(AGB), 위소매절제술(sleeve gastrectomy, SG) 등이 있다. 십이지장전환술의 성공을 보고하는 결과들이 보고되었지만[25], 수술 후 흡수 장애와 영양 합병증 때문에 그다지 임상에 적용할 만하지는 않다. 청소년기에서 가장 일반적으로 시행되는 비만 술식의 일반적인 안전성과 효능을 조사한 최근의 문헌을 검토한 결과, 전반적인 결과가 성인에서 보고된 결과와 비슷하거나[41] 또는 그보다 나은 것으로 나타났다.[19, 23, 40, 46]

5. 루와이위우회술

성인에서 병적비만 치료를 위한 "Gold standard"라고도 불리는 루와이위우회술은 1960년대 이후 미국에서 안전하고 효과적인 수술법으로 판명되었으며 청소년에 대해 처음 시행한 것은 1970년대 초이다.[41] 청소년에서 시행된 루와이위우회술(131명)의 결과를 보고한 6건의 연구 결과를 조사한 최근 메타분석 결과, 초과체중 감량(기저평균 체질량지수 52 kg/m²)이 유의미하고 지속적으로 감소했으며, 동반 질환(고혈압, 제2형 당뇨병)의 개선이 있었다.[45] 성인에서의 자료와 마찬가지로 청소년에서 시행한 루와이위우회술은 첫해에 수술 후 체질량지수(BMI)가 35-37% 감소할 것으로 예상된다.[16] 다른 보고들은 제2형 당뇨병[18], 폐쇄성 수면 무호흡증[41], pseudotumor cerebri[41], 정신 사회적 기능[50] 및 대사 증후군의 여러 특징(즉, 이상지질혈증, 고혈압, 인슐린 저항성)을 포함하는 비만 관련 합병증이 동시에 개선되었음을 보여주었다.[16, 41] 현재까지, 수술 후 30일 이내 사망은 보고되지 않았다. 그러나 9개월[23], 4년[6]에 각 한 명의 환자가, 6년 이후 사망한 2명[41] 등의 장기 사망례가 보고되었다. 당연히 수술 후 상처 감염, 문합부 누출 또는 협착, 폐렴, 장폐색, 출혈[47], 비타민 결핍[44], 정맥 혈전 색전증과 같은 주요 위장관수술 후 합병증이 발생할 수 있는데,[41, 45] 이는 11.5%의 재입원율과 2.9%의 재수술률로 나타났다.

이전에 언급했듯이, 최근 결과는 비만 치료를 받는 청소년들이 성인 집단과 동등하거나 그 이상의, 성인과 관련된 합병증 및 장기 합병증을 포함한, 결과를 보이고 있다는 주장을 뒷받침해 왔다. 최근 대규모의 관리 데이터베이스(청소년 309명과 성인 55,501명)의 결과를 분석한 연구에서, 저자들은 청소년에게서 성인보다 나은 비만수술 후 결과들을 보고하였다. 이 비교에서, 청소년 비만수술환자는 성인에 비해 30일 합병증률이 낮았으며(5.5% vs. 9.8%, p < 0.05), 중환자실 환경에서 수술 후 관리가 필요할 확률이 더 낮았다(7% vs. 14%, p < 0.05)[47]. 이러한 결과를 바탕으로 앞으로 전향적 연구가 필요할 것으로 보인다. 장기간의 대사 및 영양상태 결과(대량영양소 및 미량영양소 섭취 및 뼈무기질침착 상태의 변화)는 현재 그렇게 좋지 않다. 그러나, 현재까지의 보고들은 철분, 칼슘, 비타민 등의 적절한 대량 및 미량 영양소 보충 요법을 잘 보완한다면 루와이위우회술이 효과적이고 안전하게 시행될 수 있음을 보이고 있다.

6. 조절형위밴드술

2001년에 병적비만 성인에서 처음 사용이 승인된 조절형위밴드술은 현재 미국 식품의약국(FDA)에 의해 18세 미만에서는 사용하도록 허가되지 않았다. 이러한 제한적인 가이드라인에도 불구하고 미국을 포함한 외국에서 청소년에게 시행한 조절형위밴드술 사용에 관한 보고가 늘어나고 있다.[3,14,29,40,49] 최근 352명의 환자(평균 수술 전 BMI 46 kg/m²)가 포함된 8건의 조절형위밴드술연구에 대한 메타 분석 결과, 초과체중감소가 유의하게 보였으며, 관련 합병증 또한 유의하게 감소했다고 보고되었다. 보고된 합병증의 대부분은 밴드기능부전(밴드 미끄러짐)과 영양 결핍(철 결핍 및 경미한 탈모)과 관련이 있으며 본질적으로 생명을 위협하지는 않았다. 연구진은 수술 후 BMI의 유의한 감소 외에도 제2형 당뇨병의 완전관해는 80-100%에서 보였고, 고혈압은 시간을 두고 추적 관찰하였을 때(1.3-2.9년) 환자의 50-100%에서 소실됨을 관찰하였다.[45] 5개월에서 7년까지의 결과를 인용한 보고에서는 청소년에서 시행한 조절형위밴드술 환자에서 초과체중이 유의하고 꾸준히 감소(37-63%)된 것으로 나타났다.[36] 조절형위밴드술과 비수술적 치료법(즉, 식이 요법, 운동요법, 행동요법)의 결과를 비교하기 위해 시행한 최근의 무작위 대조 연구에서는 조절형위밴드술 사용에 관한 연구 중 가장 좋은 결과를 보여 주었다. 체중 감량을 받는 피실험자는 비수술적 치료법 그룹에 등록한 피험자의 BMI가 3% 감소한 것에 비해 BMI (2년 추적)가 28% 감소했다. 또한 수축기 및 이완기 혈압의 감소, 혈청 인슐린 및 중성지방의 개선을 비롯한 많은 임상 지표의 개선 뿐만 아니라 삶의 질 측정의 개선 즉, 대사증후군의 여러 지표가 개선되었음을 보았다.

청소년에서 시행한 조절형위밴드술과 관련된 수술 후 합병증은 성인에서 발생하는 것과 유사하다. 현재 청소년 그룹의 경우 10년 이상의 장기 결과가 발표되지 않는다는 점을 고려해야 한다. 전반적으로 청소년에서 시행한 조절형위밴드술에서 합병증은, 재수술률(장치 제거 포함) 8-10%[3,49]를 포함하여, 48%로 높게 보고되었다. 청소년에서 시행한 조절형위밴드술후 사망은 보고되지 않았다. 현재까지의 문헌을 근거로 보면 청소년에서 시행한 조절형위밴드술이 생활 습관 개선보다 훨씬 더 효과적인 것으로 나타난다.

영양 결핍과 재수술에 대한 필요성 및 수술 후 합병증(최대 24%)을 보이는 보고서들은 청소년에서 시행한 조절형위밴드술의 사용은 신중하게 고려되어야 하며, 예상 결과의 세부 사항 등이 환자설명과 동의과정에서 투명하게 진행되어야 한다는 점을 시사한다.

7. 위소매절제술

병적비만 성인에서 복강경 위소매절제술을 일차 수술로 하는 것은 지난 몇 년 동안 크게 증가했다. 이 수술은 우회술에 비해 합병증 발생위험도가 낮아서 루와이위우회술의 대안으로 널리 받아들여지고 있다.[37] 청소년에서 비만수술 후 장기결과가 현재는 부족하지만, 성인에서 보고된 낮은 수술 후 합병증[24,42]과 청소년 비만수술례의 증가[2,7,43]는 청소년에서 이 수술이 적용 가능함을 신중하게 시사하고 있다. 칠레에서 위소매절제술을 시행한 비만 관련 합병증이 있는 51명의 청소년(연령 범위 15-19세, 평균 18세)의 결과에 대한 최근 보고에 따르면, 24개월간 BMI가 39에서 26 kg/m^{2}로 크게 감소했다. 이에 따라 고혈압 100%, 인슐린 저항성 96.2%, 이상지질혈증 58%, 제2형 당뇨병 50%의 해소 등 많은 합병증의 개선 및 완전관해를 보였다. 1례에서 수술 후 문합부 누출이 보고되었으며(1.9%의 합병증 발생률) 내시경 스텐트 삽입을 통해 성공적으로 처치가 이루어졌다. 사망자는 보고되지 않았다.[7] 최근 사우디 아라비아의 청소년기 위소매절제술환자(연령 범위 : 5-21세, 평균 13.9세) 108명에서 수술 후 24개월에 초과체중이 유의하게 감소하였으며, BMI가 12개월 및 24개월에 각각 37%, 38%로 감소되었다. 주요 합병증(출혈이나 자동문합부 파열)이나 사망은 보고되지 않았지만, 5명의 환자(4.6%)는 경미한 합병증(상처 감염 및 위식도 역류 질환)을 경험하였다. 칠레의 보고와 마찬가지로, 제2형 당뇨병의 94%, 수면장애호흡증상의 91%, 고혈압의 75%, 이상지질혈증의 70%가 완화되는 등 다수의 관련 동반 질환의 유의미한 개선이 관찰되었다.[2] 병적비만 청소년에게 위소매절제술은 좋은 선택인 것으로 보이며 이에 대한 보다 포괄적인 평가를 제공하기 위해 향후 여러 다각적인 자료가 필요할 것이다.

8. 흡수억제술식
(Malabsorptive Procedure)

청소년에서 십이지장전환술(DS)[25]과 담췌우회술(biliopancreatic diversion: BPD)[33]의 사용은 심각한 수술 후 흡수 장애와 높은 수술 재발률에 이르는 전반적인 환자 안전에 관한 몇 가지 우려가 제기되었다. 특히, 1976년과 2005년 사이에 담췌우회술을 받은 75명의 중증 비만 청소년(연령 범위 14-18세, 평균 16.8세)에 대한 후향적 분석 결과, 15%의 환자에서 단백질 흡수 장애가 나타났다. 또한 현재까지 다른 종류의 청소년 비만수술보다 높은 14명의 환자 재수술(재수술률 20%)과 전체사망률 4%로 만족할 만한 결과를 보이지 않았다.[33] 또 다른 십이지장 치환술을 받은 13명의 청소년(15-17세)의 단일 기관 분석(10.6년 추적 관찰)은 평균 BMI가 55.9 ± 14.0에서 28.8 ± 3.7 kg/m²로 감소한 것으로 나타났으며 일반적으로 만족할 만한 결과를 나타냈다. 거의 모든 알려진 비만관련 합병증에 상당한 개선이 있었으며, 재수술률은 15%(장 폐색 1명, 궤양으로 인한 회장문합부 천공 1회)였다.[25] 담췌우회술의 적용은 전반적인 청소년 인구의 흡수제한술식에 관한 자료가 거의 없기 때문에, 수술이 어렵고 많은 재수술률을 보이며, 청소년에서는 대량 및 미량 영양소 보충요법에 대한 부적절한 순응도 때문에 많은 우려가 있다.

9. 한국에서의 청소년 비만수술

문헌으로 보고된 한국의 청소년 비만수술의 증례는 드물고, 단기추적결과 뿐이지만 만족할 만한 결과들을 보여주고 있다.[34,35] Park 등[34]이 보고한 청소년에서 시행한 22명의 비만수술(14명의 위소매절제술과 8명의 위우회술, 평균 나이 19세)에서 평균체질량지수 감소는 수술 후 10개월에 29.1 kg/m²이었고, 초과체중감소율은 1, 3, 6, 12개월에 19.6, 39.9, 52.6 그리고 74.2%로 1명의 환자만이 초과체중감소율 30% 미만에 해당될 정도로 좋은 결과를 보고하였다. 수술 후 합병증 부분도 1례에서 문합부출혈이 있었으나 보존적 치료로 회복되었다. 한국의 소아비만의 유병률도 지속적으로 증가하고 있으며, 멀지 않은 미래에 국가의 건강문제로 대두될 가능성이 높으므로 이에 대한 대비가 필요할 것으로 보인다.

10. 청소년 비만수술에서의 장기추적결과

그 동안의 연구들은 3년 이하의 단기결과들이 대부분이었지만 최근 5년 이상의 장기결과를 추적한 두 편의 중요한 연구가 발표되었다. 하나는 미국의 Inge 등[15]에 의해 발표된 것으로 2001년에서 2007년 사이에 신시네티 소아 전문병원에서 루와이위우회술이 시행된 74명 중 5년 이상 경과된 58명의 10대 청소년(수술 당시 나이 13-21세, 평균 17.1세)에서의 결과이다. 수술 전 평균 체질량지수(BMI)는 58.5 kg/m²이었으며, 평균 추적기간은 8년(최소 5년-최대 12년)이었다. 수술 후 체중 감량의 결과는 상당히 인상적이었는데, 평균 체질량지수의 감소는 수술 후 1년에 22.8 kg/m²에서 평균장기 감소 정도가 16.9 kg/m²이었다. 당뇨병의 관해가 88%에서, 고혈압의 치료가 76%에서 가능했으며, 지질혈증검사결과의 개선 또한 64%에서 관찰되었다. 그러나, 추적기간 중 46%의 환자에서(치료가 필요하지 않은 경증의) 철결핍성 빈혈이, 45%에서 부갑상선기능항진증이, 16%에서 비타민 B12 부족이 나타나서 저자들은 청소년 병적비만 환자에서 위우회술은 장기적으로 체중 감량 및 유지, 그리고 심혈관계합병증 개선에 효과적이었으나 철분, 칼슘, 비타민 B12 등의 영양관리는 지속적으로 중요함을 보고하였다. 두번째 연구는 스웨덴에서 Olbers 등[32]에 의해 시행된 것(AMOS study)으로 청소년 중 위우회술을 받은 환자 81명(평균 나이 16.5세, 평균체중 132.8 kg, 평균체질량지수 45.5 kg/m²)과 청소년 중 수술하지 않은 환자 80명(나이와 성별을 교정한 대조군, 평균체중 124 kg, 평균체질량지수 42.2

그림 1-1 AMOS study에서 루와이위우회술을 받은 청소년(빨간색)과 수술을 받지 않은 청소년 대조군(파란색) 그리고 수술을 받은 성인그룹(초록색)의 5년 추적 후 체질량지수의 변화

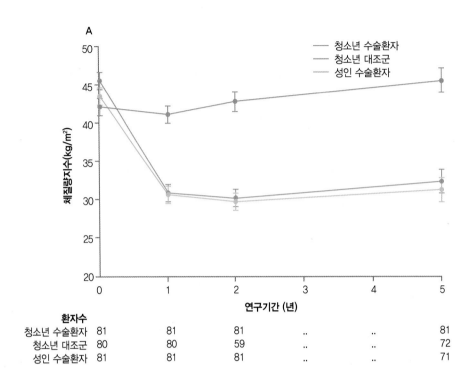

환자수						
청소년 수술환자	81	81	81	..	..	81
청소년 대조군	80	80	59	..	..	72
성인 수술환자	81	81	81	..	..	71

kg/m²) 그리고 성인 중 위우회술을 시행받은 환자 81명(평균나이 39.7세, 평균 체질량지수 43.5 kg/m²)의 세 그룹으로 나누어 진행되었다. 5년 추적결과 청소년 중 위우회술을 시행받았던 환자들은 평균체중이 36.8 kg이 감소하였고, 체질량지수는 13.1 kg/m²이 감소하였다. 반면 청소년 중 수술하지 않은 환자에서는 체중과 체질량지수의 감소가 관찰되지 않았으나, 성인 중 위우회술 시행한 환자와 비교해 볼 때 유사한 정도의 체중 감량이 관찰되었다(그림 1-1). 또한 당뇨를 포함한 여러 대사증후군 관련지표들도 성인 중 위우회술을 시행한 환자들과 비교했을 때 비슷한 정도의 뚜렷한 개선이 관찰되었다. 수술을 받았던 청소년 그룹의 81명 중 21명(25%)에서 수술관련 합병증이나 급속한 체중감소에 의해 추가적인 복부재수술을 받았는데, 가장 많은 수술은 소장폐색 때문이었다. 그래서 저자들은 청소년의 경우에도 성인과 유사하게 위우회술 후 체중 감량 및 유지, 그리고 동반질

환의 개선에 있어 뚜렷한 결과를 보였으나, 추가수술에 대한 우려와 영양관련 합병증 부분을 고려해야 할 것으로 보고하였다.

이상의 연구를 통해 볼 때 청소년에서의 비만수술에 대한 장기성적의 보고가 많지는 않으나 점점 시행되는 건수에 비례하여 늘어날 것으로 전망되며, 현재까지 좋은 결과들을 보고하고 있으므로 청소년에서 비만수술의 특성을 고려하여 주의하여 시행한다면 앞으로 좋은 임상결과들이 나올 것을 기대할 수 있겠다.

 결론

다수의 심각한 만성 질환을 동반한 병적비만 청소년의 유병률이 증가하고 있으며, 비수술적 치료를 했을 때 효

과부족으로 인해 청소년에서 시행되는 비만수술의 수가 증가하게 되었다. 환자 선택과 수술방법의 적절한 선택에 관한 구체적인 권장사항뿐만 아니라 포괄적인 가이드라인을 확고히 확립하기 위해, 추가적인 장기간의 전향적 데이터가 필요하지만 현재는 성인의 결과들을 준용하여 수술의 정당성을 뒷받침하고 있다.

특정 수술방법과 관련하여, 루와이위우회술은 성인에서와 비슷한 안전성 및 유효성을 보여주며, 장기성적도 성인과 비교했을 때 비슷한 결과들이 보고되고 있다. 청소년 인구에서 시행된 위밴드술의 경우 합리적이며 좋은 데이터들이 나오는 반면, 높은 재수술률, 부족한 장기효과에 관한 데이터, FDA 승인된 연령에 따른 적응증이 확립되지 않은 점 등이 현재 고려되어야 한다. 또한 성인에서 효과적이고 지속적인 체중 감량을 보였던 위소매절제술이 청소년 집단에서도 이 수술을 지지하는 데이터가 점차 증가하고 있고, 수술이 전반적으로 단순하고 수술 후 영양학적 합병증의 위험이 적기 때문에, 청소년에서 이 수술에 대한 전향적 연구 및 신중하게 계획된 연구를 한다면 좋은 수술방법이 될 수 있을 것이다. 마지막으로, 담췌우회술 및 십이지장전환술은 후기 영양 결핍에 대한 우려 때문에 청소년 집단에서의 사용을 권장하지 않는다.

참고문헌

1. Ahrens W, Bammann K, de Henauw S, et al. Understanding and preventing childhood obesity and related disorders-IDEFICS: a European multilevel epidemiological approach. Nutr Metab Cardiovasc Dis 2006;16:302-8.

2. Alqahtani A, Antonisamy B, Almaru H, et al. Laparoscopic sleeve gastrectomy in 108 obese children and adolescents aged 5 to 21 years. Ann Surg 2012;256:266-73.

3. Angrisani L, Favretti F, Furbetta F, et al. Obese teenagers treated by Lap-Band System: the Italian experience. Surgery 2005;138:877-81.

4. Apovian CM, Baker C, Ludwig DS, et al. Best practice guidelines in pediatric/adolescent weight loss surgery. Obes Res 2005;13:274-82.

5. Barlow SE; Expert Committee. Expert committee recommendations regarding the prevention, assessment, and treatment of child and adolescent overweight and obesity: summary report. Pediatrics 2007;120: S164-92.

6. Barnett SJ, Stanley C, Hanlon M, et al. Long-term follow-up and the role of surgery in adolescents with morbid obesity. Surg Obes Relat Dis 2005;1:394-8.

7. Boza C, Viscido G, Salina J, et al. Laparoscopic sleeve gastrectomy I obese adolescents: results in 51 patients. Surg Obes Relat Dis 2012;8:133-9.

8. Brandt ML, Harmon CM, Helmrath MA, et al. Morbid obesity in pediatric diabetes mellitus: surgical options and outcomes. Nat Rev Endocrinol 2010:6: 637-45.

9. Chavez-Tipia N, Teilez-Avila F, Barrientos-Gutierrez T, et al. Bariatric surgery for nonalcoholic steatohepatitis in obese patients. Cochrane Database Syst Rev 2010;(1):CD007340.

10. Daniels SR, Jacobson MS, McCrindle BW, et al. American heart association childhood obesity research summit report. Circulation 2009;119:e489-517.

11. Feldstein A, Charatcharoenwitthaya P, Treeprasertsuk S, et al. The natural history of non-alcoholic fatty liver disease in children; a follow-up study for up to 20 years. Gut 2009;58:1538-44.

12. Freedman DS, Dietz WH, Srinivasan SR, et al. The relation of overweight to cardiovascular risk factors among children and adolescents: the Bogalusa Heart Study. Pediatrics 1999;103:1175-82.

13. Ha KH, Kim DJ. Epidemiology of Childhood Obesity in Korea. Endocrinol Metab 2016;31:510-8.

14. Horgan S, Holterman MJ, Jacobsen GR, et al. Laparoscopic adjustable gastric banding for the treatment of adolescent morbid obesity in the United States: a safe alternative to gastric bypass. J Pediatr Surg 2005;40:86-90.

15. Inge T, Jenkins TM, Xanthakos SA, et al. Long-term outcomes of bariatric surgery in adolescents with severe obesity (FABS-5+): a prospective follow-up analysis. Lancet Diabetes Endocrinol 2017 [Epub ahead of print]

16. Inge T, Jenkins TM, Zeller M, et al. Baseline BMI is a strong predictor of nadir BMI after adolescent gastric bypass. J

Pediatr 2010;156:103-8.

17. Inge T, Krebs NF, Garcia VF, et al. Bariatric surgery for severely overweight adolescents: concerns and recommendations. Pediatrics 2004;114:217-23.

18. Inge T, Miyano G, Bean J, et al. Reversal of type 2 diabetes mellitus and improvement in cardiovascular risk factors after surgical weight loss in adolescents. Pediatrics 2009;123:214-22.

19. Inge T, Zeller MH, Lawson ML, et al. A critical appraisal of evidence supporting a bariatric surgical approach to weight management for adolescents. J Pediatr 2005;147:10-9.

20. Ippisch HM, Inge TH, Daniels SR, et al. Reversibility of cardiac abnormalities in morbidly obese adolescents. J Am Coll Cardiol 2008;51:1342-8.

21. Kalra M, Inge T, Garcia V, et al. Obstructive sleep apnea in extremely obese adolescents undergoing bariatric surgery. Obes Res 2005;13:1175-9.

22. Kimm SY, Obarzanek E. Childhood obesity: a new pandemic of the new millennium. Pediatrics 2002;110:1003-7.

23. Lawson ML, Kirk S, Mitchell T, et al. One year outcomes of Roux-en-Y gastric bypass for morbidly obese adolescents: a multicenter study from the Pediatric Bariatric Study Group. J Pediatr Surg 2006;41:137-43.

24. Lee CM, Cirangle PT, Jossart GH. Vertical gastrectomy for morbid obesity in 216 patients: report of two year results. Surg Endosc 2007;21:1810-6.

25. Marceau P, Marceau S, Biron S, et al. Long-term experience with duodenal switch in adolescents. Obes Surg 2010;12:1609-16.

26. Matteoni C, Younossi Z, Gramlich T, et al. Nonalcoholic fatty liver disease: a spectrum of clinical and pathological severity. Gastroenterology 1999;116:1413-9.

27. Michalsky M, Kramer RE, Fullmer MA, et al. Developing criteria for pediatric/adolescent bariatric surgery programs. Pediatrics 2011;128:S65-70.

28. Michalsky M, Reichard K, Inge T, et al. ASMBS pediatric best practice guidelines. Surg Obes Relat Dis 2012;8:1-7.

29. Nadler EP, Reddy S, Isenalumhe A, et al. Laparoscopic adjustable gastric banding for morbidly obese adolescents affects android fat loss, resolution of comorbidities, and improved metabolic status. J Am Coll Surg 2009;209:638-44.

30. Needham B, Crosnoe R. Overnight status and depressive symptoms during adolescence. J Adolesc Health 2005;36:48-55.

31. No authors listed. Obesity: preventing and managing the global epidemic. Report of a WHO consultation. World Health Organ Tech Rep Ser 2000;894:1-253.

32. Olbers T, Beamish AJ, Gronowitz E, et al. Laparoscopic Roux-en-Y gastric bypass in adolescents with severe obesity (AMOS): a prospective, 5-year, Swedish nationwide study. Lancet Diabetes Endocrinol 2017 [Epub ahead of print]

33. Papadia FS, Adami GF, Marinari GM, et al. Bariatric surgery in adolescents: a long-term follow-up study. Surg Obes Relat Dis 2007;3:465-8.

34. Park JY, Song D, Kim YJ. Clinical Experience of Weight Loss Surgery in Morbidly Obese Korean Adolescents. Yonsei Med J 2014;55:1366-72.

35. Park YS, Park DJ, Kim KH, et al. Single Incisional Laparoscopic Sleeve Gastrectomy and Adolescent Bariatric Surgery: Case Report and Brief Review. J Metab Bariatr Surg 2015;4:40-5.

36. Pratt JS, Lenders CM, Dionne EA, et al. Best practice updates for pediatric/adolescent weight loss surgery. Obesity 2009;17:901-10.

37. Rosenthal RJ. International sleeve gastrectomy expert panel consensus statement: best practice guidelines based on experience of> 12,000 cases. Surg Obes Relat Dis 2012; 8:8-19.

38. Ryden A, Torgerson JS. The Swedish obese subjects study-what has been accomplished to date? Surg Obes Relat Dis 2006;2:549-60.

39. Sanchez-Villegas A, Pimenta AM, Beunza JJ, et al. Childhood and young adult overweight/obesity and incidence of depression in the SUN Project. Obesity 2010;18:1443-8.

40. Silberhumer GR, Miller K, Kriwanek S, et al. Laparoscopic adjustable gastric banding in adolescents with extreme obesity: the Australian experience. Obes Surg 2006;16:1062-7.

41. Sugerman HJ, Sugeram EL, DeMaria EJ, et al. Bariatric surgery for severely obese adolescents. J Gastrointest Surg 2003;7:102-8.

42. Tcuker ON, Szomstein S, Rosenthal RJ. Indications for sleeve gastrectomy as a primary procedure for weight loss in the morbidly obese. J Gastrointest Surg 2008;12:662-7.

43. Till H, Bluher S, Hirsch W, et al. Efficacy of laparoscopic

sleeve gastrectomy (LGS) as a stand-alone technique for children with morbid obesity. Obes Surg 2008;18:1047-9.

44. Towbin A, Inge TH, Garcia V, et al. Beriberi after gastric bypass surgery in adolescents J Pediatr 2003;145:263-7.45. Treadwell JR, Sun F, Schoelles K. Systematic review and meta-analysis of bariatric surgery for pediatric obesity. Ann Surg 2008;248:763-76.

46. Tsai WS, Inge TH, Burd RS. Bariatric surgery in adolescents; recent national trends in use an in-hospital outcome. Arch Pediatr Adolesc Med 2007;161:217-21.

47. Varela JE, Hinojosa MW, Nguyen NT. Perioperative out-comes of bariatric surgery in adolescents compared with adults at academic medical centers. Surg obes Relat Dis 2007;3:537-40.

48. Xanthakos S, Miles L, Bucuvalas J, et al. Histologic spectrum of nonalcoholic fatty liver disease in morbidly obese adolescents. Clin Gastroenterol Hepatol 2006;4:226-32.

49. Yitzak A, Mizrahi S, Avinoach E. Laparoscopic gastric banding in adolescents. Obes Surg 2006;16:1318-22.

50. Zeller MH, Reitner-Purtill J, Ratcliff MB, et al. Two-year tends in psychosocial functioning after adolescent Roux-en-Y gastric bypass. Surg Obes Relat Dis 2011;7:727-32.

Chapter 02 | 비만의 약물치료

Medical treatment for obese patient

 서론

비만은 에너지 섭취와 소모 간의 불균형에서 시작되게 되는데, 여러 내과적 질환의 발생을 증가시키는 체지방의 과잉상태로 설명될 수 있다. 경제협력개발기구(Organization for Economic Cooperation and Development, OECD) 자료에 의하면, 우리나라를 포함하는 아시아 국가에서는 과거에는 비만의 비율이 낮은 편이었으나, 체질량지수 25 kg/m²를 기준으로 했을 때, 비만의 비율이 1995년 13.9%, 1998년 26%로 급격한 증가를 나타내었고, 2000년대 이후로는 지속적으로 30% 이상의 유병률을 나타내고 있다.[16, 21]

비만에 대한 기본적인 치료는 식사요법, 운동요법, 행동수정요법과 약물치료가 전통적으로 있으나, 약물요법은 기존의 치료에 보조적인 치료법으로 인식되어 왔다. 식사조절과 운동, 약물치료는 많은 병적비만 환자에서 일부 효과는 인정되지만, 장기간의 성적은 저조한 편이다.

비만대사수술은 수술 후 12-18개월 사이에 초기 체중의 20-35%의 감량을 가져오게 되는 비만의 확실한 치료 방법이라 할 수 있다. 한국에서의 비만대사수술은 서양에 비해 늦게 시작되었지만, 비만인구의 증가와 더불어 최근 증가하고 있으며, 국가조사에 의해 다기관에서 시행한 비만대사수술들을 보고하고 있다.[19]

비만에 대한 약물 요법에서, 체중 감량과 당뇨의 개선 등의 약물치료 후의 유용한 측면과 더불어, 부작용에 대한 고려도 동반되어야 한다. 수술적 치료와 더불어, 비만치료에 사용되는 약물의 종류와 작용 및 부작용을 미리 알고 있는 것은, 병적비만과 비만수술을 시행 받는 환자를 치료함에 있어 필수적인 항목이라 하겠다.[31]

❷ 약물치료의 원칙

1. 약물치료의 적응증

비만 치료는 일차적으로 식이요법, 운동요법과 생활 습관의 변화를 통해서 이루어져야 한다. 최근에는 이러한 기본적인 방법에도 비만이 개선되지 않아, 약물요법을 추가하여야 되는 경우가 많다. 이러한 약물치료의 적응증을 살펴보면, 미국국립보건원(NIH)의 자료는 체질량지수가 30 kg/m² 이상이나 체질량지수가 27 kg/m² 이상이면서 고혈압, 당뇨, 이상지혈증의 대사질환이나 수면무호흡증이 있을 때 약물치료를 권고하고 있다. 서양인에 비해 아시아인은 체구가 작고, 체질량지수가 서양인에 비해 낮게 되는데, 아시아-태평양 비만치료 지침은 체질량지수 25 kg/m² 이상인 경우 혹은 23kg/m² 이상이면서, 대사 합병증이 동반된 경우 약물치료를 추천하고 있다.

2. 약물치료의 원칙

대한비만학회에서 발간한 비만치료지침에 따르면 비만의 약물치료 원칙은 다음과 같다(표 2-1).

❸ 비만치료제

표 2-1 비만 약물치료의 원칙

(1) 비만으로 인한 심혈관 질환 및 건강상의 문제로 체중 감량이 필요한 경우에만 적용되어야 한다.
(2) 단기간의 약물치료는 매우 효과적이나 계속적인 효과를 얻기 위해서는 장기간의 약물치료가 필요하다.
(3) 비만 치료를 위해 식사 조절, 운동 등의 비 약물치료를 한 뒤 3-6개월 후에도 기존 체중의 10% 이상 감소되지 않으면 약물치료를 시작한다.
(4) 비만 약물치료는 장기적으로 안정성과 유효성이 확립된 것으로 시작한다.
(5) 비만 치료는 표준 체중을 목표로 하는 것이 아니라 기존 체중의 5-10% 정도만을 감소하여도 건강상의 이득이 있음을 환자에게 주지시켜야 한다.
(6) 약물치료는 비약물치료를 대신할 수 없으며 생활 습관 교정을 시행하면서 보조적으로 시행하여야 한다.
(7) 비만 치료에 사용되는 약물 중에는 적응증 이외의 투여가 매우 흔하며 이에 대한 충분한 지식과 철저한 모니터링이 필요하다.
(8) 비만 약물치료는 반드시 의학적 감시 하에서 이루어져야 한다.
(9) 비만에서의 약물치료는 약물치료의 이득과 비만의 위험성을 잘 고려하여 개개인의 건강 상태에 따라 신중하게 사용되어야 한다.
(10) 어떠한 약제를 사용하였든지 3개월 내에 5-10%의 체중 감량이 없거나 동반 질환의 개선 효과가 보이지 않으면 더 이상 같은 약제를 지속하여서는 안되고 약제 변경을 고려하여야 한다.
(11) 약물치료는 모든 환자에서 효과가 동등하게 나타나는 것이 아니며 약물치료 시작 4주 후에도 2 kg 이상 감소되지 않으면 약물 순응도를 확인하고 식사요법 및 운동요법의 재확인 및 교육, 약제의 용량 조절 등이 필요하다.
(12) 약물치료 시작 후 부작용에 대한 관찰은 지속적으로 이루어져야 한다.
(13) 여러 약제에 대한 병합 요법은 아직 연구가 충분히 이루어지지 않았으며 단일 요법과 비교 시 체중 감량 효과는 비슷하지만 부작용은 많이 발생하는 것으로 보고되고 있다.
(14) 비만 치료제는 비만을 완치하는 약이 아니며 체중에 대한 조절 및 관리의 개념으로 접근하여야 한다.
(15) 비만 치료제는 장기적인 사용이 필요하므로 약제의 작용, 용량 및 부작용에 대한 정확한 지식을 갖고 사용하는 것이 필요하다.

비만 치료에 사용되는 약물은 대부분 포만감을 유도하여 식욕을 낮추는 역할을 하거나, 지방의 흡수를 저하시키는 기능들을 통해서 체중감소를 유발하게 된다. 식욕을 낮추는 약물에는 노르에피네프린 혹은 세로토닌 수용체에 작용하여, 이러한 신경전달 물질의 농도를 증가시킴으로써 작용하게 된다. 특히, 허가 사항이 아닌 약제를

사용한다거나, 남용의 경우에는 심각한 부작용을 초래할 수 있기 때문에 약물에 대한 정확한 지식이 요구된다.

1. 올리스타트(Orlistat, Xenical®)

1) 약리작용

올리스타트는 위장관 및 췌장에서 지방질을 분해하는 효소인 리파제를 억제하여 음식에 포함되어 있는 지방의 분해와 흡수를 떨어뜨리는 약물로 미국 식품의약품안전청(Food and Drug Administration, FDA)에서 1998년 사용이 허가되어 현재까지 사용 중인 약물이다.[28] 이 약물은 Tetrahydrolipstatin이라는 이름으로 처음 개발되었으며 가수분해를 촉매하는 기능을 가진 lipoprotein 리파제(LPL)를 억제하여 LPL의 하나인 췌장효소인 리파제와 공유결합을 하여 그 기능을 억제하고, 경구로 섭취한 지방의 흡수를 저해하여 체중감소 효과를 나타낸다.[20, 37] 이 약물은 중성지방의 흡수를 30% 정도까지 억제하며, 용량-의존적 효과가 있어, 최대 효과가 일일 50 g까지 지방을 배설하게 된다. 주로 120 mg 하루 3번 투여하는 것이 일반적이며, 용량을 반으로 줄인 약도 출시되고 있다. 대부분의 약물이 대사과정을 거치지 않고 대변으로 배출되며, 전신적인 약리 작용은 거의 없으며, 극히 일부가 체내로 흡수되어 소변으로 배출되는 약물이다.[37] 체중감소효과와 함께 수축기 및 이완기 혈압을 낮추고, 총 콜레스테롤과 저밀도 지단백을 낮추며 혈당을 개선시키는 등의 심혈관계 위험인자 개선 효과도 있는 것으로 알려져 있다.[5] 기름변, 기름이 새어 나오는 방귀, 변실금, 대변 횟수의 증가, 복통 등 불편한 소화기계 증상 등이 부작용으로 나타날 수 있으며, 대부분 경증이며 치료 초기에 나타나서 지속적으로 복용하는 과정에서 저절로 사라지는 경우가 많으며, 반복적으로 나타나는 부작용은 비교적 적다. 또한 지방에 용해되는 지용성 비타민인 비타민 A, D, E, K의 결핍이 생길 수 있어 약물 복용 2시간 전 또는 후로 비타민을 보충해줄 것을 권장한다.[4, 22]

2) 임상시험

올리스타트에 대한 임상연구로는 장기간의 임상연구인 XENDOS (Xenical in the prevention of diabetes in obese subjects)에서 3,305명의 스웨덴 비만환자에서 이중맹검 무작위시험에서 위약을 투여한 군에 비해 Orlistat를 복용한 군에서 평균 몸무게 2.7 kg의 감소효과와, 제2형 당뇨병의 유병률을 9.0%에서 6.2%로 줄이는 결과를 얻었다. Orlistat의 체중감소 효과에 대한 메타분석에서는 약물투여로 2.9%의 체중감소 효과를 보인다고 하였다.[27, 32]

3) 부작용

Orlistat는 체내에 흡수되는 양이 적고, 대변으로 대부분 배설되기 때문에 체내의 부작용 발생이 많지 않을 것으로 예상되지만, 위약 대조군 연구 결과를 보았을 때에는 부작용 때문에 중도 탈락한 증례가 위약을 투여한 군에 비해 유의하게 많았다 (7.7% vs. 4.7%).[17] Orlistat는 비타민 K의 흡수를 방해하고, 와파린 작용을 항진시킬 수 있고, 지질친화성이 있는 amiodarone의 흡수를 감소시키는 작용을 할 수도 있다.[38] 드물게 나타날 수 있는 부작용으로는 급성 췌장염, 급성 수산염(oxalate) 신증(nephropathy)에 의한 이차성 세뇨관 괴사가 발생할 수도 있다.[1, 38] 또 다른 부작용으로 유방암 발생과 간손상이 있다. 임상시험에서 11증례의 유방암이 보고되기도 했으나, 유방암이 약제투여 전에 발생한 것으로 여겨져서, 올리스타트와 유방암 발생의 직접적인 연관성은 없는 것으로 생각되고 있다. 간손상 또한 올리스타트와 직접적인 연관은 찾기 어려운 상황이다.

2. 로카세린(Lorcaserin, Belviq®)

1) 약리작용

2012년 미국 식품의약품안전청에서 새로운 비만치료제로 승인된 Lorcaserin은 세로토닌 수용체 중 5-HT2c 수용체에 대한 선택적 작용제로서 시상하부에서 POMC (proopiomelanocortin)의 활성을 일으켜 포만 중추를 자극함으로써 체중을 감량시키는 효과를 내는 식욕억제제이다.[14]

2) 임상시험

로카세린의 체중 감량 효과를 연구한 이중맹검 전향적 임상연구 중에서 BLOOM (Behavioral modification and Lorcaserin for Overweight and Obesity Management) trial이 있는데, 3,182명의 비만환자나 동반질환이 있는 과체중 환자를 대상으로, 52주 동안 10 mg을 하루 2회 투여한 군과 위약을 투여한 군을 비교해 보았을 때, 약물투여한 군에서 유의한 체중 감량 효과를 나타내었다(5.8 kg vs. 2.2 kg, p < 0.001). 제2형 당뇨병을 가진 비만환자 604명을 대상으로 한 위약대조군 연구인 BLOOM-DM 연구에서는 로카세린 10 mg 1일 2회 복용한 군에서 5% 이상의 체중감소를 나타낸 비율은 37.5%이고, 위약군에서는 16.1%로 로카세린 투여군에서 유의하게 좋은 결과를 얻었다.

3) 부작용

로카세린은 심장 판막증의 발생 위험이 높다는 연구결과가 있으므로 투여 시 환자의 심혈관 및 호흡기계 증상과 징후에 대해서 주의 깊게 살펴야 한다. 3개월 정도의 짧은 기간동안 복용하였을 경우에는 용량과 비례하여 체중감소 효과가 나타나면서 심장판막질환의 위험성이 나타나지 않는다는 견해가 일반적이다.[29]

　　로카세린의 다른 부작용으로는 두통, 상기도감염, 어지럼증, 오심, 변비, 피로, 저혈당 등이 있으며, 이는 교감신경 표현성 식욕 억제제들과 대동소이하다. 증상은 경증이며, 약제를 중단하지 않아도 시간이 지나면 줄어든다. 당뇨병 환자를 대상으로 한 연구에서 로카세린 투여 시 저혈당이 발생할 수 있지만 심각한 수준은 아니며, 특히 sulfonylurea를 복용하는 환자에서 저혈당이 자주 발생하며, 약제 자체의 효과라기보다는 식욕억제에 따른 섭취량 감소로 생각하고 있다. 로카세린은 우리나라에

서 향정신성 의약품으로 간주되며, 의존성이나 남용의 가능성이 있을 수 있다고 간주해야 하며, 약물의 관리와 규제가 필요한 약물이다.

3. 큐시미아(펜터민-토피라메이트 복합체, Qsymia®)

1) 약리작용

펜터민은 1959년에 미국식품의약품 안전청에서 비만치료제로서 단기간 사용할 수 있게 허가된 약제로, 시상하부에서 세로토닌에는 영향을 미치지 않으면서 노프에피네프린의 분비를 촉진하는 작용을 하는 아드레날린성 식욕억제제이다. 토피라메이트는 1996년에 간질 치료제로, 2004년에 편두통 예방약으로 사용이 허가되었다. 토피라메이트는 그 자체로 체중 감량의 효과는 있지만 아직 정확한 기전은 알려지지 않았는데, 체내의 에너지 요구량을 증가시키면서 에너지 효율성을 감소시키고, 칼로리 흡수를 감소시며, 포만감 증가, 미각이상, 열량섭취를 감소시키게 되어 체중감소 효과를 나타내는 것으로 생각되고 있다. 큐시미아는 이런 두 약제의 기전상의 상승작용을 기대하고 부작용을 감소시켜 복용순응도를 높이는 목적으로 개발된 약제이며, 2012년에 비만치료제로 승인된 약제이다.

2) 임상시험

이 약에 대한 3상 연구인 CONQUER trial에서는 체질량지수 27-45 kg/m² 정도의 비만이 있고 고혈압, 지질이상, 당뇨나 복부비만 중 2개 이상을 가진 환자를 대상으로 하였다. 펜터민 7.5/토피라메이트 46.0을 투여한 저용량 투여군에서 6.8%의 체중 감량을 나타내었고, 펜터민 15.0/ 토피라메이트 92.0을 투여한 고용량 투여군에서는 8.8%의 체중 감량을 나타내었으나, 위약 투여군에서는 1.9%의 체중 감량만을 보였다.[9] 108주간 진행된 SEQUEL trial에서는 약물투여군에서 장기간 체중 감량 효과가 위약투여군과 비교할 때 유의하게 유지되었다.[11]

3) 부작용

이 약의 단점은 체중감소 효과를 충분히 가져올 만큼의 용량을 투여할 경우 이상 감각 등의 신경학적인 부작용이 나타날 수 있다는 것이다. 그 이외에 오심, 어지럼증, 변비, 입마름, 손발의 이상감각, 변비, 어지러움, 불면증 등이 있다. 또한 임산부의 경우 구순열 등의 기형이 발생할 수 있어 임산부의 경우 복용을 삼가해야 하며 가임기 여성의 경우 복용 시 임신을 피하는 것이 좋겠으며, 복용 기간 동안 피임하는 것이 좋다. 큐시미아는 심박수를 증가시킬 수 있으며 심장발작이나 뇌졸중의 위험이 높은 환자에게는 약제의 반응이 알려지지 않아, 최근 심장병이나 뇌졸중의 경력이 있는 환자는 피하는 것이 좋으며, 이 약을 복용하는 환자는 심박수 체크가 필요하다[6].

4) 사용기간

로카세린이나 큐시미아는 최근에 사용이 허가된 약제인데, 로카세린은 12주 사용 후에도 5% 이상의 체중감소가 없으면 사용을 중단하는 것이 좋고, 큐시미아는 12주 사용 후에 최소 3%의 체중감소가 없으면 사용을 중단하거나 용량을 증가시킬 수 있다. 용량 증가 후 12주 동안 5% 이상의 체중감소가 없다면 이 역시 약물을 중단하는 것이 좋다.

4. 리라글루티드(Liraglutide)

1) 약리작용

리라글루티드는 인크레틴의 한 종류인 glucagon-like peptide-1 (GLP-1)의 유사체로, 체내의 GLP-1과는 달리 지속시간이 길어서 하루 한번 3.0 mg을 피하 투여로 사용한다. 2014년에 미국식품의약품 안전청에서 사용이 허가된 약물이다. 리라글루티드는 처음에는 제 2형 당뇨병 환자에서, 하루 1.2-1.8 mg 투여하여 당화혈색소를 낮추는 결과를 보여 당뇨 치료제로 개발되었다. 리라글루티드는 용량과 비례하여, 체중감소효과를 나타내게 되는

데, 중추신경계와 소화기계에 걸쳐 광범위하게 작용하게 된다. 에너지 요구량을 증가시키기 보다는 포만감을 유도하고 에너지 섭취량을 감소시키고, 위배출 시간을 지연시킴으로써 체중감소 효과를 나타내는 약물이다.[18, 33]

2) 임상시험

Pi-Sunyer 등이 보고한 56주간의 이중맹검시험에서 리라글루티드 복용군은 8.4 kg, 위약군에서는 2.8 kg의 체중감소를 나타내었다.[25]

3) 부작용

이 약물의 부작용으로는 오심, 구토, 설사, 변비가 나타날 수 있으며, 담낭 질환도 발생할 수 있다.[25]

5. 날트렉손/부프로피온(콘트라브), Naltrexone/bupropion (Contrave®)

1) 약리작용

부프로피온은 도파민과 노르에피네프린의 재흡수를 억제하는 항우울제로써 식욕억제 효과를 나타낸다. 여기에 opioid 길항제인 날트렉손을 함께 사용하면 부프로피온의 식욕억제 효과를 강화시킬 수 있는데, 이를 이용하여 개발된 병합 요법이다.[4] 날트렉손/부프로피온의 병합요법은 식욕을 억제하게 하는 효과가 있는 melanocyte 자극호르몬을 proopiomelanocortin (POMC)에서 신경 자극을 증가시킴으로써 체중감소 효과를 나타내는 것으로 알려져 있다. 또한 이 병합요법은 음식섭취와 같은 행동들을 조절하는 도파민 중변연계(mesolimbic dopaminergic reward system)에 영향을 주어 효과를 나타내게 된다.[23]

2) 임상시험

콘트라브를 비만인 환자에게 사용한 3상 임상연구를 보면, COR-I[13]과 COR-II[3] 연구가 있다. 평균 체중의 변화가

NB 투약군에서는 -6.1%와 -6.4%였고, 위약 투여군에서는 -1.3%와 -1.2%로 유의하게 NB 투여군에서 체중감소 효과를 많이 나타내었다. 또 다른 연구인 COR-BMOD 연구에서는 체중감소가 NB -9.3%, 위약군 -5.1%로 역시 이 병합요법이 효과적인 체중감소를 가져온다고 하였다.[34]

3) 부작용

흔히 나타나는 부작용으로는 구역, 변비, 어지러움, 입마름, 떨림, 복통, 이명이다.[36]

6. 과거에 사용되었던 비만치료 약물

펜플루라민(fenfluramine)과 덱스펜플루라민(dexfenflu-ramine)은 세로토닌 농도와 에너지 대사증가 작용으로 식욕은 감소시키며 체중감소 효과를 보여 미국식품의약품안전청의 승인을 받았으나 심장판막의 부작용이 보고되면서 1997년 시판 금지되었다. 에페드린(ephedrine), 페닐프로파놀라민(phenylpropanolamine)도 시판되었으나 심혈관 질환의 위험성이 높아 2002년과 2004년 판매 금지되었다. 리모나반트(rimonabant)는 식욕을 억제하여 체중을 감소시키는 약제로 2006년 6월 유럽에서만 (미국에서는 허가 받지 못함) 사용을 허가받아 사용하였으나 우울증, 자살 등의 정신과적 부작용으로 2009년 시장에서 퇴출되었다. 시부트라민(sibutramine)은 노르에피네프린(norepinephrine)과 세로토닌의 재흡수 억제제로 미국식품의약품안전청에서 1997년부터 사용을 허가하여 사용되었고 유럽과 우리나라 역시 사용이 허가되었다. 그러나 심혈관 질환의 고위험 환자에서 장기간 사용한 연구 결과 심근경색과 뇌졸중의 위험이 증가하는 것으로 나타나 2010년 시장에서 철수하였다.

❹ 비만수술 전 체중조절

미국비만대사외과학회(the American Society of Meta-bolic and Bariatric Surgery, ASMBS)와 미국외과학회(the American College of Surgeons)에서는 비만의 치료와 수술의 질향상을 위해 2012년 임상가이드라인을 발표하고, 수술과 관련된 내용들을 2014년에 업데이트 한 이후에 2016년에도 새로이 업데이트를 하였다. 이러한 임상 가이드라인의 많은 내용들은 비만치료를 체계화하고 유기적인 내과적 외과적 치료를 실제로 이행하는데 그 중요성을 두고 있다. 가이드라인은 다학제 진료를 강조하고 있는데, 의사, 간호사, 영양사 등만이 아니라 각각의 파트 구성원들의 유기적인 팀웍을 강조하고 있다. 그 중에서도, 수술 전/후 관리도 중요하다. 수술 전 환자의 체중관리(Medical weight management, MWM)가 중요한데, 수술 후 합병증 발생률을 줄이기 위한 목적과 함께 수술 후 체중감소의 극대화를 가져오기 위함이다. 수술 전 환자의 체중관리는 이상적으로는 수술 전부터 치료에 참여하게 됨으로써 식이 및 생활 습관의 변화를 가져와서 수술 후 결과를 좋게 하는 것이다. 최근의 대표적인 수술 전 체중 감량에 대한 연구는 Scandinavian Obesity Registry에서 시행한 20,564명에 대한 대규모 연구이다. Gerber 등은 수술 후 1년째 체중을 살펴보았을 때, 수술 전 체중 감량을 한 환자는 체질량지수 45.7 kg/m² 이상인 환자에서 체중감소가 유의하게 많다고 발표하였다(OR 2.39, p<0.001).[12] 반면에, Horwitz 등은 수술 전 체중관리는 수술 1-2년 후의 체중감소와 특별한 연관성은 없는 것으로 보고하였다.[15] 일반적으로 수술 전의 체중 감량이 수술 후 합병증 감소와 체중 감량의 극대화를 가져온다고 알려져 있지만, 그에 반대적인 결과도 있기 때문에 그 효과를 단정짓기는 어렵다. 하지만 수술 전부터 식이습관이나 비만을 조절하는 생활습관을 몸에 연습하는 것은 장기적으로 보았을 때는 긍정적인 면이 많다고 하겠다.

➎ 맺음말

비만 인구가 급격하게 증가하는 시점에서, 합병증과 여러 대사질환을 막기 위해서는 비만대사수술이 필수적이다. 비만의 약물치료는 식사, 운동 및 행동수정 요법이 필수적이며, 대사 합병증이 있는 경우에 시도될 수 있다. 비만치료 약물은 대부분 모두 내약성과 안전성이 뛰어난 약제로 이들에 대한 흔한 부작용들이 잘 알려져 있기 때문에 적절한 용량 조절을 통해 예방하거나 대처할 수 있다. 비만수술 전후에 적절한 약물요법을 시행하는 것은 수술 후 치료 결과를 더욱 더 크게 할 수 있겠다.

참고문헌

1. Ahmad FA, Mahmud S. Acute pancreatitis following orlistat therapy: report of two cases. JOP 2010; 11: 61-3.

2. Allison DB, Gadde KM, Garvey WT et al. Controlled-release phentermine/topiramate in severely obese adults: a randomized controlled trial (EQUIP). Obesity (Silver Spring) 2012; 20: 330-42.

3. Apovian CM, Aronne L, Rubino D et al. A randomized, phase 3 trial of naltrexone SR/bupropion SR on weight and obesity-related risk factors (COR-II). Obesity (Silver Spring) 2013; 21: 935-43.

4. Bray GA, Greenway FL. Pharmacological treatment of the overweight patient. Pharmacol Rev 2007; 59: 151-84.

5. Broom I, Wilding J, Stott P et al. Randomised trial of the effect of orlistat on body weight and cardiovascular disease risk profile in obese patients: UK Multimorbidity Study. Int J Clin Pract 2002; 56: 494-99.

6. Colman E, Golden J, Roberts M et al. The FDA's assessment of two drugs for chronic weight management. N Engl J Med 2012; 367: 1577-9.

7. Connolly HM, Crary JL, McGoon MD et al. Valvular heart disease associated with fenfluramine-phentermine. N Engl J Med 1997; 337: 581-8.

8. Fidler MC, Sanchez M, Raether B et al. A one-year randomized trial of lorcaserin for weight loss in obese and overweight adults: the BLOSSOM trial. J Clin Endocrinol Metab 2011; 96: 3067-77.

9. Gadde KM, Allison DB, Ryan DH et al. Effects of low-dose, controlled-release, phentermine plus topiramate combination on weight and associated comorbidities in overweight and obese adults (CONQUER): a randomised, placebo-controlled, phase 3 trial. Lancet 2011; 377: 1341-52.

10. Garber A, Henry R, Ratner R et al. Liraglutide versus glimepiride monotherapy for type 2 diabetes (LEAD-3 Mono): a randomised, 52-week, phase III, double-blind, parallel-treatment trial. Lancet 2009; 373: 473-81.

11. Garvey WT, Ryan DH, Look M et al. Two-year sustained weight loss and metabolic benefits with controlled-release phentermine/topiramate in obese and overweight adults (SEQUEL): a randomized, placebo-controlled, phase 3 extension study. Am J Clin Nutr 2012; 95: 297-308.

12. Gerber P, Anderin C, Gustafsson UO et al. Weight loss before gastric bypass and postoperative weight change: data from the Scandinavian Obesity Registry (SOReg). Surg Obes Relat Dis 2016; 12: 556-62.

13. Greenway FL, Fujioka K, Plodkowski RA et al. Effect of naltrexone plus bupropion on weight loss in overweight and obese adults (COR-I): a multicentre, randomised, double-blind, placebo-controlled, phase 3 trial. Lancet 2010; 376: 595-605.

14. Halford JC, Harrold JA, Boyland EJ et al. Serotonergic drugs : effects on appetite expression and use for the treatment of obesity. Drugs 2007; 67: 27-55.

15. Horwitz D, Saunders JK, Ude-Welcome A et al. Insurance-mandated medical weight management before bariatric surgery. Surg Obes Relat Dis 2016; 12: 496-99.

16. Jang SI, Nam JM, Choi J et al. Disease management index of potential years of life lost as a tool for setting priorities in national disease control using OECD health data. Health Policy 2014; 115: 92-9.

17. Johansson K, Neovius K, DeSantis SM et al. Discontinuation due to adverse events in randomized trials of orlistat, sibutramine and rimonabant: a meta-analysis. Obes Rev

2009; 10: 564-75.

18. Karamadoukis L, Shivashankar GH, Ludeman L et al. An unusual complication of treatment with orlistat. Clin Nephrol 2009; 71: 430-2.

19. Lee HJ, Ahn HS, Choi YB et al. Nationwide Survey on Bariatric and Metabolic Surgery in Korea: 2003-2013 Results. Obes Surg 2016; 26: 691-5.

20. Lookene A, Skottova N, Olivecrona G et al. Interactions of lipoprotein lipase with the active-site inhibitor tetrahydrolipstatin (Orlistat). Eur J Biochem 1994; 222: 395-403.

21. Mechanick JI, Youdim A, Jones DB et al. Clinical practice guidelines for the perioperative nutritional, metabolic, and nonsurgical support of the bariatric surgery patient--2013 update: cosponsored by American Association of Clinical Endocrinologists, the Obesity Society, and American Society for Metabolic & Bariatric Surgery. Surg Obes Relat Dis 2013; 9: 159-91.

22. Melia AT, Koss-Twardy SG, Zhi J et al. The effect of orlistat, an inhibitor of dietary fat absorption, on the absorption of vitamins A and E in healthy volunteers. J Clin Pharmacol 1996; 36: 647-53.

23. Morton GJ, Cummings DE, Baskin DG et al. Central nervous system control of food intake and body weight. Nature 2006; 443: 289-95.

24. Ornellas T, Chavez B. Naltrexone SR/Bupropion SR (Contrave): A New Approach to Weight Loss in Obese Adults. P T 2011; 36: 255-62.

25. Pi-Sunyer X, Astrup A, Fujioka K et al. A Randomized, Controlled Trial of 3.0 mg of Liraglutide in Weight Management. N Engl J Med 2015; 373: 11-22.

26. Rothman RB, Baumann MH. Appetite suppressants, cardiac valve disease and combination pharmacotherapy. Am J Ther 2009; 16: 354-64.

27. Rucker D, Padwal R, Li SK et al. Long term pharmacotherapy for obesity and overweight: updated meta-analysis. BMJ 2007; 335: 1194-9.

28. Skottova N, Savonen R, Lookene A et al. Lipoprotein lipase enhances removal of chylomicrons and chylomicron rem-

nants by the perfused rat liver. J Lipid Res 1995; 36: 1334-44.

29. Smith SR, Prosser WA, Donahue DJ et al. Lorcaserin (APD356), a selective 5-HT(2C) agonist, reduces body weight in obese men and women. Obesity (Silver Spring) 2009; 17: 494-503.

30. Smith SR, Weissman NJ, Anderson CM et al. Multicenter, placebo-controlled trial of lorcaserin for weight management. N Engl J Med 2010; 363: 245-56.

31. Tewksbury C, Williams NN, Dumon KR et al. Preoperative Medical Weight Management in Bariatric Surgery: a Review and Reconsideration. Obes Surg 2016.

32. Torgerson JS, Hauptman J, Boldrin MN et al. XENical in the prevention of diabetes in obese subjects (XENDOS) study: a randomized study of orlistat as an adjunct to lifestyle changes for the prevention of type 2 diabetes in obese patients. Diabetes Care 2004; 27: 155-61.

33. van Can J, Sloth B, Jensen CB et al. Effects of the once-daily GLP-1 analog liraglutide on gastric emptying, glycemic parameters, appetite and energy metabolism in obese, nondiabetic adults. Int J Obes (Lond) 2014; 38: 784-93.

34. Wadden TA, Foreyt JP, Foster GD et al. Weight loss with naltrexone SR/bupropion SR combination therapy as an adjunct to behavior modification: the COR-BMOD trial. Obesity (Silver Spring) 2011; 19: 110-20.

35. Wadden TA, Hollander P, Klein S et al. Weight maintenance and additional weight loss with liraglutide after low-calorie-diet-induced weight loss: The SCALE Maintenance randomized study. Int J Obes (Lond) 2015; 39: 187.

36. Yanovski SZ, Yanovski JA. Naltrexone extended-release plus bupropion extended-release for treatment of obesity. JAMA 2015; 313: 1213-4.

37. Zhi J, Melia AT, Eggers H et al. Review of limited systemic absorption of orlistat, a lipase inhibitor, in healthy human volunteers. J Clin Pharmacol 1995; 35: 1103-8.

38. Zhi J, Moore R, Kanitra L et al. Effects of orlistat, a lipase inhibitor, on the pharmacokinetics of three highly lipophilic drugs (amiodarone, fluoxetine, and simvastatin) in healthy volunteers. J Clin Pharmacol 2003; 43: 428-35.

Chapter 03 | 내시경적 비만치료

Endoscopic therapy for bariatric patient

 서론

1. 내시경적 비만 치료의 의의

루와이위우회술과 위소매절제술 등 비만수술은 비수술적 치료에 비해 월등한 효과가 있음이 입증되었음에도 불구하고 아직 여러 가지 요인들로 인해 수술의 적응증이 되는 병적비만 환자들이 수술의 혜택을 입지 못하고 있다. 미국의 경우에는 1% 미만의 병적비만 환자만이 수술적 치료를 받는 것으로 알려져 있고,[6] 이는 수술 비용, 환자의 선호, 수술적 치료에의 접근성, 수술과 관련된 합병증 등 다양한 원인 때문인 것으로 이해되고 있다.

비만수술의 종류에 따라 차이가 있지만 대체적으로 볼 때 비만수술 후 사망률은 0.3% 정도, 합병증은 10-17%, 실패율은 10-20%, 체중 재증가는 20-30%, 재수술률을 7% 정도로 보고되고 있다.[3,11] 다른 수술과 비교할 때 비교적 안전한 수술이라고 할 수도 있으나 이러한 침습성과 합병증의 가능성은 많은 병적비만 환자가 수술적 치료를 선뜻 결정하기 어려운 요소이기도 하다.

내시경적 비만 치료는 현재까지는 아직 실험적인 단계인 것들도 많고 그 효과가 수술적인 치료에 필적할 만하다고 기대되어지지는 않는다. 하지만 수술에 비교하여 낮은 침습성과 복원가능성(reversibility), 반복성, 비용-효과적 이득 등 가능한 장점들을 가지고 있어서 효과가 수술적 치료에 미치지 못하더라도 차선의 방법으로서 고려되고 있다.[2]

2. 내시경적 비만 치료의 평가

내시경적 치료는 수술보다 합병증이 낮은 장점을 가지고 있다는 점에서 장점이 있기에 치료 효과를 수술에 적용되는 기준보다 완화된 기준으로 평가할 수 있겠다는 합의가 있다. 따라서 내시경적 치료가 효과적이라고 평가될 수 있는 기준을 미국내시경학회(American Society for Gastrointestinal Endoscopy, ASGE)와 미국비만대사외과학회(American Society for Metabolic and Bariatric Surgery)에서는 2011년에 다음과 같이 발표하였다.

"내시경이 일차 치료로서의 유효성을 보이기 위해서

는 시술 후 12개월에 25% 이상의 초과체중감소(excess weight loss, EWL)를 보이며 대조군에 비해 평균 초과체중감소율이 15% 이상의 차이가 있어야 한다. 또한 시술과 연관된 심각한 합병증의 발생률이 5% 이하여야 한다."[24,41]

3. 내시경 치료의 적응증과 술 전 검사

내시경적 치료는 일차적 치료 목적으로도 시도되고 있으며, 신체질량지수가 비교적 낮은 환자에서 조기 중재의 방법, 수술로 이행하는 가교적인 치료(bridge therapy)로도 고려되고 있고, 대사질환의 치료 효과도 연구되고 있는 등 다양한 목적으로 시도되고 있다.[53]

수술적 치료에 비해 낮은 침습성이나 합병증을 고려할 때, 수술에의 적응증을 동일하게 적용해야 하는지, 혹은 어떤 술전 검사가 필수적인지의 여부 등도 아직 정립되지 않은 상태이다.[50] 하지만 적어도 이전 체중 감량 시도를 포함한 임상 이력, 신체 검사, 비만과 관련된 합병질환의 동반 여부, 생활습관 조정에의 의지 등을 확인해야 한다. 또한 식이력, 식사 패턴을 확인해야 하며 시술 후 식이에 대한 교육을 시행해야 한다. 혈액검사는 일반혈액검사(CBC), 공복시 혈당 및 지질 검사, 간기능, 콩팥기능, 소변 검사, 응고 검사(프로트롬빈 시간)을 시행하고, 25-히드록시 비타민-D, 철분 판넬, 비타민 B12, 엽산을 포함한 영양 관련 혈액 검사가 권고된다.[38]

일차 치료 뿐만이 아니라 내시경적 치료는 수술로 이행되는 중간 과정에 가교적으로 사용되기도 한다. 수술 전 체중감소는 수술 중과 수술 후 합병증을 낮추고 수술 후 체중감소 유지의 예측을 할 수 있는 지표로 제시되기도 하였다.[4,33] 또한 수술 전 체중감소는 내장 지방과 대망, 복벽, 간의 크기도 줄여서 수술의 난이도와 시간을 감소시키는 것으로 보고되었기에, 수술 전 내시경적 위내 풍선 등으로 일시적으로 체중을 줄인다면 수술의 성적을 향상시킬 수 있으리라는 기대가 있다.

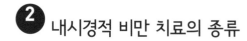

② 내시경적 비만 치료의 종류

1. 위내 풍선(intragastric balloon)

위에 풍선을 삽입하는 방법은 위의 용량을 차지하는 제한적인 효과뿐 아니라 위를 확장시켜 신경내분비적인 변화를 야기하고, 위운동에도 영향을 미치는 것으로 알려졌다.[16] 위내 풍선은 대부분 가교적(bridging) 용도로 6-12개월 정도 거치하고 제거하는 것이 추천되나, 풍선이 있는 동안 변하게 된 식이습관이나 생활습관으로 인해 풍선이 제거된 이후로도 체중감소가 지속될 수도 있다는 기대가 있으며 제한되지만 장기적인 체중감소의 효과들도 보고되었다.

일반적으로 이전에 위수술을 받았거나 큰 횡격막 탈장이 있거나 출혈성 성향, 간경변, 임신 등에서는 사용이 제한되며, 시술 후에는 위-식도 역류 및 위궤양을 예방하기 위해 양성자펌프억제제를 사용하도록 권고된다.[30]

1) Orbera 위내 풍선

(1) 시술방법

Orbera 위내풍선(Orbera Intragastric Balloon) (Apollo Endosurgery, USA)은 1980-90년대 등장하였던 위내 풍선의 문제점을 개선하여 개발되었으며, 2015년에 미국식품의약국 승인을 받았다. 미국 식품의약국에서 승인한 적응증은 신체질량지수 30-40 kg/m²의 성인이다.

Orbera 풍선은 탄성을 가진 실리콘 구의 형태로, 400-700 mL의 식염수를 넣도록 디자인되었다(그림 3-1). 삽입 전에 내시경으로 궤양이나 큰 열공 탈장, 미만성 식도염, 기타 위의 심각한 병변 등의 금기증을 확인한 후, 외경이 6.5 mm인 실리콘 카테터 끝에 연결되어 있는 풍선을 입을 통해 내시경 도움 없이 위에 삽입하고 이후 내시경을 카테터 옆을 따라 넣어 풍선이 위저부에 위치한 것을 확

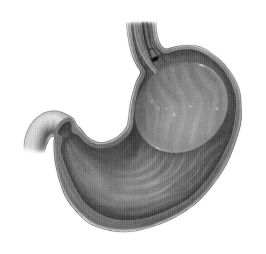

그림 3-1 Orbera 위내 풍선

인한다. 내시경 직시하에서 풍선은 카테터 반대편에 있는 주입구를 통해 메틸렌블루를 섞은 생리식염수를 주입하여 부풀리고, 이후 카테터는 제거된다. 메틸렌블루는 풍선이 터지는 경우 전신적으로 흡수되어 소변이 파랗게 나오게 되므로 풍선이 터진 것을 알게 하는 신호의 역할을 한다. 미국 식품의약국에서는 6개월 후 제거하도록 하고 있고, 이후로도 삽입일 기준 12개월까지는 통합적인 체중 관리 프로그램을 지속할 것을 요구한다.

제거할 때에는 전날 부드러운 음식에서 액상 식이로 진행하고, 제거 12시간 전부터는 금식이 요구된다. 제거할 때에는 전신마취하에 내시경을 삽입하고, 풍선을 찌르는 바늘을 내시경의 채널을 통해 삽입하여 식염수를 빼내며, 내시경 겸자(grasper)를 사용하여 물이 빠진 풍선을 잡아 꺼낸다.

(2) 효과

① 일차적 치료로서의 효과

Orbera 풍선 거치한 결과들을 종합하면 6개월 후 총체중감소율의 중앙값은 12% (9.3~21%), 초과체중감소율은 32.1%, 신체질량지수의 감소는 5.7 kg/m² 정도이다.[18] 6개월째 풍선이 제거된 이후 추가 6개월 간 추적관찰을 한

연구들은 거치 후 12개월째의 초과체중감소율을 약 25.4% (11-51%)로 보고하였다.[26]

최근 완료된 미국 식약처 승인을 위한 연구(pivotal trial)는 215명을 대상으로 시행되었다. 풍선 제거 시점에서 평균 총 체중감소율은 풍선군에서 약 10%였으며 대조군에서는 4%였다. 초과체중감소율은 각각 40%와 13%였다. 제거 3개월 후 평균 EWL은 26.5% 정도였으며, 풍선군에서 약 45% 정도의 환자에서 대조군 환자의 비해 15% 이상의 초과체중감소 효과가 나타났다.[13]

Kotzampassi 등은 풍선 제거 후에도 장기적인 체중감소의 효과를 보고했다. 신체질량지수 평균 43.7 kg/m²인 500명의 환자에서 위내 풍선 시술이 시행되어 6개월째 제거되었으며, 시술 시점을 기준으로 5년 후에 41%의 환자들을 추적 관찰할 수 있었는데 이들은 7.3 ± 5.4 kg의 체중감소와 2.5 kg/m²의 신체질량지수 감소를 유지했다. 20% 이상의 초과체중감소율을 유지한 환자는 풍선 제거 시점, 시술 후 12, 24, 60개월에 각각 83%, 53%, 27%, 23%였으며, 처음 3개월간 총 체중감소의 80%를 보인 사람이 제거 후에도 장기간 효과가 있었다고 보고했다.[29]

② 대사증후군에 대한 효과

Crea 등의 연구에서는 평균 신체질량지수 36.2 kg/m² 인 143명의 병적비만 환자에서 대사 증후군이 풍선 거치 전 34.8%에서 풍선제거시기인 6개월 째 14.5%로, 거치 18개월 째에는 11.6%로 감소했다.[12] Mui 등도 119명의 환자에서 풍선 거치 6개월 후 대사 증후군이 42.9%에서 15.1%로 감소했다고 발표하였으며, 금식혈당, 콜레스테롤, 트리글리세라이드, C반응단백질, 혈압, 당화혈색소 등의 호전이 관찰되었다.[39] Genco 등이 발표한 다기관 유럽 연구에서는 평균 신체질량지수 28.6 ± 0.4 kg/m² 인 261명의 환자에서 초과체중감소율은 거치 6개월 째에 55.6%, 3년 후에 29.1%였고, 3년 후 시점에 시술 전에 비해 고혈압은 29%에서 16%로, 당뇨는 15%에서 10%로, 고지혈증은 32%에서 21%로 감소되었다.[22] Forlano 등은 130명의 환자에서 고혈당, 인슐린 저항성, 트리글리세라이드혈증,

간 steatosis의 호전을 보고했다.[19]

Busetto 등은 17명의 풍선 거치술을 받은 비만환자에서 6개월 후 평균 목둘레가 51.1 cm에서 47.9 cm로 감소되었고, 무호흡 저호흡 지수(apnea-hypopnea index)가 시간당 52.1회에서 시간당 14.0회로 감소하는 등 수면무호흡증 호전에 효과적이라고 발표하였고,[9] Musella 등은 27명의 불임 비만 여성이 풍선 거치 중 55%에서 임신이 가능하게 된 결과를 발표했다.[40]

③ 가교적 치료로서의 효과

초병적비만 환자를 대상으로 연구들에서 Orbera 풍선을 비만수술 전에 시술 시 90% 이상에서 10% 이상의 총 체중감소를 거둘 수 있었으며, 수술 전 풍선을 시술한 환자군에서 바로 수술을 한 환자들보다 수술시간과 재원기간, 개복수술전환, 수술 중 유해사례가 적었다.[5, 10, 21, 56] Spyropoulos 등의 연구에서는 평균 신체질량지수가 61 kg/m²을 넘고 심각한 동반질환을 동반한 26명의 환자를 대상으로 풍선을 24주간 거치시켰는데, 수술 전 체중을 평균 28.5 ± 19.6 kg 감소시킬 수 있었고, 그 중 20명을 수술적 치료로 연결할 수 있었다고 보고했다. 하지만 풍선 거치 다음날 흡인으로 사망한 1례가 있었다.[49]

반면, Leeman 등의 연구에서는 수술 전 Orbera 풍선을 사용한 군이 수술 전 체계적인 체중 감량 프로그램을 수행한 군에 비해서는 추가적인 이득이 확인되지 않기도 했다.[32]

(3) 안전성

Orbera 풍선의 가장 흔한 유해반응은 통증과 오심으로, 통증이 33.7% 오심은 29%에 달해 프로톤 펌프 억제제, 진경제, 오심억제제 등이 흔히 사용되었다.[18] 약 7.5%의 환자에서 조기에 풍선을 제거해야 하는 사건이 발생했다. 심각한 부작용은 흔하지는 않아 소장으로의 이동(migration)이 1.4%, 위천공이 0.1% 정도로 보고되었으며, 위천공이 발생한 환자는 대부분 이전에 위수술을 받은 환자들이었다.

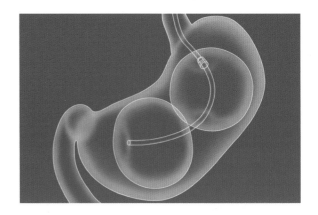

그림 3-2 ReShape Duo 풍선

2) ReShape Duo 풍선

(1) 시술방법

ReShape Duo 풍선(ReShape Medical, USA)은 2개의 풍선이 서로 독립된 채널을 가지고 있어 하나의 풍선이 새거나 크기가 줄어들더라도 다른 풍선에 영향을 미치지 않도록 하고 소장으로의 이동의 위험을 줄이도록 디자인되었다(그림 3-2).

각 풍선에 450 mL의 메틸렌 블루와 섞인 생리식염수를 전동펌프로 주입하게 되어 있으며 키가 162.5 cm 미만인 여성에서는 375 mL가 주입된다. 6개월 후 제거하는 것이 추천되며, 미국식품의약국에서 승인한 적응증은 신체질량지수 30-40 kg/m²이면서 하나 이상의 비만 관련 질환을 동반한 성인이다.

(2) 효과

Ponce 등은 21명의 병적비만 환자들을 ReShape Duo 풍선 치료군으로, 9명을 생활습관 수정군으로 무작위배정하여 비교하였다. 6개월 후 풍선 제거 시점에서 초과체중감소율은 풍선 그룹에서 31.8%로 대조군의 18.3%보다 우월하였으며, 풍선 제거 후 6개월이 지나 초기 거치 12개월 후 시점에서는 풍선 치료군이 체중감소의 64%를 유지하였다.[42]

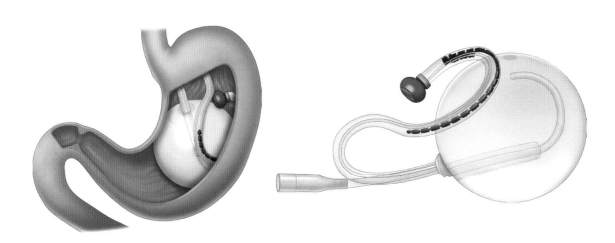

그림 3-3 Spatz 조절가능풍선 시스템

REDUCE 연구는 미국에서 식품의약국 승인을 위해 시행된 다기관 무작위배정 비교연구로, 326명의 병적비만 환자들이 풍선+식이요법+운동 군(187명)과 겉보기(sham) 내시경+식이요법+운동 군(139명)에 배정되었다. 6개월째에 풍선군의 초과체중감소율은 25.1%로 대조군의 11.3% 보다 통계적으로 유의하게 높았다. 풍선 사용군은 그 외 유의한 혈압(-8.3/4.3 mmHg), 당화혈색소(-0.2 percentage points), 저밀도지질단백질 콜레스테롤(-4.1 mg/mL)의 감소를 6개월째에 경험했다.[43]

(3) 안전성

REDUCE 연구에서 보고된 ReShape Duo 풍선의 가장 많은 유해 증상은 통증과 오심으로, 대부분 약물로 조절되었다.[43] 환자가 견디지 못해(intolerance) 약 9%에서 조기 제거되었고, 풍선이 줄어드는 현상이 6%에서 일어났다. 초기에는 위궤양과 미란이 35%까지 발생했으나 이후 디자인을 변경한 후 궤양은 10%로 줄었다. 이 연구에서는 사망이나 풍선의 이동(migration), 소장 폐색, 위천공 등은 일어나지 않았다. 심각한 부작용으로는 풍선을 제거할 때 식도 점막이 손상되어 지혈클립을 사용하여 복구한 경우와 경부 식도의 천공, 풍선 제거 후 흡입성 폐렴 등이 보고되었다.

3) Spatz 조절 가능 풍선 시스템

Spatz 조절가능풍선 시스템(Spatz Adjustable Ballon System) (Spatz Medical, USA)은 생리식염수를 넣을 수 있는 튜브를 통해 크기를 조절할 수 있도록 만들어졌으며, 미국에서는 12개월간 거치하는 것이 승인되었다. 초기 모델은 소장으로의 이동이 많아 디자인이 개선되었다(그림 3-3).

비만 환자를 대상으로한 단일군 관찰 연구 2개에서 12개월째의 초과체중감소율은 45.7%와 48.8%로 보고되었다.[8, 37] 각 연구에서 18명 중 7명, 70명 중 7명이 12개월 전에 기구의 문제나 궤양 등의 문제로 조기 제거되었다.

4) Obalon 위 풍선

Obalon 위 풍선(gastric balloon) (Obalon Therapeutics, USA)은 큰 젤라틴 캡슐의 형태로 제공되며, 얇은 카테터와 연결된 스스로 차단하는 밸브를 가지고 있다(그림 3-4). 풍선이 들어있는 캡슐을 삼킨 후 투시검사로 위 안에 들어갔는지 확인한다. 젤라틴 캡슐이 녹으면 풍선이 노출되고 카테터를 이용하여 가스로 부풀리며, 이후 카테터는 풍선에서 분리되어 제거한다. 풍선 3개까지 한 번에 혹은 순차적으로 넣을 수 있고, 12-26주 후 제거한다.

5) Elipse 풍선

Elipse 풍선(Allurion Technologies, USA)은 캡슐에 들어 있고 얇고 긴 카테터가 연결된 채로 제공된다. 캡슐을 삼키면 위에서 캡슐이 빠르게 녹아내리고, 풍선은 550 mL의 액체로 부풀린 후 카테터를 제거한다(그림 3-5). 수개월 후 밸브가 저절로 열리게 되어 있고 비워진 풍선의 크기가 작아 내시경으로 제거할 필요 없이 변으로 배출되도록 디자인되어 있다.

2. 풍선이 아닌 위 거치물

1) TransPyloric Shuttle

TransPyloric Shuttle (BAROnova Inc., USA)은 큰 원형 실리콘 벌브와 작은 원통형 실리콘 벌브가 서로 유연한 튜브로 연결되어 있다(그림 3-6). 위내 풍선과는 달리 벌브는 위의 공간을 차지하는 역할을 하는 것이 아니라 십이지장으로의 음식의 이동을 지연시키도록 만들어졌다. 오버튜브(overtube)를 통해 입으로 넣어지며, 큰 벌브는 기구가 위에서 십이지장으로 이동하는 것을 예방하는 역할을 하고, 작은 벌브는 십이지장에 들어가서 간헐적으로 위배출을 막아 빠르고 오래 포만감이 유지되도록 한다.

2) Full Sense Device

Full Sense Device (Baker, Foote, Kemmeter, Wal-burn [BFKW] LLC, USA)는 피막형(covered) 위-식도 스텐트를 변형하여 하부 식도에 거치하는 원통형 부위와 위에 거치되는 디스크 형태의 부위로 이루어져 있다(그림 3-7). 내시경을 통해 삽입 및 제거가 되며, 일단 설치가 되면 디스크 부위가 분문을 압박하여 신경과 호르몬 반응을 유도해 환자의 포만감을 일으키는 것으로 생각되고 있다. 제조사에서는 제한적인 시험에서 6개월간 80%의 초과체중감소가 달성되는 등 좋은 효과를 주장하고 있으며, 위식도접합부가 열린 채로 유지되어 위식도 역류를 악화시키는 것으로 알려져 있다.

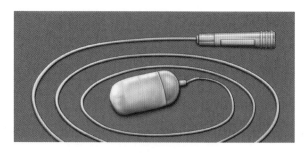

그림 3-4 Obalon 위 풍선

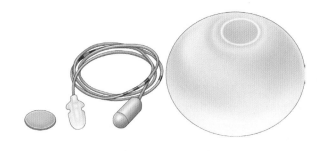

그림 3-5 Elipse 풍선

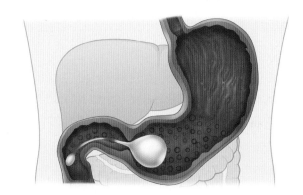

그림 3-6 TransPyloric Shuttle

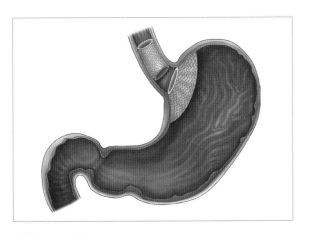

그림 3-7 Full Sense Device

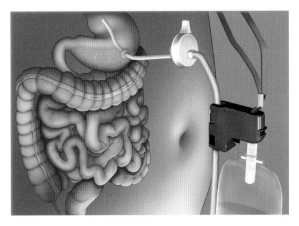

그림 3-8 Aspire assist device

3. 흡인 치료

1) Aspire Assist Device

(1) 시술방법

흡인 치료(Aspiration therapy)는 경피적 내시경 위루(percutaneous endoscopic gastrostomty)를 만들고 튜브를 넣어 식사 후 위에 있는 음식을 밖으로 제거하는 기구이다(그림 3-8). 30 프렌치 굵기이며, 설치 2주 후에 튜브의 외부 부분은 짧게 재단되어 피부에 부착된다.

　Aspire Assist device (Aspire Bariatrics, USA)가 위루튜브에 연결되어 흡입을 시행한다. 연결되어 있는 물 저장소에서 물을 위에 주입하고 사이폰 효과(siphon effect)에 의해 20분 정도 흡입 시 음식의 1/3 정도가 제거된다. 최근 미국식품의약국에 의해 승인되었다.

(2) 효과 및 안전성

Sullivan 등의 연구에서는 18명의 시험대상자가 1년간 흡인치료 + 생활습관 중재군과 생활습관 중재 단독군으로 2:1 배정되었다. 1년간 치료를 완료한 11명의 흡인치료군(치료 전 신체질량지수 42.0 ± 1.4 kg/m²)과 4명의 대조군(39.3 ± 1.1 kg/m²)의 초과체중감소는 흡인치료군과 대조군에서 각각 49.0 ± 24.4% 과 14.9 ± 24.6%, 총체중감소는 각각 18.6% ± 2.3%과 5.9% ± 5.0%이었다. 추가로 1년 더 사용한 7명의 대상자는 사용 2년째에 54.6 ± 31.7%의 초과체중감소율과 20.1%± 3.5%의 총체중감소율을 보였다.[51] 보고된 이상반응은 위루 튜브와 연관된 것으로, 3명의 튜브 주위 피부 감염이 있었고 1명은 제거후에도 누공이 저절로 막히지 않았다.

　스웨덴에서 시행된 단일군 연구에서는 22명에서 26주 동안 40.8 ± 19.8%의 초과체중감소율을 보였다.[20]

　다기관 연구인 PATHWAY trial은 흡인치료 + 생활습관지도와 생활습관지도 단독군을 2:1로 배정하는 무작위배정연구였다. 시험군의 신체질량지수는 42.0 ± 5.1 kg/m², 대조군은 40.9 ± 3.9 kg/m²였으며, 52주 째에 계획서치료(per-protocol) 분석에서는 초과체중감소가 시험군에서 37.2% ± 27.5% , 대조군에서 13.0% ± 17.6%였다. 가장 흔한 이상반응은 수술 전후 복통과 육아조직증식 및 튜브 주위의 자극이었다. 흡입된 열량을 만회하기 위해 더 칼로리를 높여 섭취하는 등 새롭게 발생한 비정상적인 식이 습관은 관찰되지 않았다.[54]

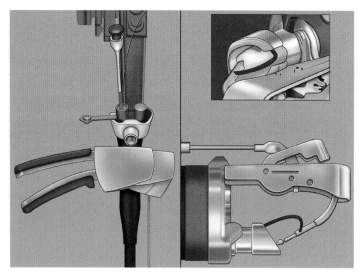

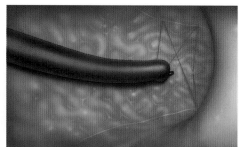

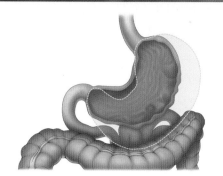

그림 3-9 Overstitch를 이용한 내시경 소매절제술

4. 내시경 소매성형술

1) 비교적 얕은 위벽 봉합 기구를 사용한 수술

내시경 소매성형술은 특별히 고안된 내시경 기구들을 이용하여 소매절제술과 유사하게 위대만을 따라 위내시경을 통해 위전벽 봉합술을 연속으로 시행해 위내강의 부피를 줄이는 시술로, 2008년 보고된 EndoCinch (C.R Bard Inc., USA)을 이용한 수직위성형에서는 12개월째의 초과체중감소율이 58.1%였고, 시술된 환자들의 97%에서 30% 이상의 초과체중감소가 있던 것으로 보고되었다.[17]

RESTORe 내시경봉합기구(Davol, USA)는 위벽을 흡입한 후 봉합을 하는 기구로, 2008년에 보고된 18명을 대상으로 한 임상시험에서는 27.7 ± 21.9%의 초과체중감소와 11.0 ± 10 kg의 체중감소를 보였으나, 내시경 추적관찰에서 대부분 봉합이 부분적 혹은 모두 떨어져 나가 있었다.[7]

이들 기구들은 봉합의 깊이가 비교적 얕기 때문에 내구성에 문제가 있어, 이후로는 오랫동안 성형술이 유지될 수 있도록 위벽의 전층(full thickness) 봉합이 가능한

기구를 이용하여 연구가 진행되고 있다.

2) Overstitch

(1) 시술방법

Overstitch (Apollo Endosurgery, USA)는 스텐트의 고정이나 천공의 봉합 등 위의 전층 봉합을 위해 고안된 기구로, 미국식품의약국에 의해 사용이 승인되었다. 이 기구는 현재 두 개의 채널을 가진 내시경에 장착할 수 있게 되어 있으며, 나선형(helix) 기구로 봉합하고자 하는 조직을 끌어당긴 후 봉합을 시행한 다음 봉합실을 조여 끊는(cinching) 시스템을 이용하여 봉합을 완료한다(그림 3-9).

소매성형형술에서는 내시경을 먼저 시행하여 식도와 위에 다른 병변이 있는지 확인한다. 시술 후 불편감을 줄이기 위해서는 이산화탄소를 사용하는 것이 추천된다. 봉합 후 치유 과정에서 봉합선이 서로 오랫동안 붙을 수 있도록 기질 콜라겐이 노출되게 아르곤 등을 이용하여 위 전벽과 후벽에 대만을 따라 점막에 열로 인한 점막 손상을 가하고, Overstitch를 이용하여 봉합을 시행한다.

위전정부로부터 삼각형 형태로 위전벽-대만-후벽을 두 번씩 6번의 바늘땀(stitch)을 반복하면서 위저부로 반복 봉합을 한다. 이후 봉합선은 추가적인 단절봉합(interrupted suture) 들로 강화한다.

(2) 효과

평균 신체질량지수 45.2 kg/m²인 10명 환자에게 시행된 연구에서는 6개월 후 30%의 초과체중감소율과 5.5 kg/m²의 신체질량지수 감소 및 식후 혈당의 유의한 감소를 보였다.[48] 평균신체질량지수 35.5 ± 2.6 kg/m² 25명을 대상으로 한 또 다른 연구에서 초과체중감소율은 6, 9, 12, 20개월째에 각각 53% ± 17%, 56% ± 23%, 54% ± 40%, 45% ± 41%였다.[1] 평균신체질량지수 38.5 kg/m² 20명을 대상으로 한 Lopez-Nava 등의 연구에서는 총체중감소는 6개월 째 17.8%였으며, 시술 중 출혈로 점막하 주사 지혈을 해야 했던 2명을 제외하고는 다른 심각한 합병증은 없었다.[36] 이들이 50명을 대상으로 추가로 시행한 연구에서는 1년간 추적관찰된 사람이 13명이었는데, 1년 째 평균 총체중감소는 19.0 ± 10.8%였고, 신체질량지수는 수술 전 37.7 ± 4.6에서 30.9 ± 5.1 kg/m²로 감소되었으며, 조영검사와 내시경으로 관찰시 소매성형술은 잘 유지되었다고 보고했다.[35] 평균 신체질량지수가 36.2 kg/m²인 126명을 대상으로 한 국제 다기관 연구에서는 신체질량지수의 감소가 6개월 째 30.9 ± 0.8 kg/m² , 1년 째에 29.8 ± 1.4 kg/m² 였다고 보고했다. 평균 체중은 술 전 101.6 ± 2.3 kg 에서 6개월 째 86.9 ± 3.3 kg/m² , 1년 째에는 81.8 ± 3.8 kg/m²로 감소했다.[31]

현재까지 보고된 결과들은 Overstitch 기구를 이용한 내시경 소매성형술이 비교적 안전하고 효과적인 시술임을 시사하나, 장기적인 결과와 봉합이 오랫동안 유지될지에 대한 사항은 추가적인 확인이 필요한 상태이다.[25]

그림 3-10 POSE 시스템을 이용한 위성형술

3) Primary Obesity Surgery Endoluminal (POSE)

(1) 시술방법

Primary Obesity Surgery Endoluminal (POSE) 는 incisionless operating platform (IOP) (USGI Medical, USA) 이라는 내시경 형태의 플랫폼을 사용하여 위의 용량을 줄이기 위해 위저부의 근육층에 이르는 봉합 성형을 하고, 원위측 위체부에도 위배출 지연을 유도하기 위한 3개의 추가적인 성형술을 시행하는 방법이다. 오버튜브와 같은 내강이 넓은 플랫폼에 4개의 채널이 있고, 4.9 mm 굵기의 내시경과 3개의 특별한 기구들이 들어간다. g-Prox EZ Endoscopic Grasper (USGI Medical, USA)는 위 전벽 (Full thickness)끼리 겹쳐 잡을 수 있는 휘어지는 잡는 기구(grasper)이며, g-Lix Tissue Grasper (USGI Medical, USA)는 단단히 조직을 총벽을 고정할 수 있는 나선형 팁이 달려 있다. g-Cath EZ Suture Anchor Delivery Catheter (USGI Medical, USA)는 잡힌 조직에 1쌍의 봉합을 시행하게 하는 바늘이 달린 기구이다(그림 3-10).

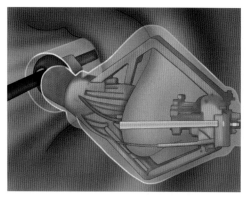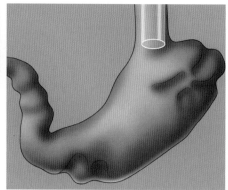

그림 3–11 Articulating circular endoscopic stapler를 이용한 위성형술

Incisionless operating platform (IOP)를 삽입 후 반전 (retroflex)하고, 각각 4-5군데의 성형을 하는 2줄의 평행한 성형 주름을 만든다. 이는 위저부의 꼭대기를 위식도 접합부 수준으로 내려오는 정도로 위강을 줄어들게 한다. 정면 방향으로 IOP를 편 후 3-4군데의 봉합을 하는한 줄의 주름을 위각 수준으로부터 위체부-전정부에 걸쳐 추가로 만들어 위배출을 지연시킨다.

(2) 효과

45명을 대상으로 한 단일군 연구는 대부분 class I-II 비만 환자(평균 신체질량지수 36.7 ± 3.8 kg/m²)를 대상으로 시행되었으며, 6개월 후 약 49%의 초과체중감소율, 5.8 kg/m²의 신체질량지수의 감소, 15.5% ± 6.1%의 총체중감소를 보였다.[15] 평균질량지수 38.0 ± 4.8 kg/m²의 147명의 환자를 대상으로 한 연구에서 1년 후 총 체중감소는 15.1% ± 7.8%, 초과체중감소율은 44.9% ± 24.4% 였다.[34] ESSENTIAL trial이 미국 식품의약국 승인을 위해 332명을 대상으로 시행되었으며, 현재 POSE는 식품의약국 승인을 위한 검토 중에 있다.

4) Articulating Circular Endoscopic Stapler

articulating circular endoscopic (ACE) Stapler (Boston Scientific Co., USA)는 회전과 반전이 가능한(rotatable and retroflexable) 내시경 스테이플러이다(그림 3–11). 얇은 내시경을 사용하며, 진공 흡인을 조직을 당기는데 사용한다. 위 전층 봉합 성형술은 8개의 티타늄 스테이플러를 탑재한 1 cm의 플라스틱 링으로 만들어진다.

17명을 대상으로 한 연구에서 12개월 후 신체질량지수 중위값은 40.2 kg/m²에서 34.5 kg/m²로, 초과체중감소율 중위값은 34.9%였고, 동반질환의 개선 효과도 보고되었다. 내시경 추적관찰에서 6-9개의 성형술 부위가 잘 보존된 것이 확인되었다.[47]

5. 십이지장 격막

십이지장과 근위부 소장은 여러 가지 영양소 흡수가 많이 일어나는 부위이며, 이 부위를 음식이 지남으로써 포도당의 항상성에 음식으로 유발되는 당뇨병에 영향을 미치는 기전들이 생각되어지고 있다(전장이론). 특히 이 부분의 점막에 위치한 장내분비 세포(enteroendocrine cell)들은 장관 내의 영양소를 감지하여 포만감이나 인슐린

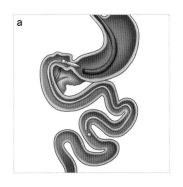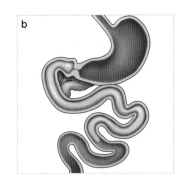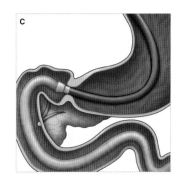

그림 3-12 EndoBarrier. a) 설치 b) 거치되어 있는 동안 음식이 십이지장과 근위부 소장으로 흡수되지 못하도록 차단 c) 제거

분비와 관련된 펩타이드를 내는 것으로 생각되고 있어 이 부분을 우회하는 것이 영양소 흡수를 감소시키고 당뇨를 호전시킨다는 이론에 기인하여 기구들이 개발되었다.

1) Endobarrier

(1) 시술방법

EndoBarrier (GI Dynamics, USA)는 십이지장과 근위부 소장을 음식이 점막에 접촉하지 못하고 통과하도록 고안된 기구이다(**그림 3-12**). 원위부로 이동하지 않도록 지지하는 나이티놀(nitinol)로 된 왕관 모양의 지지대 끝에 65 cm 길이의 테플론 소매가 연결되어 있다. 기구는 캡슐에 쌓여서 제공되며 전신마취하에 단단한 철사를 이용하여 내시경 및 투시 유도하여 삽입된다. 캡슐이 십이지장 구부에 도달하면 소매부분이 소장으로 내려가고 왕관모양의 지지대는 십이지장 구부에 펼쳐진다. 기구는 12개월 후에 내시경을 통해서 제거되는데, 내시경으로 시야를 확보하고 제거를 위해 특별히 제작되어 있는 기구를 이물 제거 후드 속을 통과하게 장착하여 넣어 폴리프로필린 줄을 잡아 당기면 왕관모양 지지 부분이 쪼그라들어 위와 식도에 상처를 주지 않고 제거할 수 있다.

(2) 효과

여러 연구들에서 시술 후 초과체중감소율은 12주 째에 12-22%, 24주에 24-32%, 52주에 30-47% 정도로 보고되었다.[18] 4개의 무작위배정연구에서는 겉보기시술과 비교하였는데, 12-24주간 endobarrier를 쓴 군의 시술 후 초과체중감소율은 겉보기시술을 시행한 군에 비해 12주 째에 9-17%, 24주 째에는 15.6%가 더 높았다.[23, 28, 47, 52]

Endobarrier는 비만뿐 아니라 대사증후군에도 효과가 있다는 결과들이 보고되었다.[27] 당뇨에 대해서는 여러 연구가 당화혈색소가 시술 12주 후에 0.3-1.1%, 24주에 1.3-2.4%, 52주에 1.1-2.3% 감소하였다고 보고했다.[18] 이들 중 대조군과 비교한 무작위 배정 비교 연구들에서는 대조군에 비해 당화혈색소 감소폭이 0.9-1.7 정도 컸다.[28, 44, 47] De Jonge 등은 Endobarrier 시술이 비알콜성지방간에도 효과가 있음을 보고했다.[14]

(3) 안전성

EndoBarrier에서도 가장 많은 이상반응은 통증과 오심/구토였고, 조기 제거율은 18% 정도였다. 제거 시 발생한 식도 천공과 담낭염, 간농양 등이 보고되었다. 십이지장으로의 이동은 4.9%, 출혈이 3.9%, 폐색이 3.4% 정도였으며, 미국 다기관 연구에서는 325명의 임상시험대상자 중 4명에서 간농양이 발생하여 연구 진행이 중단되었다.

그림 3-13 ValenTx 관내 우회 격막

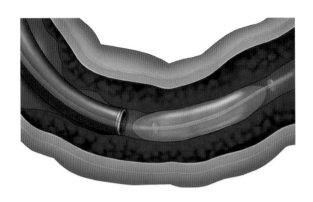

그림 3-14 Revita 시스템을 이용한 십이지장 점막의 고주파 소작술

2) ValenTx 관내 우회 격막

ValenTx 관내 우회 격막(ValenTx endoluminal bypass) (ValenTx, USA)은 endobarrier 보다 긴 120 cm 의 불소중합체(fluoropolymer) 소매로 구성되어 있는 기구이다 (그림 3-13). 십이지장이 아닌 위식도경계에 내시경과 복강경을 함께 이용하여 고정하도록 되어 있다. 음식이 위와 십이지장, 그리고 근위 소장을 흡수되지 않고 지나가게 되므로 루와이우회수술을 기능적으로 재현하는 것을 기대하고 개발되고 있다.

그림 3-15 자석 장문합기구를 이용한 장문합

3) 십이지장 점막의 재상피화(resurfacing)

Revita duodenal mucosal resurfacing procedure (Fractyl Laboratories, USA)은 고주파 열치료(radiofrequency ablation) 에너지를 이용하여 십이지장의 병적인 세포들로 구성된 점막을 태워버리고 새롭게 정상적으로 구성된 점막이 자라나서 당뇨에 유리한 신호전달체계가 회복되도록 하고자 하는 이론적인 가설에서 연구되고 있고, 특히 정상체중과 비만에서 제2형 당뇨의 관리에 도움이 될 것으로 기대되고 있다(그림 3-14).

6. 위-소장 우회술

자가조립자석으로 된 문합기구 Self-assembling magnets for endoscopy (GI Windows, USA) 등을 이용하여 내시경을 통한 위-소장 문합을 시행하여 음식을 근위부 소장을 우회하는 방법도 연구되고 있다(그림 3-15).

Ryou 등은 각각 5마리와 8마리의 돼지를 이용하여 공장-대장 문합, 공장-회장 문합을 시행하였으며, 누출이나 심한 유착이 없는 성공적인 문합을 보고하였다.[45, 46]

요약

내시경적 시술은 병적비만 환자에서 수술에 비해 효과가 적을 수 있으나 합병증이 적은 대안으로 개발되고 있다. 바로 수술을 시행하기 어려운 초병적비만 환자에서 수술 전 가교적 목적으로 사용될 뿐 아니라 일차적인 치료 목적으로도 일부 효과가 있으며 대사 증후군의 호전 효과와 장기적인 체중 감량의 효과도 일부 보고되었다. 수술에 비해 적은 합병증 때문에 수술 보다 더 넓은 범위의 적응증을 적용할 수 있을 가능성도 기대된다.

참고문헌

1. Abu Dayyeh BK, Acosta A, Camilleri M, et al. Endoscopic Sleeve Gastroplasty Alters Gastric Physiology and Induces Loss of Body Weight in Obese Individuals. Clin Gastroenterol Hepatol 2017;15:37-43.

2. Abu Dayyeh BK, Edmundowicz SA, Jonnalagadda S, et al. Endoscopic Bariatric Therapies. Gastrointest Endosc 2015;81:1073-86.

3. Adams TD, Gress RE, Smith SC, et al. Long-Term Mortality after Gastric Bypass Surgery. N Engl J Med 2007;357:753-61.

4. Alami RS, Morton JM, Schuster R, et al. Is There a Benefit to Preoperative Weight Loss in Gastric Bypass Patients? A Prospective Randomized Trial. Surg Obes Relat Dis 2007;3:141-5.

5. Alfalah H, Philippe B, Ghazal F, et al. Intragastric Balloon for Preoperative Weight Reduction in Candidates for Laparoscopic Gastric Bypass with Massive Obesity. Obes Surg 2006;16:147-50.

6. Avidor Y, Still CD, Brunner M, et al. Primary Care and Subspecialty Management of Morbid Obesity: Referral Patterns for Bariatric Surgery. Surg Obes Relat Dis 2007;3:392-407.

7. Brethauer SA, Chand B, Schauer PR, et al. Transoral Gastric Volume Reduction as Intervention for Weight Management: 12-Month Follow-up of Trim Trial. Surg Obes Relat Dis 2012;8:296-303.

8. Brooks J, Srivastava EDMathus-Vliegen EM. One-Year Adjustable Intragastric Balloons: Results in 73 Consecutive Patients in the U.K. Obes Surg 2014;24:813-9.

9. Busetto L, Enzi G, Inelmen EM, et al. Obstructive Sleep Apnea Syndrome in Morbid Obesity: Effects of Intragastric Balloon. Chest 2005;128:618-23.

10. Busetto L, Segato G, De Luca M, et al. Preoperative Weight Loss by Intragastric Balloon in Super-Obese Patients Treated with Laparoscopic Gastric Banding: A Case-Control Study. Obes Surg 2004;14:671-6.

11. Chang SH, Stoll CR, Song J, et al. The Effectiveness and Risks of Bariatric Surgery: An Updated Systematic Review and Meta-Analysis, 2003-2012. JAMA Surg 2014;149:275-87.

12. Crea N, Pata G, Della Casa D, et al. Improvement of Metabolic Syndrome Following Intragastric Balloon: 1 Year Follow-up Analysis. Obes Surg 2009;19:1084-8.

13. Dayyeh BKA, Eaton LL, Woodman G, et al. A Randomized, Multi-Center Study to Evaluate the Safety and Effectiveness of an Intragastric Balloon as an Adjunct to a Behavioral Modification Program, in Comparison with a Behavioral Modification Program Alone in the Weight Management of Obese Subjects. Gastroint Endosc 2015;81 :AB147.

14. De Jonge C, Rensen SS, Koek GH, et al. Endoscopic Duodenal-Jejunal Bypass Liner Rapidly Improves Plasma Parameters of Nonalcoholic Fatty Liver Disease. Clin Gastroenterol Hepatol 2013;11:1517-20.

15. Espinos JC, Turro R, Mata A, et al. Early Experience with the Incisionless Operating Platform (Iop) for the Treatment of Obesity : The Primary Obesity Surgery Endolumenal (POSE) Procedure. Obes Surg 2013;23:1375-83.

16. Evans JTDeLegge MH. Intragastric Balloon Therapy in the Management of Obesity: Why the Bad Wrap? JPEN J Parenter Enteral Nutr 2011;35:25-31.

17. Fogel R, De Fogel J, Bonilla Y, et al. Clinical Experience of Transoral Suturing for an Endoluminal Vertical Gastroplasty: 1-Year Follow-up in 64 Patients. Gastrointest Endosc 2008;68:51-8.

18. Force ABET, Committee AT, Abu Dayyeh BK, et al. ASGE Bariatric Endoscopy Task Force Systematic Review and Meta-Analysis Assessing the ASGE PIVI Thresholds for Adopting Endoscopic Bariatric Therapies. Gastrointest

Endosc 2015;82:425-38.

19. Forlano R, Ippolito AM, Iacobellis A, et al. Effect of the Bioenterics Intragastric Balloon on Weight, Insulin Resistance, and Liver Steatosis in Obese Patients. Gastrointest Endosc 2010;71:927-33.

20. Forssell HNoren E. A Novel Endoscopic Weight Loss Therapy Using Gastric Aspiration: Results after 6 Months. Endoscopy 2015;47:68-71.

21. Frutos MD, Morales MD, Lujan J, et al. Intragastric Balloon Reduces Liver Volume in Super-Obese Patients, Facilitating Subsequent Laparoscopic Gastric Bypass. Obes Surg 2007;17:150-4.

22. Genco A, Lopez-Nava G, Wahlen C, et al. Multi-Centre European Experience with Intragastric Balloon in Overweight Populations: 13 Years of Experience. Obes Surg 2013;23:515-21.

23. Gersin KS, Rothstein RI, Rosenthal RJ, et al. Open-Label, Sham-Controlled Trial of an Endoscopic Duodenojejunal Bypass Liner for Preoperative Weight Loss in Bariatric Surgery Candidates. Gastrointest Endosc 2010;71:976-82.

24. Ginsberg GG, Chand B, Cote GA, et al. A Pathway to Endoscopic Bariatric Therapies. Gastrointest Endosc 2011;74: 943-53.

25. Goyal DWatson RR. Endoscopic Bariatric Therapies. Curr Gastroenterol Rep 2016;18:26.

26. Imaz I, Martinez-Cervell C, Garcia-Alvarez EE, et al. Safety and Effectiveness of the Intragastric Balloon for Obesity. A Meta-Analysis. Obes Surg 2008;18:841-6.

27. Jain DSinghal S. Endoscopic Bypass Using Endobarrier Devices: Efficacy in Treating Obesity and Metabolic Syndrome. J Clin Gastroenterol 2015;49:799-803.

28. Koehestanie P, de Jonge C, Berends FJ, et al. The Effect of the Endoscopic Duodenal-Jejunal Bypass Liner on Obesity and Type 2 Diabetes Mellitus, a Multicenter Randomized Controlled Trial. Ann Surg 2014;260:984-92.

29. Kotzampassi K, Grosomanidis V, Papakostas P, et al. 500 Intragastric Balloons: What Happens 5 Years Thereafter? Obes Surg 2012;22:896-903.

30. Kumar N. Weight Loss Endoscopy: Development, Applications, and Current Status. World J Gastroenterol 2016;22: 7069-79.

31. Kumar N, Lopez-Nava G, Sahdala HNP, et al. Endoscopic

32. Leeman MF, Ward C, Duxbury M, et al. The Intra-Gastric Balloon for Pre-Operative Weight Loss in Bariatric Surgery: Is It Worthwhile? Obes Surg 2013;23:1262-5.

33. Livhits M, Mercado C, Yermilov I, et al. Does Weight Loss Immediately before Bariatric Surgery Improve Outcomes: A Systematic Review. Surg Obes Relat Dis 2009;5:713-21.

34. Lopez-Nava G, Bautista-Castano I, Jimenez A, et al. The Primary Obesity Surgery Endolumenal (Pose) Procedure: One-Year Patient Weight Loss and Safety Outcomes. Surg Obes Relat Dis 2015;11:861-5.

35. Lopez-Nava G, Galvao MP, Bautista-Castano I, et al. Endoscopic Sleeve Gastroplasty: How I Do It? Obes Surg 2015;25:1534-8.

36. Lopez-Nava G, Galvao MP, da Bautista-Castano I, et al. Endoscopic Sleeve Gastroplasty for the Treatment of Obesity. Endoscopy 2015;47:449-52.

37. Machytka E, Klvana P, Kornbluth A, et al. Adjustable Intragastric Balloons: A 12-Month Pilot Trial in Endoscopic Weight Loss Management. Obes Surg 2011;21:1499-507.

38. Mechanick JI, Youdim A, Jones DB, et al. Clinical Practice Guidelines for the Perioperative Nutritional, Metabolic, and Nonsurgical Support of the Bariatric Surgery Patient--2013 Update: Cosponsored by American Association of Clinical Endocrinologists, the Obesity Society, and American Society for Metabolic & Bariatric Surgery. Obesity (Silver Spring) 2013;21 Suppl 1:S1-27.

39. Mui WL, Ng EK, Tsung BY, et al. Impact on Obesity-Related Illnesses and Quality of Life Following Intragastric Balloon. Obes Surg 2010;20:1128-32.

40. Musella M, Milone M, Bellini M, et al. The Potential Role of Intragastric Balloon in the Treatment of Obese-Related Infertility: Personal Experience. Obes Surg 2011;21:426-30.

41. A Pathway to Endoscopic Bariatric Therapies. Surg Obes Relat Dis 2011;7:672-82.

42. Ponce J, Quebbemann BBPatterson EJ. Prospective, Randomized, Multicenter Study Evaluating Safety and Efficacy of Intragastric Dual-Balloon in Obesity. Surg Obes Relat Dis 2013;9:290-5.

43. Ponce J, Woodman G, Swain J, et al. The Reduce Pivotal Trial: A Prospective, Randomized Controlled Pivotal Trial

Sleeve Gastroplasty: Multicenter Weight Loss Results. Gastroenterology 2015;148:S-179.

of a Dual Intragastric Balloon for the Treatment of Obesity. Surg Obes Relat Dis 2015;11:874-81.

44. Rodriguez L, Reyes E, Fagalde P, et al. Pilot Clinical Study of an Endoscopic, Removable Duodenal-Jejunal Bypass Liner for the Treatment of Type 2 Diabetes. Diabetes Technol Ther 2009;11:725-32.

45. Ryou M, Aihara HThompson CC. Minimally Invasive Entero-Enteral Dual-Path Bypass Using Self-Assembling Magnets. Surg Endosc 2016;30:4533-8.

46. Ryou M, Cantillon-Murphy P, Azagury D, et al. Smart Self-Assembling Magnets for Endoscopy (Samsen) for Transoral Endoscopic Creation of Immediate Gastrojejunostomy (with Video). Gastrointest Endosc 2011;73:353-9.

47. Schouten R, Rijs CS, Bouvy ND, et al. A Multicenter, Randomized Efficacy Study of the Endobarrier Gastrointestinal Liner for Presurgical Weight Loss Prior to Bariatric Surgery. Ann Surg 2010;251:236-43.

48. Sharaiha RZ, Kedia P, Kumta N, et al. Initial Experience with Endoscopic Sleeve Gastroplasty: Technical Success and Reproducibility in the Bariatric Population. Endoscopy 2015;47:164-6.

49. Spyropoulos C, Katsakoulis E, Mead N, et al. Intragastric Balloon for High-Risk Super-Obese Patients: A Prospective Analysis of Efficacy. Surg Obes Relat Dis 2007;3:78-83.

50. Sullivan S, Kumar N, Edmundowicz SA, et al. Asge Position Statement on Endoscopic Bariatric Therapies in Clinical Practice. Gastrointest Endosc 2015;82:767-72.

51. Sullivan S, Stein R, Jonnalagadda S, et al. Aspiration Therapy Leads to Weight Loss in Obese Subjects: A Pilot Study. Gastroenterology 2013;145:1245-52.

52. Tarnoff M, Rodriguez L, Escalona A, et al. Open Label, Prospective, Randomized Controlled Trial of an Endoscopic Duodenal-Jejunal Bypass Sleeve Versus Low Calorie Diet for Pre-Operative Weight Loss in Bariatric Surgery. Surg Endosc 2009;23:650-6.

53. Therapy AATFoEB. A Pathway to Endoscopic Bariatric Therapies. Surg Obes Relat Dis 2011;7:672-82.

54. Thompson CC, Dayyeh BKA, Kushner R, et al. The Aspireassist Is an Effective Tool in the Treatment of Class II and Class III Obesity: Results of a One-Year Clinical Trial. Gastroenterology 2016;150:S86.

55. Verlaan T, Paulus GF, Mathus-Vliegen EM, et al. Endoscopic Gastric Volume Reduction with a Novel Articulating Plication Device Is Safe and Effective in the Treatment of Obesity (with Video). Gastrointest Endosc 2015;81:312-20.

56. Zerrweck C, Maunoury V, Caiazzo R, et al. Preoperative Weight Loss with Intragastric Balloon Decreases the Risk of Significant Adverse Outcomes of Laparoscopic Gastric Bypass in Super-Super Obese Patients. Obes Surg 2012;22: 777-82.

Chapter 04 | 실험적 비만대사 치료

Experimental therapy in bariatric and metabolic surgery

 서론

비만수술은 지난 20여년 동안 급속도로 대중화되었다. 이는 전 세계적으로 비만도가 급속히 증가하였다는 것과 최소침습수술이 도입된 것에 기인한다.[21] 더 효과적이고 덜 침습적인 치료법을 찾기 위한 노력으로 비침습적 장비의 개발과 수술 기술의 발전을 이루어 왔다.

비만수술은 여전히 비만과 비만 관련 질환의 치료에 가장 효과적인 방법으로 여겨지고 있다.[11] 그러나 이러한 비만의 수술적 치료는 종종 여러 가지 이유로 제한될 수 있는데 그 이유는 수술의 합병증, 보험 적용의 제한, 그리고 환자의 수술에 대한 접근성의 제한이다. 최근까지도 비만수술이 필요한 병적비만 환자 중에서 극히 일부의 환자들만이 체중 감량과 동반질환의 치료를 위한 수술적 치료를 접하고 있다. 미래의 비만 치료는 덜 침습적이고 더 안전하며, 접근성이 좋은 치료 방법으로 발전하여야 할 것이다. 여기에 소개되는 이러한 치료 방법들은 단지 약물치료 등 내과적인 치료와 비만수술 사이의 빈 자리를 채우는 데에만 그치지 않고 비만 치료의 새로운 분야가 되어야 할 것이다.

중요하게 이해되어야 할 것은, 앞으로 나오는 치료법들은 "실험적인" 치료법으로서 연구된 결과도 대부분 시행된 수가 적고, 비교대상도 없으며, 짧은 관찰기간을 갖는 등 제한점이 많다는 것이다. 하지만 동시에 이런 치료법들의 시행가능성과 안전성을 알아보는 것도 중요한 일이다. 다른 모든 첨단 기술들과 마찬가지로 이것들도 기술적으로 보다 쉽고, 안전하고, 위험도는 적고, 지속적 효과를 가지면서, 반복 시술이 가능한 방향으로 발전할 것이다.

2 관내비만치료(Endoluminal Bariatric Therapy, EBT)

1. 관내비만치료의 개념

비만 환자의 관리에 있어서 내시경은 진단과 치료의 수단으로서 중요한 역할을 해왔다. 상부위장관내시경(Esophagogastroduodenoscopy, EGD)은 수술 전에 해야 할 필수 검사 중의 하나이며, 수술 중에는 문합부의 확인과 출혈 유무를 보기 위해 사용된다. 뿐만 아니라 EGD는 수술 이후에는 협착, 출혈, 문합부 누출과 같은 흔한 수술 후 합병증의 진단과 치료에 필수적이 되었다.[22, 37]

EBT는 비만 치료에 있어 다양한 발전 단계에 있으며 덜 침습적이고 합병증이 적은 대체 치료 방법으로 제시되고 있다. 이러한 치료법들은 다양한 정도의 체중 감량과 동반된 대사 질환의 치료 효과를 나타낸다.

EBT의 목표는 비만과 비만과 동반된 질환에 의미 있는 효과를 보이는 것이다. 그러나 이 치료법의 효과를 측정하기 위한 기준은 전체적인 치료의 목표치에 맞추어 개별적으로 다르게 적용되어야 할 것이다. EBT의 적응증은 다음과 같다. 1) 일차적 치료(수술 치료와 비교될만한 일차적인 효과를 목표로), 2) 초기 치료(체중 감량은 적지만 안전성을 추구할 목표로), 3) 중개 치료(다음단계 치료의 위험도를 낮추기 위한 목적으로), 4) 대사 치료(대사질환의 수치를 개선하기 위한 목적으로), 5) 교정 치료(내시경적인 교정수술 치료 목적). 각각의 치료 목적에 따라 시술의 안전성과 효용성은 반복성, 내구성, 그리고 해부학적 구조의 영구적 변화 여부와 함께 평가된다.[35]

1) 일차적 EBT (primary EBT)

일차적 EBT는 비만수술과 비교하여 대등한 체중감소와 동반질환의 개선 효과를 보여야 한다. 이 치료법은 병적 비만 환자에게 비만수술을 비롯한 일반적인 비만 치료법의 대체 치료법으로 고려될 수 있다. 초과체중 감량의 결과도 같은 위험도일 때 비만수술의 결과와 비슷하게 나와야 한다. 하지만 기존의 치료법에 비하여 합병증이 현저히 감소된다면 EBT의 낮은 효과도 받아들여질 수 있을 것이다. 이 치료법 역시 비만수술과 마찬가지로 장기적인 효과를 가져야 한다. 치료의 효과는 영구적이거나 아니면 효과의 지속시간이 짧다고 한다면 반복적인 시술이 필요할 수 있다.

2) 초기 치료(early intervention/preemptive therapy)

초기 치료의 목표는 1단계 비만 환자이면서 동반 질환의 발생이나 진행의 위험이 있을 때 체중 감량을 위한 것이다. 이러한 치료 개념을 뒷받침하는 근거로 1단계 비만 환자에서 비만수술 후 의미 있는 체중감소 및 동반 질환의 개선을 보고한 전향적 연구 결과가 있다.[19, 25] 좀더 최근에는 미국 식품의약품안전청(Food and Drug Administration, FDA)에서 1단계 비만에서 동반된 질환에 대해서 EBT의 사용이 승인되었다. 이익/위험 측면에서는 이러한 초기 치료는 안전성 측면에 더 치중해야 한다. 이 치료의 목적은 행동 조절 치료와도 관련되기 때문에 초기 치료 목적의 EBT는 청소년 환자의 치료에도 적용될 수 있다. 이러한 목적의 EBT는 해부학적 구조를 영구적으로 변화시킬 필요는 없으며 장기적인 효과를 가져야 하는 것은 아니다.

3) 중개 치료(bridge therapy)

체질량지수(BMI)가 높은 병적 비만 환자들은 위험도 역시 증가하게 된다. 이것은 비만수술뿐 아니라 정형외과, 심혈관 외과, 이식, 종양 등 다양한 외과적 분야에 공통적으로 적용되는 사실이다.[16, 36] 비만이 수술 합병증을 증가시키는 현상은 BMI 60 이상인 환자에서는 더욱 심해진다.[12] 이러한 환자들에서의 EBT의 목적은 이어지는 궁극적인 수술 전에 체중을 감소시켜 합병증과 사망률을 낮출수 있도록 하는 것이다. 예를 들어 이식 수술 전에 체중 감량으로 ASA 분류를 낮추고 이식의 적합성을 호전시키는 것이다. 따라서 이러한 EBT의 유용성을 평가할 때 효과의 지속성은 그다지 중요하지 않다.

4) 대사 치료(Metabolic therapy)

EBT는 심각한 동반 대사질환(제2형 당뇨병, 고혈압, 이상지혈증)을 가지고 있는 1단계 비만 환자 치료에서 잠재적 역할을 한다. 5% 정도의 적당한 체중 감량은 심혈관계 위험 요인을 의미 있게 개선하였다.[26] 이러한 목적의

EBT의 효과는 객관적인 대사질환에서의 이득으로 평가하여야 하고 초과체중감소율(%EWL)로 평가할 필요는 없다. 그리고 이러한 대사질환 환자의 치료는 체중 감량을 목표로 하는 치료에 비하면 낮은 위험도와 높은 지속성이 중요하다.

5) 교정수술 EBT (revisional EBT)

비만수술을 받은 환자의 수가 증가하면서 교정수술이 필요한 환자도 그만큼 증가할 것이다. 비만수술 이후 체중이 다시 증가하는 것과 이것이 상습적으로 반복되는 것이 교정수술의 가장 흔한 원인이다.[22] 다양한 내시경적 관내 치료법들이 위우회술 후의 늘어난 위 주머니와 넓어진 문합부를 줄이는데 이용될 수 있고 다른 비만수술 이후에도 수술부위를 조절하는데 이용된다.

2. 관내비만치료(EBT)의 종류와 치료 결과

1) 위 용적을 변화시키는 내시경적 치료 (endoluminal techniques altering gastric capacity)

위의 기능적 용적을 줄이는 것은 많은 종류의 비만수술의 목적이다. 위 용적을 제한시키는 원리는 위밴드, 위소매절제술, 그리고 최근의 위주름형성술 등 흔하게 시행되는 비만수술들의 수술 목적이다. 이 치료는 음식 섭취와 관련된 위 용적을 변화시킬 뿐 아니라 호르몬의 변화도 일으킬 수 있으며 이런 현상은 비만수술에서뿐만 아니라 EBT에서도 가능하다.[29] EBT 기술은 최근에 이러한 효과를 가지도록 개발되어 왔고 내시경을 이용한 봉합과 스테이플 장치에서 공간점유장치까지 만들어졌다.

내시경적 봉합과 스테이플 장치는 수직 위성형술을 만드는데 이용되어 왔다. EndoCinch™ (Bard-Davol, USA)는 미국 FDA의 승인을 받은 1세대 내시경 봉합 기구이다. EndoCinch™의 초기 사용 경험은 위식도역류질환의 치료에 사용된 것이 보고되었다.[23] 비만 치료에서 처음으로 사용된 것은 64명의 환자에서 관내 수직 위성형술을 한 것을 보고한 것이 처음이다. 저자들은 5-7군데의 고정점을 만들면서 하나의 연속봉합을 하였다. %EWL은 시술 후 1, 3, 12개월에 각각 21.1±6.2%, 39.6 ±11.3%, 58.1±58.1%이었다. 하지만 BMI의 범위는 28에서 60.2 kg/m^{2}으로 편차가 컸고, 64명 중 59명이 12개월간 추적관찰되었다.[13] 이후 몇 가지 기구의 개선과 술기의 표준화가 있은 후 미국에서 이 기술의 실행가능성 연구가 수행되었다. TRIM trial으로 불린 이 연구는 2개의 기관에서 18명의 환자를 등록하여 수행되었다. TRIM trial의 1년째 추적관찰 결과에서 %EWL은 27.7%로 보고되었다. 시술과 관련되어 심각한 합병증의 발생은 없었다. 효과 지속성에 관해서 12개월째에 위내시경으로 평가한 결과 14명 중에서 5명에서 봉합이 느슨해져 있는 것이 관찰되었고 14명 중 8명에서는 부분적으로 봉합이 느슨해진 소견이 있었다.[3, 4]

이보다 최근에는 내시경적 스테이플 기구(TOGA® system-Satiety™ Inc, USA)를 이용한 경구 위성형술이 보고되었다. 초기 연구들은 이 방법의 안전성과 시행 가능성을 보고하였다. 하지만 지속성에 대해서는 아직 확실하지 않다. Deviere 등이 발표한 첫번째 연구에서는 21명의 환자 중 5명 만이 6개월후에 스테이플된 상태를 유지하였다. Moreno 등은 2세대 기구를 사용하여 좀더 좋은 결과를 얻어 뒤이어 발표하였다. 6개월째에 %EWL은 26.5에서 46%였다.[10, 24]

무절개 수술체계(Incisionless Operating Platform, IOP, Medical Inc., USA)는 일차적 EBT에 적용되는 또 다른 차세대 내시경적 봉합 체계이다. 이 시술은 POSE (primary obesity surgery Endoluminal)라고 불리며 더 많은 위 조직을 주름형성할 수 있는 큰 장치를 가진다. 이 장치의 실행 가능성을 알아보기 위한 동물 실험 모델이 개발되었다. 저자들은 이 연구에서 생체 동물 모델에서 위공장 문합부를 평균 11.5 mm 줄이고, 생체밖 모델에서 위낭 크기를 평균 28 mL 줄이는데 성공하였다.[17]

섭취 제한을 위한 위내풍선술의 개념은 1980년대 중반에 시작되었다. 1985년에 Garren-Edward gastric bubble이 비만 치료에서 식이와 행동 조절을 목적으로 사용되는 것에 대해 FDA 승인을 받았다.[1] 그 이후 여러 가지의 장치들이 개발되어 전세계적으로 사용되어 왔다. Bio-Enterics Intragastric Balloon System (Inamed, USA)는 지금까지 가장 폭넓게 연구된 장치이다. Italian Collaborative Study Group for Lap Band and BIB (GILB)는 BioEnterics 위풍선으로 6개월간 치료한 2,515명의 환자를 후향적 분석하였다. %EWL은 33.9%±18.7%였고 전체 합병증 발생률은 2.8%로 보고하였다.[14] Spatz FGIA Inc.에서 크기조절이 가능한 차세대 위풍선(Spatz adjustable balloon system)을 개발하여 1년까지 사용할 수 있는 것으로 허가받았다. ReShape Medical은 두개의 위풍선을 넣는 기술을 개발하여(ReShape Duo™) 최대 900 mL까지 큰 용량의 위풍선이 가능하게 하였고 이 기술은 위풍선이 예상 못하게 바람이 빠져서 이동해버리는 것을 방지할 수 있다.

Trans-oral Endoscopic Restrictive Implant System (TERIS- Barosense Inc., USA)은 위 분문부에 관내 인공 삽입물을 넣어 인공 횡격막을 만들어 위밴드의 효과를 나타내는 장치이다. 비슷한 것으로 HourGlass (HourGlass Technologies, USA)라는 장치도 있다. 이러한 장치들은 모두 초기 단계이며 효과를 뒷받침할만한 자료는 아직 부족하다.

2) 대사 관내 시술(metabolic endoluminal procedure)

관내 장치는 비만대사수술과 비슷한 대사 효과를 얻기 위해서도 만들어졌다. 이것은 장 호르몬의 조절과 음식물과 장의 상호작용의 양을 조절하는데 초점이 맞춰있다. 최근에 두개의 슬리브 장치가 연구되어 보고되었다. EndoBarrier® (GI Dynamics Inc., USA)는 60 cm 길이의 스스로 펴지는 삽입물로서 십이지장-공장 우회를 시키는 슬리브이다. Sandler 등은 24명에서 사용한 그들의 초기 경험을 발표하면서 모두 22명(22/24)에서 성공적으로 슬리브가 삽입되었고 17명에서 12주 동안 장치를 유지할수 있었다고 하였다. 평균 %EWL은 37.9%였다. 그리고 7명의 당뇨 환자에서 이 장치를 통해 약물없이 효과적으로 혈당을 조절할수 있었다고 하였다.[30] 두번째로 나온 장치는 120 cm 길이의 슬리브이며 위 분문부에서부터 공장 중간부분까지 펼쳐진다(ValenTx sleeve – ValenTx Inc., Carinteria,CA, USA). 첫번째 실행가능성 연구는 12명의 환자에서 시행되었고 수술 전 체중 감량을 목적으로 시행되었다. 이 장치는 12주 동안 설치되었고 내시경을 이용하여 제거되었다. 두 명의 환자에서 조절되지 않는 복통으로 인하여 조기에 제거되었다. 결과적으로 이 연구에서 체중 변화는 10명의 환자에서 보고되었는데 %EWL은 23.6%였다.[27] 보다 최근의 연구들에서는 십이지장공장 우회 슬리브와 저칼로리 식이요법과 허위 대조군을 비교하여 우회 슬리브에서 체중감소 효과가 더 좋게 나타난 결과를 보였다.[15, 34]

다른 치료 전략들은 루와이위우화술의 해부학적 구조를 다시 만들어내는데 집중해왔다. EBT는 여러 가지 기술을 이용한 압착 문합술에 집중할 것이다. 이러한 획기적인 모델의 하나가 자가조립자석을 내시경에 이용하는 것으로(Self-Assembling MagnetS for Endoscopy, SAM-SEN) 이것은 양쪽의 장을 모아주고 잘라내어 연결통로를 만들어 주고 며칠 지나면 문합부가 형성되는 것이다.[28]

 획기적인 외과적 수술(Innovative Surgical Techniques)

최소침습 기술의 진화는 비만수술의 실제를 완전히 바꾸었고 새로운 치료법들의 진화를 촉진시켰다. 체중감소 수술의 최근 실제는 위장관 구조물의 절제 및 문합, 위의 절제 및 주름형성술, 또는 내과적 장치의 삽입이다. 최근 받아들여진 비만수술들의 효과를 원하지 않는 합병증과 복원이 불가능하다는 것을 피하면서 달성할 수 있게 하는 것이 또다른 목표인 것이다. 위장관의 신경내분비 기능에 대한 이해가 깊어지면서 새로운 기술은 계속해서 나올 것이다. 그러나 중요한 것은 이러한 새로운 기술의 효과를 새로운 EBT에서와 같은 방식으로 측정하는 것이다. 치료의 목적, 이득/위험 측면, 지속성, 재시술의 가능성 등을 평가하여야 한다.

1. 위주름형성술(Gastric Plication), 조절형 위밴드 주름형성술(Adjustable Gastric Banded Plication)

위를 변화시키는 다양한 형태의 술기들이 개발되어 왔다. 근래에 위소매절제술은 외과의들과 환자들 사이에서 대중성을 획득하였다. 위주름형성술은 위절제 없이 위소매절제술의 섭취제한 효과를 얻을 수 있도록 고안되었다. 2007년에 처음 제시된 이후 다양한 기술이 소개되었다.[33] 과거 수년간 가장 널리 사용된 방법은 대만주름형성술이다. 이 수술은 단위혈관의 결찰과 위체부와 위저부의 완벽한 유동화가 필요하다. 이어서 대만부를 두줄 이상의 비흡수성 봉합사로 함입시킨다.[5] 그 결과로 생기는 위안의 접힌 주름이 위의 용적을 감소시키게 된다.

최근 데이터는 이 수술의 효과에 대해 확실한 결론 내리기에는 아직 부족하다.[8] 미국에서 대만 주름형성술의 초기 경험 결과는 1년째 %EWL이 53.4%로 보고되었다.[5] 그리스에서의 최근 연구는 6, 12, 24개월의 %EWL을 각각 51.7, 67.1, 65.2%로 보고하였다.[32] 실행가능성 연구들은 이 수술의 안전성을 기술하였으며 최근에 다기관 연구가 진행되고 있다.

더 최근에는 Huang 등은 조절가능형위밴드와 위주름형성술을 같이 하는 수술을 발표하였는데 26명의 환자에서 1년 후 %EWL은 59.5%였다.[18] 위밴드와 위주름형성술의 병합은 각각의 수술의 장점을 제한시켜 버리는 측면이 있다. 즉, 이물질이 남지 않는다는 위주름형성술의 장점과 원상태로의 복원가능성이라는 위밴드의 장점이 두 수술의 병합으로 없어진다는 것이 이 수술의 단점으로 지적되었다.[7]

2. 회장 전위수술(Ileal Interposition), 소화 적응(Digestive Adaptation)

비만 확산의 이유를 설명하는 다른 이론들이 있다. 이 이론들 중의 하나는 인류의 식습관이 원시시대와 현대에 차이가 있음을 주목한다. 처음에 인류는 소화가 잘 되지 않는 섬유질이 가득하고 열량이 낮은 음식을 먹었다. 이러한 음식은 필요한 열량을 섭취하기 위해 큰 부피의 음식을 먹어야 했고 따라서 사람의 몸도 큰 위와 길이가 긴 장을 가지게 되었다. 하지만 근현대의 인류 식생활에서는 더 잘게 부수어지고 섬유질이 적은 음식을 먹게 됨으로써 많은 영양소가 근위부 장에서 잘 흡수될 수 있게 되었다. 그 결과로 비만이 발생한다는 이론이다.[31]

이 이론은 소화적응(digestive adaptation)이라는 수술적 치료 방안을 고안하는데 도움이 되었다. 수술의 구성에는 위소매절제술, 그물막절제술, 근위부 소장절제로 전체 소장길이를 3 m로 하는 것이 포함된다. 이 이론에 의하면 3 m 소장 길이는 현대 인류 식생활의 섭취량에 가장 적합한 길이라는 것이다.[31]

회장 전위수술은 1980년대 초에 처음 제안되었다.[20] 최근의 연구에서는 이러한 수술의 생리학적 원리를 보다 정확하게 이해할 수 있도록 동물실험 모델이 고안되었다.[2] 이 수술은 "ileal brake"의 개념을 제시하는데 이것은 소화되지 않은 영양소가 회장에 도달하게 되면 포만감을 느끼고 혈당조절을 개선시키는 장 호르몬 반응을 일으키는 것이다. 최근에 이 수술법은 위소매절제술에 대사 효과를 더하기 위해서 추가되어 시행되기도 하였다. 이론적으로 이 수술은 흡수장애의 위험을 피할 수 있고 위우회술에서 필요한 비타민과 미네랄 보충의 필요를 없

앨 수 있다.[9]

 신경호르몬 조절(Neurohormonal Modulation)

미주신경의 차단은 위배출의 지연, 식욕의 감소, 그리고 췌장 외분비 기능의 감소를 일으킬 수 있다. 미주신경을 자극하고, 차단하고, 또는 조절하는 장치를 몸속에 이식하는 것이 비만을 조절할 수 있는 방법 중의 하나로 새롭게 연구되어지고 있다.

　　미주신경 차단 치료(vagal blocking therapy, VBLOC)는 미주신경 전달을 차단하는 고주파 전류를 이용하여 비만을 치료할 수 있게 개발되었다. 초기 연구는 이 치료법의 기술적 가능성과 안전성을 보고하면서 치료 6개월 후 %EWL은 23%라고 밝혔다.[6] 하지만 아직 미주신경 차단이 체중감소를 일으키는 기전에 대해서 완전하게 이해되고 있는 것은 아니다.

 결론

비만이 점차 확산되면서 더 안전하고 덜 침습적인 치료방법에 대한 요구는 더욱 늘어날 것이다. 비만 치료의 주체들은 장 호르몬의 생리학과 비만수술의 효과에 대한 충분한 이해를 바탕으로 비만과 비만 관련 합병증을 치료하는 더 효과적인 방법들을 계속해서 개발할 것이다.

　　이득/위험 측면에서 더 안전한 덜 침습적인 치료법에 대한 요구는 점차 커지고 있다. 내시경 분야에서의 기술의 발전은 이 영역에서 많은 발전이 있을 것으로 예상할 수 있게 해준다. 새로운 치료기술은 비만 치료 초기뿐 아니라 초고도 중증의 비만이나 재발된 비만에 다양한 치료법의 선택을 가능하게 할 수 있다.

　　새로운 기술 발전은 전세계적인 비만 확산을 퇴치하는 데 매우 중요한 열쇠이다. 대한비만대사외과학회(KSMBS) 등 비만치료 관련 학회는 이러한 실험적 치료가 투명하고 적절한 감독 하에 이뤄질수 있도록 지속적으로 노력하여야 할 것이다.

참고문헌

1.　Benjamin SB, Maher KA, Cattau EL, Jr. et al. Double-blind controlled trial of the Garren-Edwards gastric bubble: an adjunctive treatment for exogenous obesity. Gastroenterology 1988; 95: 581-8

2.　Boza C, Gagner M, Devaud N et al. Laparoscopic sleeve gastrectomy with ileal transposition (SGIT): A new surgical procedure as effective as gastric bypass for weight control in a porcine model. Surg Endosc 2008; 22: 1029-34

3.　Brethauer SA, Chand B, Schauer PR et al. Transoral gastric volume reduction as intervention for weight management: 12-month follow-up of TRIM trial. Surg Obes Relat Dis 2012; 8: 296-303

4.　Brethauer SA, Chand B, Schauer PR et al. Transoral gastric volume reduction for weight management: technique and feasibility in 18 patients. Surg Obes Relat Dis 2010; 6: 689-94

5.　Brethauer SA, Harris JL, Kroh M et al. Laparoscopic gastric plication for treatment of severe obesity. Surg Obes Relat Dis 2011; 7: 15-22

6.　Camilleri M, Toouli J, Herrera MF et al. Intra-abdominal vagal blocking (VBLOC therapy): clinical results with a new implantable medical device. Surgery 2008; 143: 723-31

7.　Chand B. Comment on: Novel bariatric technology: laparoscopic adjustable gastric banded plication: technique and preliminary results. Surg Obes Relat Dis 2012; 8: 46-7

8.　Clinical Issues C. ASMBS policy statement on gastric plication. Surg Obes Relat Dis 2011; 7: 262

9.　DePaula AL, Stival AR, Halpern A et al. Surgical treatment of morbid obesity: mid-term outcomes of the laparoscopic ileal interposition associated to a sleeve gastrectomy in 120 patients. Obes Surg 2011; 21: 668-75

10. Deviere J, Ojeda Valdes G, Cuevas Herrera L et al. Safety, feasibility and weight loss after transoral gastroplasty: First human multicenter study. Surg Endosc 2008; 22: 589-98

11. Eldar S, Heneghan HM, Brethauer SA et al. Bariatric surgery for treatment of obesity. Int J Obes (Lond) 2011; 35 Suppl 3: S16-21

12. Fernandez AZ, Jr., Demaria EJ, Tichansky DS et al. Multivariate analysis of risk factors for death following gastric bypass for treatment of morbid obesity. Ann Surg 2004; 239: 698-702; discussion 702-693

13. Fogel R, De Fogel J, Bonilla Y et al. Clinical experience of transoral suturing for an endoluminal vertical gastroplasty: 1-year follow-up in 64 patients. Gastrointest Endosc 2008; 68: 51-8

14. Genco A, Bruni T, Doldi SB et al. BioEnterics Intragastric Balloon: The Italian Experience with 2,515 Patients. Obes Surg 2005; 15: 1161-4

15. Gersin KS, Rothstein RI, Rosenthal RJ et al. Open-label, sham-controlled trial of an endoscopic duodenojejunal bypass liner for preoperative weight loss in bariatric surgery candidates. Gastrointest Endosc 2010; 71: 976-82

16. Gupta PK, Franck C, Miller WJ et al. Development and validation of a bariatric surgery morbidity risk calculator using the prospective, multicenter NSQIP dataset. J Am Coll Surg 2011; 212: 301-9

17. Herron DM, Birkett DH, Thompson CC et al. Gastric bypass pouch and stoma reduction using a transoral endoscopic anchor placement system: a feasibility study. Surg Endosc 2008; 22: 1093-9

18. Huang CK, Lo CH, Shabbir A et al. Novel bariatric technology: laparoscopic adjustable gastric banded plication: technique and preliminary results. Surg Obes Relat Dis 2012; 8: 41-5

19. Kakoulidis TP, Karringer A, Gloaguen T et al. Initial results with sleeve gastrectomy for patients with class I obesity (BMI 30-35 kg/m2). Surg Obes Relat Dis 2009; 5: 425-8

20. Koopmans HS, Sclafani A, Fichtner C et al. The effects of ileal transposition on food intake and body weight loss in VMH-obese rats. Am J Clin Nutr 1982; 35: 284-93

21. Lee SM, Pryor AD. Future directions in bariatric surgery. Surg Clin North Am 2011; 91: 1373-95, x

22. Levitzky BE, Wassef WY. Endoscopic management in the bariatric surgical patient. Curr Opin Gastroenterol 2010; 26: 632-9

23. Mahmood Z, McMahon BP, Arfin Q et al. Endocinch therapy for gastro-oesophageal reflux disease: a one year prospective follow up. Gut 2003; 52: 34-9

24. Moreno C, Closset J, Dugardeyn S et al. Transoral gastroplasty is safe, feasible, and induces significant weight loss in morbidly obese patients: results of the second human pilot study. Endoscopy 2008; 40: 406-13

25. O'Brien PE, Dixon JB, Laurie C et al. Treatment of mild to moderate obesity with laparoscopic adjustable gastric banding or an intensive medical program: a randomized trial. Ann Intern Med 2006; 144: 625-33

26. Poobalan AS, Aucott LS, Smith WC et al. Long-term weight loss effects on all cause mortality in overweight/obese populations. Obes Rev 2007; 8: 503-13

27. Rodriguez-Grunert L, Galvao Neto MP, Alamo M et al. First human experience with endoscopically delivered and retrieved duodenal-jejunal bypass sleeve. Surg Obes Relat Dis 2008; 4: 55-9

28. Ryou M, Cantillon-Murphy P, Azagury D et al. Smart Self-Assembling MagnetS for ENdoscopy (SAMSEN) for transoral endoscopic creation of immediate gastrojejunostomy (with video). Gastrointest Endosc 2011; 73: 353-9

29. Ryou M, Ryan MB, Thompson CC. Current status of endoluminal bariatric procedures for primary and revision indications. Gastrointest Endosc Clin N Am 2011; 21: 315-33

30. Sandler BJ, Rumbaut R, Swain CP et al. Human experience with an endoluminal, endoscopic, gastrojejunal bypass sleeve. Surg Endosc 2011; 25: 3028-33

31. Santoro S, Malzoni CE, Velhote MC et al. Digestive Adaptation with Intestinal Reserve: a neuroendocrine-based operation for morbid obesity. Obes Surg 2006; 16: 1371-9

32. Skrekas G, Antiochos K, Stafyla VK. Laparoscopic gastric greater curvature plication: results and complications in a series of 135 patients. Obes Surg 2011; 21: 1657-63

33. Talebpour M, Amoli BS. Laparoscopic total gastric vertical plication in morbid obesity. J Laparoendosc Adv Surg Tech A 2007; 17: 793-8

34. Tarnoff M, Rodriguez L, Escalona A et al. Open label, prospective, randomized controlled trial of an endoscopic

duodenal-jejunal bypass sleeve versus low calorie diet for pre-operative weight loss in bariatric surgery. Surg Endosc 2009; 23: 650-6

35. Therapy AATFoEB, Ginsberg GG, Chand B et al. A pathway to endoscopic bariatric therapies. Gastrointest Endosc 2011; 74: 943-53

36. Wagner BD, Grunwald GK, Rumsfeld JS et al. Relationship of body mass index with outcomes after coronary artery bypass graft surgery. Ann Thorac Surg 2007; 84: 10-6

37. Yimcharoen P, Heneghan HM, Tariq N et al. Endoscopic stent management of leaks and anastomotic strictures after foregut surgery. Surg Obes Relat Dis 2011; 7: 628-36

Chapter 05 | 로봇 비만대사수술
Robotic bariatric surgery

서론

1994년 Wittgrove 등[38]이 복강경 위우회술을 소개한 이래, 복강경 술기는 비만대사수술의 대중화에 큰 기여를 하였다. 복강경 비만대사수술은 상처 합병증의 발생 빈도가 낮고 재원기간이 짧으며, 개복 수술과 비슷한 수준의 수술 후 사망률을 보인다는 점에서 분명 개복 수술에 비해 큰 장점이 있다. 또한 배에 큰 상처 자국을 남기지 않고도 개복 수술과 같은 수술을 시행한다는 점은 많은 병적비만 환자가 보다 수술적 치료를 선택하기 쉽게 만들었다.[29, 33] 그러나 병적비만 환자의 두꺼운 복벽에 의한 투관침의 저항감, 수술자의 자세 이상에 의한 피로도 증가, 기구 관절 움직임의 제한 등의 단점들은 다른 종류의 복강경 수술에서보다 비만대사수술에서 더 크게 나타난다.[6, 36] 결국 많은 외과의들이 복강경을 대신할만한 새로운 접근 방법을 찾기 시작했고, 로봇 수술이 그 대안으로 제시되었으며, Cadiere 등[9]이 1999년 첫 로봇 비만대사수술을 보고하였다. 국내에서는 박 등[24]이 2011년 로봇 루와이 위우회술 및 로봇 위소매절제술을 처음으로 보고한 바 있다. 로봇 수술은 수술자에게 신체 공학적으로 편한 자세를 제공할 뿐만 아니라, 복벽에 의해 투관침이 받는 저항감에서 수술자를 자유롭게 해주었고, 기구 관절의 움직임을 통하여 정교한 수술을 가능하게 한다. 또한 카메라 조수의 도움 없이 수술자가 직접 카메라를 움직이고 3개의 기구를 조작하기 때문에 수술에 필요한 인력 감원을 가능하게 한다.[6, 25, 36]

여기서는 로봇 비만대사수술의 종류에 따라 술기적인 측면을 살펴보고, 현재까지 보고된 문헌의 결과들을 토대로 로봇 비만대사수술의 유용성과 한계를 고찰해 보고자 한다.

로봇 비만대사수술을 위한 수술장 준비

비만대사수술의 종류에 따라 술기 및 투관침 위치 차이 등은 존재하지만, 수술용 로봇과 환자, 제 1조수의 위치 등 로봇 수술을 위한 수술장 준비 사항은 크게 변하지 않는다. 환자의 머리 쪽에서 수술용 로봇이 접근하게 되

그림 5-1 비만대사수술 시 간 견인기의 위치

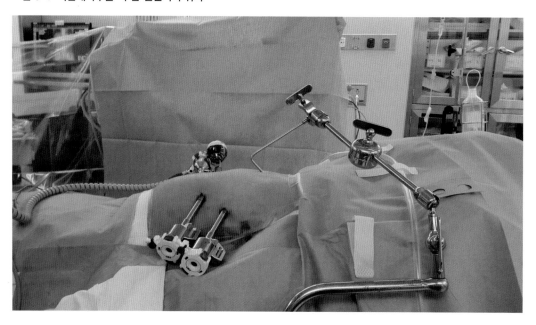

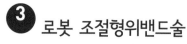

며, 제 1조수의 위치는 주로 환자의 오른쪽이 된다. 자동 문합기의 삽입이 주로 환자의 오른쪽 투관침을 통하여 이루어짐을 고려하여 제 1조수의 위치가 이와 같은 방향이 되나, 이는 수술자의 선호도에 따라 변경 가능하다. 수술에 참여하는 간호사의 위치 또한 절대적인 규칙은 없으나 제 1조수의 반대쪽에 위치하는 것이 로봇 팔의 교체 등을 위하여 용이하다. 수술자가 직접 수술을 시행하는 제어 장비(console)는 의사 소통 및 지휘를 위하여 제 1조수, 수술장 간호사와 일직선 상에 위치하는 것이 유리하다. 이상의 수술장 준비 사항은 위암 수술 등 다른 목적의 위절제술 준비와 크게 다르지 않고, 수술장 상황이나 수술의 종류에 따라 변경 가능하다. 다만, 비만대사수술의 경우 간 견인을 위하여 실 대신 별도의 간 견인기를 사용하는 것이 일반적이므로, 수술용 로봇 팔과 간 견인기가 서로 충돌하지 않도록 간 견인기 설치 시 최대한 높이를 낮게 유지하는 것이 중요하다(그림 5-1). 또한 병적비만 환자의 복강 크기를 고려하여 투관침 위치 선정 시, 기구가 식도 열공(esophageal hiatus)까지 닿을 수 있을 만한 거리로 정하는 것이 좋다.

❸ 로봇 조절형위밴드술

로봇 조절형위밴드술을 위한 카메라 투관침의 위치는 흉골 절흔(sternal notch)에서 하방 25 cm, 정중선(midline)에서 환자의 왼쪽으로 치우친 것이 추천된다. 조수용 투관침(assistant port)은 밴드의 통과를 위하여 15 mm 크기가 필요하며 우측 쇄골 중앙선(midclavicular line) 보다 약간 내측으로 뚫는 것이 용이하다. 로봇 첫 번째 팔을 위한 투관침(1번 투관침)은 좌측 쇄골 중앙선 상에 카메라 투관침보다 상방에서 뚫고, 두 번째 팔과 세 번째 팔을 위한 투관침은 각각 1번 투관침과 조수용 투관침과 8 cm 이상의 거리를 두고 늑골하면(subcostal area)에 뚫는 것이 추천된다.

세계비만대사수술연맹의 자료에 따르면, 조절형위밴

드 수술은 2008년 전체 비만대사수술의 42.3%를 차지할 만큼 최고조를 이루었지만, 2011년(24.5% 감소)과 2013년(7.8% 감소)을 거쳐 지속적인 감소세를 보이고 있다.[1] 때문에 최초의 로봇 비만대사수술이 조절형위밴드수술이었음에도 불구하고, 로봇 조절형위밴드술에 대한 문헌 자료는 많지 않다.[9]

Edelson 등[13]은 287례의 로봇 조절형위밴드술과 120례의 복강경 조절형위밴드술의 결과를 후향적으로 비교하여 보고하였고, 이는 현재까지 가장 큰 규모의 후향적 연구이다. 수술 시간, 재원 기간, 합병증 발생률 및 초과 체중감소 등의 주요 지표들은 양 군간 유의한 차이를 보이지 않았으나, 체질량지수 50 kg/m² 이상의 초병적비만 환자군(로봇수술 64례 및 복강경 수술 25례)에서는 로봇 수술군에서 10분 정도의 수술 시간 단축을 보였다. 초병적비만환자에서 복강경 수술의 가장 큰 문제점 중의 하나는 바로 두꺼운 복벽에 의하여 발생되는 투관침 저항감인데, 로봇 수술의 경우 이러한 문제를 쉽게 극복할 수 있기 때문에 빠른 수술이 가능해졌다는 것이다. 최근 로봇 수술은 조절형위밴드의 삽입뿐만 아니라, 밴드에 의한 합병증을 교정하고 다른 술기로 전환하는 교정 수술에도 흔히 사용되고 있다.

④ 로봇 루와이위우회술

로봇 루와이위우회술 시 투관침의 위치는 조절형위밴드술 때와 비슷하나, 환자의 우측 투관침은 위밴드술 때보다 내측으로 이동한다(**그림 5-2**). 로봇 루와이위우회술의 술기는 복강경 루와이위우회술과 크게 다르지 않고, 15-30 mL의 크기에 해당하는 위낭을 선형 자동문합기를 이용하여 절제하여 만드는 것이 첫 순서이다(**그림 5-3**). 그 후, 위낭-소장 문합과 소장-소장 문합 중 어느 것을 먼저 하느냐는 술자의 편의대로 정할 수 있고, 위낭-소장 문합을 먼저 시행할 경우에는 소장을 자르기 전 문합 먼

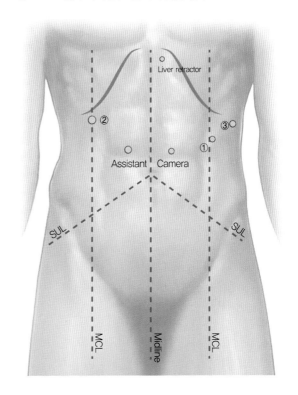

그림 5-2 로봇 루와이위우회술의 투관침 위치

저 시행하는 것이 일반적이다(omega loop gastrojejunostomy). 그리고 소장을 절단하여 위낭-소장 문합부로부터 담췌각(biliopancreatic limb)을 분리한 뒤, 소장-소장 문합을 시행하게 된다. 만약 소장-소장 문합을 먼저 시행할 경우, 우선 트라이츠 인대로부터 하방 50-100 cm 가량의 소장을 절단하고, 루각을 75-150 cm으로 하여 소장-소장 문합을 시행한다. 그리고 위낭-소장 문합을 시행하게 된다(**그림 5-4**).

루와이위우회술 시 가장 흔한 합병증 중 하나는 바로 문합부(위낭-소장 문합부) 협착이다.[11, 14] 때문에 많은 문합 술기가 고안되었고 대표적으로 Higa 등[18]이 발표한 수기문합술, Wittgrove와 Clark[37]이 제안한 원형 자동문합기를 사용한 문합술, Williams와 Champion[35]이 발표한 선형 자동문합기를 사용한 문합술 세 가지가 있다. 세 문합 술기의 결과를 비교한 선행 연구들이 있으나 그 결과는 일정치 않다.[3, 16, 20, 21, 26] Gonzalez 등[16]은 수기문합

그림 5-3 로봇 루와이위우회술에서 위낭 절제 시, 첫 선형 자동
문합기 적용 모습

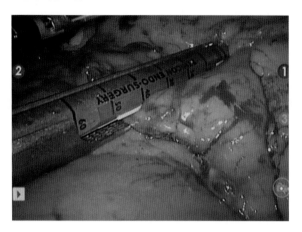

그림 5-4 로봇 루와이위우회술 시, 수기 위낭–소장 문합술 시행
모습

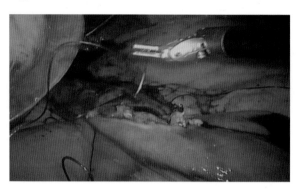

술, 30 mm 선형 자동문합기 문합술, 21 mm 원형 자동
문합기 문합술을 비교하였고, 원형 자동문합기 문합술
에서 가장 높은 문합부 협착률(31%, 4/13)을 보였다. 선
형 자동문합기 문합술은 0% (0/8), 수기문합술은 3.5%
(3/87)의 협착률을 나타내었고, 문합부 누출 및 출혈은
세 군에서 차이를 보이지 않았다. Lois 등[21]은 수기 문합
술과 원형 자동문합기 문합술을 비교하였는데, 역시 수
기문합술에서 유의하게 낮은 문합부 협착률을 보였다
(수기문합: 3% (4/135) vs. 원형 자동문합기 문합: 16.4%
(9/55)). 하지만 반대의 결과를 발표한 연구도 있었는데,
Qureshi 등[26]은 25 mm 원형 자동문합기 문합술 (협착
률 1.2%, 3/254)을 시행하였을 때 수기문합술(2.8%, 5/177)
과 15 mm 선형 자동문합술(4.4%, 19/429)보다 낮
은 문합부 협착을 보고하였다. Bendewald 등[3]의 보고에
따르면, 세 그룹에서 모두 4.3-6.1% 사이의 문합부 협착
률을 보여 유의한 차이가 없었다. 흥미로운 사실은 여러
상반된 결과를 보이는 선행 연구들에서 수기문합술은
상대적으로 일정하고 낮은 문합부 협착 발생률(2.8-6.8%)
을 보였고, 다른 술기들은 연구마다 편차가 심하였다는
점이다. 이러한 결과는 수술자들이 수기문합술을 신뢰
할 수 있게 하는 근거로 작용할 수 있고, 로봇 루와이위
우회술의 장점은 바로 위낭-소장 수기 문합의 수월함에

서 찾을 수 있다. 복강경 루와이위우회술에서의 수기문
합은 많은 시간이 소요되며 초병적비만 환자에서는 기
술적으로 쉽지 않은 술기이다. 하지만 로봇은 앞서 언급
한 장점을 바탕으로 수기 문합을 더 쉽고 빠르게 시행하
도록 도와주며, 이로 인해 많은 수술자들이 로봇 루와이
위우회술을 선호하고 있다.

Hagen 등[17]은 로봇 위낭-소장 수기문합술과 복강경
원형 자동문합기 문합술을 비교하여 그 결과를 발표하
였는데, 복강경 원형 자동문합기 문합술보다 로봇 수기
문합술에서 문합부 누출(로봇 수기문합술: 0% (0/143)
vs. 복강경 원형 자동문합기 문합술: 4% (13/323))과 협착
(0% (0/143) vs. 6.8% (22/323)) 발생이 유의하게 적음을 보
고하였다. Buchs 등[7]은 로봇 수기문합술과 복강경 선형
자동문합기 문합술을 비교하였고, 로봇 수기문합술에
서 유의하게 적은 문합부 누출(로봇 수기문합: 0.3%
(1/388) vs. 복강경 선형 자동문합기 문합: 3.6% (14/389))
과 재수술률(1% (4/388) vs. 3.3% (13/389))을 보였다. 그
러나 모든 선행 연구에서 항상 일정한 결과를 보이진 않
았다. 로봇과 복강경 루와이위우회술 사이에 문합부 합
병증 등의 차이가 없으며 수술 시간만 로봇 수술 그룹에
서 유의하게 길었다는 선행 보고도 있으며,[28] 오히려 로
봇 수술에서 합병증 발생률이 더 높았다는 보고도 있다.[4]

복강경과 로봇 또는 세 가지 문합 술기 중 어느 방법

이 더 우월한지에 대한 결론을 내리기란 쉽지 않다. 설사 전향적 다기관 무작위 배정 연구가 시행된다고 하더라도 수술자의 복강경과 로봇 수술 경험의 차이가 연구 결과를 교란시킬 가능성이 있어 이 모든 걸 통제한 연구를 계획하기가 쉽지 않다. 단, 3차원적 시야와 관절 움직임이 가능한 기구 등을 통해 로봇 수술이 수기 문합을 포함한 위우회술을 시행하는 데에 복강경 수술보다 더 나은 환경을 제공한다는 데에는 이견이 없을 것이다.[19, 23] 그리고 이러한 수술 환경이 로봇 루와이위우회술 시 수기 문합을 더 쉽고 안정적으로 만들 수 있으며, 나아가 문합부 합병증 발생률 감소에 도움을 줄 수 있다고 사료된다.

로봇 위소매절제술

위소매절제술은 낮은 합병증률과 단순한 술기, 충분한 체중감소 효과로 인하여 빠르게 증가하고 있는 비만대사수술이다. 또한 수술 후에도 위내시경을 통하여 잔위(remnant stomach)에 대한 검사가 가능하다는 점은 우리나라를 비롯한 일본, 중국 등의 위암 호발 지역에서 더 큰 장점으로 작용할 수 있다. 하지만 위장관 문합을 포함하지 않는 술기의 단순함 때문에 오히려 로봇 수술은 위소매절제술에서 큰 두각을 나타내지 못하고 있다. 일부 수술자들은 로봇 위소매절제술이 위저부(fundus)의 박리를 용이하게 하여 위식도 접합부 및 횡격막 각근육(crus muscle) 부분을 안전하게 노출시킬 수 있다고 하나, 아직 임상적 증거로 뒷받침되고 있진 못하다. 또한 로봇 위소매절제술 시 위절제부분(stapling line)의 보강 봉합(reinforcement suture)이 용이하다는 주장도 있으나, 이러한 보강 봉합이 수술 후 결과에 도움이 되는지에 대한 논의 자체가 아직 논란의 여지가 있기 때문에 이를 로봇 위소매절제술의 장점으로 받아들이기엔 한계가 있다.[10, 15]

투관침의 위치는 로봇 조절형위밴드술과 크게 다르지 않다. 단, 15 mm 조수용 투관침을 12 mm 투관침으

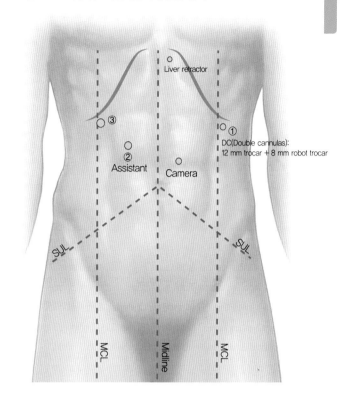

그림 5-5 로봇 위소매절제술의 투관침 위치

로 대체할 수 있고, 환자 우측의 투관침들은 조절형위밴드술때보다 내측으로 위치한다. 조수용 투관침은 8 mm 로봇용 투관침을 12 mm 투관침 안에 삽입하여 위대망 박리시 2번째 로봇 팔을 삽입하여 사용할 수 있다(double cannulas). 이 방법을 사용한다면 총 투관침의 개수를 4개로 줄일 수 있다(그림 5-5).

현재까지 복강경 위소매절제술과 로봇 위소매절제술의 비교 연구에서 양 군간 누출, 협착, 출혈과 같은 합병증 발생률의 차이는 없었고, 수술 시간은 로봇 수술에서 더 길었다.[2, 27, 34] 하지만 최근에는 로봇 위소매절제술의 이점을 새로운 관점에서 찾으려는 시도도 있다. Bhatia 등[5]은 체질량지수 50 kg/m² 이상의 초병적비만 환자와 병적비만환자의 로봇 위소매절제술 성적을 비교하였는데, 양 군간 수술 시간, 출혈량, 수술 후 합병증 발생률 등에서 유의한 차이가 없었다. 따라서 이들은 로봇 시스템이 초병적비만환자 수술 시 겪을 수 있는 수술 술기의 어

려움을 극복하는데 도움을 줄 수 있다고 유추하였다. 또한 위소매절제술의 상대적으로 간단한 술기를 로봇으로 구현함으로써 최소침습 비만대사수술의 진입 장벽을 더욱 낮추고, 외과 전공의의 술기 학습 모델로 구축하고자 하는 시도도 있다.[12]

❻ 로봇 십이지장전환술

십이지장전환술에서 로봇의 역할에 대한 문헌 자료는 많지 않다. 로봇 십이지장전환술은 2000년 Sudan 등에 의하여 첫 문헌 보고가 이루어졌다.[32] 저자들은 47명의 로봇 십이지장전환술 환자를 정리하면서 8% (4/47)의 문합부 누출과 6.3% (3/47)의 개복전환률을 보고하였다. 하지만 이 수술에서 십이지장-소장 문합술만이 로봇으로 시행되었고, 그 외 술기들은 복강경적으로 시행되었다는 점에서 진정한 의미의 로봇 수술이라고 보기에는 한계가 있었다. 그러나 최근 같은 저자들에 의해 전 로봇(totally robot-assisted) 십이지장전환술 59례의 결과가 발표되었고, 수술 시간과 합병증 발생 면에서 이전보다 향상된 수술 후 결과를 보고하였다.[31]

❼ 로봇 교정 비만수술

교정 수술의 경우, 복강 내 유착, 염증, 조직의 변성 등으로 인해 술기의 어려움을 동반한다. 따라서 비만대사수술을 집도하는 외과의에게는 큰 부담으로 작용하며, 수술 후 합병증 발생률 또한 증가한다. 교정 수술을 단순히 환자가 시행받는 두 번째 비만대사수술로 통칭하여 말하기는 어렵다. 교정 수술은 첫 번째 수술이 무엇이고 동시에 두 번째 받는 수술이 무엇인지에 따라 수술의 난이도가 확연히 달라지며, 두 번째 수술 시행 이유(체중감

소가 발생하였지만 환자가 불만족 하는 경우, 또는 체중이 다시 증가한 경우, 또는 첫 번째 수술의 합병증으로 재수술을 시행하는 경우 등)에 의해서도 난이도에 영향을 받는다. 따라서 수술 중, 또는 수술 후 합병증 발생률은 앞서 언급한 여러 요인에 의하여 달라지게 되며,[22] 이는 향후 교정 수술을 체계적으로 분류하여 재정의하려는 노력이 꼭 필요함을 시사한다.

Snyder 등[30]은 99례의 로봇 교정 수술을 정리하여 보고하였고, 여기에는 조절형위밴드술에서 교정 루와이위우회술/교정 위소매절제술, 루와이위우회술에서 교정 십이지장전환술, 루와이위우회술에서 교정 루와이위우회술 증례가 포함되었다. 교정 수술의 사유로는 만성적 복통, 연하 곤란, 불충분한 체중감소, 체중 증가, 식도열공탈장과 같은 첫 수술로 인한 합병증이 있었고, 합병증 발생률은 17%, 90일 내 재입원률은 24%로 보고하였다. Buchs 등[8]은 교정 루와이위우회술은 시행함에 있어서 개복, 복강경, 로봇의 세 가지 접근 방법(개복 28례, 복강경 21례 및 로봇 11례)을 비교하였다. 로봇 수술은 다른 수술에 비하여 더 적은 합병증 발생률(개복 10.7%, 복강경 14.3%, 로봇 0%)과 더 적은 재수술률(개복 25%, 복강경 19%, 로봇 9.1%)을 보였으나 통계적으로 유의하진 않았으며, 유의하게 더 긴 수술 시간(개복 250분, 복강경 270분, 로봇 352분)을 보였다. Bindal 등[6]도 32례의 로봇 교정 루와이위우회술의 결과를 보고하였는데, 문합부 누출, 협착 및 출혈과 같은 합병증은 발생하지 않았으며 개복으로 전환한 증례도 없었다는 점에서 로봇 교정 수술의 안전성을 보여주었다.

로봇 수술을 통해 집도의가 얻게 되는 인체 공학적 최소침습수술 환경, 3차원적 시야, 기구 손목 관절의 사용 등의 장점은 교정 수술과 같은 복잡한 수술에서 더욱 잘 드러날 수 있다. 특히 교정 수술에서는 이전 수술로 인한 반흔으로 조직이 두꺼워져 있기 때문에 자동문합기를 사용할 경우 누출과 같은 문합부위 합병증이 발생할 확률이 높다. 따라서 수기 문합이 편한 로봇 수술이 교정 수술에서는 더욱 유리할 수 있으며, 앞으로 비만대사수

술 증례가 쌓여감에 따라 국내에서도 교정 수술의 빈도가 늘어날 것이고, 로봇 교정 수술이 점점 더 큰 비중을 차지할 것이라 예상한다.

⑧ 요약 및 결론

로봇 비만대사수술은 복강경 수술과 마찬가지로 최소침습적이며 안전하다. 비만대사수술에서 로봇 수술이 지니는 장점으로는 3차원적 시야, 기구 손목 관절 사용으로 자유도의 증가, 두꺼운 복벽으로 인해 투관침에 전해지는 저항감 극복, 수술자의 편안한 자세 유지 등을 꼽을 수 있다. 다만, 이러한 장점들이 실제 수술 결과에 반영되어 복강경적 수술보다 우월한 결과를 보일 수 있을지에 대한 의문은 아직 남아 있다. 그러나 로봇 플랫폼은 어떠한 방향으로든 지속적으로 발전할 것이고, 앞으로 최소침습수술 영역에 계속 녹아 들어올 것임이 분명하다. 또한 병적비만환자의 신체적 특성상, 비만대사수술 영역에서 로봇의 적용은 다른 영역보다 더 빠른 속도로 이루어질 것이라고 사료된다.

참고문헌

1. Angrisani L, Santonicola A, Iovino P, et al. Bariatric Surgery Worldwide 2013. Obes Surg 2015; 25:1822-32.

2. Ayloo S, Buchs NC, Addeo P, et al. Robot-assisted sleeve gastrectomy for super-morbidly obese patients. J Laparoendosc Adv Surg Tech A 2011; 21:295-9.

3. Bendewald FP, Choi JN, Blythe LS, et al. Comparison of hand-sewn, linear-stapled, and circular-stapled gastrojejunostomy in laparoscopic Roux-en-Y gastric bypass. Obes Surg 2011; 21:1671-5.

4. Benizri EI, Renaud M, Reibel N, et al. Perioperative outcomes after totally robotic gastric bypass: a prospective nonrandomized controlled study. Am J Surg 2013; 206:145-51.

5. Bhatia P, Bindal V, Singh R, et al. Robot-assisted sleeve gastrectomy in morbidly obese versus super obese patients. JSLS 2014; 18.

6. Bindal V, Gonzalez-Heredia R, Elli EF. Outcomes of Robot-Assisted Roux-en-Y Gastric Bypass as a Reoperative Bariatric Procedure. Obes Surg 2015.

7. Buchs NC, Morel P, Azagury DE, et al. Laparoscopic versus robotic Roux-en-Y gastric bypass: lessons and long-term follow-up learned from a large prospective monocentric study. Obes Surg 2014; 24:2031-9.

8. Buchs NC, Pugin F, Azagury DE, et al. Robotic revisional bariatric surgery: a comparative study with laparoscopic and open surgery. Int J Med Robot 2014; 10:213-7.

9. Cadiere GB, Himpens J, Vertruyen M, et al. The world's first obesity surgery performed by a surgeon at a distance. Obes Surg 1999; 9:206-9.

10. Carandina S, Tabbara M, Bossi M, et al. Staple Line Reinforcement During Laparoscopic Sleeve Gastrectomy: Absorbable Monofilament, Barbed Suture, Fibrin Glue, or Nothing? Results of a Prospective Randomized Study. J Gastrointest Surg 2015.

11. Carrodeguas L, Szomstein S, Zundel N, et al. Gastrojejunal anastomotic strictures following laparoscopic Roux-en-Y gastric bypass surgery: analysis of 1291 patients. Surg Obes Relat Dis 2006; 2:92-7.

12. Ecker BL, Maduka R, Ramdon A, et al. Resident education in robotic-assisted vertical sleeve gastrectomy: outcomes and cost-analysis of 411 consecutive cases. Surg Obes Relat Dis 2015.

13. Edelson PK, Dumon KR, Sonnad SS, et al. Robotic vs. conventional laparoscopic gastric banding: a comparison of 407 cases. Surg Endosc 2011; 25:1402-8.

14. Fisher BL, Atkinson JD, Cottam D. Incidence of gastroenterostomy stenosis in laparoscopic Roux-en-Y gastric bypass using 21- or 25-mm circular stapler: a randomized prospective blinded study. Surg Obes Relat Dis 2007; 3:176-9.

15. Gagner M, Buchwald JN. Comparison of laparoscopic sleeve gastrectomy leak rates in four staple-line reinforcement options: a systematic review. Surg Obes Relat Dis 2014; 10:713-23.

16. Gonzalez R, Lin E, Venkatesh KR, et al. Gastrojejunostomy during laparoscopic gastric bypass: analysis of 3 techniques. Arch Surg 2003; 138:181-4.

17. Hagen ME, Pugin F, Chassot G, et al. Reducing cost of surgery by avoiding complications: the model of robotic Roux-en-Y gastric bypass. Obes Surg 2012; 22:52-61.

18. Higa KD, Boone KB, Ho T, et al. Laparoscopic Roux-en-Y gastric bypass for morbid obesity: technique and preliminary results of our first 400 patients. Arch Surg 2000; 135:1029-33; discussion 33-4.

19. Hubens G, Coveliers H, Balliu L, et al. A performance study comparing manual and robotically assisted laparoscopic surgery using the da Vinci system. Surg Endosc 2003; 17:1595-9.

20. Kravetz AJ, Reddy S, Murtaza G, et al. A comparative study of handsewn versus stapled gastrojejunal anastomosis in laparoscopic Roux-en-Y gastric bypass. Surg Endosc 2011; 25:1287-92.

21. Lois AW, Frelich MJ, Goldblatt MI, et al. Gastrojejunostomy technique and anastomotic complications in laparoscopic gastric bypass. Surg Obes Relat Dis 2015; 11:808-13.

22. Mahawar KK, Graham Y, Carr WR, et al. Revisional Roux-en-Y Gastric Bypass and Sleeve Gastrectomy: a Systematic Review of Comparative Outcomes with Respective Primary Procedures. Obes Surg 2015; 25:1271-80.

23. Moorthy K, Munz Y, Dosis A, et al. Dexterity enhancement with robotic surgery. Surg Endosc 2004; 18:790-5.

24. Park DJ, Ahn SH, Lee JH, et al. Robotic Roux-en-Y Gastric Bypass and Robotic Sleeve Gastrectomy for Morbid Obesity: Case Reports. J Korean Soc Endosc Laparosc Surg 2011; 14:114-7.

25. Park YS, Ahn SH, Park DJ, et al. Bariatric and revisional robotic surgery. Translational Gastrointestinal Cancer 2016; 5:1-7.

26. Qureshi A, Podolsky D, Cumella L, et al. Comparison of stricture rates using three different gastrojejunostomy anastomotic techniques in laparoscopic Roux-en-Y gastric bypass. Surg Endosc 2015; 29:1737-40.

27. Romero RJ, Kosanovic κ, Rabaza JR, et al. Robotic sleeve gastrectomy: experience of 134 cases and comparison with a systematic review of the laparoscopic approach. Obes Surg 2013; 23:1743-52.

28. Scozzari G, Rebecchi F, Millo P, et al. Robot-assisted gastrojejunal anastomosis does not improve the results of the laparoscopic Roux-en-Y gastric bypass. Surg Endosc 2011; 25:597-603.

29. Sekhar N, Torquati A, Youssef Y, et al. A comparison of 399 open and 568 laparoscopic gastric bypasses performed during a 4-year period. Surg Endosc 2007; 21:665-8.

30. Snyder B, Wilson T, Woodruff V, et al. Robotically assisted revision of bariatric surgeries is safe and effective to achieve further weight loss. World J Surg 2013; 37:2569-73.

31. Sudan R, Podolsky E. Totally robot-assisted biliary pancreatic diversion with duodenal switch: single dock technique and technical outcomes. Surg Endosc 2015; 29:55-60.

32. Sudan R, Puri V, Sudan D. Robotically assisted biliary pancreatic diversion with a duodenal switch: a new technique. Surg Endosc 2007; 21:729-33.

33. Tian HL, Tian JH, Yang KH, et al. The effects of laparoscopic vs. open gastric bypass for morbid obesity: a systematic review and meta-analysis of randomized controlled trials. Obes Rev 2011; 12:254-60.

34. Vilallonga R, Fort JM, Caubet E, et al. Robotic sleeve gastrectomy versus laparoscopic sleeve gastrectomy: a comparative study with 200 patients. Obes Surg 2013; 23:1501-7.

35. Williams MD, Champion JK. Linear technique of laparoscopic Roux-en-Y gastric bypass. Surg Technol Int 2004; 13:101-5.

36. Wilson EB, Sudan R. The evolution of robotic bariatric surgery. World J Surg 2013; 37:2756-60.

37. Wittgrove AC, Clark GW. Laparoscopic gastric bypass, Roux-en-Y- 500 patients: technique and results, with 3-60 month follow-up. Obes Surg 2000; 10:233-9.

38. Wittgrove AC, Clark GW, Tremblay LJ. Laparoscopic Gastric Bypass, Roux-en-Y: Preliminary Report of Five Cases. Obes Surg 1994; 4:353-7.

Chapter 06 | 비만수술 후 체형성형술

Postbariatric body contouring

① 서론

비만수술은 병적비만 환자들에게 체중 감량과 더불어 동반된 질환들이 호전되는 효과를 보인다.[10,11,12] 대량 체중 감량(massive weight loss, MWL)이란 %초과체중에서 약 50% 이상 체중 감량이 된 상태를 말한다. 최근 비만수술 후에 대량 체중 감량(MWL)으로 이를 교정하기 위한 체형성형술(Postbariatric body contouring)이 점점 늘고 있는 실정이다.[14,43] 체질량지수(body mass index)가 급격하게 떨어지는 대량의 체중 감량이 되면, 피부와 주위 연부조직만 남고 중력으로 인해 안쪽 혹은 아래 방향으로 늘어지고 처지게 되며 주위 지방층의 변형이 일어나게 되어 여분의 불필요하고 보기 흉한 처진 살이 된다. 더 진행이 되면 결국 주위 피부를 자극하고 염증이 생기며 위생문제, 신체 기능적 활동 범위 감소를 비롯 자존감 저하까지도 이르게 된다.[8]

따라서 이런 피부나 주위 연부조직들을 외과적으로 제거하게 되면 외적 체형변화와 함께 미용적인 면에서도 큰 변화를 보여 본인의 새로운 이미지와 자신감 회복에 있어 큰 도움이 된다.[9]

② 비만수술 전후 동반질환 및 영양상태 확인

비만수술 후에 체중 감량은 물론 기존에 비만과 동반되었던 질환들이 완치 또는 호전을 보이게 되나 해결이 되지 않은 질환이 있는 경우 수술 후 합병증에 대한 이환률이 높기 때문에 수술 전 전반적이고 철저한 검사가 필요하다. 예를 들면 제2형 당뇨병, 심장병, 수면무호흡, 혈전의 위험 등은 체형성형수술 전에 재확인하여 수술전 조치를 시행해야 한다.[8,26] 또한 환자의 식습관에 대한 경력과 변화 그리고 현재의 영양상태 평가를 먼저 한다.

비만수술 방법에 따라 체중 감량 정도도 차이가 날 수 있으며 특히 위우회수술 같은 흡수 제한 술식에 해당하는 비만대사수술을 받은 경우는 영양결핍과 이로 인한 문제점 여부 등은 반드시 확인을 해야 한다.

조절형위밴드수술이나 위소매수술 같은 섭취제한 술식을 받은 환자에서도 영양분 부족 등은 점검할 필요가 있다.[8,35] 혈액 검사는 보통 수술 전 4주 이내 시행하며 기본적인 혈액검사, 간기능, 갑상선기능, 전해질, 심전도 및 흉곽엑스선 등이 포함되고 미세 영양소 즉 철분, 비타민 B1, B12, 엽산, 칼슘, 비타민 D 등 부족 여부를 확인한다. 수술 전에 항응고제나 비스테로이드성 진통소염제 등은 수술 전 적어도 2주간은 중지를 시켜야 하며 한약이나 기능성식품 등에 대해서도 복용 여부를 확인해 둘 필요가 있다.[46]

흡연을 하는 경우 수술 전에 금연을 당부시켜야 하며 경우에 따라 수술 한 달 전에 소변 코티닌 검사를 통해 금연 여부를 확실히 해둔다.[24,42]

 환자선택과 체형 성형수술시기

병적비만으로 체중 감량이 된 환자의 경우 체형성형수술을 원하지만 실제로 수술을 받는 사람은 약 21-25% 정도로 보고되고 있다.[3,4,23,30] 비만수술 후 약 12-18개월이 경과되고 최근 4-6개월 동안 체중 변화가 없는 경우, 즉 체중 감량이 되고 안정적으로 체중이 변동 없이 유지되고 있는 상태가 적절한 체형성형수술시기라 할 수 있으며 이런 경우 수술 후 합병증 또한 최소한으로 줄이면서 최대의 미용성형 효과를 볼 수 있다.[45]

문헌에 의하면 체형성형수술을 위한 적합한 비만도 정도는 없지만 최소한 신체질량지수가 32 kg/m²를 넘지 않는 것을 권유하고 있다. 이보다 높은 신체질량지수의 환자의 경우 수술 후 합병증의 가능성 높아지기 때문이다.[40] 또한 수술 당시 신체질량지수가 낮을수록 합병증이 적어지기 때문에 환자가 체형성형수술을 원한다 하더라도 체중 감량이 되고 있는 상태라면 체중이 유지될 때까지 수술을 지연시키는 것이 좋다.[23]

 수술 전 환자 상담 및 진찰

환자 대부분에서 수술 후 합병증이 없음은 물론 즉각적인 체형의 변화를 기대하는데 담당의는 수술 시간, 절개 상처 길이와 절개범위, 흉터 위치, 회복기간 등에 대하여 자세히 설명하여야 한다.[22,26,32]

신체 변형 장애(body dysmorphic disorder) 또한 수술 전후 발생 가능하므로, 우울증을 포함한 정신과적인 추적 검사가 필요할 수 있다.[40] 수술시간이 길어질 수 있는 환자의 경우 합병증 예방을 위해서라도 단계별 수술을 권할수 있지만 환자의 상태, 경제적 시간적 여유 등을 고려하여 결정한다.[15,32] 수술 전 환자진찰 시 복부를 관찰할 때는 과거수술 상처, 탈장 여부, 복근의 상태를 확인하며 피부의 톤과 탄력, 늘어진 정도, 피하지방층 두께, 튼살 정도를 확인한다.[8]

수술 전 환자의 상태 기록과 사진 촬영은 필수이다. 과거수술로 인한 절개상처가 있는 경우 위치나 크기 등을 고려하여 성형수술 후 피판(flap)에 혈액과 영양공급에 미치는 영향도 고려한다. 또한 환자가 과거 개복수술 등으로 인해 생긴 복부탈장이 있는 경우 복벽재건수술을 시행할 수 있다.[8] 조절형위밴드수술 환자가 복부성형수술을 할 경우 복강 밖에 위치해 있는 식염수 조절용 포트가 복벽에 있는 경우 재배치를 해야 하는 경우가 있다. 몸전체를 체형교정수술을 단계별 나누어 수술을 할 경우 우선 순위를 보면 복부 유방, 가슴과 팔, 하체 리프트를 시행하고 이어 허벅지 안쪽과 상체, 등 부위 그리고 얼굴 안면 순이 될 수 있다.[15] 물론 환자가 가장 원하는 부위를 먼저 시도하는 것이 좋으나 상처가 회복하여 안정이되려면 약 3개월을 두고 단계별 수술을 한다.[14,26]

⑤ 피츠버그 평가표의 활용(Pittsburgh Weight Loss Deformity Scale)

체중 감량에 따라 늘어지고 처진 피부와 살 그리고 지방의 변형은 다양한 정도로 나타나며 피츠버그 신체변형 평가표(Pittsburgh weight loss deformity scale)에 따라 체중 감량 후에 나타나는 신체변형 정도를 평가하고 이에 맞는 수술방법을 선택하고 수술 전후 결과 또한 비교하는데 참조할 수 있다.[41] 대량의 체중 감량 후에 생기는 체형 변형을 10부위로 구분하고 정상을 0, 심한 변형으로 피부가 접히는 상태를 3까지 각각 0에서 3까지 평가를 한다(그림 6-1).

각 부위 별로 피부의 처지거나 주름진 정도, 지방 축적과 변형 정도 등에 따른 수술 방법, 전반적인 치료 계획을 세울 때 참조할 수 있으며 수술 전후 결과를 평가하는데 참조할수 있다(표 6-1). 표에서처럼 변형 정도와 지방 축적에 따라 한 가지에서 여러 수술 방법을 같이 시행할 수 있어 지방흡입, 절제와 리프팅 심한 경우 재건수술을 같이 하기도 한다. 수술 부위는 한 부위만 시행되기도 하며, 정도에 따라 여러 부위를 시행한다.

⑥ 체형 성형술 (Body-contouring procedures)

체형성형술은 오래 전부터 다양한 절개와 디자인이 시도되었다. 특히 복부 부위의 성형술은 제일 많이 시행되는 수술이며 점차 눈에 잘 안띄는 방법으로 발전하고 있다. 그림 6-2가 보여주는 것처럼 복부 성형술에는 다양한 절개 디자인이 있음을 알수 있다.

1. 복부성형술(Full abdominoplasty) 일명 Tummy tuck

복부의 피츠버그 신체변형 정도 1 혹은 그 이상의 경우 시행하며 하복부의 횡적인(transverse) 피부 및 지방층의 절제를 하고 복부 근육에 대한 보강, 배꼽을 새로운 위치에 다시 만들어주는 수술이다(그림 6-3).

절제 피부면적이 넓기 때문에 2-3편으로 나누어 절제하는 것이 효과적이며 반드시 배꼽은 미리 주변절제를 통해 아래로 밀어 넣고 피부절개를 시작한다. 이 때 배꼽 주변으로 둥글게 절개하지 않고 약간 별모양으로 변화를 주는 것이 수술 후 수축 등으로 인한 모양 변형을 줄일 수 있는 방법이다. 하복부 절개라인이 일부 봉합이 이루어지면 배꼽의 위치를 정하고 피부절개를 통해 배꼽을 찾아 적절한 위치에 고정시키며 봉합한다.

피하조직을 잘 마무리하고 피부도 절개면이 깨끗하도록 봉합을 마무리한다. 제설정하는 배꼽의 위치는 갈비뼈 끝부분과 골반의 경계선에서 중간부분에 자리 잡도록 높이를 잡아주면 자연스런 위치가 된다. 보통 2개의 배액관을 24시간 유지하는데 출혈 유무 확인과 혈종이나 장액종(seroma) 등의 축적으로 인해 상처회복이 지연되는 것을 방지하는 기능이 있으며 20 cc 이하 시 제거한다.

환자는 수술 당일 밤부터 움직이는 것이 가능하며 전신마취후의 합병증을 줄이기 위해서 조기 운동을 시키며 복대(abdominal binder)를 3-6주 착용한다. 변형 정도와 부위에 따라 전형적인 복부 성형술(conventional abdominoplasty) 이외 원통형 복부성형술(circumferential abdominoplasty) (그림 6-4), 하체 리프트(lower body lift)(그림 6-5), T자형 복부성형술(fleur-de-lis abdominoplasty)등을 시행할 수 있다. 원통형 복부성형술(circumferential abdominoplasty)의 경우 옆구리와 엉덩이의 늘어진 피부를 복부와 함께 즉 환자의 복부와 옆구리 등을 포함하여 몸통 전체를 원통형으로 제거하는 것을 말한다.[5]

그림 6-1 피츠버그 신체변형 평가표(Pittsburgh Weight Loss Deformity Scale)에 따른 변형

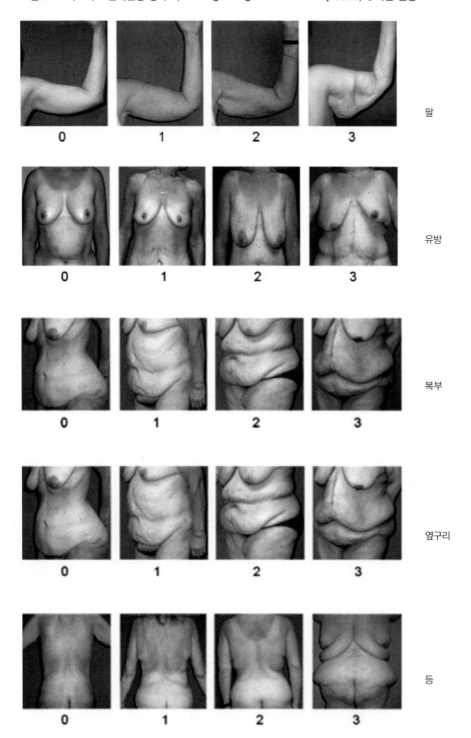

그림 6-1 (계속) 피츠버그 신체변형 평가표(Pittsburgh Weight Loss Deformity Scale)에 따른 변형

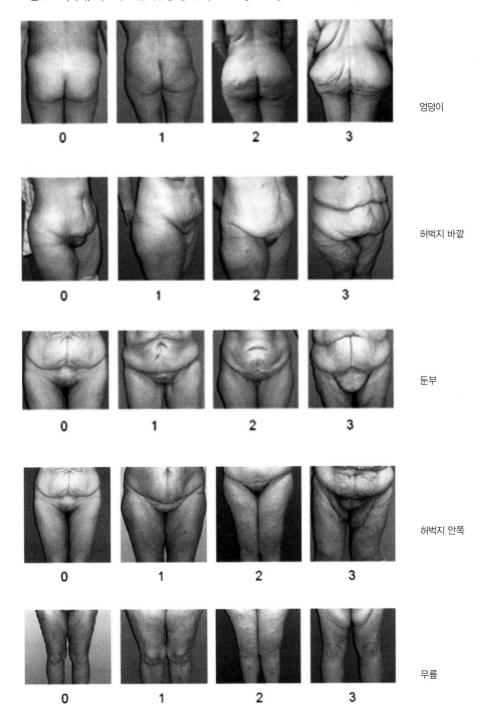

표 6-1 Pittsburgh Weight Loss Deformity Scale(체중 감량 후의 신체 변형에 대한 평가표)

신체부위	정도	상태	적용되는 수술
팔	0	좋음	없음
	1	피부의 탄력은 있으나 지방이 축적됨	지방흡입
	2	심각한 지방의 축적없이 피부만 처짐	팔성형수술(Brachioplasty)
	3	심한 지방의 축적과 함께 피부도 처짐	팔성형술 + 지방흡입
유방	0	좋음	없음
	1	처지거나 거대유방증	유방고정술, 유방축소술 또는 유방확대술
	2	유두가 처짐 또는 약간의 볼륨 감소	유방고정술 ± 유방확대술
	3	심한 볼륨감소로 겨드랑이까지 피부 처짐	유방확대와 함께 유방 재건술
등	0	좋음	없음
	1	지방이 뭉쳐 하나의 지방줄(roll) 형성	지방흡입
	2	여러 개의 지방줄(roll) 형성	절제와 리프팅
	3	지방줄(roll)들이 처지는 상태	리프팅
복부	0	좋음	없음
	1	처짐은 없으나 주름이 잡히고 지방이 축적됨	복부성형술또는 미니복부성형술
	2	피부와 지방이 늘어져 처진 지방층(pannus)	복부성형술(abdominoplasty)
	3	여러 개의 지방층형성, 상복부까지 침범	복부성형술 + 상체 바디 리프팅
옆구리	0	좋음	없음
	1	지방축적	지방흡입
	2	지방층형성	지방흡입
	3	지방층들이 처져있는 상태	절제와 리프팅
엉덩이	0	좋음	없음
	1	경도, 중등도의 지방축적과 셀룰라이트 형성	지방흡입
	2	심한 지방축적 또는 심한 셀룰라이트 형성	지방흡입 또는 절제와 리프팅
	3	피부가 접히는 상태	절제와 리프팅
둔부	0	좋음	없음
	1	지방 과다축적	지방흡입
	2	처짐	둔부성형(Monsplasty)
	3	둔부밑까지 처짐	둔부성형+ 절제와 리프팅
허벅지 바깥쪽	0	좋음	없음
	1	경증, 중등도의 지방축적 또는 셀룰라이트 형성	지방흡입
	2	심한 지방축적 또는 셀룰라이트 형성	지방흡입 ± 절제와 리프팅
	3	피부가 접히는 상태	절제와 리프팅
허벅지 안쪽	0	좋음	없음
	1	지방축적	지방흡입 또는 절제와 리프팅
	2	심한 지방축적 또는 심한 셀룰라이트 형성	지방흡입 또는 절제와 리프팅
	3	피부가 접히는 상태	절제와 리프팅
무릎	0	좋음	없음
	1	지방축적	지방흡입
	2	심한 지방축적	지방흡입 ± 절제와 리프팅
	3	피부가 접히는상태	절제와 리프팅

그림 6-2 복부성형술의 다양한 절개방법

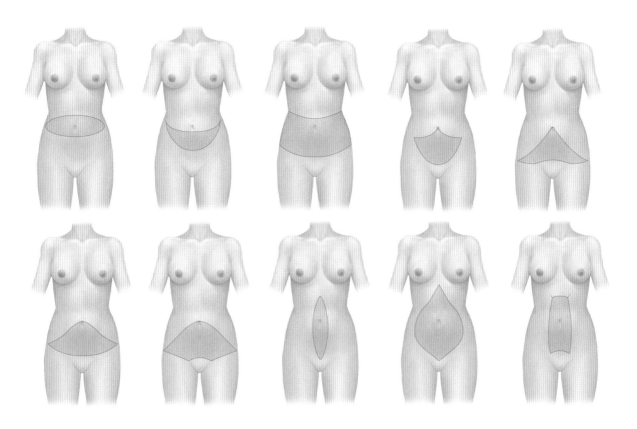

그림 6-3 배꼽 재배치를 포함하는 전형적인 복부성형술(full abdominoplasty with umbilical transposition). 하복부의 절개선은 대부분 배꼽에서 서혜부 음모 부근까지 이어진다.

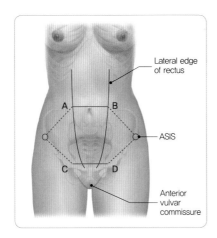

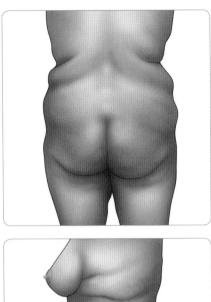
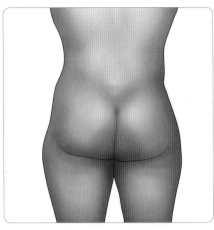
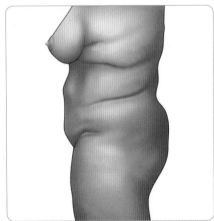
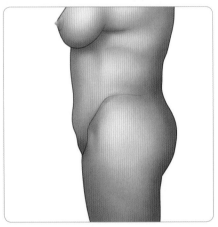

그림 6-4 원통형 복부성형술(cir cumferential abdominoplasty). 윗옷을 아래로 내려 벨트 넘어 남 는 부분을 절개해내는 시술

그림 6-5 하체 리프트(lower body lift). 바지를 입듯 피부를 당겨 올려 남는 부분을 절개하는 방법.
두 가지 수술 모두 허리선에 절개 흉터가 남지만 하체리프트의 경우 더 아랫쪽에 절개선이 남게 되며 원통형 복부성형의 경우 허리선이 더 효과적으로 살아나게 된다.

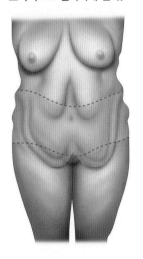
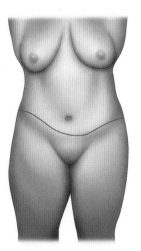
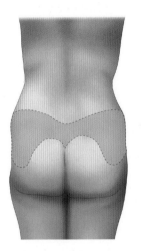
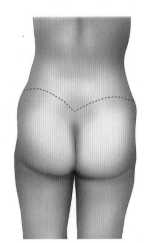

그림 6-6 T자형 복부성형술(Fleur-de-lis abdominoplasy). 하복부 뿐 아니라 상복부를 포함한 전체가 늘어난 경우 시행한다.

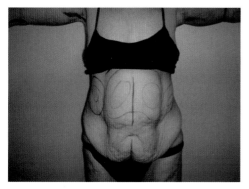 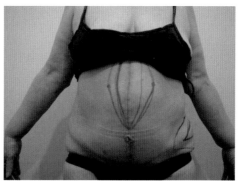

그림 6-7 미니 복부성형술과 수술 후 모습.
기존의 복부 성형수술과 비교시 배꼽이 보존되고 상대적으로 작은 절개선으로 탄력있는 하복부가 된다.

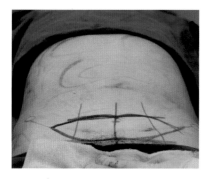 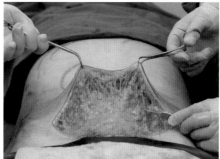 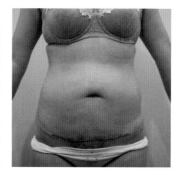

T자형 복부성형술(fleur-de-lis abdominoplasty)은 상복부의 전체적인 둘레가 늘어나 있어서 단순한 복부의 피부와 주위조직을 아래로 당겨주는 것(full abdomino-plasty)만으로는 늘어진 상복부 피부에 대한 교정이 불충분한 경우 복부 가운데의 정중절개를 통해서 남는 조직을 한번 더 제거하는 수술이다(그림 6-6).[18]

2. 지방층 제거술(Panniculectomy)

비만수술을 받은 환자의 경우도 복부의 많은 지방으로 늘어진 경우가 종종 있다. 이런 두터운 지방층으로 인해 운동의 방해가 될뿐 아니라. 비위생적이고 두터운 지방층으로 인한 피부의 염증 등 피부병변이 발생하게 된다.[20]

이런 경우 지방층 제거수술을 해야하는데 비만수술당시에 이런 소견이 있다면 수술과 동시에 지방층 제거술을 동시에 받게 되는 경우도 있다.[1]

3. 미니 복부성형술(Mini-Abdominoplasty)

피츠버그 신체변형 정도가 1인 경우 환자와 상담하여 미니 복부성형술을 할지 전형적인 복부성형수술을 할지를 결정할 수 있다. 특히 하복부의 피부가 처져있는 경우 미니 복부성형술이 효과적이다. 하복부의 음모에 근접하여 절개선을 남기도록 디자인하면 더욱 효과적이며, 대개 상하 길이는 2인치 정도로 5 cm 정도를 절제해 주는 정도가 배꼽 모양의 지나친 변형을 줄일 수 있는 부분

그림 6-8 유방 축소 및 재건술(breast reconstruction)

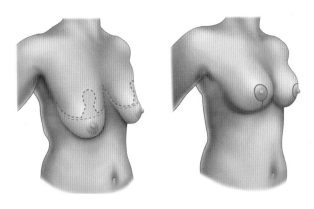

그림 6-9 허벅지 안쪽 성형술(medial thigh plasty)

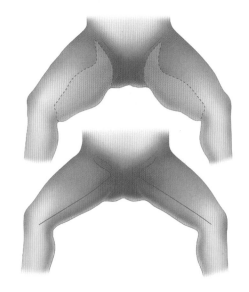

그림 6-10 팔성형술(brachioplasty)

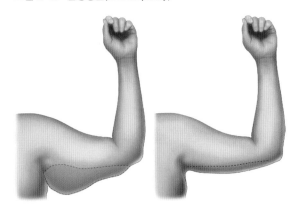

그림 6-11 핀치테스트로 절제 범위를 고려

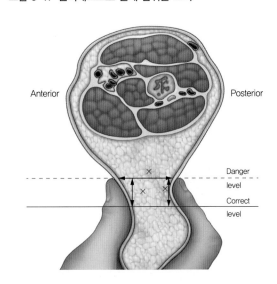

이다(그림 6-7). 근처 epigastric veins도 주의하여 박리해야 한다. 깨끗한 봉합이 되어야 하며 일반적으로 Vicryl, PDS, 혹은 Dexon 2-0 혹은 3-0를 이용하여 피하층을 당겨 봉합하고, 이어 피부는 3-0 혹은 4-0 Nylon을 이용하여 봉합하면 하복부가 살짝 당기면서 배꼽이 바로 서게되어 만족스런 복부라인이 된다. 이외에도 유방 축소 및 재건술(그림 6-8)과 허벅지를 포함한 하체(그림 6-9)와 팔성형술(그림 6-10)이 있다.

4. 팔성형술(Brachioplasty)

기본적으로 팔 성형술은 팔 안쪽에서 길이 방향으로 절개를 시작하며 등, 어깨 부위의 늘어져 변형이 생긴 경우 액와 부위에서 흉곽 바깥까지도 범위를 넓힐 수 있다. 디자인은 양팔을 90도로 올린 상태에서 하게 되며 핀치 테스트를 수술 중에도 체크하여 범위 정도를 결정하게 된

그림 6-12 A. Minimal로 삼두박근 자리에 일직선의 봉합 자국 B. T 모양으로 겨드랑이와 팔이 이어지는 봉합 자국 C. 길게 팔과 겨드랑이 전체를 이어가면서 액와부에 Z plasty 봉합자국

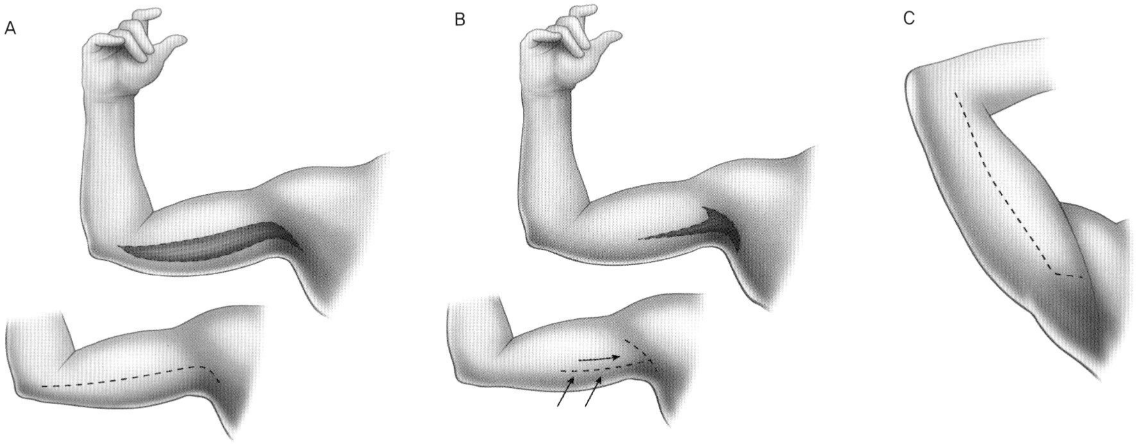

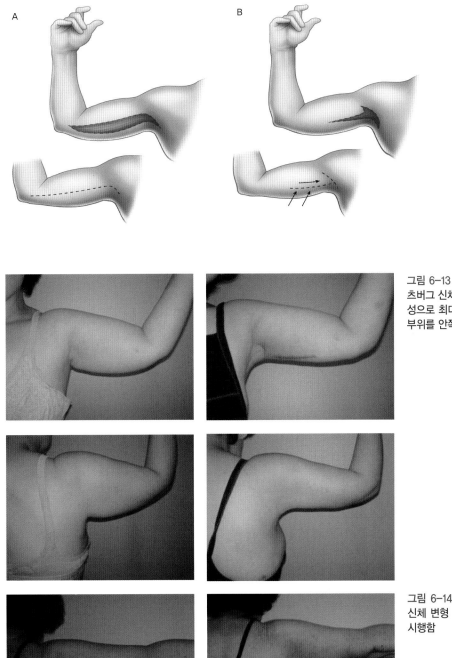

그림 6-13 체중은 30 kg 감량이 되었고 피츠버그 신체 변형 정도 2에 해당되는 젊은 여성으로 최대한의 노출을 피할수 있도록 절개 부위를 안쪽으로 시행함

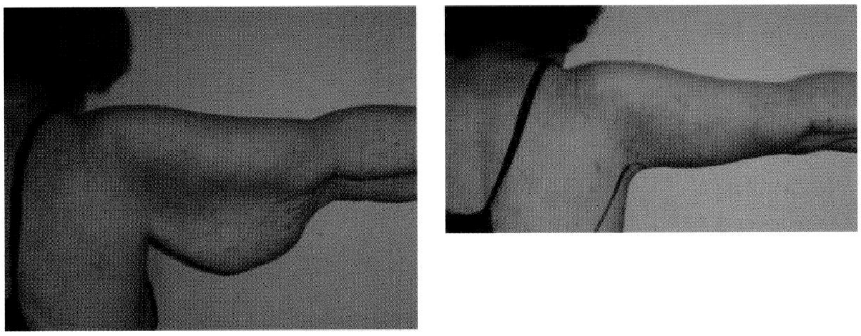

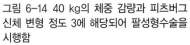

그림 6-14 40 kg의 체중 감량과 피츠버그 신체 변형 정도 3에 해당되어 팔성형수술을 시행함

다 (그림 6-11).[28] 개괴현상(dog ear formation)을 주의하며 경우에 따라 액와부분은 Z plasty로 봉합해 주면, 팔을 펼칠 때 긴장을 피할 수 있다(그림 6-12~14).[17]

⑦ 수술 후 합병증 및 관리

대량의 체중 감량 후 시행되는 체형성형수술은 감량이 없는 환자의 경우와 비교하여 20-60% 정도 합병증이 증가한다고 한다.[25,27] 가장 많은 수술 후 합병증으로는 상처회복 지연, 장액낭(seromas), 염증, 정맥혈색전증(venous thromboembolism 1-9.3%), 저체온 < 35℃, 임프부종, 혈종, 신경손상 등이 있다.[29,32,38] 특히 수술 전 기저동반질환이 있는 경우 합병증의 가능성이 크므로 수술 전 출혈 질환 여부, 수술 전 알부민과 영양소 점검이 합병증 예방을 위해 필요하다.[2,19,35] 하지의 정맥혈전증을 예방하기 위해 압박기기를 이용하며 헤파린(low-molecular-weight heparin이나 unfractionated heparin)을 주입한다.[39] 수술 중 혈압, 맥박, 소변양, 출혈 손실 등을 고려해야 하며 수술 후 체온저하를 피하는 것이 좋고 수술 시간은 최대 6시간 이내로 하는 것이 합병증을 최소화 할 수 있다.[15,29,32,33] 참고로 체형성형술 환자의 약 2.9%에서 정맥혈전증의 가능성이 있으며 신체질량지수(BMI)가 > 35 kg/m^{2}이 넘으면 3-4배 이상 증가하는 것으로 보고되고 있다.[14,3] 팔이나 다리 허벅지 수술 후에는 부종의 가능성이 있으므로 수술 후 압박복 혹은 압박붕대가 필요하고 수술 부위가 넓어 제거한 피부나 조직이 많은 경우 충분한 수분공급, 단백질, 비타민 등 영양분 공급을 충분히 한다.[32] 항생제 주입은 수술시간이 3시간 이상인 경우 예방적으로 사용하는 것으로 되어있으며 수술 후 진통제는 부분마취, 무통주사 등 충분히 해준다.[13,21,44]

⑧ 비만수술 후 체형성형술 (postbariatric body contouring)의 향후 기대

현재까지는 비만수술 후 체중 감량으로 시행하는 체형성형술은 의료보험 혜택이 없다. 전적으로 본인의 경제 사정이나 여유에 따라 수술을 받게 된다. 그러기 때문에 수술을 받게 되는 대부분에서 수술 후 기대치는 매우 높다고 할 수 있다. 하지만 수술전후 체형변화에 너무 큰 비현실적인 기대가 있는 경우를 제외하고는 대부분 체형성형수술은 외적인 미용효과는 물론 늘어진 피부와 살로 인한 신체 기능적 활동제한을 회복시켜주며 환자는 삶의 질 변화와 자신감 회복 등으로 이어질 수 있다.[6,16,32,33,36,45] 비만수술 후 얼마나 체중 감량이 되고 안정적으로 유지되고 있는지가 수술 결과나 만족도에 있어 중요한 결정요인이 된다.[7] 대량 체중 감량 후 체형성형술은 정신적, 육체적인 면에서 삶의 질을 향상시키며 적절한 환자의 선택과 성공적인 수술로 최상의 결과를 얻을 수 있다.

참고문헌

1. Acarturk TO, Wachtman G, Heil B, et.al. Panniculectomy as an adjuvant to bariatric surgery. Ann Plast Surg 2004; 53:360–6.

2. Agha-Mohammadi S, Hurwitz D. Potential impacts of nutritional deficiency of post-bariatric patients on body-contouring surgery. Plast Reconstr Surg 2008; 122: 1901–14.

3. Aldaqal SM, Samargandi OA, El-deek BS, et al. Prevalence and desire for body contouring surgery in postbariatric patients in Saudi Arabia. N Am J Med Sci 2012;4:94–8.

4. Al-Hadithy N, Mennie J, Magos T, et al. Desire for post bariatric body contouring in South East Scotland. J Plast Reconstr Aesthet Surg 2013;66:87–94.

5. Aly AS, Cram AE, Chao M, et al. Belt lipectomy for circumferential truncal excess: the University of Iowa experience. Plast Reconstr Surg 2003;111:398–413

6. Azin A, Zhou C, Jackson T, et al. Body contouring surgery after bariatric surgery: a study of cost as a barrier and impact on psychological well-being. Plast Reconstr Surg 2014;133:776e–82e.

7. Balagué N, Combescure C, Huber O, et al. Plastic surgery improves long-term weight control after bariatric surgery. Plast Reconstr Surg 2013;132:826–33.

8. Bossert RP, Rubin JP. Evaluation of the weight loss patient presenting for plastic surgery consultation. Plast Reconstr Surg 2012;130:1361–79.

9. Bruschi S, Datta G, Bocchiotti MA, et al. Limb contouring after massive weight loss: functional rather than aesthetic improvement. Obes Surg 2009;19:407–411.

10. Buchwald H, Avidor Y, Braunwald E, et al. Bariatric surgery. A systematic review and meta-analysis. JAMA 2004;292: 1724–37.

11. Buchwald H, Estok R, Fahrbach K, et al. Weight and type 2 diabetes after bariatric surgery: systematic review and meta-analysis. Am J Med 2009;122:248–56.e5.

12. Colquitt JL, Pickett K, Loveman E, et al. Surgery for weight loss in adults. Cochrane Database Syst Rev 2014;8:CD0036 41.

13. Constantine FC, Matarasso A. Putting it all together: recommendations for improving pain management in body contouring. Plast Reconstr Surg 2014;134(4 Suppl 2):113S–9S.

14. Constantine RS, Davis KE, Kenkel JM. The effect of massive weight loss status, amount of weight loss, and method of weight loss on body contouring outcomes. Aesthet Surg J 2014;34:578–83.

15. Coon D, Michaels J 5th, Gusenoff JA, et al. Multiple procedures and staging in the massive weight loss population. Plast Reconstr Surg 2010;125:691–8.

16. Coriddi MR, Koltz PF, Chen R, et al. Changes in quality of life and functional status following abdominal contouring in the massive weight loss population. Plast Reconstr Surg 2011;128:520–6.

17. de Runz A, Colson T, Minetti C, et al; Liposuction-assisted medial brachioplasty after massive weight loss: an efficient procedure with a high functional benefit. Plast Reconstr

Surg 2015;135:74e–84e.

18. Eisenhardt SU, Goerke SM, Bannasch H, et al. Technical facilitation of the fleur-de-lis abdominoplasty for symmetrical resection patterns in massive weight loss patients. Plast Reconstr Surg 2012;129:590e–3e.

19. Fischer JP, Wes AM, Serletti JM, et al. Complications in body contouring procedures: an analysis of 1797 patients from the 2005 to 2010 American College of Surgeons national surgical quality improvement program databases. Plast Reconstr Surg 2013;132:1411–20.

20. Friedrich JB, Petrov RV, Askay SA, et al. Resection of panniculus morbidus: a salvage procedure with a steep learning curve. Plast Reconstr Surg 2008;121:108–14.

21. Giordano S, Veräjänkorva E, Koskivuo I, et al. Effectiveness of local anaesthetic pain catheters for abdominal donor site analgesia in patients undergoing free lower abdominal flap breast reconstruction: a meta-analysis of comparative studies. J Plast Surg Hand Surg 2013; 47:428–33

22. Giordano S, Victorzon M, Koskivuo I, et al. Physical discomfort due to redundant skin in post-bariatric surgery patients. J Plast Reconstr Aesthet Surg 2013;66:950–5.

23. Giordano S, Victorzon M, Stormi T, et al. Desire for body contouring surgery after bariatric surgery: do body mass index and weight loss matter? Aesthet Surg J 2014;34:96–105.

24. Gravante G, Araco A, Sorge R, et al. Wound infections in post-bariatric patients undergoing body contouring abdominoplasty: the role of smoking. Obes Surg 2007;17: 1325–1331.

25. Greco JA, Castaldo ET, Nanney LB, et al. The effect of weight loss surgery and body mass index on wound complications after abdominal contouring operations. Ann Plast Surg 2008; 61: 235–42.

26. Gusenoff JA, Rubin JP. Plastic surgery after weight loss: current concepts in massive weight loss surgery. Aesthet Surg J 2008;28:452–5.

27. Hasanbegovic E, Sørensen JA. Complications following body contouring surgery after massive weight loss: a meta-analysis. J Plast Reconstr Aesthet Surg 2014;67:295–301.

28. Hurwitz DJ, Holland SE. The L-brachioplasty: an innovative approach to correct excess tissue of the upper arm, axilla, and lateral chest. Plast Reconstr Surg 2006;117:403–11.

29. Kim JY, Khavanin N, Rambachan A, et al. Surgical duration and risk of venous thromboembolism. JAMA Surg 2015;150:110-7.

30. Kitzinger HB, Abayev S, Pittermann A, et al. After massive weight loss: patients' expectations of body contouring surgery. Obes Surg 2012;22:544-8.

31. Klassen AF, Cano SJ, Scott A, et al. Satisfaction and quality-of-life issues in body contouring surgery patients: a qualitative study. Obes Surg 2012;22:1527e34.

32. Michaels J 5th, Coon D, Rubin JP. Complications in postbariatric body contouring: postoperative management and treatment. Plast Reconstr Surg 2011;127:1693-700.

33. Modarressi A, Balagué N, Huber O, et al. Plastic surgery after gastric bypass improves long-term quality of life. Obes Surg 2013;23:24-30.

34. Montano-Pedroso JC, Garcia EB, Omonte IR, et al. Hematological variables and iron status in abdominoplasty after bariatric surgery. Obes Surg 2013;23:7-16.

35. Naghshineh N, O'Brien Coon D, McTigue K, et al. Nutritional assessment of bariatric surgery patients presenting for plastic surgery: a prospective analysis. Plast Reconstr Surg 2010;126:602-10.

36. Papadopulos NA, Staffler V, Mirceva V, et al. Does abdominoplasty have a positive influence on quality of life, selfesteem, and emotional stability? Plast Reconstr Surg 2012;129:957ee62e.

37. Pannucci CJ, Dreszer G, Wachtman CF, et al. Postoperative enoxaparin prevents symptomatic venous thromboembolism in high-risk plastic surgery patients. Plast Reconstr Surg 2011;128:1093-103

38. Reish RG, Damjanovic B, Colwell AS. Deep venous thrombosis prophylaxis in body contouring: 105 consecutive patients. Ann Plast Surg 2012;69:412-4.

39. Rubin JP, Jewell ML, Richter DF, et al. Body Contouring and Liposuction. Edinburgh, Scotland: Elsevier; 2012:386.

40. Sarwer DB, Thompson JK, Mitchell JE, et al. Psychological considerations of the bariatric surgery patient undergoing body contouring surgery. Plast Reconstr Surg 2008;121:423e-34e.

41. Song AY, Jean RD, Hurwitz DJ, et al. A classification of contour deformities after bariatric weight loss: the Pittsburgh rating scale. Plast Reconstr Surg 2005;116:1535-44.

42. Sørensen LT. Wound healing and infection in surgery: the pathophysiological impact of smoking, smoking cessation, and nicotine replacement therapy: a systematic review. Ann Surg 2012;255:1069-79.

43. Staalesen T, Fagevik Olsén M, Elander A. Experience of excess skin and desire for body contouring surgery in postbariatric patients. Obes Surg 2013;23:1632-44.

44. Toia F, D'Arpa S, Massenti MF, et al. Perioperative antibiotic prophylaxis in plastic surgery: a prospective study of 1,100 adult patients. J Plast Reconstr Aesthet Surg 2012; 65: 601-9.

45. van der Beek ES, van der Molen AM, van Ramshorst B. Complications after body contouring surgery in postbariatric patients: the importance of a stable weight close to normal. Obes Facts 2011;4:61-6.

46. Wong WW, Gabriel A, Maxwell GP, et al. Bleeding risks of herbal, homeopathic, and dietary supplements: a hidden nightmare for plastic surgeons? Aesthet Surg J 2012;32:332-46.

색 인